B l e p h a r o p l a s t y

# THE ART OF BLEPHAROPLASTY
# 눈꺼풀 수술술기

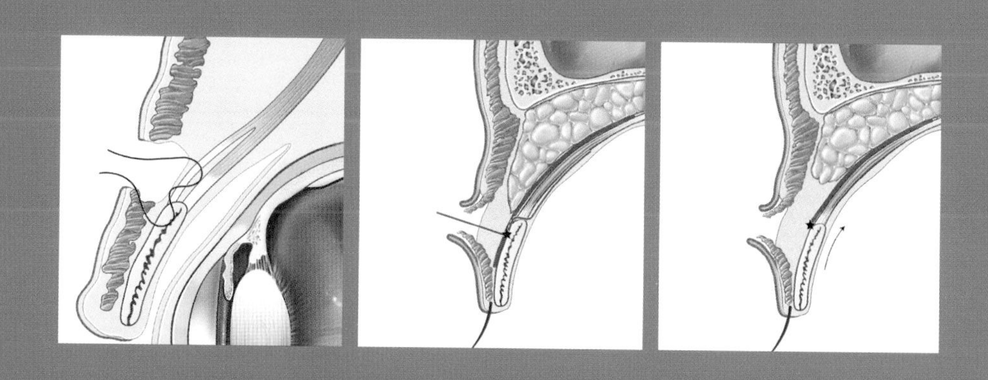

저자 조인창, MD PhD

*Second Edition*

군자출판사

# 눈꺼풀 수술 술기 (2판)

The Art of Blepharoplasty

첫째판 1쇄 발행 | 2013년 4월 20일
첫째판 2쇄 발행 | 2015년 4월 20일
둘째판 1쇄 인쇄 | 2019년 10월 30일
둘째판 1쇄 발행 | 2019년 11월 15일

지 은 이 조인창
발 행 인 장주연
출판기획 이성재
책임편집 박미애
편집디자인 조원배
표지디자인 김재욱
일러스트 이호현
제작담당 신상현
발 행 처 군자출판사(주)
등록 제4-139호(1991. 6. 24)
본사 (10881) **파주출판단지** 경기도 파주시 회동길 338(서패동 474-1)
전화 (031) 943-1888 팩스 (031) 955-9545
홈페이지 | www.koonja.co.kr



ISBN 979-11-5955-499-5
정가 200,000원

THE ART OF BLEPHAROPLASTY

# 눈꺼풀 수술술기

# 저자 소개

## 학력

| | |
|---|---|
| 1969-75 | 연세의대 졸 |
| 1978-83 | 세브란스 병원 성형외과 전문의 과정수료 |
| 1984 | 의학 박사학위 |

## 경력

| | |
|---|---|
| 1984 | 일본 게이오대학 성형외과 연수 |
| 1985-2011 | 반도아이 성형외과 원장 |
| 2006.10 | 미국 아틀란타 paces clinic 연수 |
| 2002-2004 | 대한 성형외과 개원의 협의회 회장 |
| 2004-2006 | 대한 미용성형외과 학회 회장 |
| 2000-현재 | 연세의대 성형외과 외래 교수 |
| 2012-현재 | 비아이오성형외과 원장 |

## 논문

| | |
|---|---|
| 1980 | 안검하수에 대한 임상적 고찰 - 대한 성형외과학회지 |
| 2006 | 불만족스런 상안검의 조기 교정술 - 대한 미용성형외과 학회지 |
| 2008 | 하안검 퇴축 교정술 - 대한 미용성형외과 학회지 |
| 2011 | Surgical Correction of Multiple Upper Eyelid Folds in East Asians - PRS 127(3):1323-31, 2011 |
| 2012 | Correcting Upper Eyelid Retraction by Means of Pretarsal levator Lengthening for Complications following ptosis surgery - PRS 130(1):73-81, 2012 |
| 2014 | Under-Through Levator Complex Plication for Correction of Mild to Moderate Congenital Ptosis - Ophthal Plast Reconstr Surg 2014:30:468-472 |

## 저서

안성형외과학(2009) 제3판 - 쌍꺼풀 수술의 합병증 교정술

안성형외과학(2003) 제2판 - 상안검 성형술 합병증 및 교정술
- 하안검 성형술
- 안검성형술의 합병증 치료

Asian Facial Cosmetic Surgery(2006) - Revision Double Eyelid Operation

# 머리말

성형외과학이란 기능성에 기반을 둔 의학이면서도, 아름다움을 목표로 하고 그 결과가 다분히 술자의 주관적인 심미안에 따라 다를 수 있다는 점에서 예술과도 통한다.

저자는 성형외과를 시작할 때부터 눈성형이 참으로 어려운 수술이라는 말을 숱하게 들었고 세월이 지나고 경험이 쌓일수록 그 말을 점점 더 실감하게 되었다. 또한 시대가 변함에 따라 과거에는 만족스럽다고 생각되던 결과도 근래에는 부족하다고 평가를 받게 될 만큼 일반인의 기대치가 커졌으며 그에 따라 수술의 난이도도 한층 높아졌다.

성형외과의 특성이 원래 그렇기도 하지만 특히 눈성형이란 것은 매우 섬세하여 아주 작은 술기상의 차이에도 전혀 다른 결과를 가져올 수 있다. 그럼에도 불구하고 그 섬세하고 미묘한 술기상의 차이를 기술한 책이 사실상 부족한 실정이며, 외국 책을 비롯한 일부 책들은 우리 동양인의 실정에 어울리지 않거나 좋은 방법이 아니라고 생각되는 면이 있다. 그런 가운데 마땅한 지침서가 없어서 많은 시행착오를 통해 스스로 깨달아가야만 하는 아픔을 줄여 보고자 저술을 앞당기게 되었다.

이 책은 저자가 경험한 바를 중심으로 서술하였으므로 내용에 한계가 있을 뿐 아니라 저자의 방식이 가장 좋은 방식이라고 생각지도 않지만, 의견을 분명히 피력하는 것이 발전의 디딤돌 역할을 할 수 있다고 생각하여 많은 다른 의견들을 기대하면서 저자의 생각을 적극적으로 개진하려고 노력하였다. 각자 경험과 지식이 다른 만큼 좋은 의견이 많을 줄 믿으며 앞으로 많은 사람들의 지적에 의해 부족함이 채워지길 바란다.

그리고 무엇보다 이 책을 집필하는 데 있어서 초점을 둔 것은 눈수술 수술방법을 총망라하여 기술한 것이 아니라 저자가 경험한 것 중에서 다른 책에서 지적하지 않았던 점이나, 의견이 다른 점, 특히 강조하고 싶은 점, 문제가 되기 쉬운 점들을 기술하였으며 설령 좋은 방법이라 하더라도 저자가 경험이 많지 않은 수술방법은 기술하지 않았으므로 언급되지 않은 부분이 많은 것을 이해해 주기 바란다. 그리고 같은 내용의 설명이 여러 번 중복되는 부분이 있는데 이는 눈수술의 개념과 기전이 술기 중 여러 과정에서 반복되기 때문에 이해를 돕기 위해 생략하지 않고 그때마다 기술하였기 때문이다.

부디 이 책이 눈성형을 하는 초심자들에게 작은 길잡이가 되어 시행착오를 통한 아픈 경험을 줄이고 나아가 만족스러운 결과를 내는 데 조금이라도 도움이 되길 바라고 눈성형외과학의 거대한 기둥에 하나의 돌멩이가 된다면 더 바랄 나위가 없겠고, 많은 분들이 이 책을 읽으면서 "나도 그렇게 생각한 적이 있는데"하고 웃음 짓는다면 좋겠다.

그리고 나에게 영감과 격려를 베풀어 주신 부모님께 감사드리고 보살펴 준 아내에게도 고마움을 표하고 싶다.

많은 자료를 정리하고 도와준 박지숙 씨에게도 감사드리고 이 책을 펴는 데 도와주신 군자출판사 사장님을 비롯한 여러 임직원들에게도 감사드린다.

끝으로 나를 키워 주신 유재덕 교수님을 비롯한 은사님들과, 토론을 같이 하고 많은 영감을 나누어 준 동료들에게 무한한 감사를 드리고 싶다.

둘째 판을 펴내며…

어느 분야이고 간에 그렇지 않겠냐만은 실로 눈성형수술은 예민하고 어려운 수술이다. 수십 년에 걸쳐 눈 수술을 해오면서 더욱 이 사실을 실감하고 있다. 그러기에 저 자신 혼자의 연구와 경험을 통해 발전하는 것은 한계가 크고 또한 다른 사람들의 저서나 학회를 통해서 깨닫는 것에도 부족함과 뭔가 분명치 않고 모호함을 심각하게 느끼고 있을 때 비슷한 생각으로 지식의 목마름을 느끼는 동료들과 함께 눈성형연구회가 2005년에 조직되어 지금까지 모두가 마음을 열어놓고 열정적으로 그야말로 동병상련의 갈증을 풀어나가고 있다. 한편으로는 이에 더불어 우리의 열띤 발표와 토론 뿐만 아니라 수술현장에서 수술 시에 일어나는 미묘하고 섬세한 감각을 직접 느끼고자 마음맞는 동료들과 함께 병원을 운영함으로써 항상 가까이서 수술 시의 숨소리와 심장울림을 직접 몸으로 느낄 수 있는 행운을 갖게 되었다. 둘째 판을 내면서 첫 판에서 부족한 설명을 보완하고 풀기 어려운 문제들을 부연설명 하고자 하였다. 나의 동료이자 친구인 신용호 선생님과 안태주 선생님이 합류하여 이 책을 빛내주신 것이 너무 감사하다. 앞으로 그는 나의 부족함을 메워나갈 것을 믿는다.

# 목차

CHAPTER

# 01

# 쌍꺼풀 수술

## DOUBLE EYELID OPERATION

## 눈꺼풀 수술에 앞서 주지해야 할 점

수술전에 국소마취를 한 다음 수술 전과정을 자세하게 머릿속으로 그려봄으로써 집중력을 높이는 과정은 필수적이다. 이런 진지한 시간을 갖는 것은 술자나 수술팀의 리더로서 주위의 보조자한테까지 긴장감과 집중력을 갖게 해준다.

*Atraumatic technique이 지고의 경지이다.*

만일 수술 중에 어떤 과정을 하지 않고도 같은 결과가 나온다면 그 과정은 하지 않아야 한다. 이 말이 지극히 당연하게 들리겠지만, 실제는 결과에 대한 불안감 때문에 불필요한 과정을 하곤 한다. 필요하지 않은 것을 한다는 것은 단순한 시간과 노력의 낭비가 아니라 흉 조직을 추가한다는 의미에서 결과에 부정적인 영향을 미칠 수 있다. 성형수술은 자연에 입각한 창조 작업이다. 그러므로 모든 술기는 자연의 법칙에 순응하여야 한다 (FIGURE 1-2).

*의사의 심미안이 눈 수술에 가장 큰 영향을 미친다.*

아름다운 눈에 대한 기준은 지역과 인종에 따라 다르고 시대에 따라 변하기도 하며, 개개인의 심미안, 기호, 개성, 가치관에 따라 다르다. 그러면서도 개인이 속한 사회의 보편적이고 객관적인 기준에 부합해야 한다. 성형외과 의사는 그 객관적인 기준을 바탕으로, 각각의 환자의 개성과 의견을 받아들여 의학적 정보를 제공하고 목표를 정하고 인도하는 역할을 한다.

이때 무엇보다 의사의 심미안이 가장 큰 영향을 미치게 된다. 그러므로 좋은 눈 수술을 하기 위해서는 단순히 아름다운 눈을 추구하는 것으로는 부족하다. 현재 눈이 가지고 있는 특성을 잘 이해함을 바탕으로 얼굴과의 전체적인 조화를 이루어야 하고 나아가 그 사람의 나이, 기호, 사회적인 환경까지도 고려하여 눈 수술을 할 수 있는 심미안을 키우도록 노력해야 한다.

*실의 장력은 영원하지 않다.*

조직끼리 봉합했을 때 그 기능을 계속 유지하게 하는 것은 유착의 힘이다. 수술 후 처음 얼마간은 실의 힘에 의해 유지되지만 눈의 경우에 계속 움직이고 깜박거리는 힘과 중력 때문에 실 주변의 조직이 계속 느슨해지기 때문에 수술 후 몇 달이 지나면 실의 기능은 거의 사라진다고 생각하고 술기를 적용하는 것이 이치에 더 가깝다. 많이 움직이는 부위일수록 또한 긴장이 많은 곳일수록(예: 하안검 퇴축술, 심한 안검하수) 재발이 많기 때문에 견고한(secure) 고정, 과교정을 요한다.

또한 유착은 주로 양쪽의 표면끼리만 일어난다. 봉합할 때 뼈나 검판과 같은 견고한 조직에 고정을 하더라도 만일 검판이나 뼈 앞에 지방과 같은 연조직이 있다면 유착은 뼈나 검판과 일어나지 않고 앞에 있는 지방과 유착되기 때문에 쉽게 느슨해질 수 있다.

#### *빠른 회복*

수술 후 빠른 시일 내에 일상적인 사회생활로 복귀할 수 있다는 것은 수술을 받으려는 사람들에게 매우 큰 관심사이다. 사실 몇 달이나 1년 정도의 긴 회복기간 때문에 수술을 망설이는 경우가 많다. 어떻게 회복기간을 단축할 수 있을까? 수술이 단순하면 할수록 회복이 빠르다는 것은 주지의 사실이다.

또한 수술 직후 상태가 최종 결과와 차이가 적을수록 회복이 빠른 수술방법이다. 즉 수술 후 변화가 적은 수술방법이 회복이 빠르다. 쌍꺼풀 수술을 예로 들면, 많이 풀어질 것을 대비하여 처음에 많이 깊게 하는 수술보다 많이 풀어지지 않는 수술방법은 애초에 약간만 깊게 하므로 회복이 빠르다. 빠른 회복을 위해서 부단히 노력할 필요가 있다.

### 쌍꺼풀 눈

쌍꺼풀이 있는 눈이 없는 눈에 비해 좀 더 깨어있는 듯하고, 친밀감이 있으며, 감정표현이 뚜렷해 보이는 데 비해, 잘못되면 부자연스럽거나 인상이 강하고 사나워 보인다는 느낌을 줄 수도 있다.

쌍꺼풀 수술을 특히 권할 만한 눈이란, 졸려 보이는 눈, 째려보는 듯한 눈, 밋밋하고 무표정하고 내성적으로 보이게 하는 눈, 눈꺼풀이 덮여 답답해 보이는 눈 등이다. 쌍꺼풀이 가장 잘 어울리는 눈은 피부가 얇고 눈이 커서 도안을 비교적 높게 해도 쌍꺼풀 폭이 작게 나오는 경우이고, 반대로 비교적 낮게 도안했는데도 폭이 크게 느껴지는 경우는 부드럽지 않고 쌍꺼풀이 부어 보이고 자연스러움이 덜하다. 그러나 이런 사람도 쌍꺼풀이 없는 것보다는 더 예쁘다고 생각되므로 수술을 권하게 되는데 이때는 작은 쌍꺼풀을 권한다.

*쌍꺼풀 수술 후 눈 크기가 커지는가?*

외견상 눈의 크기는 안검열(palpebral fissure)의 크기와 눈꺼풀의 처짐에 의해 좌우된다. 즉 창문의 보이는 양은 실제 창문의 크기와 가리고 있는 커튼에 의해 결정되는 것과 마찬가지이다. 쌍꺼풀이 있는 눈은 안검열이 완전히 보이지만 쌍꺼풀이 없는 눈은 눈꺼풀 피부가 안검열을 일부 가린다. 눈 크기가 작아져 거짓 안검하수(pseudoptosis)로도 불린다.

쌍꺼풀 수술 후에는 마치 드리워진 커튼이 올라가듯이 안검열을 가리고 있던 눈꺼풀이 올라가 안검열을 완전히 보이게 하므로 정면에서 보이는 눈의 크기가 커진다 **(FIGURE 1-1)**. 따라서 쌍꺼풀에 의해서 눈이 커지는 정도는 눈꺼풀 피부가 눈을 가리는 정도에 따라 다르며 많이 가리는 사람은 많이 커지고 적게 가리거나 속 쌍꺼풀이 있어서 안 가리는 사람은 적게 커진다. 그러면 실제로 안검열의 세로 폭은 쌍꺼풀 수술에 의해 어떻게 변할까? 일반적인 단순한 쌍꺼풀 수술법의 경우 보통의 상안검거근 기능이 정상적인 사람에서는 차이를 느낄 수 없지만, 눈뜨는 힘이 약한 사람에서는 쌍꺼풀 수술 후 안검열의 세로 폭이 좁아지는 것을 볼 수 있다.

이러한 현상은 쌍꺼풀의 폭이 매우 넓은 경우에 더욱 확연히 관찰된다. 이것을 정확히 알기 위해서 쌍꺼풀 수술 시에 양쪽의 눈 크기가 같은 상황에서 한쪽만 피판을 검판에 고정하여 한쪽만 쌍꺼풀을 만든 상태에서 양쪽 눈 크기의 변화를 관찰해 보면 고정한 쪽이 변화가 없거나 약간 작아지는 것을 관찰할 수 있다.

즉, 고정에 의한 눈 크기의 변화는 0~-1.5 mm로 관찰되었다. 또한 쌍꺼풀 수술 후 눈이 작아졌다는 불평을 들을 때도 있다. 상안검거근의 기능이 강한 사람에서는 차이가 미미하지만 약한 사람에서는 뚜렷이 작아진다. 이와 같이 상안검거근의 기능이 약한 사람에게서 쌍꺼풀 수술 후 안검열이 좁아지는 것이 뚜렷하게 나타나는 이유는 두 가지로 설명할 수 있다. 하나는 눈꺼풀이 눈을 가리고 있을 때는 답답함 때문에 눈에 힘이 들어가지만 쌍꺼풀로 가리지 않게 되면 눈에 힘이 들어가지 않기 때문으로 설명할 수 있고 또 다른 설명으로는 마치 작은 책 하나를 들고 달리기를 시키면 보통 사람에게서는 뚜렷한 변화를 느낄 수가 없지만 기운이 없는 사람은 훨씬 힘들어 하는 것을 느끼는 것과 마찬가지이다.

한편 쌍꺼풀 수술 시에 눈꺼풀 조직을 제거함으로써 눈꺼풀 무게가 감소하여 눈이 커지는 효과도 고려할 수 있다. 비슷한 예로 몸무게가 많이 줄어든 환자에서 안검열이 커진 경우를 볼 수 있다. 전체적으로 보면 일반적으로 쌍꺼풀 수술은 피부가 눈을 가리는 것을 없애줌으로써 눈이 커지는 효과가 큰 데 비해 눈이 작아지는 효과는 적으므로 대부분 경우에서 눈이 커지는 경향이 있다.

**KEYPOINT**

**쌍꺼풀로 인한 눈 크기의 변화**

눈이 커지는 변화
- 피부 처짐이 사라진다.
- 피부와 주변조직 절제로 인한 눈꺼풀 무게 감소

눈이 작아지는 변화
- 쌍꺼풀 고정에 의하여 거근에 대한 짐 부담 증가.
- 눈을 더 크게 뜨려는 의도 약화; 눈썹내려옴. 거근 기능 항진의 소실

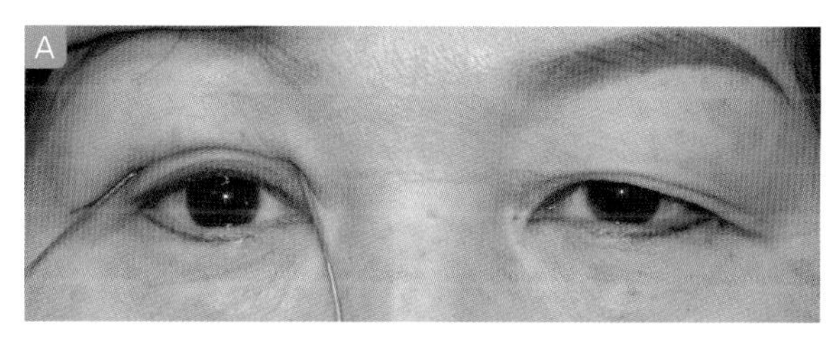


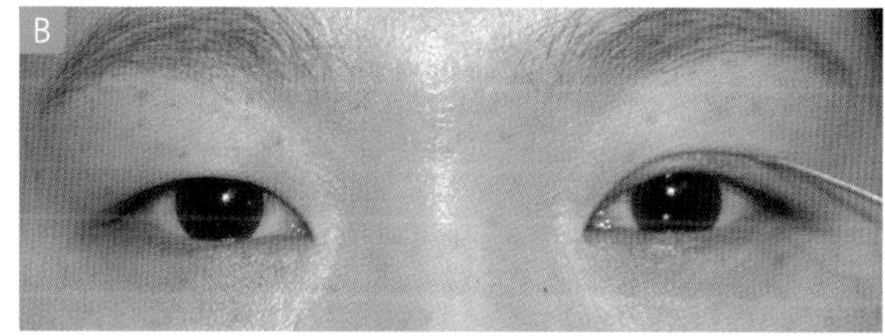


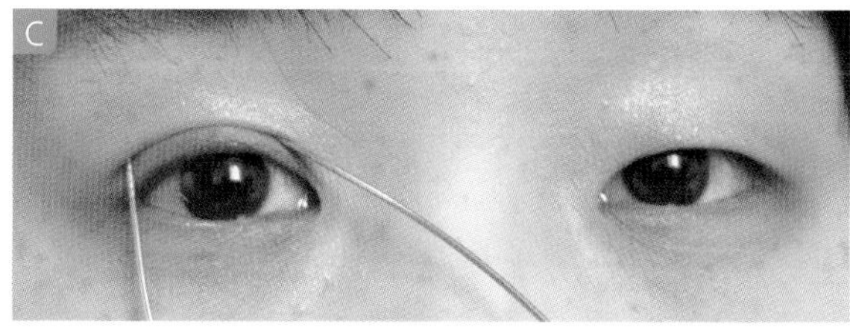


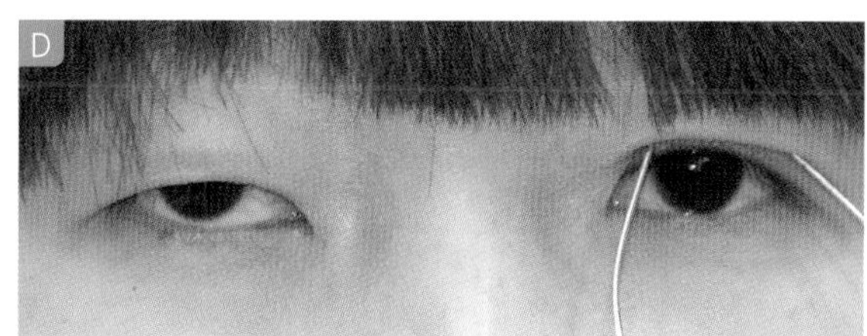


FIGURE 1-1 **쌍꺼풀로 인한 눈 크기의 변화.**
눈꺼풀의 처짐 정도에 따라 눈 크기가 커지는 변화가 다양하다.

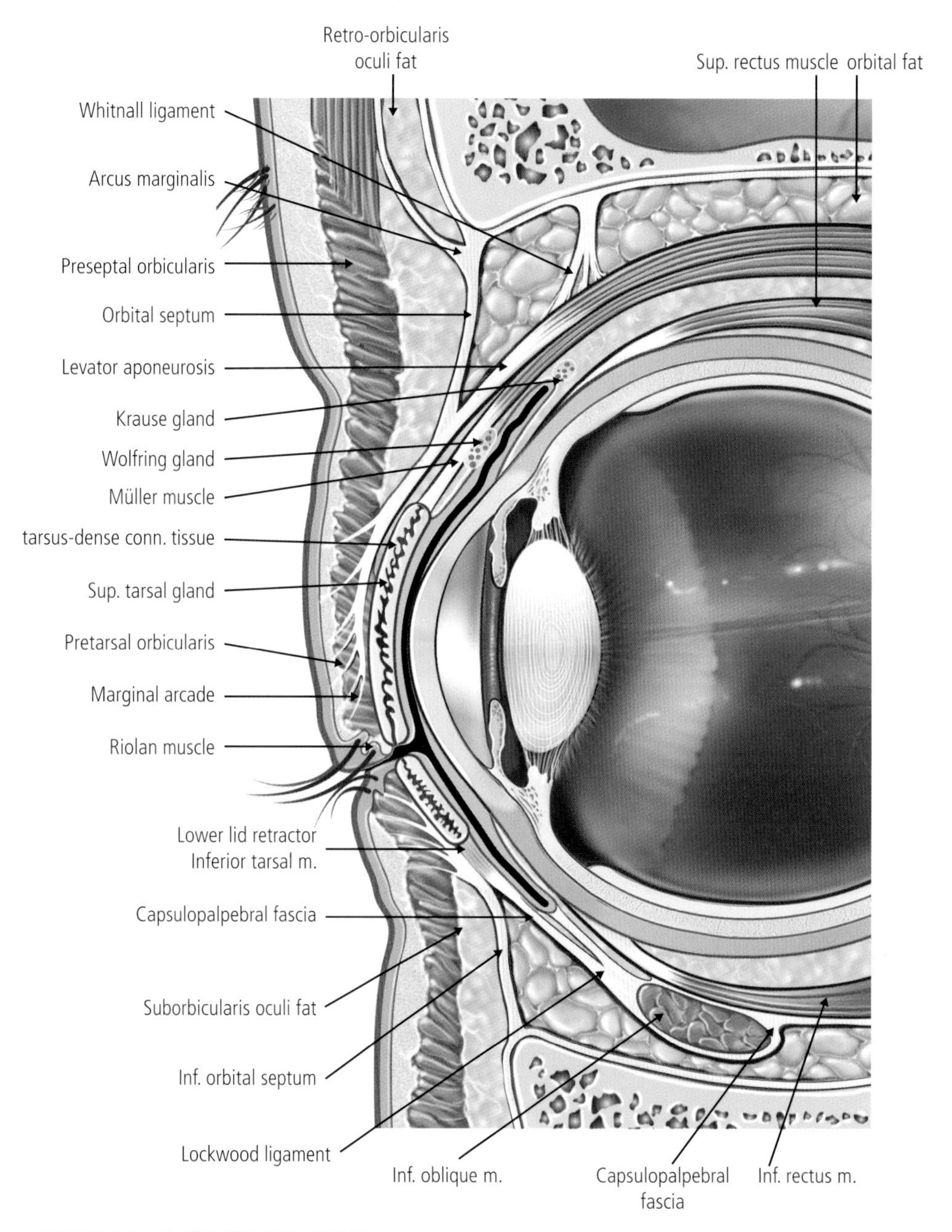


**FIGURE 1-2** **눈꺼풀 해부** (출처 강진성).

## 쌍꺼풀 도안(DESIGN OF DOUBLE EYELID FOLD)

쌍꺼풀을 도안할 때는 앉은 자세(upright position)에서 해야 한다. 쌍꺼풀의 폭과 모양을 좌우하는 데는 여러 가지 요인이 작용하고, 이 요인들을 모두 고려하여 예상되는 쌍꺼풀 모양을 도안해야 하는데 앉은 자세에서 부지를 이용하여 만들어 보면 쉽게 술 후 모양을 예측할 수 있고 다양한 모양을 보여주면서 환자와 함께 수술 후 모양에 대해 의논할 수 있다.

통상적으로 누운 자세에서는 눈썹 하수나 안검이완증이 명확하지 않다. 앉았을 때와 누웠을 때의 쌍꺼풀 크기가 다르고 누운 자세에서는 특히 피부 절제량을 정하기가 어렵다. 눈 크기 즉 눈뜨는 폭(안검열)에 따라 쌍꺼풀 폭도 달라지며 눈 크기 또한 자세 혹은 조명, 심리적인 차이에 의해서도 달라진다. 극단적인 예로 앉은 자세에서는 오른쪽 눈이 약간 큰 사람이 누운 자세에서는 반대쪽 눈이 큰 경우도 있다. 그러므로 누운 자세에서 예측하는 쌍꺼풀의 높이가 앉은 자세에서 다를 수 있다.

### 쌍꺼풀의 종류

쌍꺼풀의 모양은 curvature, 높이, 깊이에 따라 나눌 수 있다.

#### Curvature에 따른 분류

- 안 쌍꺼풀(inside fold)
- 바깥 쌍꺼풀(outside fold)
- 중립 쌍꺼풀(neutral fold)

쌍꺼풀 선은 흔히 안 쌍꺼풀과 바깥 쌍꺼풀로 나누거나, 부채형(fan type)과 평행형(parallel type)으로 나눈다. 안 쌍꺼풀은 부채형이 되고 바깥 쌍꺼풀은 부채형이거나 평행형이 될 수 있다(**FIGURE 1-3**).

#### *안 쌍꺼풀(inside fold)*

안 쌍꺼풀은 내안각 쪽에서 쌍꺼풀 시작점이 검연 쪽으로 숨어들어 안보이다가 외안각 쪽으로 가면서 넓어지므로 모두가 부채형을 띄게 되는데 그 시작점에 따라서 쌍꺼풀이

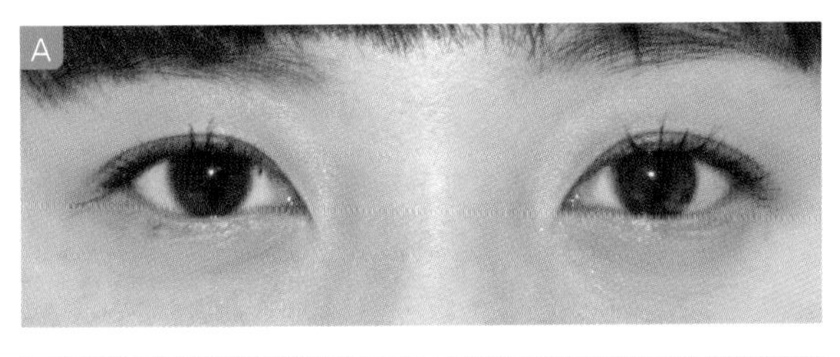


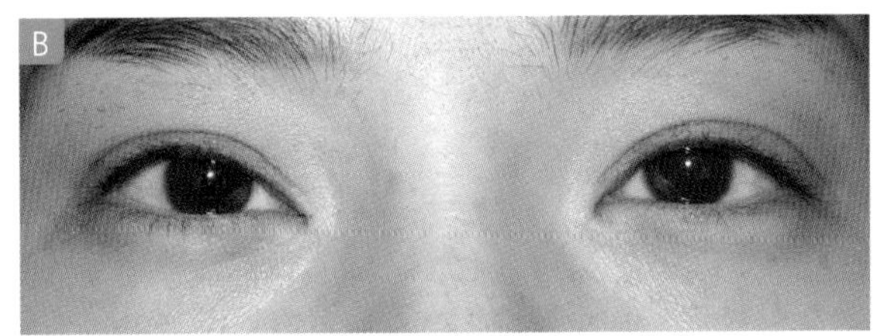


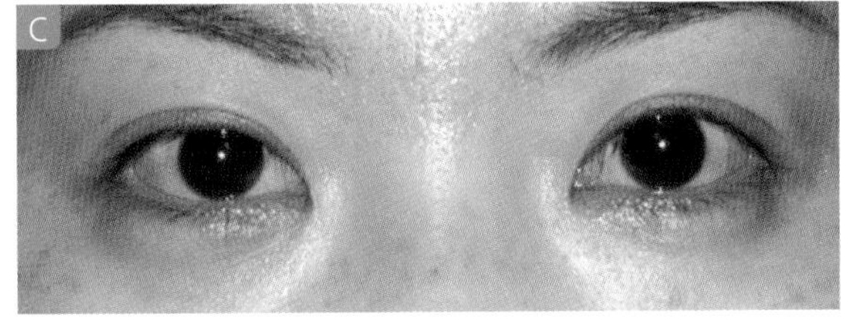


FIGURE 1-3 A. 안 쌍꺼풀. B. 바깥쌍꺼풀. C. 중립 쌍꺼풀(우), 중립에 가까운 안 쌍꺼풀(좌).

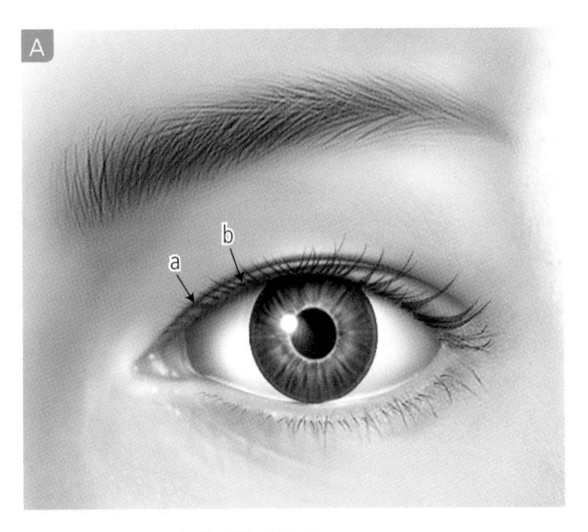


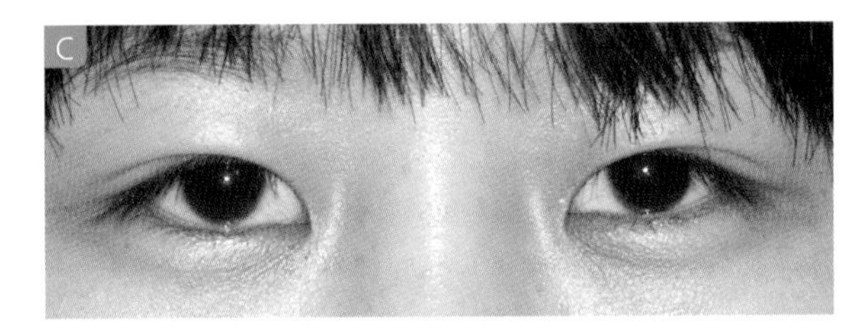


FIGURE 1-4 **안 쌍꺼풀의 종류.**
A. 바깥 쌍꺼풀에 비해 소극적이면서 비교적 자연스럽다.
a선: 길게 뻗는 안 쌍꺼풀 - 우아하고 세련된 느낌
b선: 짧은 안 쌍꺼풀 -답답한 느낌
B. 길게 뻗는 안 쌍꺼풀. 시원한 느낌을 준다. C. 짧은 안 쌍꺼풀. 안쪽으로 답답한 느낌을 준다.

일찍 나타나 보이기도 하고(FIGURE 1-4B), 늦게 나타나기도 한다(FIGURE 1-4C).

이 모양은 바깥 쌍꺼풀에 비해 상대적으로 소극적인 쌍꺼풀 수술이기 때문에 변화가 덜한 대신에 자연스러운 느낌은 있으나 그만큼 눈이 시원해지는 효과는 덜하고 답답한 느낌을 주기도 한다(FIGURE 1-4). 그러나 a선과 가까울수록 시원하고 b선에 가까울수록 답답한 느낌이 있으므로 자연스러우면서도 답답하지 않은 느낌을 원한다면 a선 쪽을 권

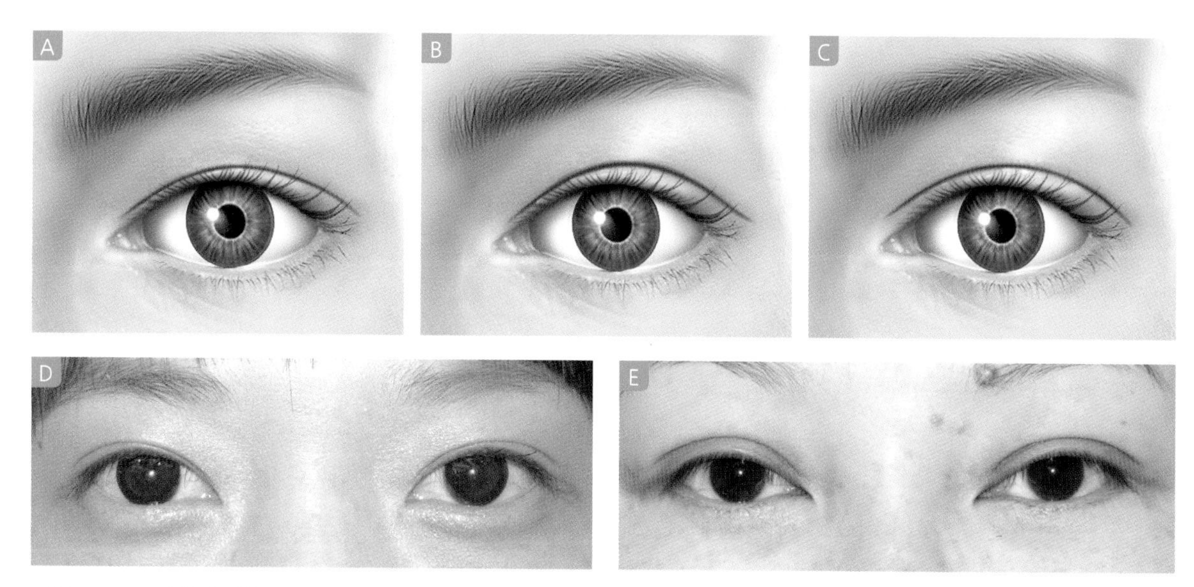


FIGURE 1-5 **바깥 쌍꺼풀의 종류.**
내안각에서 2~3 mm 정도는 쌍꺼풀이 없다.
**A.** 부채형. 바깥쪽으로 갈수록 점점 폭이 넓어진다. 전체적으로 좁은 쌍꺼풀일 경우에 가능하다. **B.** 부채및 평행형(혼합형). 내측에서 중앙쪽으로 넓어지다가 평행형으로 된다. 보통폭의 쌍꺼풀일 경우 무난한 모양이다. **C.** 평행형. 내측과 외측 폭이 동일하다. 동양인에게 잘 어울리지 않지만 외향적이거나 무대화장을 하는 사람이 선호하는 경향이 있다. **D.** 왼쪽 ; 안쪽이 좁은 부채형. 동양인에 잘 어울린다. 오른쪽 ; 중립(neutral) **E.** 안쪽이 넓은 평행형.

하는 것이 좋다.

### *바깥 쌍꺼풀(outside fold)*

바깥 쌍꺼풀은 내안각 쪽에서 안검연(palpebral fissure) 위로 쌍꺼풀이 보이는 것을 말하는데, 내안각 쪽에서는 폭이 좁다가 외안각 쪽으로 갈수록 넓어지는 부채형(FIGURE 1-5A), 내안각 쪽에서는 좁다가 중간 어느 정도에서부터 외안각 쪽으로 평행선을 이루는 부채-평행 혼합형(FIGURE 1-5B), 내-외안각 쪽의 폭이 일정하게 평행한 평행형(FIGURE 1-5C)으로 나눌 수 있다.

바깥 쌍꺼풀은 우아하고 시원하고, 외향적으로 보이는 경향이 있으나, 동시에 서구적이며 부자연스러운 느낌을 줄 수 있다. 대개 내안각 쪽이 좁은 바깥 쌍꺼풀(FIGURE 1-5A)이 우아하고 시원한 장점을 가지고 있으면서도, 안 쌍꺼풀의 특성인 자연스러움을 동시에 가지고 있으므로, 저자는 동양인의 수술에서 선이 긴 안 쌍꺼풀(FIGURE 1-4A)과 함께 좁은 바깥 쌍꺼풀(FIGURE 1-5B)을 선호하며. 내안각 쪽이 넓은 바깥 쌍꺼풀을 기피하는 경향이 있다. 무대 위에서의 얼굴 표현이 중시되는 직업에 종사하는 사람들의 경우, 시작점이 넓은 바깥 쌍꺼풀을 선호하는 경향이 있다. 바깥 쌍꺼풀에서 주의해야 할 점은 내안각 구석까지 쌍꺼풀 선이 분명히 있는 것은 또 다른 부자연스러움을 줄 수 있다는 것이다. 즉, 자연스럽기 위해서는 내안각 2-3 mm 지점에서 쌍꺼풀 선이 희미하게 시작하는 것이 좋다.

*중립 쌍꺼풀(neutral fold)*

안 쌍꺼풀과 바깥 쌍꺼풀의 중간이라고 할 수 있는 쌍꺼풀로서, 안 쌍꺼풀과 바깥 쌍꺼풀이 가진 단점이 없는 것이 특징이다. 즉 비교적 시원스러우면서도 자연스러운 느낌을 준다.

어느 형을 선택하는가에 있어서 고려해야 할 점은

① 눈꼬리가 처진 사람은 부채형을, 눈꼬리가 올라간 사람은 바깥 쌍꺼풀을 하는 것이 단점을 보완하는 데 도움이 된다.

② 쌍꺼풀 폭을 고려해야 한다. 쌍꺼풀 폭이 넓으면 바깥쪽, 좁으면 안쪽 쌍꺼풀이 생기기 쉬운데, 환자에 따라서 같은 높이에서도 어떤 눈은 안 쌍꺼풀이 되고, 어떤 눈은 쉽게 바깥 쌍꺼풀이 된다. 안쪽 쌍꺼풀이 되기 쉬운 경우에 무리하게 바깥 쌍꺼풀을 만들면 안쪽으로 너무 넓은 쌍꺼풀이 되어 꺾어져 보이고 부자연스러울 수 있으므로 이런 경우엔 환자를 잘 설득하여 안 쌍꺼풀을 권하는 것이 좋다. 안쪽이 바깥쪽에 비해 폭이 넓은 것은 어떤 경우에도 쉽게 어울리지 않기 때문이다(FIGURE 1-6). 임상적으로 가끔 부딪치는 문제로 환자가 쌍꺼풀 폭은 좁게 하면서 바깥 쌍꺼풀을 원하는 경우, 즉 낮으면서 바깥 쌍꺼풀을 원하는 경우는 어려울 수 있다.

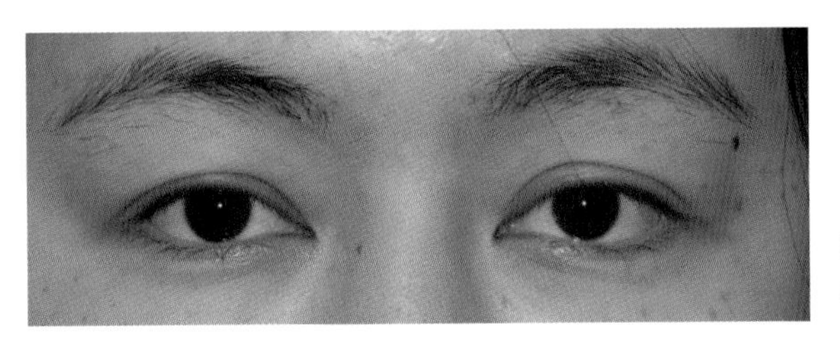

**FIGURE 1-6** • **왼쪽 눈 안쪽이 꺾여져 있으면서 바깥보다 넓어 보인다.**

이런 경우의 처치 방법으로는 다음과 같다.

- Epicanthus가 있으면 안쪽 쌍꺼풀이 되기 쉬우므로 epicanthoplasty를 한다.
- 절개선을 내측으로 평소보다 연장하여 길게 뻗는다.
- 바깥쪽 절개선을 가능한 한 낮춘다. 바깥을 낮출수록 경사가 안쪽으로는 상대적으로 올라가면서 바깥쪽 쌍꺼풀의 경향을 띤다. 그러나 지나치게 낮추면 눈이 처져 보이기 때문에 주의한다.

**KEYPOINT**

**안 쌍꺼풀(Inside fold)**

- 부채형이다.
- 자연스럽다.
- 안쪽으로 답답하다.
- 소극적이어서 변화가 적다.
- 눈꼬리가 처진 경우에 좋다.
- 좁은 쌍꺼풀을 원하는 경우에 좋다.

**바깥 쌍꺼풀(Outside fold)**

- 부채형, 평행형, 혼합형이 있다.
- 부자연스럽고 수술한 것 같다.
- 시원스럽고 우아하다.
- 적극적이고 외향적이다.
- 눈꼬리가 올라간 형에 어울린다.
- 넓은(높은) 쌍꺼풀을 원하는 경우에 좋다.

Inside fold냐 outside fold냐를 얘기할 때 간과하지 말아야 할 것은 이것을 2분법적으로 나누는 것이 때로는 무리가 있다는 점이다. 예를 들어, 같은 outside fold라 하더라도 내안각 쪽 폭이 넓은 것에 비해 폭이 좁은 outside fold는 길게 뻗는 inside fold형에 오히려 더 가깝다. 저자는 일반적인 경우 inside나 outside 모두 neutral에 가까운 쪽을 선호한다.

### 내안각 췌피(epicanthal fold)가 있을 경우 고려해야 할 사항

Epicanthal fold가 있을 경우 inside fold가 좋으냐 outside fold가 좋으냐는 논란의 여지가 많다. 물론 가장 이상적인 것은 epicanthal fold를 교정해 주면 좋겠지만 그대로 두고 수술할 경우가 생긴다. 대개는 inside fold를 선호하는 경향이 있지만 inside fold가 epicanthal fold를 더욱 두드러지게 보이게 하는 단점이 있고, outside fold는 몽고 주름과 함께 선이 두개라는 복잡함 때문에 수술한 느낌(operative appearance)을 준다. 또한 내안각 췌피가 있는 경우 바깥쪽 쌍꺼풀은 피부의 팽팽한 긴장 때문에 쌍꺼풀이 소실되기 쉽다는 것을 충분히 고려하여야 한다. 저자는 환자에게 여러 가지 모양을 보여주고 상의를 하는데, 어느 쪽이든지 중립에 가까운 쌍꺼풀(FIGURE 1-4A, FIGURE 1-5A)을 권하는 편이다.

## 쌍꺼풀의 높이(폭)

쌍꺼풀 높이는 환자가 앉은 자세에서 부지로 다양하게 쌍꺼풀을 만들어 본인에게 직접 그 모양을 보여주면서 상담을 통해 결정하는 것이 가장 좋은 방법이다.

고려해야 할 사항

- 눈이 크거나 피부가 얇으면 폭이 큰 쌍꺼풀이, 눈이 작거나 피부가 두꺼우면 작은 쌍꺼풀이 잘 어울린다.
- 쌍꺼풀의 폭이 클수록 많이 부어 보이고 회복도 느려 보이며 반대로 작을수록 부기도 적어 보이고 회복 속도 또한 매우 빨라 보인다. 그러므로 회복기간에 대해 질문을 받을 때 저자는 작은 폭을 원하는 경우엔 대개 1주일, 보통 폭은 1~2달, 환자가 조금 큰 폭을 원하면 4-5개월이 지나야 웬만큼 자연스럽다고 폭에 따라 회복기간을 매우 달리한다.
- 쌍꺼풀이 작으면 자연스럽게 보이지만 세월이 지나면 처진 눈꺼풀이 쌍꺼풀을 가려서 보이지 않게 되고 눈꺼풀이 빨리 처져 보이는 문제점이 있다. 폭이 넓으면 눈꺼풀이 쉽게 처지지 않는다. 80세 이후의 피카소 사진을 보면 고령에도 불구하고 넓은 쌍꺼풀 폭 때문에 눈이 전혀 처져 보이지 않는 것을 볼 수 있다.
- **쌍꺼풀이 클 때 가장 큰 장애물은 검판전 비대(pretarsal fullness)가 나타난다는 점이다.** 환자들은 쌍꺼풀 선 아래 소세이지가 보인다고 말한다. 그러므로 pretarsal fullness가 잘 나타나지 않는 환자, 즉 피부가 얇거나 검판전 연조직(pretarsal soft tissue)이 작은 사람

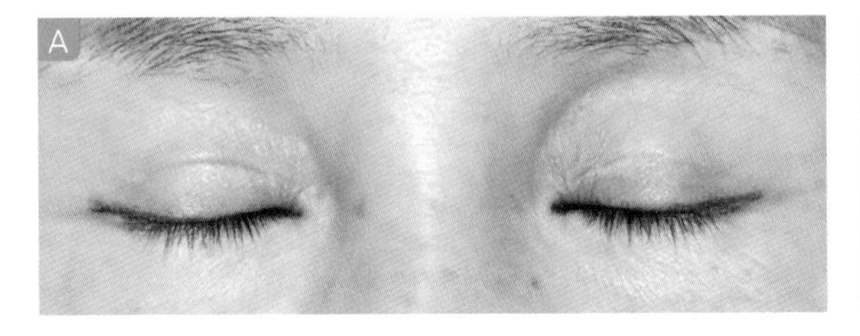


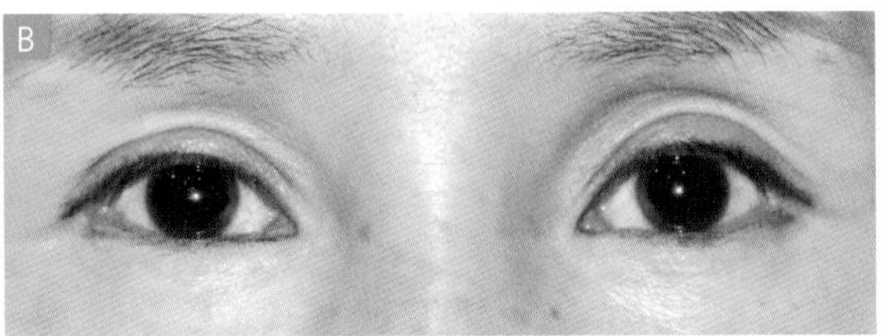


FIGURE 1-7 **눈을 감은 상태에서 쌍꺼풀 선의 높이는 오른쪽이 높지만, 눈을 뜬 상태에서는 왼쪽 눈이 함몰로 인해 피부의 늘어짐이 적어 쌍꺼풀 폭이 더 높다.**

에게는 환자가 원하면 어느 정도 폭이 커도 상관없지만, 그렇지 않은 환자, 즉 피부가 두껍고 연조직이 많은 환자가 어느 정도 큰 쌍꺼풀을 원할 경우에는 pretarsal fullness가 심하지 않은 범위 내에서 권고해 주어야 한다(3장 쌍꺼풀 비후 난 참조).
- 의사가 상담할 때는 환자가 거울을 보면서 상담을 하게 되는데, 거울을 보고 있을 때는 보통 때보다 눈이 약간 커지는 경향이 있다(세로로 0.5-1.0 mm 정도). 그런 현상 때문에 거울을 보고 있을 때는 쌍꺼풀 폭은 반대로 작아지므로 그 선을 따라 도안했을 경우, 실제로 수술 후에는 쌍꺼풀 폭이 상담할 때보다 커질 수 있다. 그러므로 거울에서 눈을 떼고 정면을 향한 상태에서 쌍꺼풀 폭을 점검해 보아야 한다.

쌍꺼풀 폭을 결정하는 요소에는 환자 인자와 술식 인자가 있다. 환자 인자는 다음과 같다.
- 피부 두께
- 피하 연조직의 양
- 피부의 늘어짐 정도
- 눈썹의 하수 정도
- 상안검거근의 기능(levator function)
- 눈꺼풀의 꺼진 정도

쌍꺼풀 선 아래 피판의 피부가 두껍거나 피하 연조직이 풍부할수록 쌍꺼풀 폭이 두꺼워지고, 피부가 많이 늘어지거나 눈썹의 하수 정도가 많을수록 쌍꺼풀을 피부가 덮어 쌍꺼풀 폭은 줄어들고, 반대로 눈꺼풀의 꺼진 정도가 많으면 피부의 늘어짐이 상쇄되어 쌍꺼풀 폭이 커진다(**FIGURE 1-7**). 피부가 얇을수록 눈을 뜰 때 아코디언 효과로 인해 쌍꺼풀 폭이 줄어든다. 상안검거근 기능이 좋을수록 쌍꺼풀 폭이 작아진다. 피부가 많이 늘어지지 않은 경우는 앉은 자세에서 부지로 예상 쌍꺼풀 폭을 만들어 볼 수 있지만, 피부가 많이 늘어진 경우에는 미리 피부를 절제할 것을 예상하여 조수로 하여금 환자의 눈썹을 위로 올려 피부를 적절히 편 상태에서 부지로 쌍꺼풀이 잘 어울리는 선을 찾아 도안한다. 눈썹을 적당히 올린다는 것은 눈꺼풀 피부를 80-90% 정도 편 상태라고 생각하면 된다(2장 노인성상안검 참조).

쌍꺼풀의 높이를 좌우하는 술식 인자는 다음과 같다.

- 도안선의 높이
- 도안선의 깊이(고정 위치)
- 피부 절제량
- 안검 하수 교정 정도
- 안와지방의 제거량

이것은 다른 장<쌍꺼풀 수술의 합병증>에서 자세히 설명하고자 한다.

## 쌍꺼풀의 원리(PRINCIPLES OF DOUBLE EYELID)

눈꺼풀은 아래와 같이 이뤄져있다.

Anterior flap - 피부, 피하지방, 안륜근 층

Middle flap - 격막, 안와지방 층

Posterior flap - 거근건막, 거근, 뮬러근, 검판, 결막 층

쌍꺼풀은 이 anterior flap과 posterior flap 간에 거근건막에 의해 연결이 되어 있는 상태이다. 쌍꺼풀이 있는 눈과 없는 눈의 구조의 차이를 전자현미경으로 보면 쌍꺼풀이 있는 눈은 거근건막의 가지들(branches of the levator aponeurosis)이 안륜근을 통과한다(**FIGURE 1-8**). 통과한 건막의 가지는 진피와 안륜근 사이의 수많은 septa에 의해서 dermis로 연결된다. 하지만 쌍꺼풀이 없는 눈은 건막이 안륜근을 통과하지 않거나 통과하더라도 너무 낮게 통과한다(**FIGURE 1-8**). 그러므로 쌍꺼풀을 만들기 위해선 anterior flap과 posterior flap 사이에 유착을 만들어 줌으로써 서로 간에 연결을 만드는 것이다.

그 유착을 유형별로 점상유착, 선상유착, 면상유착으로 분류할 수 있다(**FIGURE 1-9**). 유착의 양은 점상보다는 선상, 선상보다는 면상유착이 점점 넓어지기 때문에 유착량이 많을수록 쌍꺼풀이 풀어질 가능성이 적어진다. 즉, 유착량이 적을수록 좀 더 외반되게 하는 과교정이 필요하다. 그러므로 점상유착은 쌍꺼풀이 잘 풀어지지 않는 경향이 있는 얇은 눈꺼풀이 적응이 된다.

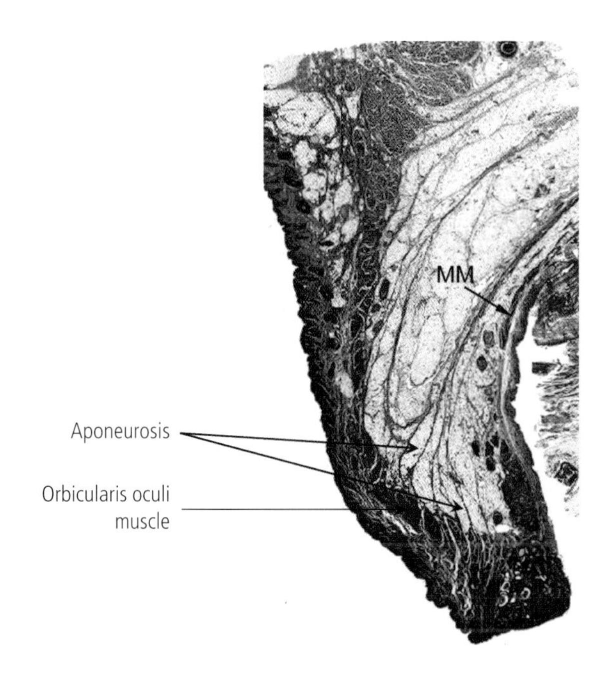


FIGURE 1-8 거근건막(Aponeurosis)이 안륜근을 통과하며 이후에는 피하층(SQ)의 수많은 septa에 의해 간접적으로 진피(dermis)에 연결되어 쌍꺼풀을 형성한다.
(사진출처 : 동아의대 안과)
MM: müller muscle

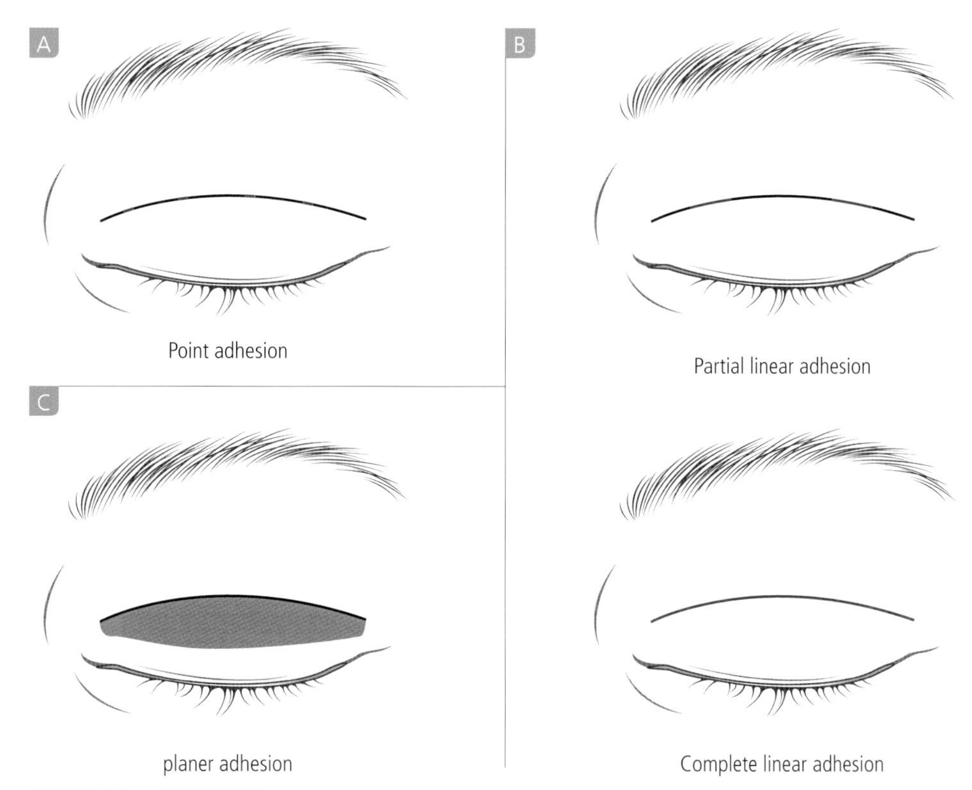


FIGURE 1-9 유착의 유형.
A. 점상유착. B. 선상유착. 위 : 부분 선상유착, 아래 : 완전 선상유착. C. 면상유착. 붉은색 : 유착 부위.

선상유착은 부분 선상유착과 완전 선상유착을 들 수 있는데, 일반적인 경우엔 부분적인 선상유착이라 하더라도 확실히 견고하게 만하면 풀어질 가능성이 별로 없다. 매우 풀어질 가능성이 높은 경우엔 완전 선상유착이 필요할 수도 있다. 하지만 면상유착은 아주 특별한 경우가 아니면 필요 없고 일종의 외상성 수술(traumatic surgery)로 과다한 유착으로 인해 흉 조직을 지나치게 만드는 결점이 있으므로 피하는 것이 좋다.

면상유착이 필요한 특별한 경우는 쌍꺼풀 수술 후 쌍꺼풀이 풀어진 경우 중 하피판(lower flap)에 유착이 심한 케이스로써 이때는 유착을 모두 풀어주고 redrape하여 면상유착을 만들어야 다시 풀어지지 않는다(p 105 참조).

## 매몰법 혹은 절개법(또는 피부절제법)

나이 많은 사람의 경우에는 당연히 늘어진 만큼의 피부를 절제하지만 젊은 사람의 경우에도 선천적으로 눈꺼풀 피부가 늘어져 있는 경우가 종종 있기 때문에 피부를 절제하느냐 안하느냐를 결정하기가 어려운 경우가 있다. 이때는 환자가 앉은 자세에서 부지로 원하는 폭의 쌍꺼풀을 만든 다음, 눈썹을 적당히 위로 당겼을 때와 당기지 않았을 경우를 비교하여 쌍꺼풀선위의 피부 늘어짐(drooping)이 많고 피부를 3 mm 이상 자르는 경우에는 절제법을 권하고, 피부 늘어짐이 적으면 절제법을 권하지 않는다(**FIGURE 1-10**).

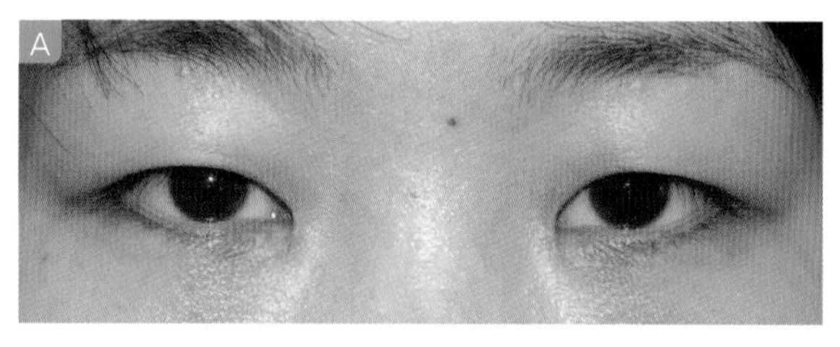


**FIGURE 1-10** A. 쌍꺼풀이 없는 눈. B. 조수가 눈썹을 올린 상태에서 쌍꺼풀을 만들어 본다. 쌍꺼풀 선 위로 피부 처짐이 적어 보인다. C. 눈썹을 올리지 않은 상태에서 쌍꺼풀을 만들어 보았다. 쌍꺼풀 선 위로 피부가 처져 보인다.

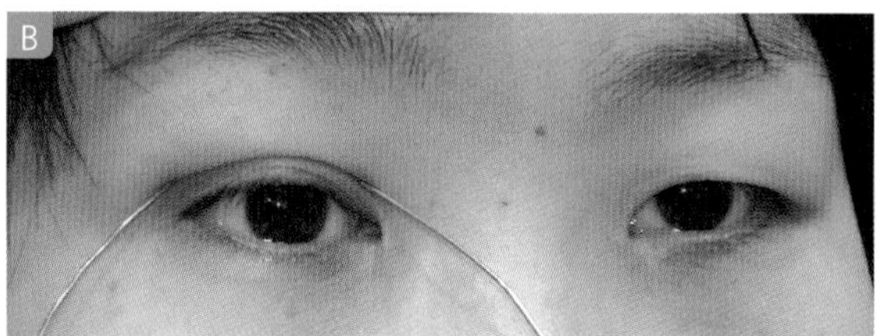


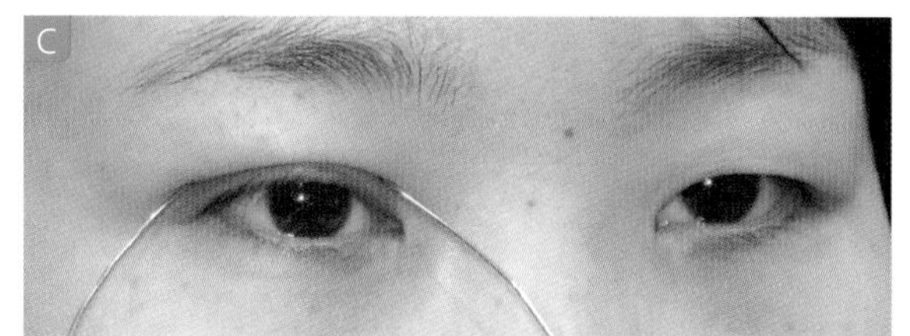

## 매몰법(Non-incision or short incision method)

일체의 조직 절제가 없이(without soft tissue excision) 실만으로 이루어지는 매몰법은 유착양이 적어 풀어질 가능성이 높은 쌍꺼풀이다. 피부가 잔주름이 보일 정도로 얇은 경우, 늘어진 피부가 없으며 쌍꺼풀이 저절로 생겼다가 없어졌다 하는 정도 즉, 쉽게 풀어지지 않는(쌍꺼풀의 저항이 없는) 눈꺼풀에만 적용한다. 매몰법은 일정 기간 동안 쌍꺼풀이 희미해지면서 풀어지므로, 예상되는 풀어짐에 대비하여 어느 정도 외반되게(깊게) 한다.

### 방법 1) 3개의 작은 구멍을 통한 매몰법

미리 정한 쌍꺼풀선을 따라 1-2 mm 정도의 세 개의 작은 구멍을 통해 검판을 찾아서 피부 쪽 안륜근과 고정한다 (FIGURE 1-11).

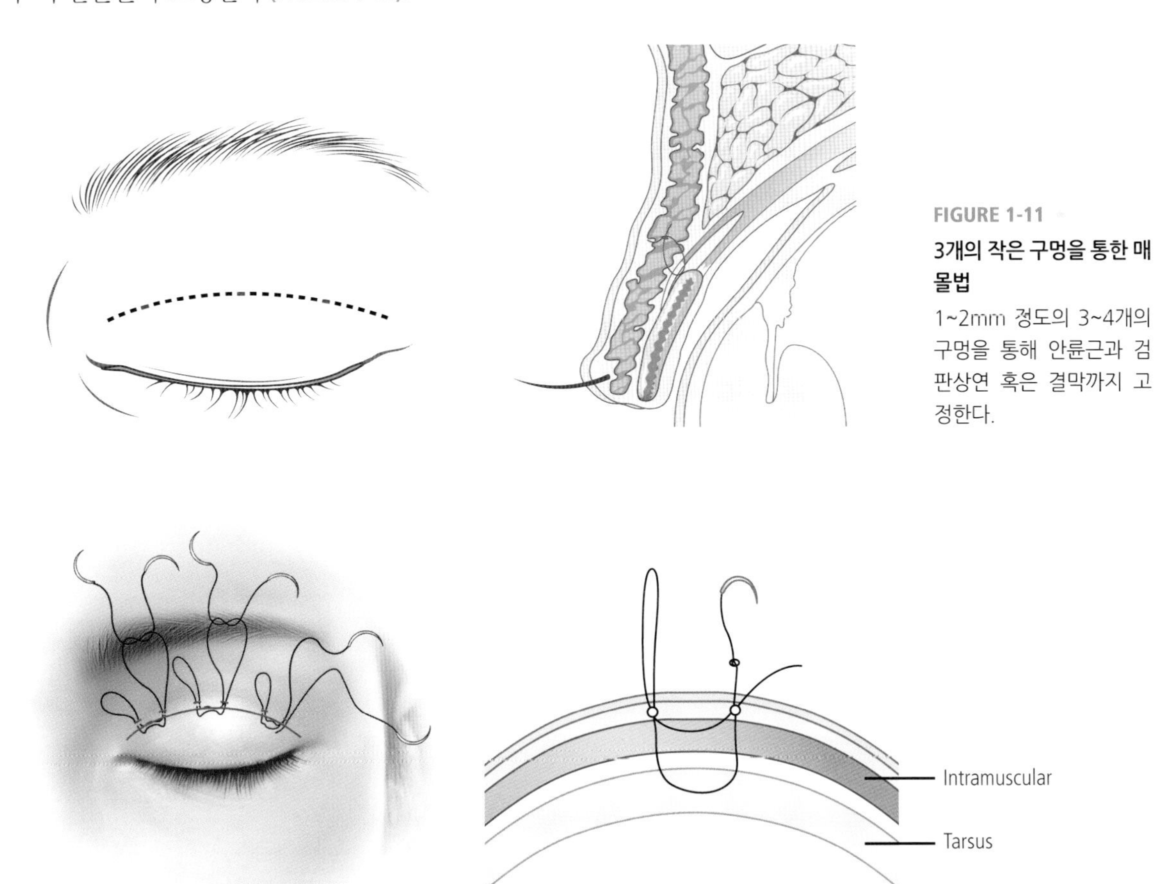


**FIGURE 1-11** **3개의 작은 구멍을 통한 매몰법**
1~2mm 정도의 3~4개의 구멍을 통해 안륜근과 검판상연 혹은 결막까지 고정한다.

**FIGURE 1-12** **매몰법.**
6개의 구멍을 통하여 3곳 고정법.

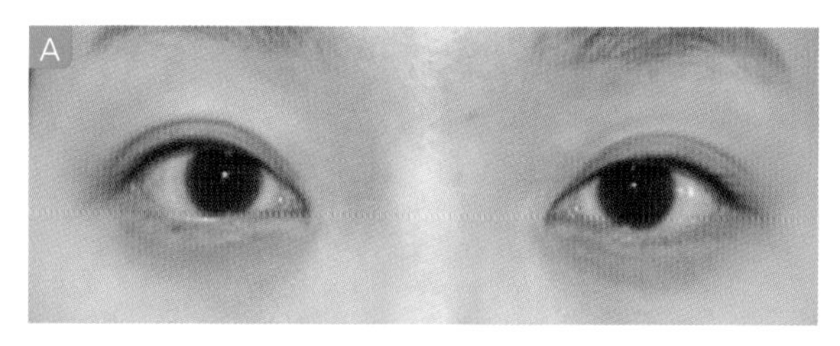

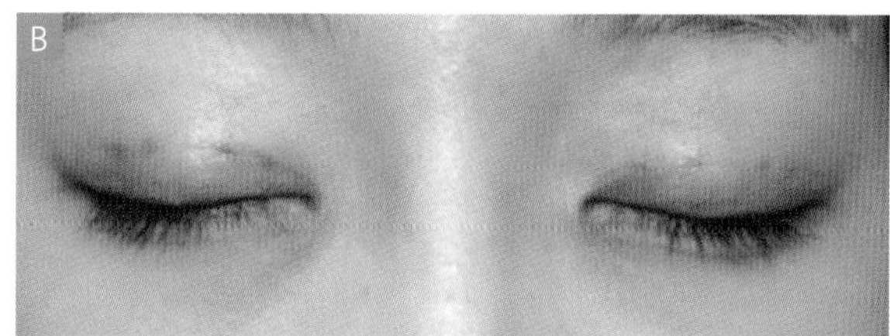


FIGURE 1-13 **6개의 점절개를 통한 매몰법.** 매몰법 수술 후 **A.** 눈 떴을 때. **B.** 감을 때.

### 방법 II) 6개의 피부 구멍을 통한 매몰법

미리 디자인한 쌍꺼풀 선을 따라 6개의 피부 구멍을 5-6 mm 간격으로 두 개씩 가한다. 나일론 7-0 double arm으로 첫번째 구멍을 통해 검판을 찝어 두 번째 구멍으로 나오고 다른 바늘로 안륜근을 통과하여 두 번째 구멍으로 나와 실을 묶는다. 나머지 두 개의 구멍도 같은 방식으로 한다 (FIGURE 1-12 & 1-13).

## 저자가 즐겨하는 부분 절개법

저자가 선호하는 두 개의 짧은 절개와 점절개에 의한 수술법은 흉이 잘 보이지 않는 매몰법의 장점을 가지고 있으면서도 고정 부위의 전검판 연조직(pretarsal soft tissue)을 절제하여 확실한(secure) 유착을 만들기 때문에 잘 풀어지지 않는다는 장점이 있다. 또한 짧은 절개 부위는 외반봉합(eversion suture)을 하기 때문에 함몰 흉을 방지한다(FIGURE 1-15).

### 적응증

1. 젊은 눈꺼풀
2. 피부 처짐이 적은 눈
3. 눈꺼풀이 얇은 경우
4. 쌍꺼풀이 낮아서 재수술하는 경우

낮은 쌍꺼풀 선위에 높은 쌍꺼풀을 만드는 경우는 추가적인 흉을 피하기 위해서 원래 쌍꺼풀선보다 위에 매몰법을 시행할 수도 있다. 이때는 기존 lower flap에 있는 흉조직으로 인하여 pretarsal fullness가 생기기 쉬우므로 이를 예방하기 위해선 일반적으로 처음 하

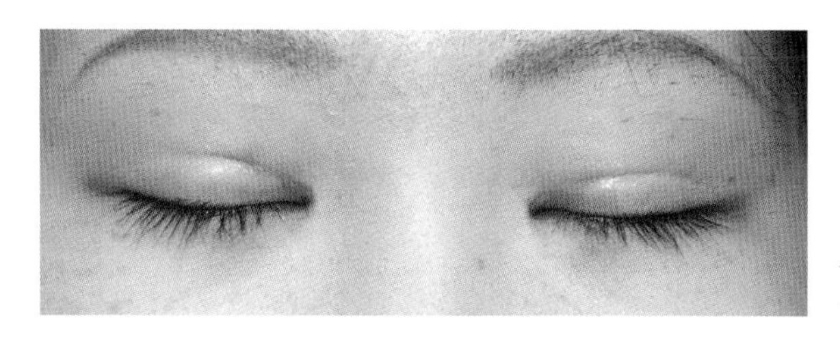

FIGURE 1-14 절개 부위의 안륜근 절제로 인하여 쌍꺼풀선 아래에 함몰흉이 생긴 예.

는 경우(primary)보다 폭이 넓지 않게 조심해야 한다(3장 낮은 쌍꺼풀 참조).

### 금기증

- **눈꺼풀이 두툼한 경우** : 안와지방 제거만으로는 불충분하여 ROOF나 안륜근 제거가 필요하다고 생각되는 경우에는 완전 절개법을 해야 하기 때문이다.
- **지난번 쌍꺼풀수술 후에 쌍꺼풀이 풀어진 경우이면서 전 검판 유착(pretarsal adhesion)이 있는 경우** : 풀어진 채로 pretarsal adhesion이 있는 경우는 아래 피판의 유착을 풀어 주지 않으면 수술 후 쌍꺼풀이 다시 풀어지는 수가 많으므로 절개를 하여 pretarsal adhesion을 충분히 풀어준 후 견고하고 깊게 고정해야 쉽게 풀어지지 않는다.

### 수술방법

1. 11번 메스로 4 mm 2곳을 절개하고 각 절개선 양쪽으로 2-3 mm 떨어진 곳에 점 절개를 가한다.
2. 피부 절개 후 안륜근을 메스나 bovie로 자르고, 검판전 aponeurosis나 fascia가 보일 때까지 열고 들어간다.
3. 안륜근은 절제하지 않고, 검판전 지방 조직이나 결체 조직을 절제한다. 안륜근을 절제하지 않는 이유는 안륜근 절제가 절개선 부위에 함몰흉을 만들 수 있으며(FIGURE 1-14), 저자의 경우 검판 고정 시에 진피에 고정하지 않고 안륜근에 고정하기 때문에 풍부한 안륜근이 있는 것이 유리하기 때문이다. 이 때, 유착을 확실히 만들겠다는 생각으로 완전히 검판이 누드가 될 정도로 검판전 조직(pretarsal soft tissue)을 제거하지 않는 것이 좋다. 그 이유는 누드 검판은 흉터 형성이 많고, 혈액 순환이나 임파 순환이 좋지 않아서 부종이 오래가며, 누드 검판에 고정하는 것보다 검판과 함께 그 위에 있는 aponeurosis를 한꺼번에 고정하는 것이 보다 강력하기 때문이다(고정 부분 참조).

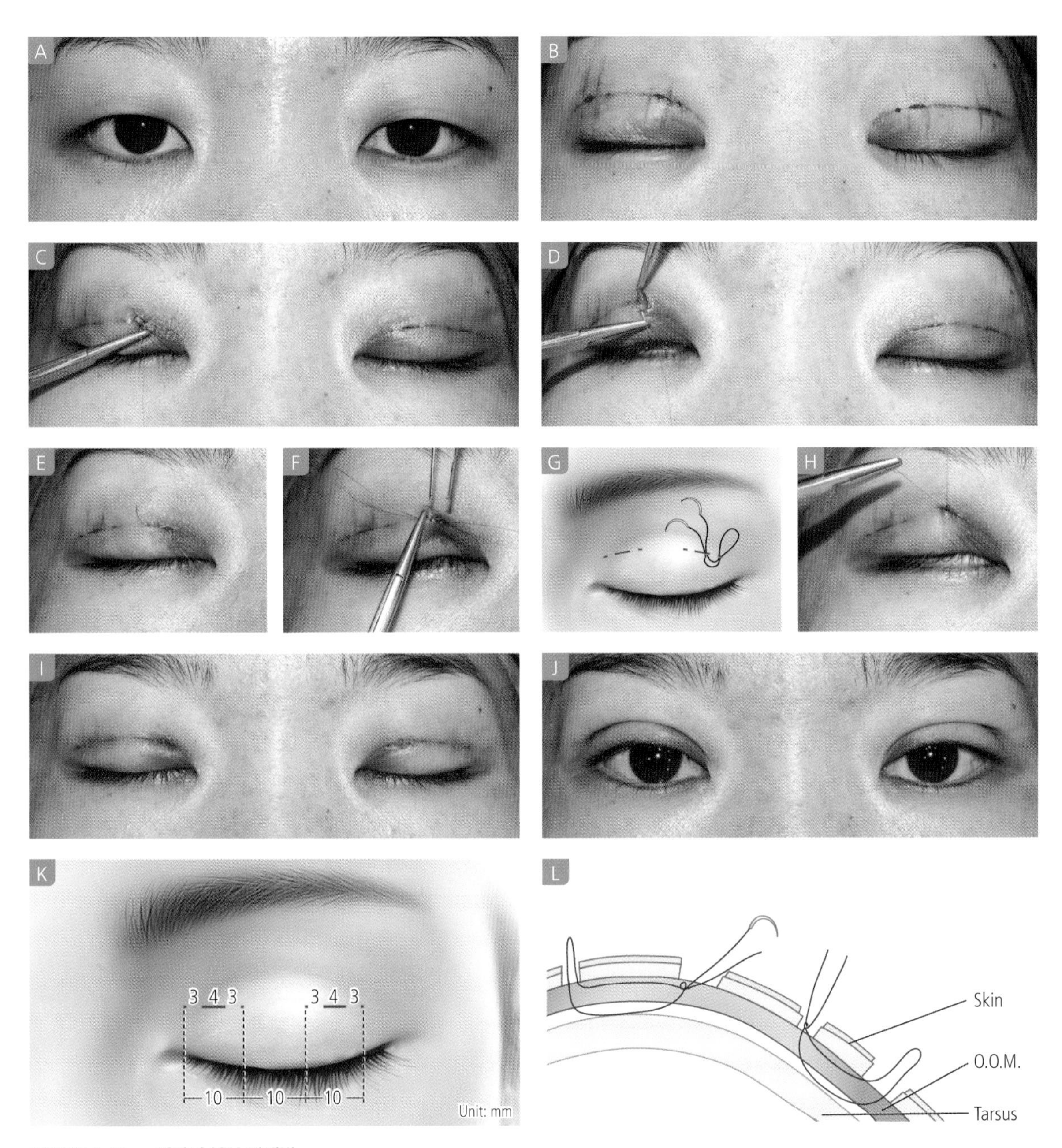


FIGURE 1-15 **저자의 부분 절개법**

**A.** 술 전. **B.** 디자인, 두 개의 4 mm 절개선과 각 절개선 양쪽으로 점절개. **C.** 한쪽 눈에 각각 4 mm 절개를 가하고 절개선 아래와 양 옆으로 pretarsal connective tissue를 제거한다. 절개선보다 약간 높은 높이의 검판에 고정한다. **D.** 검판상연 2 mm의 건막을 집는다. **E.** 점절개로 바늘을 통과한다. **F.** 점절개 부위의 안륜근을 뚫고 선절개로 통과한다. **G.** 그림 **H.** 묶는다(tie). **I. J.** 수술 직후 눈감고, 눈뜨고. **K.** 4 mm 부분 절개 양쪽 3 mm 떨어진 곳에 점절개를 가한다. 고정 위치는 4곳이 각각 10 mm씩 균등하게 떨어져 있다. **L.** 단층설명

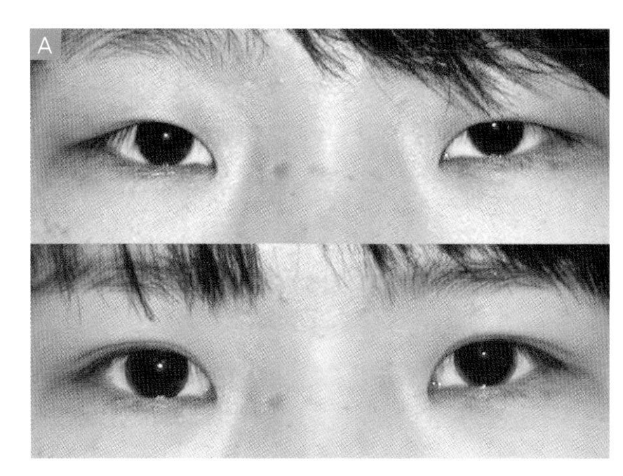
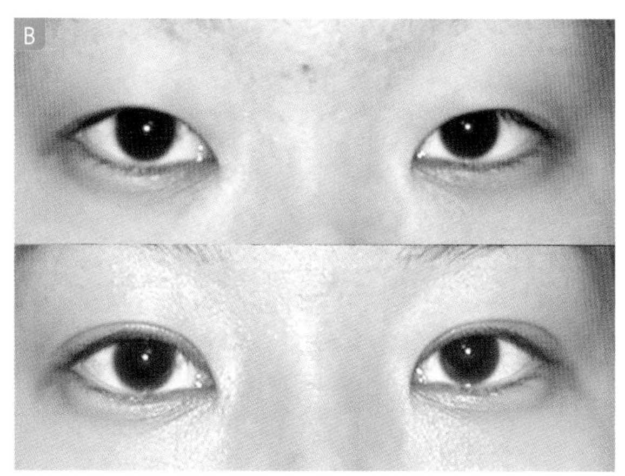

FIGURE 1-16 **짧은 두개의 절개선과 4개의 점 절개를 통한 수술 결과.** A , B. 수술 전후

4. 각 절개선의 양측의 검판과 거근건막(levator aponeurosis)을 바늘로 집고 점 절개 바깥으로 바늘이 나와 안륜근 속을 통과하여 다시 점절개를 통과하여 절개선으로 나와 결찰한다. 같은 식으로 4곳을 고정한다. 그러면 4곳의 고정부위는 간격이 서로 10 mm 정도 일정하게 된다(**FIGURE 1-15K**). 바늘이 통과하는 과정 중 중요한 것은 많은 양의 안륜근이 포함되도록 바늘이 안륜근 위(SQ)를 지나 점 절개선으로 나와 안륜근 아래(suborbicularis muscle layer)를 지나도록 하고 실의 매듭을 안륜근 아래 깊이 있도록 한다. 검판고정 후 거근건막을 따로 고정하는 상세한 방법은 고급쌍꺼풀에서 설명한다.
5. 피부를 봉합할 때는 피부와 안륜근을 함께 하여 함몰흉을 예방한다. 점절개는 봉합이 필요하지 않다.

### 장점 (FIGURE 1-16)

1. 절개법에 비해 회복이 빠르고 흉이 적으며 자연스럽다.
2. 매몰법의 잘 풀어지는 약점이 충분히 보완되어 있기 때문에(검판전 조직을 제거하여 유착이 충분히 견실하기 때문에) 풀어질 가능성이 매우 적다.
3. 많은 양의 안륜근을 고정조직으로 이용하므로 풀어질 가능성이 적다.
4. 절개 부위는 eversion suture하고 고정부위는 점 절개에 있으므로 scar가 함몰되지 않고 눈에 잘 띄지 않게 된다.
5. 고정 간격이 8-10 mm로 일정하다.

## 가운데 부분 절개법

### 절개선의 길이와 쌍꺼풀 선

대개 절개선의 길이는 원하는 쌍꺼풀선 길이만큼 길게 하지 않아도 쌍꺼풀 선이 어느 정도 뻗어 나가기 때문에 절개선의 중앙을 중심으로 10-12 mm 정도 짧게 하는 부분 절개법도 있다. 하지만 이 수술방법이 다음과 같은 문제를 야기할 수 있다.

### 절개선을 짧게 했을 때의 문제점

#### *짧은 쌍꺼풀 선*

절개를 짧게 한 경우에 기대한 선을 따라 쌍꺼풀이 뻗어나가는 경우도 있지만 피부가 두꺼운 경우에는 짧게 끝나는 수도 있으므로 피부 두께에 따라 절개 길이를 조정해야 한다.

#### *처지는 라인*

부분절개로 쌍꺼풀선의 길이가 길게 뻗는다 하더라도 내 외측에서 기대한 라인보다 아래로 처지는 경우가 많다. 절개선이 짧은 경우, 예를 들어 Figure 1-17에서 ①점이나 ②점에서 멈췄을 때 실선을 따라 약간 outside fold로 쭉 뻗는 경우도 있지만 한국 사람은 미약하나마 몽고주름이 있는 경우가 많기 때문에 라인을 아래로 잡아당기는 힘(tension)에 의해 점선으로 꺾여 inside fold가 되는 경우가 많으므로 예상한 라인대로 쌍꺼풀이 가길 원한다면 절개선을 연장해야 한다. 특히 몽고 주름이 심한 경우에는 상당히 아래로 처지기 때문에 기대한 쌍꺼풀선으로 가기 위해서는 절개선을 뻗기를 원하는 지점까지 안쪽으로 길게 하여야 한다(FIGURE 1-17). 외측에서 절개선이 짧을 경우에도 쌍꺼풀 선이 원하는 방향으로 죽 뻗는 수도 있지만 아래로 꺾어져 보일 수도 있다. 특히 노인들에게서는 원하는 선보다 아래로 선이 내려가 눈이 처져 보이기도 하므로 절개선의 길이를 충분히 길게 하고 정확히 거근막이나 혹은 격막에 고정해 주어야 한다(2장 노인성 상안검 참조).

쌍꺼풀의 길이는 외안각에서 외측으로는 4-6 mm 정도로 뻗는 것이 이상적이다 (FIGURE 1-17).

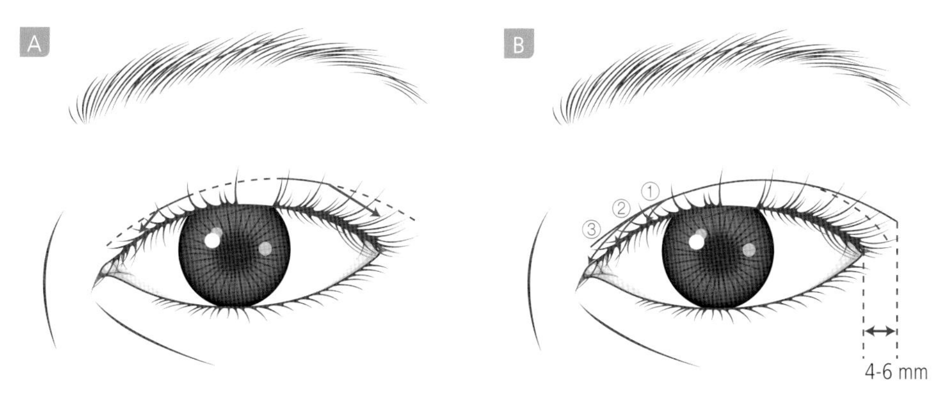


FIGURE 1-17 A. 양쪽이 절개가 끝나는 지점에서 쌍꺼풀이 내려와서 처질 수 있다.
B. 절개선이 ①②와 같이 짧을 경우 내측 혹은 외측의 멈추는 지점에서 실선을 따라가지 않고 점선과 같이 아래로 꺾이는 수가 있다. 이런 경우 내측으로 절개선을 연장한다.

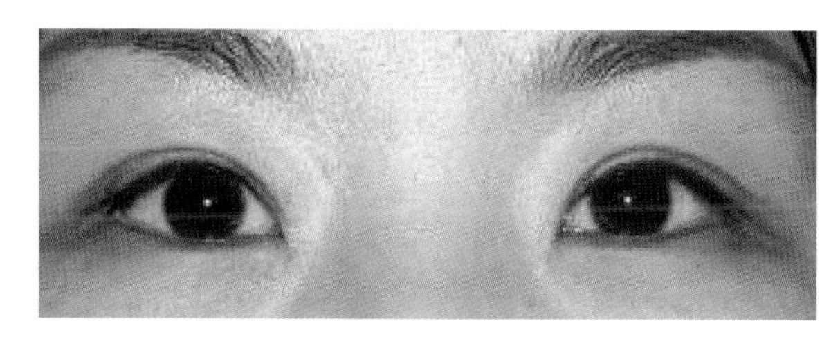

FIGURE 1-18 **왼쪽 쌍꺼풀이 내측으로 길게 뻗지 않고 아래로 꺾여 inside fold 가 된 경우.**
바깥 쌍꺼풀(out fold)을 원한다면 안쪽으로 보다 길게 절개를 하여야 오른쪽처럼 될 수 있다.

### *쌍꺼풀 깊이의 차이*

절개한 부위의 쌍꺼풀은 깊은 데 비해 절개하지 않은 부위의 쌍꺼풀은 너무 얕아서 깊이가 일정치 않아 어색하고 흉터도 차이가 날 수가 있다. 절개부위의 흉이 함몰 흉(depressed scar)이 되지 않도록 유념해야 한다. 절개부위만 함몰되면 이것은 오히려 완전절개로 인하여 전체가 함몰 흉이 생긴 것보다 더 어색할 수 있다.

## 절개법(Incision method)

저자가 절개법을 시행하는 경우는 ① 피부가 많이 늘어져 최소 3-4 mm 이상 피부를 절제해야 할 경우와 ② 눈꺼풀이 지나치게 투박하여 안와지방 제거 외에 안륜근이나 ROOF를 제거해야 할 필요성이 있는 경우에 국한하고, 그 외 orbital fat만 제거할 경우는 매몰법이나 부분절개법을 적용한다.

매몰법이나 부분절개법은 완전 절개법에 비해 술식이 비교적 간단하고 회복이 빠르고 흉터가 적으며 조직 손상이 적은 만큼 자연스럽다는 장점이 있는 반면 젊은 사람이라 할지라도 피부가 여분이 있는 경우 절개선 상부가 투박해 보인다든가 눈꺼풀이 처져 보일 수 있다. 매몰법이 보다 자연스럽고 절개법은 부자연스럽다는 말을 흔히 듣게 되는데 절개법이 매몰법에 비해 약간은 더 traumatic한 수술이긴 하지만 실제로 부자연스러운 이유는 절개 자체 때문이 아니라 매몰법에서는 통상 하지 않는 일, 예를 들어 lower flap undermining이나 lower flap의 지나친 안륜근 제거로 인한 반흔 형성(scarring)이 원인인 경우가 많다. 그러므로 다시 말하면 절개법이라 해도 꼭 필요한 술식만을 하고 과잉처치를 하지 않는다면 얼마든지 자연스러워질 수 있다.

피부 절제법(excision method)의 장점은 피부 처짐이 많고 비대한 눈꺼풀 교정에 효과적이며 피부 처짐은 일종의 노화현상이므로 나이 들어서 어차피 많이 처질 것에 대한 예방 조치가 될 수 있다.

저자는 테스트 상 3 mm 이상 피부를 자를 것으로 예상되면 피부 절제법을 시행하게 되는데 젊은 층에서는 20% 정도에서 피부 절제법을 권하지만, 술자에 따라 심지어 거의 모든 젊은 층에서도 피부 절제를 권하는 이도 있을 정도로 술자에 따라 차이가 많은 편이다. 어느 정도의 피부를 절제하는가 하는 피부 절제량의 측정 방법은 제2장 노인성 상안검수술에서 설명하기로 한다.

## 피하 연조직 제거(SOFT TISSUE EXCISION)

### 안륜근(Orbicularis oculi muscle)

매몰법이나 부분 절개법처럼 피부 절제를 하지 않는 수술 방법에서는 안륜근을 제거하지 않고 피부를 많이 절제(skin excision)하는 경우만 안륜근을 일부 제거한다. 피부 절제 없이 안륜근을 제거하면 그 부위만 함몰이 생기므로 다른 부위에 비해서 표시가 날 뿐더러, 피부를 검판에 고정할 때, 저자는 진피에 고정하지 않고 피부에 가까운 부위의 안륜근(inferior pretarsal orbicularis platform)에 고정하기 때문에 풍부한 양의 안륜근에 고정하기 위해서는 안륜근을 제거하지 않는 것이 좋다.

특별히 안륜근이 지나치게 많은 경우엔 안륜근을 제거할 수도 있는데 이런 경우엔 안륜근을 피부절개 부위(cuff of the pretarsal orbicularis muscle)는 남기고 그보다 아래 부분을 제거한다. 절개선 부근의 안륜근을 제거하면 함몰흉이 생길 수 있기 때문이다.

## 검판전 연조직(Pretarsal soft tissue)

검판전 연조직을 제거하여 앞 피판(anterior lamella, 피부와 안륜근)과 뒷 피판(posterior lamella 검판 혹은 상거근건막(aponeurosis))의 유착을 용이하게 해 준다. 특히 내측에는 검판전 지방(pretarsal fat)이 과다한 경우가 있어 제거하지 않으면 쌍꺼풀이 잘 풀어지고 불룩하게 보이는 수가 있으므로 제거해 주는 것이 좋다.

중요한 것은 고정 봉합할 부위보다 하방의 연조직을 제거해야 한다. 즉 연조직 제거 부위 중 최상단에 고정해야 한다. 고정봉합 위치보다 상방의 연조직을 제거하면 고정 부위 위쪽으로 삼겹 쌍꺼풀(triple fold)이 생길 수 있기 때문이다(FIGURE 1-19)(자세한 설명은 3장 삼꺼풀참조).

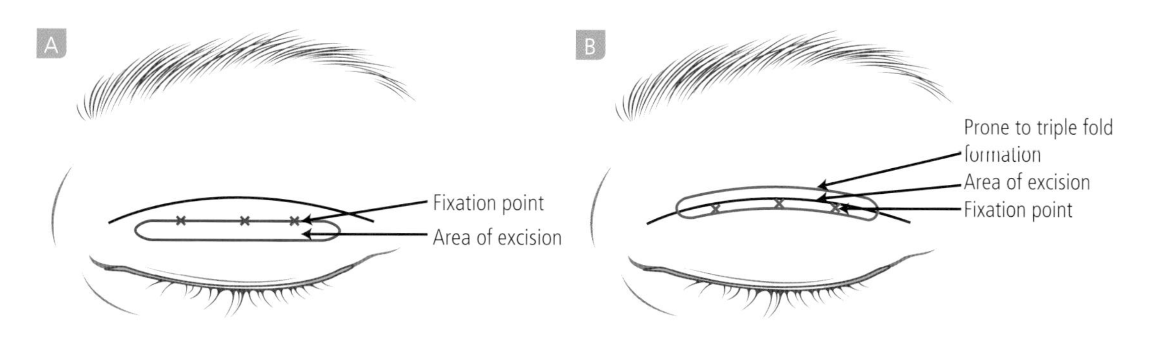


FIGURE 1-19 **연조직 제거부위가 고정부위보다 높으면 삼겹 쌍꺼풀이 생길 수 있다.**
A. 연조직 제거 부위 최상단에 고정한다.
B. 연조직 제거 부위보다 아래에 고정하면 연조직 제거 부위에서 삼꺼풀이 생길 수 있다(제3장 삼겹 쌍꺼풀에서 자세히 설명).

WAIT A MINUTE!

## 조리는 도마위에서

### 연조직제거를 검판위에서

쌍꺼풀을 만들기 위해서는 고정할 자리에 유착이 잘 되게 연조직을 일부 제거하는데, 연조직 제거 부위는 검판 상단을 벗어나지 말아야 한다.

연조직을 검판보다 상부에서 제거하게 되면 다음 두 가지의 위험성을 고려해야 하는데

① 검판보다 상단의 상거근건막(aponeurosis)을 잘라서 건막 파열(aponeurosis disinsertion)로 인한 안검하수를 일으킬 수 있다. 건막이 검판 상단에서는 섬유성 밴드에 의해 강하게 검판과 연결되어 있기 때문에(**FIGURE 1-20**) 검판 앞 연조직 제거시 건막을 절제하는 것은 건막파열을 일으키지 않지만, 검판 상단보다 윗부분의 건막절제는 건막 파열을 일으킬 수 있다. 검판상단의 상거근건막을 잘라도 당장은 뮬러근이 잘 작동하여 안검하수가 일어나지 않을 수 있지만 점차 시간이 지나면 뮬러근이 늘어나고 약화되면서(lenthening and thinning) 안검하수가 발생할 수 있다.

② 검판 위 조직이 잘린 부위가 안륜근과 유착되어 삼겹 쌍꺼풀을 일으킬 수 있다. 상처를 받은 부위는 주위조직과 유착을 일으킬 수 있는데 검판상부에서의 유착은 삼꺼풀을 일으킬 수 있다.

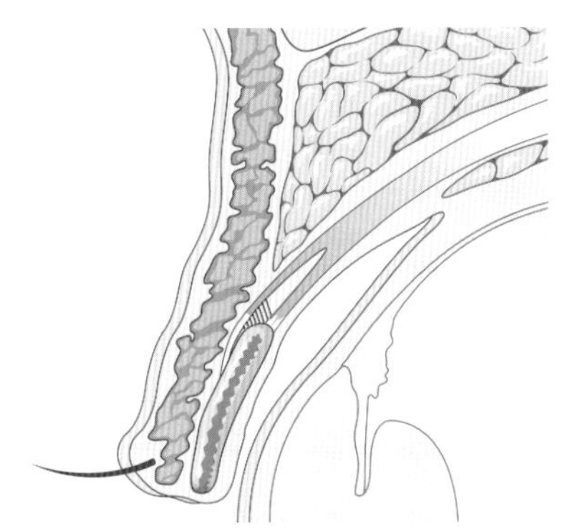

FIGURE 1-20 **거근건막이 검판상단에 섬유성밴드(빗금 표시)에 의해 연결되어 있는 모습.**
검판 상단에 검판과 건막사이에 많은 섬유성 밴드에 의해 연결되어 있기 때문에 검판 상단보다 아래에서는 건막이 절제되어도 건막파열(aponeurosis disinsertion)이 일어나지 않지만 검판보다 윗부분에서 건막이 절제되면 파열이 일어날 수 있다.

### 고정 봉합을 검판에서 (FIGURE 1-21)

고정 봉합을 검판보다 위쪽에서 하게되면 실의 매듭이 검판보다 위에 있게 되는데 실매듭을 검판이 막아주지 못하면 매듭이 결막을 자극하여 통증을 유발할 수 있다. 이런 현상은 안검하수 수술 중에도 특히 조심해야 한다. Levator plication을 levator와 tarsus를 해야 실이 검판에 있어서 실매듭을 검판이 막아주는데 levator끼리 봉합하게 되는 경우엔 실매듭이 눈동자를 자극할 수 있다. 심지어 검판상연에 실매듭이 있는 경우도 결코 안전하지 않다. 실매듭이 눈을 자극할 수도 있기 때문이다. 그러므로 검판 상단에서 1 mm 이상 아래 부분이 안전하다고 할 수 있다. 또한 실이 검판을 부분적으로 뚫을 정도로 통과해야 장력을 견딜 수 있어 재발이 적을 뿐더러 실이 검판을 뚫지 못하면 조직이 늘어나서 실매듭이 검판보다 더 상부로 벗어날 수 있다.

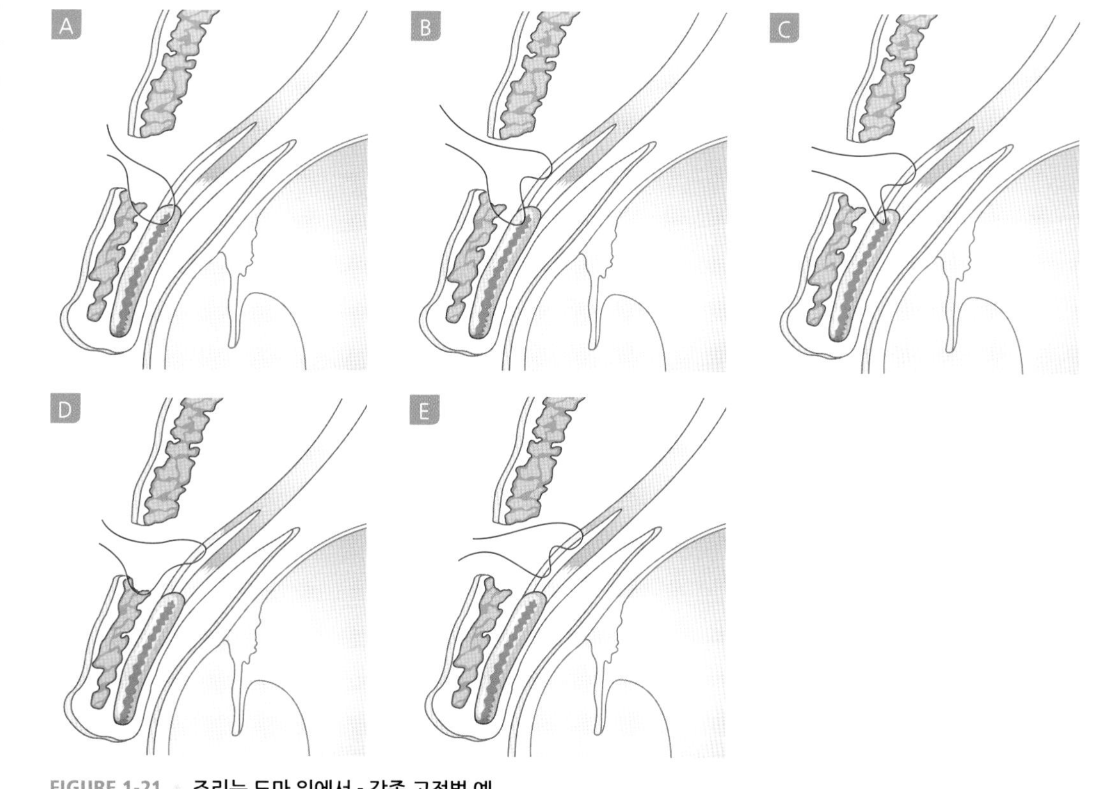


FIGURE 1-21 조리는 도마 위에서 - 각종 고정법 예.
예 1. 고정봉합이 검판 위에 있어 안전한 경우(suture on the tarsus)
**A.** 피판을 검판에 고정
**B.** 보다 높은 고정을 위해 피판을 건막과 함께 검판에 고정(TAO fixation, 3 point fixation).
**C.** 안검하수 수술; 상거근 건막 전진술(aponeurosis advancement)에서 건막을 아래로 당겨 검판에 고정
예 2. 고정봉합이 검판보다 위에 있어 안전하지 못한 경우(suture over the tarsus)
**D.** 피판을 건막에 고정.
**E.** 안검하수 수술; 거근끼리의 plication으로 인해 봉합이 검판보다 위에 있다.

## 안와지방(orbital fat)과 안륜근하 지방(retroorbicularis oculi fat, ROOF)

상안검이 두툼한 경우 격막에 작은 구멍(septal buttonhole)을 내고 안와지방을 제거한다. 일부러 격막을 길게 절제할 필요는 없다. 격막은 gliding movement에 중요한 membrane이기 때문에 격막을 제거한 경우 원치 않는 유착이 일어나 삼겹 쌍꺼풀을 유발시킬 수 있다. 그리고 눈두덩이가 많이 두툼한 경우가 아니면 가능한 안와 지방을 많이 제거하지 않는

것이 좋다. 나이가 들면서 지방이 줄기 때문이다.

안와지방을 제거해도 상안검이 두툼해 보일 때는 ROOF를 제거하는데 이것을 제거할 때는 골막이 노출될 정도로 하지 않고, 안륜근에 가까운 쪽의 ROOF도 제거하지 않는다. 이는 유착을 일으켜 삼겹 쌍꺼풀을 만들 수 있기 때문이다. 안와지방에 비해 ROOF는 표면에 가깝기 때문에 적은 양을 제거해도 많이 함몰되는 경향이 있다. 또한 ROOF의 양은 내측으로는 적고 외측으로는 많기 때문에 내측 1/2에서 ROOF를 제거하는 것은 삼겹 쌍꺼풀을 일으키는 경향이있으므로 조심해야 한다. 쌍꺼풀 선이 끝나는 지점보다 바깥쪽에 존재하는 ROOF는 많이 제거하지 않는 것이 좋은데 이유는 외측으로 피부

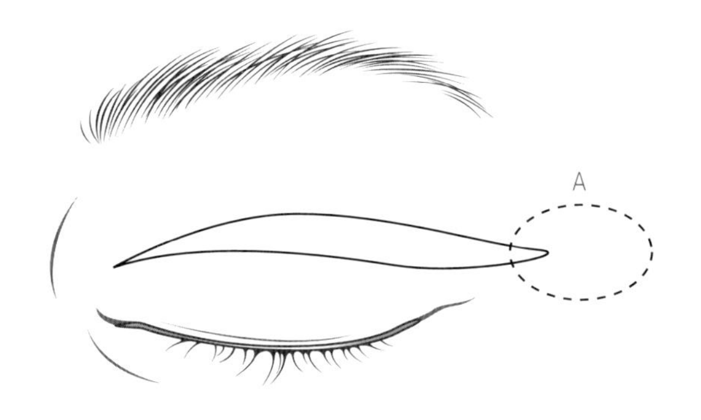


**FIGURE 1-22** 쌍꺼풀선이 끝나는 지점의 외측부분 즉, A지점의 ROOF를 제거하면 lateral convexity가 사라져서 cachectic하게 보일 우려가 있다.

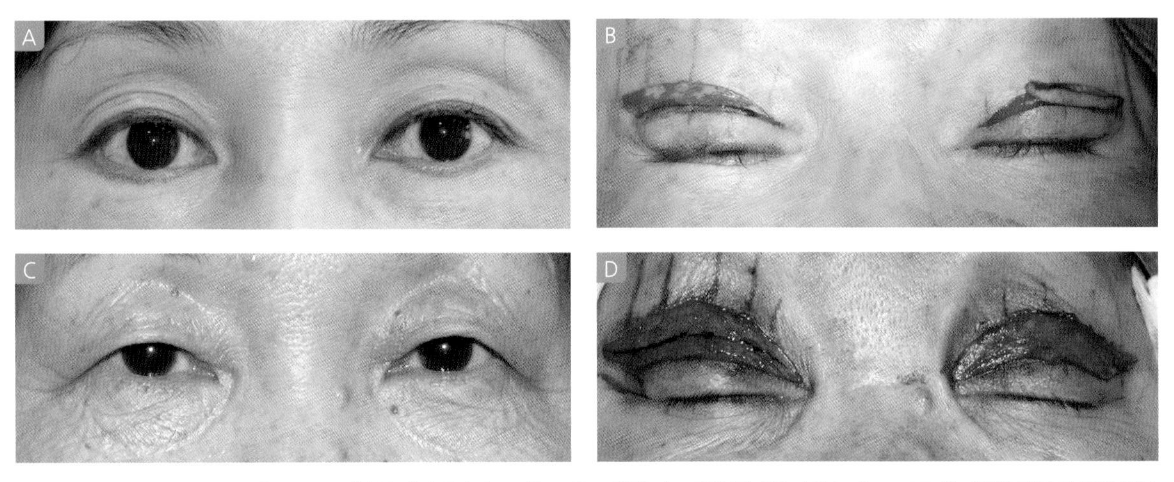


**FIGURE 1-23** 눈꺼풀이 얇을 경우는 피부를 절제하더라도 안륜근을 포함한 연조직은 절제하지 않는다. 그리고 쌍꺼풀을 만들기 위해 안륜근에 절개를 가하게 되는데 근육 절개선의 위치는 아래 피판과 위 피판 중에서 어느 곳을 더 보강하느냐에 따라 안륜근 아래부분을 절개하면 위 피판이 보강되고(A & B) 안륜근 중간 부위를 절개하면 아래와 위 피판을 보강하게 된다(C & D).

표면이 불룩(lateral convexity, lateral roundness)함이 유지되도록 해야 하는데 (FIUURE 1-22)의 A지역에서 ROOF를 많이 제거하여 이곳이 평편(flat)하게 되면 cachectic해 보이고 지쳐 보이기 때문이다.

반대로 눈꺼풀이 얇거나 꺼진 경우는 피부만 잘라내고 안륜근을 포함한 다른 연조직(connective tissue, ROOF)은 일체 절제하지 않는다. 피부 절제 후 안륜근이 노출되면 안륜근에 절개를 가하는데 아래 피판을 보강하기 위해서는 안륜근 상부에 절개하고 윗 피판을 보강하기 위해서는 안륜근 하부에 절개한다(FIGURE 1-23). 이런 경우 만일 medial fat이 불룩하면 이것을 제거하여 외측으로 유리 이식(free graft)하여 볼륨을 보완한다(통통하다=젊다 개념).

저자는 lower flap undermining이나 lower flap에 있는 안륜근을 제거하는 것을 권하지 않는다. 수술 전 디자인하기 위해 부지로 쌍꺼풀을 만들어 볼 때 그것 자체만으로 대부분 마음에 드는 모양을 선택할 수 있다. 즉, 제거하지 않아도 원하는 쌍꺼풀의 모양을 만들 수 있는데 불필요하게 제거하면 함몰 흉이 발생할 수 있다. 그러나 lower flap의 박리나 lower flap의 안륜근을 제거하는 것을 주장하는 사람들이 있다. 이들의 주장을 열거하면 다음과 같다.

***유착을 도와서 쌍꺼풀이 풀어지지 않는 것에 도움을 준다.***

일리가 있다. 하지만 앞에서 설명했듯이 수술방법만 secure하다면 lower flap 전체의 넓은 면적의 유착보다는 쌍꺼풀 선을 따라 있는 선상 유착만으로 충분하다. 그리고 과다한 유

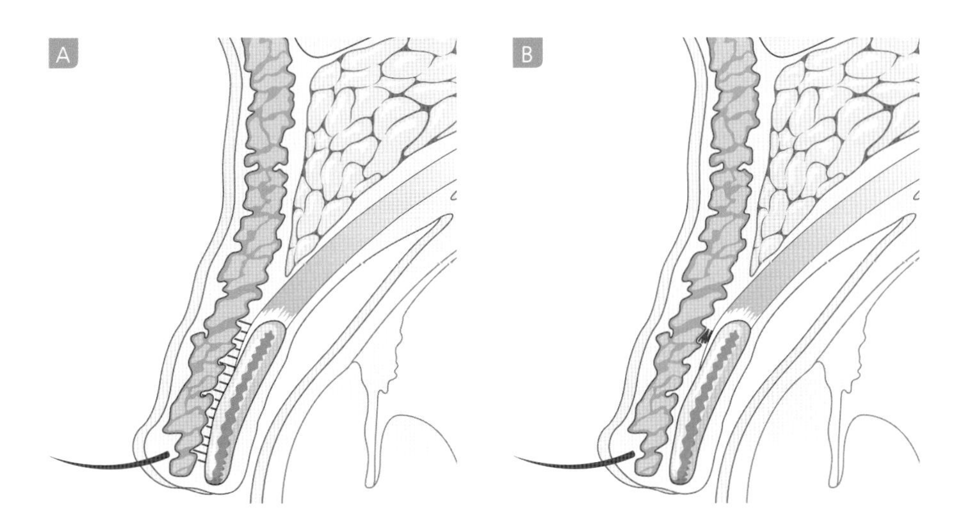


FIGURE 1-24
**넓은 면적의 유착(A)과 선의 유착(B) 비교.**
좁은 선상의 유착(B)만으로도 그 유착이 확실하다면 쌍꺼풀이 풀어지지 않는다.

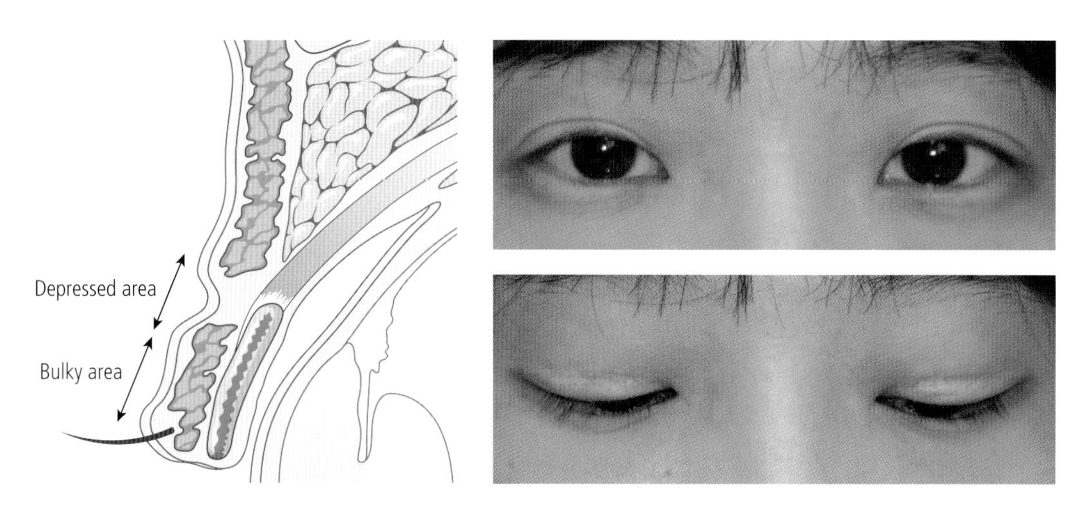


FIGURE 1-25 절개선 아래 안륜근을 제거하면 그곳은 함몰되어 보기 흉하고 상대적으로 그 아래는 불룩하다. 실제 눈을 뜨면 쌍꺼풀이 보이는 곳은 더욱 비후하다. 사진을 보면 쌍꺼풀선 아래 2~3 mm 폭이 안륜근 제거로 인해 심하게 함몰되어 있다. 그러나 눈을 뜨면 쌍꺼풀이 비후하게(bulky) 보인다.

착으로 인해, 흉조직이 지나치게 생기는 것은 여러 번 수술한 사람에게서처럼 부드럽게 보이지 않는다. 흉 조직 때문에 눈을 뜰 때 피부의 아코디온 효과가 사라지기 때문에 자연스럽지도 않고 쌍꺼풀 폭이 눈을 뜨면 줄어드는 현상이 없어진다. 꼭 해야 하는 일이 아니면 안 하는 것이 좋다(FIGURE 1-24).

***안륜근을 제거하는 것으로 전검판 비후(pretarsal fullness)를 예방할 수 있다.***

가장 많이 듣는 얘기이다. 이론적으로 그럴 듯하게 들리지만 실제는 그렇지 않다. 왜 그럴까? 눈을 떴을 때 쌍꺼풀이 보이는 폭은 안검연에서 대개 2-3 mm이다. 그런데 아래에는 안검연에서 3 mm 높이에 marginal arterial arcade가 있고, 그 아래에 속눈썹 뿌리가 있으므로 그곳의 안륜근은 통상 제거하지 못한다. 그러므로 상부의 안륜근만 제거하고 하부는 제거하지 못하기 때문에, 상대적으로 하부, 즉 눈을 떴을 때 쌍꺼풀이 보이는 곳이 오히려 더욱 비후하게 보인다(FIGURE 1-25).

***그 외의 문제점으로는 림프액과 정맥혈의 순환이 방해되어 부종이 오래간다.***

심한 경우에결막부종(chemosis)이 생긴다. 그리고 중요한 것은 검판전 안륜근(pretarsal oculi muscle)은 눈을 깜박거리면서(blinking movement) 눈물을 분비하고 눈물을 고르게 분포하는 기능과 눈물의 흐름(drainage)을 관여하고 눈을 감는 기능에 가장 중요한 근육이므로 이 근육이 소실된 경우는 안구건조증을 유발할 수도 있다. 또한 눈 감는 힘이 약하여 여러 번 수술로 피부가 조금만 부족하거나 경미한 안검하수 수술 후에도 눈을 뜨고 자는 등의 문제를 야기시킬 수 있다. 안륜근의 힘을 눈을 뜨고 자느냐 감고 자느냐 하는 이원적인 문제로 판단해서는 안 된다. 비록 눈을 뜨고 자는 정도는 아니라 하더라도 눈을 감는 힘이 강해야 눈꺼풀 기능을 잘 유지할 수 있다.

보툴리늄 톡신을 전검판 안륜근에 주사하면 눈이 커지는 것도 안륜근이 검열 크기에도 관여하는 것을 알 수 있고 눈꺼풀 수술 중 국소 마취액에 의해 안륜근의 일시적인 마비로 인해 눈을 잘 감지 못하는 경우를 볼 수 있다. 이런 경우를 보더라도 안륜근의 눈을 잘 감게 하는 능력, 감더라도 강하게 감는 능력이 중요함을 느낄 수 있다. 또한 안륜근을 심하게 제거하면 telangiectasis가 나타나면서 쌍꺼풀선 아래 피판이 어두운 색깔로 변하는 수가 있다.

수술 전에 부지로 쌍꺼풀을 만들어 봤을 때, 절개선 아래가 너무 통통해서 심하게 부자연스러울 경우에는 절개선 아래 안륜근을 많이 제거해서 해결하겠다는 생각을 할 것이 아니라 쌍꺼풀 폭을 줄여주는 것이 좋다. 쌍꺼풀 폭이 적당한데도 너무 통통하다고 판단되는 경우는 드문 경우이지만 이런 경우에는 보통보다 폭이 좁은(낮은) 쌍꺼풀을 권한다.

## 쌍꺼풀의 깊이

### 쌍꺼풀 선의 깊이에 따른 이미지의 차이 (FIGURE 1-26)

#### 얕은 쌍꺼풀의 특징

- 쌍꺼풀 있는 눈과 없는 눈의 중간적 형태와 특징을 가지고 있다.
- 속눈썹이 찌른다.
- Eye fissure가 완전 노출되지 않는다.

#### 적당한 깊이의 쌍꺼풀

자연스럽다. 눈이 커진다. 부드러운 인상이다.

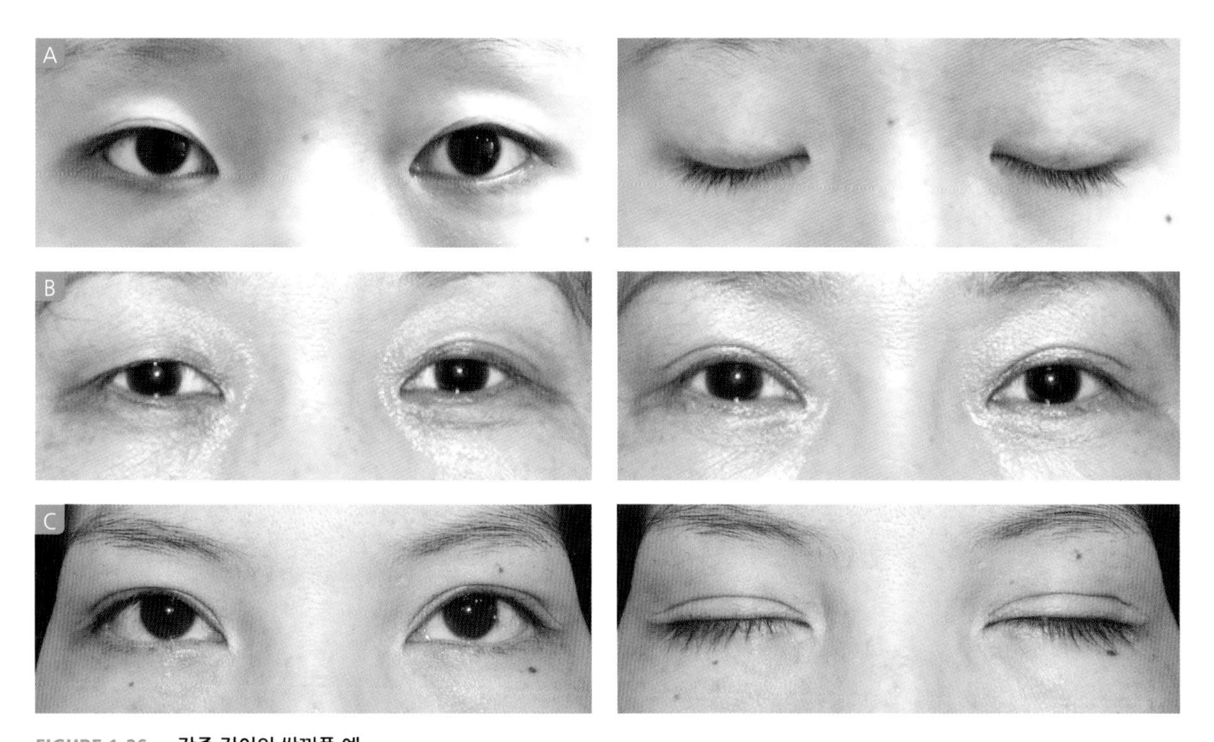


**FIGURE 1-26 각종 깊이의 쌍꺼풀 예**
**A.** 얕은 쌍꺼풀. 안검열이 눈꺼풀에 덮여 있다. **B.** 적당한 깊이의 쌍꺼풀. (좌측) 왼쪽 눈은 선천성 쌍꺼풀, 오른쪽 눈은 쌍꺼풀이 없다. (우측) 오른쪽 눈 쌍꺼풀 수술 후 왼쪽 눈과 별 차이가 없다. **C.** 깊은 쌍꺼풀, 외반증이 있고 함몰 흉을 볼 수 있다. 인상이 강하다.

### 깊은 쌍꺼풀의 특징

- 속눈썹이 들려 있다.
- 인상이 강하다. 부자연스럽다.
- 눈이 당기는 불편함이 있다.
- 함몰 흉
- 라인 위가 두툼하다.
- 때로 눈이 커지거나 작아진다.
- 안구건조증이 있을 수 있다.

즉 쌍꺼풀 수술에 있어서 외반증(ectropion)의 반대는 내반증(entropion)이 아니라 얕은 쌍꺼풀(희미한 쌍꺼풀)이다.

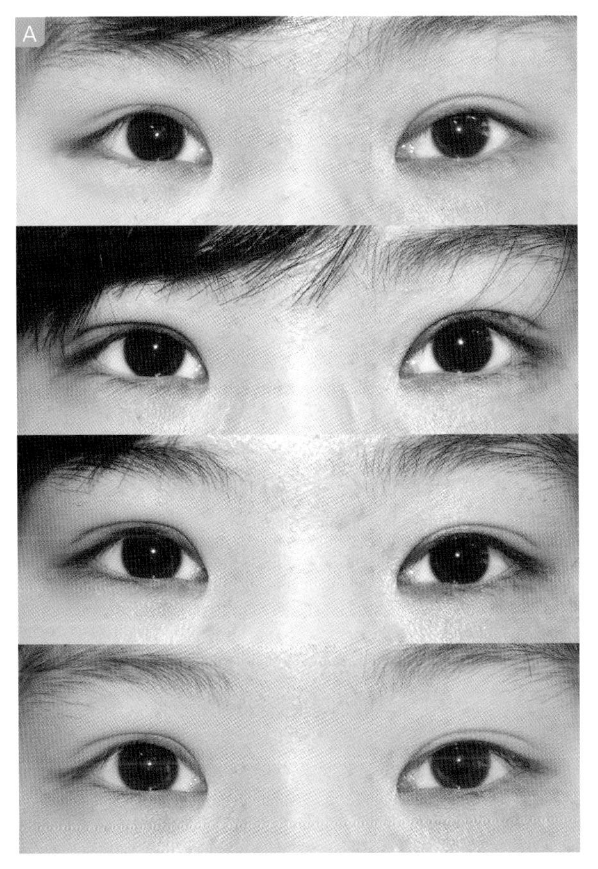


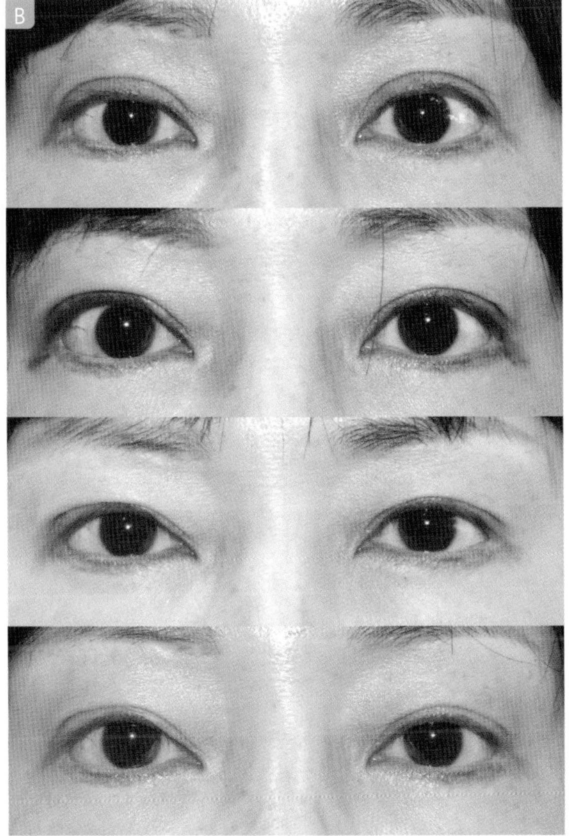


FIGURE 1-27 쌍꺼풀이 시간에 따라 풀어진다(2예).

A. 수술 전
수술 후 1주일, 쌍꺼풀이 또렷하다.
수술 후 3개월, 쌍꺼풀이 옅어졌다.
수술 후 8개월, 수술 초기에 비해 눈에 띄게 옅어졌다.

B. 술 전. 외반증이 있다.
수술 후 10일 약간 깊다.
수술 후 40일 깊지 않다.
수술 후 6개월 외반증 해결.

**모든 쌍꺼풀은 일정 기간 동안 다소간 풀어진다**(FIGURE 1-27).

쌍꺼풀선의 깊이는 쌍꺼풀 수술에 있어서 알파와 오메가라고 할 만큼 가장 중요하고 또한 가장 어려운 문제라고 생각한다. 쌍꺼풀에 있어서 그 폭이나 커브도 중요하지만, 폭은 수술 전에 앉아서 도안해 보면 그 결과를 예상할 수 있기 때문에 그 예상 라인을 따라서 디자인하면 된다. 그러나 깊이는 환자에 따라서도 다르고 여러 가지 술식에 따라 다르며 같은 깊이로 만들더라도 수술 당시의 깊이가 시간이 지나면서 어느 정도 풀어지면서 변하므로 가늠하기가 어렵다.

이 풀어지는 정도는, 크게 두 가지 요인에 의해 달라진다. 첫째는 환자 요인이고, 두 번째는 수술의 술기 요인이다. 모든 물체는 현재의 형태를 유지하려고 하고, 변형시키고자 하면 저항하려는 성질이 있다. 이것을 일종의 관성능률이라고 하는데, 이것이 쌍꺼풀 수술에도 적용된다고 할 수 있다. 쌍꺼풀에 대한 저항이 높은 눈, 즉 수술 후에 풀어질 가능성이 높은 눈은 이를 예상하여 풀어질 정도만큼 미리 더 깊게 해주어야 한다.

쌍꺼풀에 대한 저항이 강한 눈(resistance to fold)은 다음과 같이 열거할 수 있다.

- 두꺼운 피부
- 속눈썹을 많이 덮는 피부 이완이 심한 경우
- 비후한 연조직
- 상안거근의 기능이 약한 눈(안검하수)
- 안검췌피(epicanthal fold)에 의한 내측 피부의 긴장도
- 젊은 나이
- 지난번 수술 후 풀린 쌍꺼풀

저항이 강한 눈은 앉은 자세에서 부지로 쌍꺼풀을 만들어 볼 때 저항 정도를 가늠할 수 있다. 즉 부지를 갖다 대기만 해도 쌍꺼풀이 잘 생기고 부지를 떼어도 한참 동안 쌍꺼풀이 있는 눈은 저항이 약한 눈이며 깊이 찔러야 겨우 쌍꺼풀이 생기고 부지를 떼자마자 쌍꺼풀이 없어지는 눈은 저항이 강한 눈이다.

### 속눈썹을 덮는 피부 이완

아래 피부가 많이 늘어져서 속눈썹을 심하게 덮는 경우는 부지로 미리 쌍꺼풀을 만들어 볼 때 속눈썹을 덮고 있는 피부가 모두 올라가게 하려면 깊게 찔러야 한다. 힘이 더 들어가야 쌍꺼풀이 생기는 것은 쌍꺼풀에 대한 저항이 강하다는 것을 의미하고, 부지를 갖다 대기만 해도 만족할 만한 쌍꺼풀 모양이 만들어지는 것은 쌍꺼풀에 대한 저항이 약하다는 것을 보여준다**(FIGURE 1-28B, 1-29)**.

### 상안거근의 기능이 약한 눈

상안거근의 기능이 떨어진 사람, 즉 ptotic한 느낌이 드는 환자는 안검하수를 교정하지 않고 쌍꺼풀을 만드는 경우에는 많이 풀어진다. 그러므로 좀 더 깊게 되도록 고정해야 한

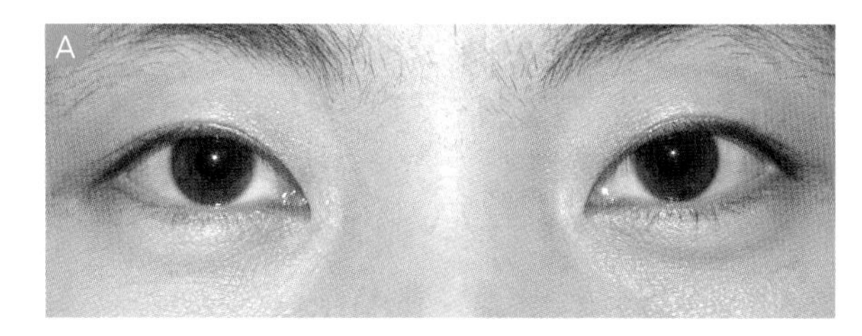


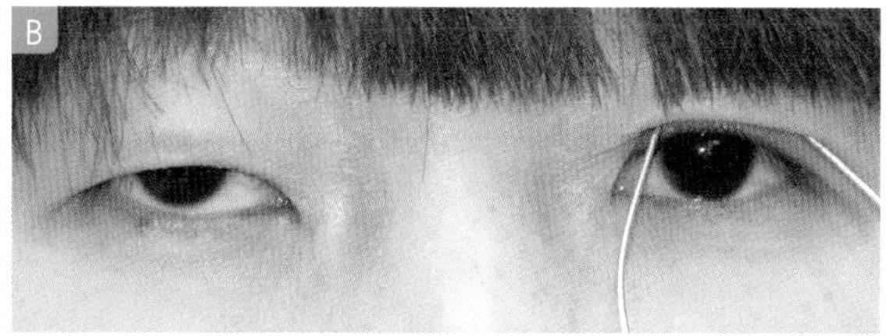


FIGURE 1-28 A. 피부가 얇아 쌍꺼풀이 쉽게 풀어지지 않는 눈. B. 속눈썹을 많이 덮는 눈은 수술 후 잘 풀어진다.

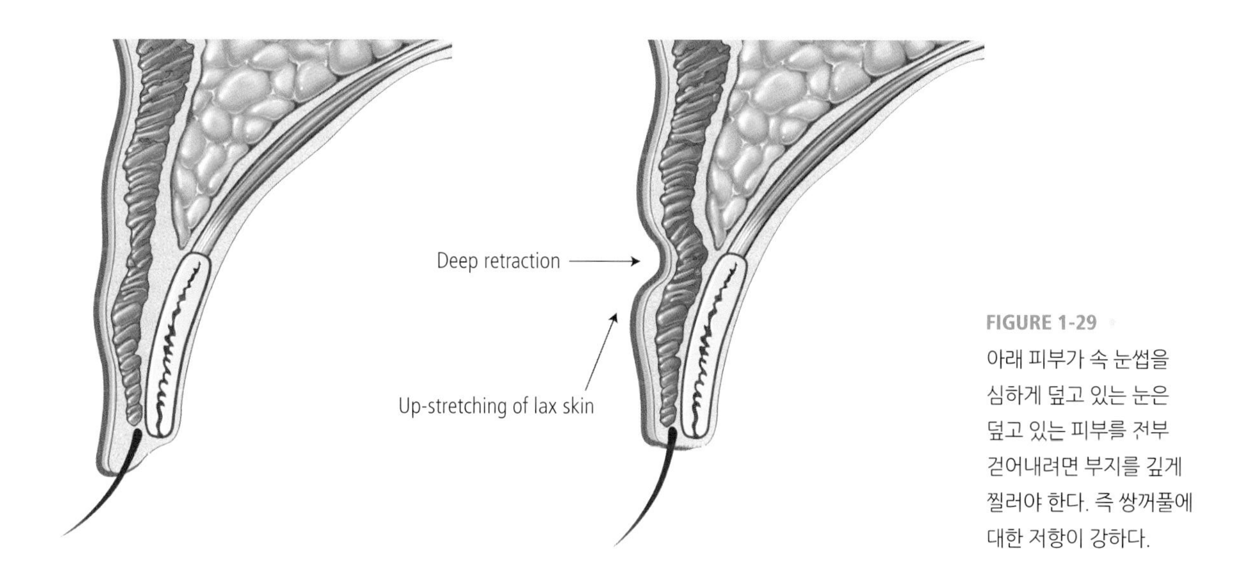


FIGURE 1-29 아래 피부가 속 눈썹을 심하게 덮고 있는 눈은 덮고 있는 피부를 전부 걷어내려면 부지를 깊게 찔러야 한다. 즉 쌍꺼풀에 대한 저항이 강하다.

다. 그러나 ptosis 교정을 하면서 쌍꺼풀을 만드는 경우에는 쌍꺼풀이 잘 풀어지는 문제가 해소되며 안검하수 수술 후에 오히려 외반증이 생기기 쉽다는 것을 염두에 두어야 한다. 하지만 안검하수 수술을 하더라도 일반적으로 상거근 전진을 생략하는 외측 부위는 여전히 쌍꺼풀이 잘 풀어질 수 있으므로 유의해야 한다. 이때 저자는 안륜근을 검판에 고정 후 다시 한 번 높은 부위(검판 상연에서 3-7 mm 정도)의 건막에 고정한다(FIGURE 1-31)(5장 안검하수란 참조).

### 안검췌피(epicanthal fold)가 있는 경우

안검췌피가 단단한 밴드를 가지고 있는 눈꺼풀은 바깥 쌍꺼풀(outside fold)을 만들고자할 때 안쪽(medial)으로 부지를 깊게 찔러야 쌍꺼풀이 생기는 것을 볼 때 안쪽의 저항이 심한

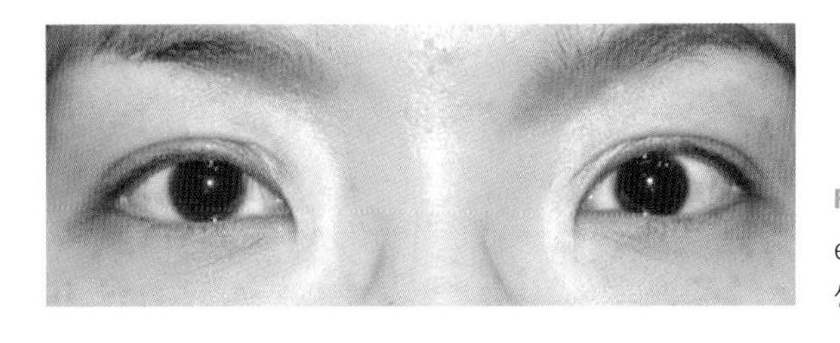

**FIGURE 1-30** **몽고주름 때문에 안쪽이 풀어진 쌍꺼풀.**
epicanthal fold가 있는 눈에서 out fold를 만드는 경우는 안쪽의 쌍꺼풀이 잘 풀어진다.

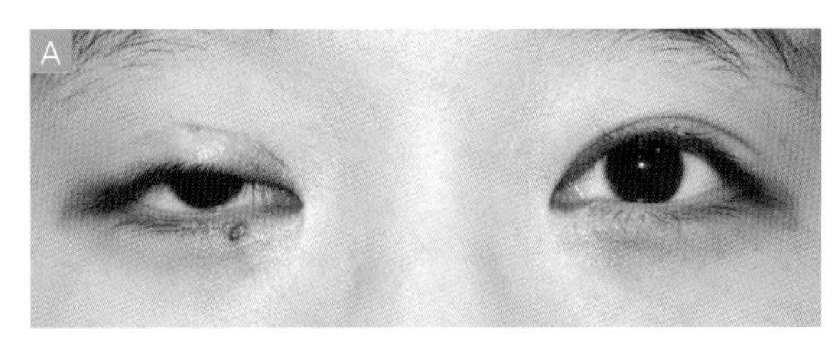


**FIGURE 1-31** 우측 안검하수로 인해 쌍꺼풀이 희미하다.

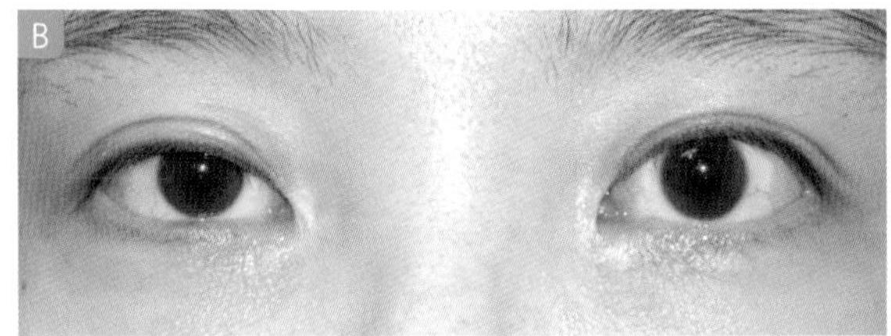


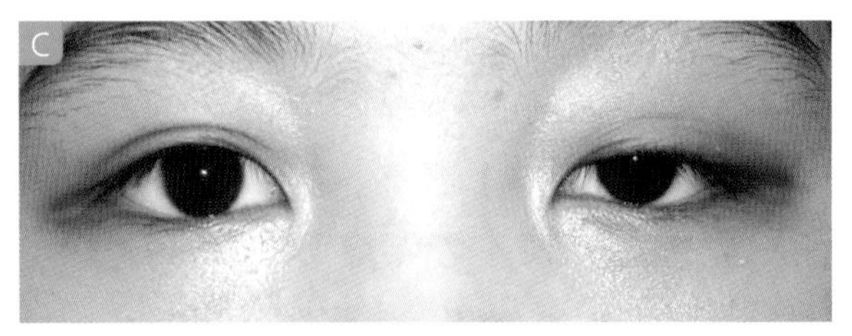


것을 알 수 있다. 하지만 안 쌍꺼풀(inside fold)은 저항이 심하지 않다. 이런 경우는 췌피의 밴드를 풀어주면 쉽게 해결되지만 앞트임을 하지 않는 경우엔 쉽게 풀어지지 않도록 고정할 때 평소보다 과하게 깊게 외반되게 고정해야 한다.

췌피로 인한 피부의 긴장 때문에 바깥쪽 쌍꺼풀(outside fold)을 만들 때 내측(medial side) 시작 부위의 쌍꺼풀이 많이 풀어지는 경향이 있다. 그러나 안쪽 쌍꺼풀(inside fold)은 췌피의 긴장으로 인한 영향을 적게 받아 쌍꺼풀이 풀어지는 경향이 별로 없다(**FIGURE 1-30**).

### 젊은 나이

나이가 많을수록 피부주름이 많고 피하지방이 적으면서 쌍꺼풀에 대한 저항이 줄어든다. 즉, 나이가 많을수록 쌍꺼풀이 풀어지는 경향이 적고 어릴수록 쌍꺼풀이 풀어지는 경향은 많다. 예를 들어 내반증으로 쌍꺼풀 수술을 어린 나이에 하게 되는 경우는 풀어짐이 많으므로 쌍꺼풀 선을 깊게 약간 외반적(ectropic)으로 수술해 주어야 한다.

### 2차 수술일 경우

쌍꺼풀 잘 풀어지는 눈이 여러 종류가 있지만 이중에서도 단연 저항이 강한 것으로는 지난번 수술 후 쌍꺼풀이 풀어진 경우이다. 그 이유는 일차 수술 후 풀어진 채로 아래 피판에 유착이 있어 redraping을 방해하기 때문이다. 아래 피판의 유착이 매우 심한 예에서는 부지로 쌍꺼풀을 만들려고 해 보면 쌍꺼풀선이 잘 들어가지 않는 경우도 있다. 아래 피판의 유착 정도가 미미한 경우는 1차 수술과 거의 마찬가지로 생각하면 되지만 아래 피판의 유착이 심하면 쌍꺼풀 형성을 심히 방해한다. 따라서 풀어진 상태로 아래 피판이 유착이 되어 있는 경우는 ① 유착이 쌍꺼풀 형성을 방해하지 못하도록 lower flap을 박리하여 유착을 풀고 ② 그런 이후에도 남아 있는 흉조직(섬유조직)으로 인해 조직이 질겨서(stiff) 쌍꺼풀이 생기는 것을 방해하므로 다소 높게 고정하여 lower flap을 redraping하면서 약간 외반되게 해야 한다. 이 부분에 대해서는 제 3장 쌍꺼풀 합병증에서 다시 다루려고 한다.

쌍꺼풀이 풀어지기 쉬운 위의 여러 가지 경우들 중에서 가장 풀어지기 쉬운 쌍꺼풀은 앞서 열거한 여러 가지 요인이 복합적으로 존재하는 경우이다. 예를 들면, 1차 수술 이후에 풀어진 쌍꺼풀 중, 폭이 좁은 쌍꺼풀이면서 피부가 두껍고, 미미한 안검하수가 있는 경우는 2차 수술 후 매우 잘 풀어지는 예이다. 실제로 젊은 남자가 속쌍꺼풀 처럼 아주 낮은 쌍꺼풀을 만들고자 3번 시도하여 계속 풀어져서 찾아오는 경우가 있었다. 이런 경우는 풀이지지 않게 하기 위해서 특별한 고정 방식이 필요하다(고정방법의 종류 참고).

모든 쌍꺼풀은 일정기간 동안은 다소간 풀어지는 경향을 갖는데, 풀어지는 기전은 흉터 제거술 이후 상처의 변화 및 성숙과정과 비슷하다. 흉터가 너무 넓어 긴장력이 많이 작용하거나 움직임이 빈번한 곳일수록 흉터가 넓어지는 원리와 같다고 생각하면 된다. 즉, 풀어지는 기전은 고정하는 것이 완전 유착되기 전에 부종이나 혈종 등에 의해 느슨해지고, 긴장력에 의해 당겨지며, 눈의 깜빡거림에 의해 봉합 자체나 봉합 주변 조직이 늘어지는 등의 복합적인 변화를 통해서 발생하게 된다. 이런 맥락에서 실의 장력에 의존하는 수술은 어떤 수술이든 간에 유착이 확실히 일어나기 전 일정기간 동안은 조직과 실이 늘어지는 과정을 통해 느슨해지고 풀어진다는 점을 고려하는 것이 좋다. 눈 수술에서 다른 예를 들면 안검하수 수술에서 안검하수가 심할수록 재발 양이 많아지는 것도 같은 기전이다. 안검하수가 심할수록 전진양이 많아지고 실과 조직의 장력이 증가하기 때문에 전진된 조직이 늘어나기 때문이다. 일종의 cheese wiring effect로 해석하면 된다.

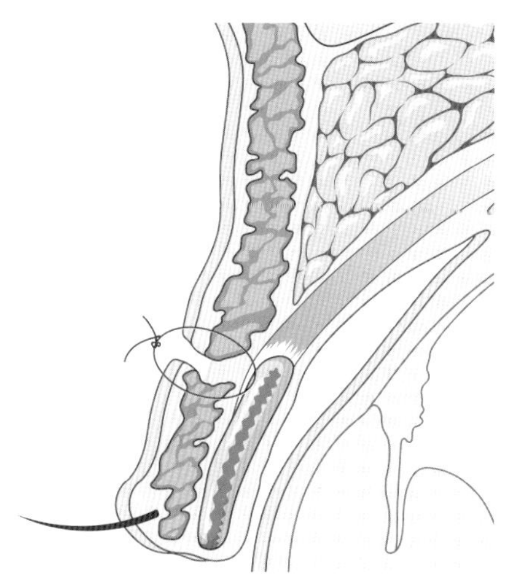

**FIGURE 1-32** **피부 봉합과 동시에 검판이나 그 주위 조직을 같이 고정하는 방법.**
속에 영구 고정을 하면서 피부봉합 시 한번 더 보강해 주는 경우나 원래 쌍꺼풀이 있는 경우에 혹시 다른 선으로쌍꺼풀이 생기지 않도록 길잡이 역할 봉합(guiding suture)으로 사용한다.

## 수술 후 쌍꺼풀 선이 희미해지는(풀어지는) 요인 중 술기에 의한 요인

수술 후 쌍꺼풀 선이 희미해지는(풀어지는) 요인 중 술기에 의한 요인으로 다음과 같은 경우를 생각해 볼 수 있다.

### *매몰 고정 봉합(buried fixation suture) 없이 피부 봉합 시 검판이나 건막을 봉합하여 동시에 고정하는 피부 고정 봉합법 (FIGURE 1-32)*

이 방법을 사용할 경우, 다른 방법보다 잘 풀리는 방식이므로 더 깊게 고정해 주어야 한다(저자의 경우 단독으로 사용하기보다 영구 고정을 보조하는 역할로 4-5개 정도 피부봉합 시 추가적으로 잠정 고정을 하는 데 사용한다).

### *유착이 적은 상태에서 고정실에만 의존하는 경우(예: 단매듭 연속매몰법)*

유착이 극히 적은 상태에서 실의 힘에만 의존하는 매몰법의 경우 비록 실은 영구적이지만 실의 장력은 시간이 갈수록 약화되고 주변 조직이 느슨해지게 된다. 쌍꺼풀이란 결국 실 주변의 유착의 힘으로 쌍꺼풀이 유지되는 것이므로 유착이 적으면 풀어지기 쉽다.

### *Lower fixation*

Lower fixation makes shallow fold or loss of fold.

*지방과 같은 조직이 anterior flap과 posterior flap의 사이에 끼어서 유착을 방해할 때*
특히 내측에서는 검판 전 지방이 많아 쌍꺼풀 형성을 방해할 수 있으므로 이 지방을 제거한다.

*고정 봉합(buried fixation suture)의 수가 적을 때*
풀어지기 쉬운 방법일수록 고정봉합을 많이 하는 것이 풀림을 방지한다.

*부종이 심하거나 혈종이 있는 경우*
고정 봉합이 느슨해지면서 많이 풀어진다.

*수술 후 눈을 부비는 행동과 같은 고정부위에 반복적인 물리적인 마찰력*
예를 들어 쌍꺼풀 수술 후 아토피로 인해 눈을 심하게 부비면 쌍꺼풀이 잘 풀어진다.

*기타, 고정 방법이 적절하지 않을 때*
예) 낮게 고정했을 때, 지나치게 강한 tie는 봉합된 조직의 괴사를 일으켜 떨어진다. 그러므로 첫째와 두 번째 tie는 느슨하게, 다음은 강하게 한다.

## 고정방법(FIXATION TECHNIC)에 따른 술기상의 분류

고정은 anterior lamella(피부와 안륜근을 포함한 피판)와 posterior lamella(검판과 건막, 뮬러근)를 연결하는 것을 말한다.

고정방법은 다음 3가지로 나누어 설명할 수 있다.

- 고정하는 위치
- 고정을 하는 조직
- 고정방향

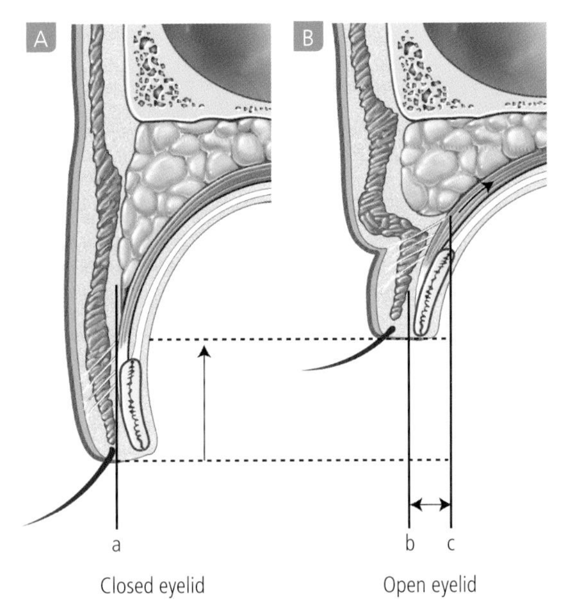


FIGURE 1-33 **고정 위치를 높게 걸수록 눈을 뜰 때 고정위치가 뒤쪽으로 이동하여 쌍꺼풀이 깊어진다.**

Principle: The levator palpebrae muscle moves the tarsal plate superiorly and posteriorly.

원리: 거근의 운동방향은 상후방으로 움직이기 때문에

**A.** 눈 감을 때 검판 상단의 거근 위치는 검판 하단 a의 위치와 같다. 하지만 **B.** 눈 뜰때 고정 봉합이 있는 검판상단의 거근위치는 c에 있다. b-c는 쌍꺼풀의 깊이를 나타낸다. 고정 봉합점 c가 높을수록 b-c는 길어지고 c는 깊어진다.

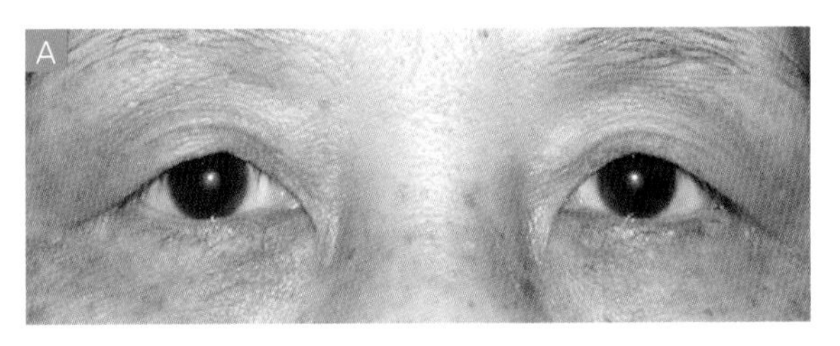


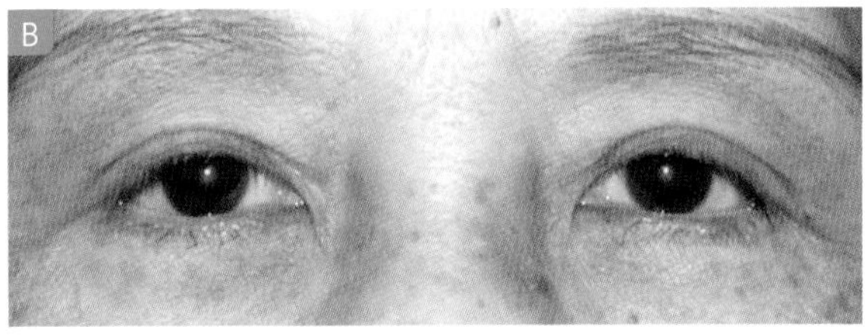


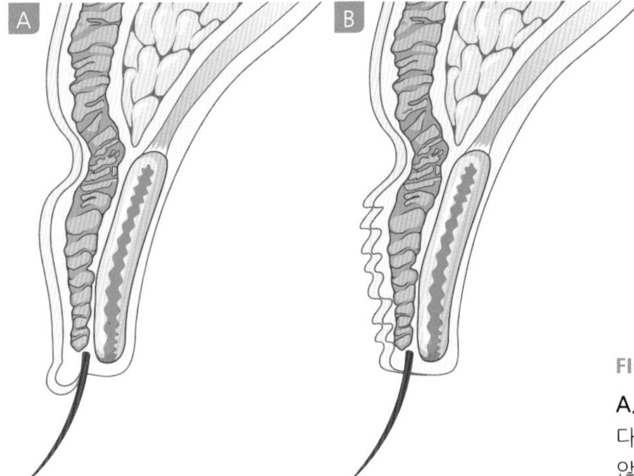


FIGURE 1-34 **낮은 고정으로 나타나는 쌍꺼풀의 두 가지 형태.**

**A.** 처진 눈꺼풀이 안검열을 약간 가리고 있다. 눈이 커지는 효과가 덜하다. **B.** 아래 피판에 주름이 있다. 부드러운 느낌을 준다. 주름이 심하지 않다면 약간의 주름이 있는 것이 나이 많은 사람에겐 어울리는 편이다.

## 고정하는 위치

한국인의 검판의 세로폭 평균은 8.8 mm이다(황건). 고정 위치를 검판의 어느 높이를 택하는가에 따라 깊이가 달라지는데, 높게 걸면 걸수록 lower flap의 피부는 신전(stretching)되어 쌍꺼풀 선은 깊어지면서 외반되고(ectropic)(FIGURE 1-33), 낮게 걸면 걸수록 쌍꺼풀 선은 얕아지고 lower flap 피부는 주름이 잡히거나 속눈썹을 가리게 된다. 적당한 깊이를 만들기 위해서는 lower flap이 속눈썹을 가리지 않도록 피부를 적당히 약간 상부로 traction한 상태의 높이와 같은 위치의 검판에 걸어 주어 나중에 약간 풀어질 것을 고려하여 속눈썹이 약간 외반 되게 하는 것이 좋다.

그러나 주름이 많은 얇은 피부와 노인성에서는 피부가 완전히 신전되지 않게 한다. 앞서 말한 쌍꺼풀에 대한 저항이나, 술기에 따라 깊이 정도를 가감해야 한다.

### 낮은 고정

수술 전 부지로 쌍꺼풀을 만들어 볼 때 깊지 않게 눌러 보면 알 수 있듯이 고정을 낮게 하였을 때는 두 가지 유형이 나타날 수 있다(FIGURE 1-34).

#### *피부가 늘어져서(hooding) 속눈썹 뿌리를 가리는 형*

이런 경우는 안검연(palpebral fissure)이 눈꺼풀에 가려져서 눈이 커지는 효과가 덜하다. 특히 안쪽으로 흔히 나타나서 화장하기 힘들다. 좀 더 깊게 해주어야 한다.

#### *피부가 속눈썹을 가리지 않으면서 약간의 주름이 잡히는 형*

주름이 심하지 않다면 일부러 깊게 하여 피부가 완전히 신전(stretching)되는 것은 인상이 강해 보이는 위험이 있다. 특히 나이 많은 사람의 경우에는 주름이 완전히 없는 것보다는 약간의 주름이 있는 것이 자연스럽고 부드럽다. 아무튼 고정 술식을 하면서 항상 느끼는 것은 검판은 쌍꺼풀 수술을 하는 성형외과 의사들에게 하나님이 내리신 선물이란 생각이 든다.

검판의 상단을 중심으로 고정 위치를 약간씩만 조정하면 되기 때문에 검판 상단이 고정위치를 정하는 데 훌륭한 기준점(land mark)이 되기 때문이다.

#### *고정하는 높이*

피부 절개선에 비해 안쪽을 바깥쪽에 비해 높게 고정하는 경향이 있다(FIGURE 1-35).

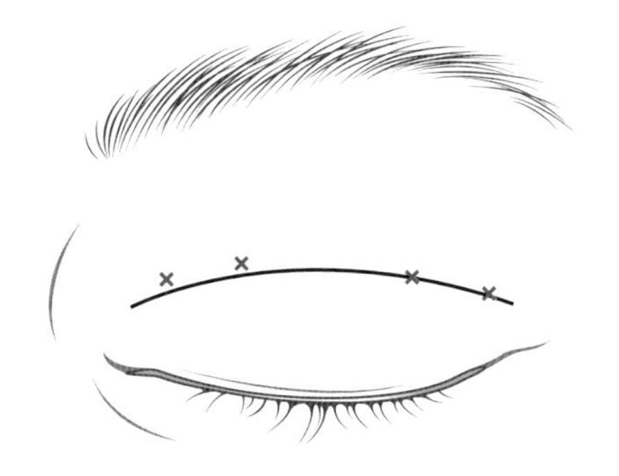

**FIGURE 1-35** **절개선과 고정 위치(높이)와의 관계.**
절개선에 비해 고정높이가 안쪽으로 갈수록 높다. 안쪽(medial side)으로는 절개선보다 상당히 높게 고정하고 바깥쪽(lateral side)으로 갈수록 절개선 높이와 거의 비슷해진다. 실제로는 이것을 응용하여 저자는 두 곳(검판과 거근건막)에 고정한다(고급 쌍꺼풀에서 자세히 설명).

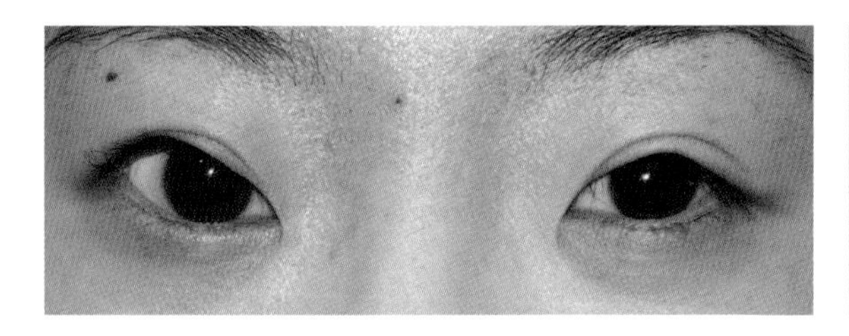

**FIGURE 1-36** 안쪽으로 쌍꺼풀이 희미하여 눈꺼풀이 안검열을 가리고 있다.

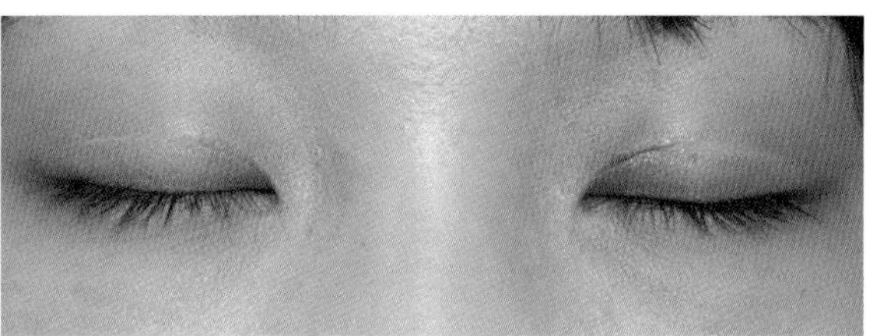

**FIGURE 1-37** 안쪽으로는 피부 높이에 비해 높게 고정하기 때문에 안쪽으로 함몰 흉이 나타나기 쉽다.

## 안쪽이 바깥쪽 보다 높게 걸어야 하는 이유

### *안쪽이 바깥쪽에 비해*

① 검판전 지방(pretarsal fat)양이 많고 상안거근 건막전 지방(preaponeurotic fat)양 또한 많으며 müller근 전방 지방과 뮬러근 지방(premüller muscle fat and fat infilteration in müller muscle)이 많아서 기능도 약하고 고정 봉합(fixation suture)을 하고 나면 유착도 덜 된다. 그러나 지방조직을 제거하려 해도 이곳은 혈관 조직이 많아 출혈 때문에 제거하기 힘들고, 지방조직과 함께 고정하게 되면 cheese wiring 효과가 나타나서 약간은 느슨해지면서(loosening) 유착이 일어나기 때문에 쌍꺼풀이 풀리는 경향이 높다. 또한 안쪽으로는 ② 안륜근이 초생달 모양으로 비후(elliptical fullness)되면서 중앙이나 외측보다 피부가 안검열을 많이 가리는(hooding) 경향이 있다(**FIGURE 1-36**). 이런 경우는 안쪽으로 피부를 elliptically 잘라내고 쌍꺼풀 폭을 작게 하면서 고정을 위로 하여 쌍꺼풀을 또렷하게해 주어야 한다. 쌍꺼풀을 또렷하게 하기 위해 무턱대고 검판보다 위의 건막에 높게 고정하면 함몰 흉이 생기기

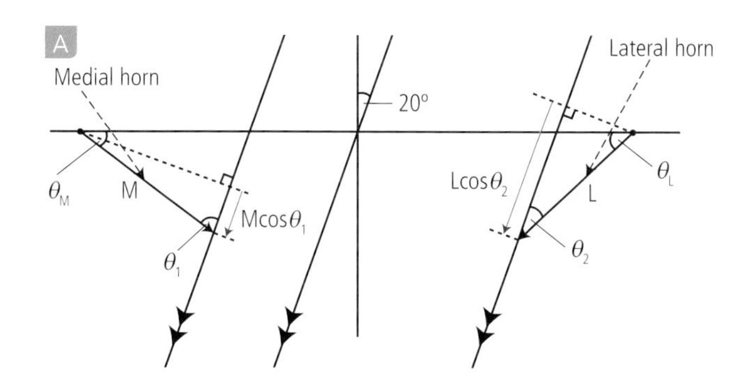


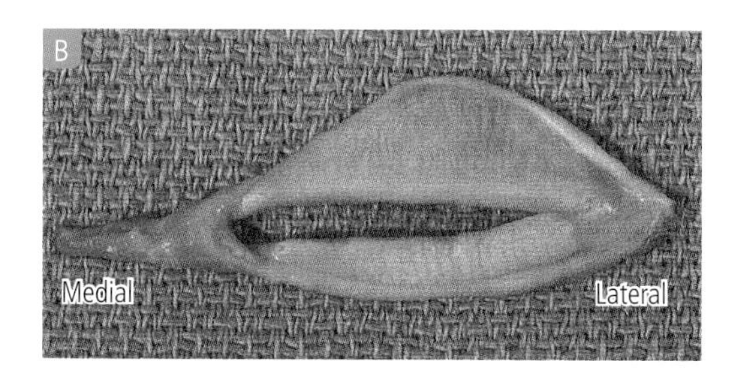


FIGURE 1-38 **상거근의 주행 방향(Kakizaki).**
**A.** 상거근의 주행방향(Kakizaki) l medial horn은 lateral horn보다 수평적이기 때문에 거상하는 힘이 medial이 lateral에 비해 약하다.
**B.** 검판의 내측이 80%에서 외측보다 작다.

쉽다(**FIGURE 1-37**). ③ 상안거근의 건막 안쪽이 바깥쪽에 비해 수평적이므로 힘이 약하다(**FIGURE 1-38**). ④ 검판의 크기가 안쪽이 바깥 쪽에 비해 작다(**FIGURE 1-38B**). ⑤ 특히 안검췌피(몽고 주름, epicanthal fold)가 있는 경우에 바깥쪽 쌍꺼풀(out fold)을 만들고자 할 때는 쌍꺼풀에 대한 저항이 심하여 보다 많이 풀어질 것을 예상하여 깊게 고정한다. 안쪽으로는 조금이라도 희미하면 처진 피부의 아래 부분이 속눈썹의 일부를 가리면서 아이라인 그리기가 힘들다고 불평하게 된다.

이때 깊게하기 위해 높게 고정하려고 단순히 검판보다 위의 건막에 고정하면 함몰흉과 외반증을 초래할 수 있다. 이를 예방하기 위해서는 보다 높은 수준의 고정 방법이 필요하다. 이것은 TAO fixation에서 자세히 설명하기로 한다. ⑥ 건막이 비어있는 곳(bare area)이 내측이 외측보다 크다(**FIGURE 5-22**).

## 고정을 하는 조직

고정은 anterior lamella와 posterior lamella를 연결하는 것을 말한다.

- Anterior lamella 조직: 피부, 안륜근
- Posterior lamella 조직: 검판, 격막(septum), 거근 건막(levator aponeurosis), 결막

### *Anterior lamella 고정조직*

저자는 하 피판(lower flap) 상단의 안륜근에 걸어 준다. 종래에는 tarsodermal fixation이라

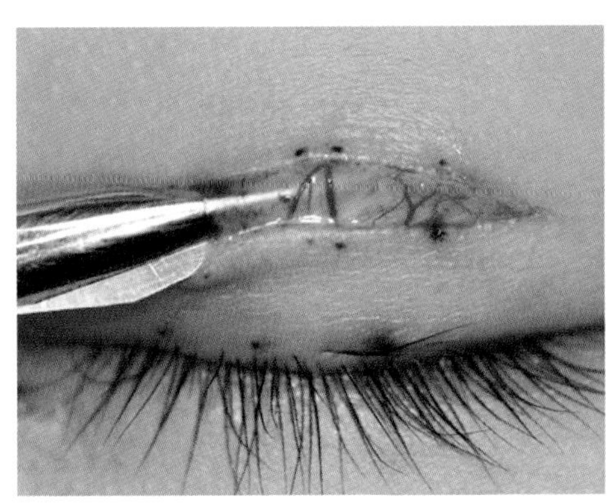
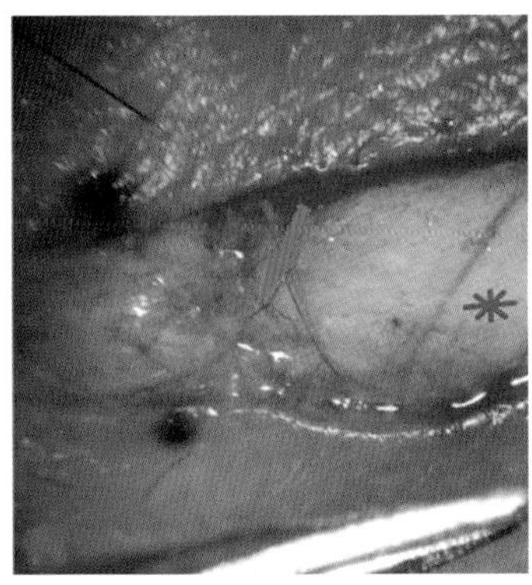

FIGURE 1-39 안륜근의 바깥근막(outer fascia of orbicularis oculi muscle)

는 용어에서 보듯이 고정 조직으로 진피를 이용하는 성향이 있었다. 조직학적으로 보면 전자 현미경상 쌍꺼풀이 있는 눈은 없는 눈에 비해 건막의 가지가 안륜근을 뚫고 진피까지 직접 연결되어 있는 것이 아니라 안륜근을 지나 피하 층까지만 연결되고 피하층의 무수한 septa에 의해 간접적으로 진피층으로 연결되어 있다. 그러므로 술기상으로도 안륜근을 posterior lamella에 연결하면 진피까지는 저절로 연결된다. 많은 두께의 안륜근에 걸어주기 위해서는 절개 후에 lower flap margin의 안륜근을 남겨야 한다. 이 때 진피와 안륜근 사이에 안륜근 바깥 근막(outer fascia of orbicularis oculi muscle)을 함께(FIGURE 1-39) 유착을 잘 시키기 위해 안륜근을 제거하는 것은 함몰흉을 유발할 수 있으므로 주의해야 한다.

**진피보다 안륜근에 고정하는 것이 더 좋은 이유**

1. 진피는 매우 얇지만 안륜근은 두껍다. 그래서 고정한 조직이 느슨해지든가(loosening) 떨어지는 것(detached)이 덜 할 수 있다.
2. 진피에 비해 안륜근은 깊다. 진피에 고정하면 고정실이 진피 사이에 있게 되는데 진피 사이에 봉합사가 위치하게 되면 epidermis와도 너무 가까워 외부에 노출될 수 있고 피지선이나 땀샘주위에서 염증 등 이물반응(foreign body reaction)을 일으킬 수 있다.
3. 안륜근 gap을 만들지 않는다. 진피가 검판에 직접 고정되면 안륜근의 gap이 생기므로 비록 매몰법일지라도 함몰 흉의 원인이 될 수 있다. 안륜근의 gap은 혈액과 림프의 흐름을 차단하여 부종이 오래가게 한다. 진피 층은 진피 층대로 진피하 층(subdermal layer)은 진피하 층 대로 근육층은 근육 층대로 혈류가 있다(예: dermal plexus, subdermal

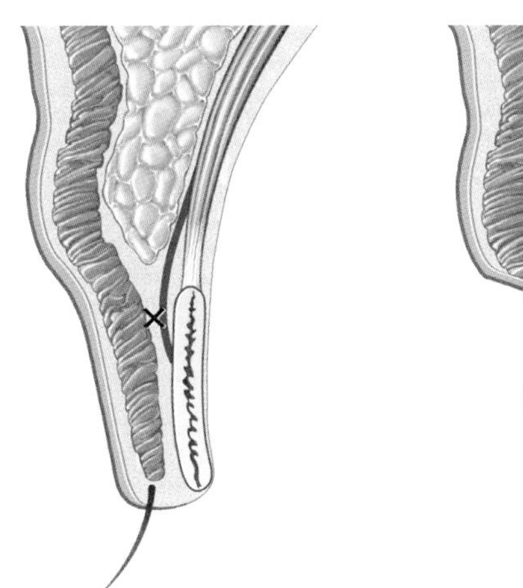
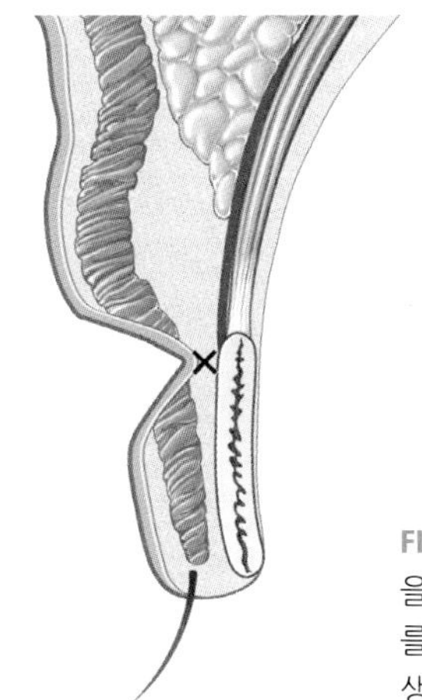

**FIGURE 1-40** 안륜근을 검판에 고정했을 때와 진피를 검판에 고정했을 때. 진피를 고정하면 gap이 생기고 함몰흉이 발생한다.

plexus). 그러므로 어느 층이든지 gap을 만드는 것은 정상적인 혈행을 방해한다(**FIGURE 1-40**).

### *Posterior lamella의 고정조직*

Posterior lamella의 고정 조직으로는 검판과 거근막이 주된 조직이며 격막(septum)도 이용될 수 있다. 여러 가지 고정 방법을 열거해 보면 다음과 같다.

- Nude tarsus
- Aponeurosis가 붙어 있는 tarsus
- Tarsus 상방의 aponeurosis에 직접
- Tarsus와 tarsus 상방의 aponeurosis에 2중으로
- Anterior septum 혹은 posterior septum
- Tarsus가 없는 바깥 부위에서 격막이나 건막에 직접 고정과 같이 여러 가지가 있다.

A. Nude tarsus에 고정하는 것은 유착이 잘 되게 할 목적으로 검판 전 조직을 완전 제거하여 검판만 남은 상태에서 고정하는 것을 말하는데 검판 단독으로 힘을 받으므로 거근건막과 힘을 합치는 것보다는 힘이 약할 것으로 생각된다. 또한 균이 검판 앞 조직을 모두 제거하는 것은 traumatic surgery이기 때문에 scar formation이 많아 유착(adhesion)은 잘되겠지만 혈행(blood stream)을 방해한다는 측면이 있고 절개선의 흉이 함몰되는 문제가 있어서 좋은 방법이 아니라고 생각된다.

B. 검판앞에 건막(aponeurosis)에 고정하거나 검판과 건막을 같이(aponeurosis and tarsus) 고정했을 때는 nude tarsus에 고정하는 것보다 덜 외상적(less traumatic)이고 견고할(powerful) 것으로 생각된다.

C. 검판위의 거근건막에 직접 고정하는 방법은 검판이 유난히 작은 경우, 예를 들면 검판의 높이가 6 mm 정도 밖에 안 되는 사람에서 실시하게 되는 경우가 있는데 이 때의 문제점은 ① 고정실이 결막 쪽으로 자극을 줄 수 있는 위험이 있다는 점이다. 앞에서 말한 '조리는 도마 위에서'를 다시 상기해 볼 필요가 있다. ② 외반증을 일으키고 ③ 상안거근의 운동에 제한을 주어 fatigue eye syndrome을 일으킬 수 있으므로 권하지 않는다.

D. 검판에 고정하고 그 바늘로 상방의 거근건막을 다시 한번 걸고 이를 lower flap에 고정하는 3점 고정법(3-point fixation). 이 때는 거근건막의 amplitude가 미세하나마 증가된다. 이 방법은 C의 방법으로 고정할 때에 생기기 쉬운 외반증으로 인한 부자연스러움을 방지하고 낮게 고정했을 때의 풀어지기 쉬운 약점을 동시에 보완할 수 있는 이중 안전장치이다. 저자는 이 방법 중에서도 실이 검판을 부분적으로 통과하는 것을 여러 가지 경우에 애용한다. 검판을 부분적으로 뚫고(tarsus), 검판상단의 건막을 걸고(aponeurosis), 그 실을 안륜근에 거는(orbicularis oculi muscle) 이 방법을 약자로 TAO 고정법이라고 명명하기로 한다. 이 방법은 매우 유용성이 좋고 특이한 기능을 많이 갖고 있으므로 이를 특별한 애칭으로 TAO fixation이라 명명하기로 한다. 이것의 사용처에 대해서 앞으로 자주 소개된다.

**TAO Fixation**

- 검판 - 부분적으로 실이 검판을 뚫고 통과한다. 아래 피판이 팽창되지 않도록 높지 않게
- 건막 - 검판상연 위 건막
- 안륜근 - 피부에 가까운 곳

E. 격막에 고정하는 경우

검판이나 건막에 고정하는 대신 전방이나 후방 격막(anterior or posterior septum)에 고정하는 것을 선호하는 분들이 있다. 이 방법도 적절히 사용하면 문제가 없다. 후방격막은 일종의 건막의 sheath와 같은 것으로 여기에 거는 것은 건막에 거는 것과 비교하면 약하긴 하지만 별 차이가 없다. 하지만 적절치 못하게 사용하면 쌍꺼풀이 잘 풀어지거나 반대로 깊어질 위험이 있다. 전방 격막에 고정할 때는 건막에 가까운 격막으로

turn over flap을 만들어 고정하면 흉터가 함몰되지 않고 눈을 뜰 때 쌍꺼풀이 생기게 할 수 있다.

결론적으로 위에서 A, C 방법은 권하지 않고 B, D, E 방법은 유용하다.

### *노인성 상안검수술(aging blepharoplasty)에서 가장 외측의 고정*

안검열(eye fissure)이 끝난 지점에서는 검판이 없다. 이 부위가 젊은 사람에게는 보통 고정하지 않아도 쌍꺼풀이 잘 뻗어나가지만 나이 많은 사람에게는 잘 뻗지 않으므로 고정을 하게 되는데, 이 부위에는 검판이 없는 관계로 고정할 부위는 건막과 격막밖에 없다(FIGURE 1-42). 그런데 이 부위의 건막은 안와연 내(inside of orbitalrim) whitnall's tubercle에 깊이 연결되기 때문에 건막에 직접 고정하면 통상 깊으면서 갑자기 끝나는 쌍꺼풀이 되기 쉽기 때문에 직접 고정하지 않고 아래 부분의 건막을 피판으로 사용하거나(FIGURE 1-41F) 격막에 고정하면 부드러운 깊이를 만들 수 있다(2장 노인성 상안검에서 자세히 설명)(FIGURE 2-17C).

### 역동적인 쌍꺼풀(dynamic double eyelid)

일반적으로 만족할 만한 쌍꺼풀이란 크기, 깊이, curvature 등이 만족스럽고 흉이 적은 쌍꺼풀을 말한다. 그러나 여기서 한 차원 높은 쌍꺼풀로 설명하고자 하는 것은 눈을 감았을 때나 아래로 볼 때(closed state or downgaze state) 쌍꺼풀 선이 함몰되지도 않고 주름이 생기지도 않고 어느 정도 눈을 뜨기 시작해야 주름이 잡히는 쌍꺼풀을 말한다. 눈 감을 때 함몰 흉과 쌍꺼풀 주름이 있는 것은 보기에는 비슷하지만 엄연히 구별해야 하고 그 두 가지 원인을 파악하고 함몰흉은 예방해야 한다. 이것은 고정을 어떻게 하느냐에 달려 있다. 격막의 turn over flap 방식도 이러한 맥락에서 소개되고 있다.

저자의 수술방법은 다음과 같다.

1. 안륜근을 고정한다. 진피를 고정하지 않는다.
2. TAO fixation을 이용한다.

- 누워 있는 상태에서 쌍꺼풀 선의 높이와 거의 비슷하게 혹은 약간 높은 곳의 검판을 부분적(partial thickness)으로 바늘이 통과한다. 절개선보다 지나치게 높게 고정하면 아래 피판의 피부가 신전되고 눈감은 상태에서 주름이 나타나고 외반과 함몰이 일어난다.
- 검판상연 상부의 건막(aponeurosis)을 긴장이 심하지 않게 당겨 고정함으로 건막의 힘

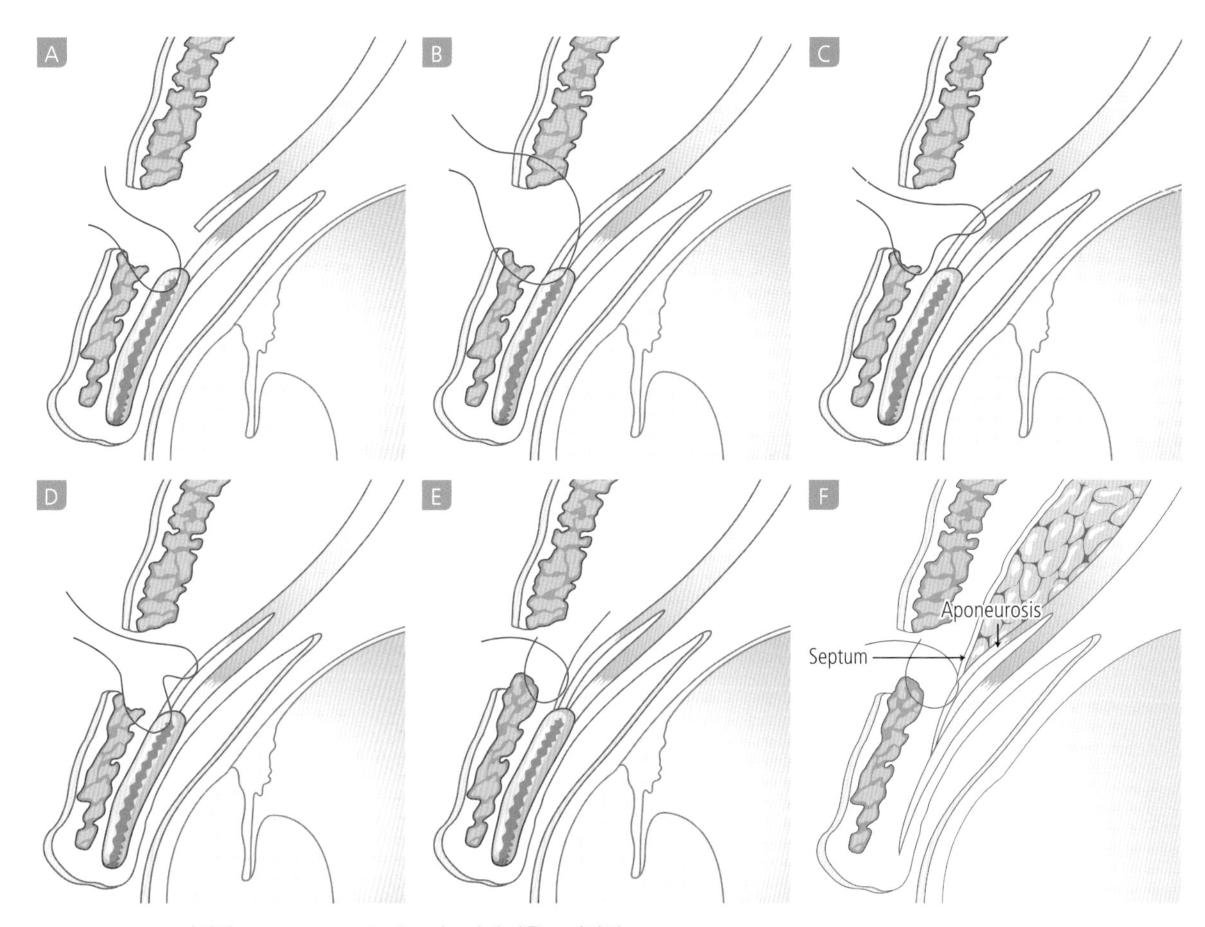


FIGURE 1-41 다양한 posterior lamella의 고정조직에 따른 고정방법

A. 검판전 연조직(pretarsal soft tissue)을 제거하여 노출된 검판에 고정하는 경우
B. 검판전 거근건막 혹은 거근건막+검판에 고정하는 경우
C. 상단의 거근건막에 직접 고정하는 경우
D. 검판과 높은 위치의 거근건막에 따로 두 번 고정하는 경우(3 point fixation)
E. 외측에서 격막에 고정하는 경우
F. 검판이 없는 바깥 부위에서 격막이나 건막에 고정하는 경우

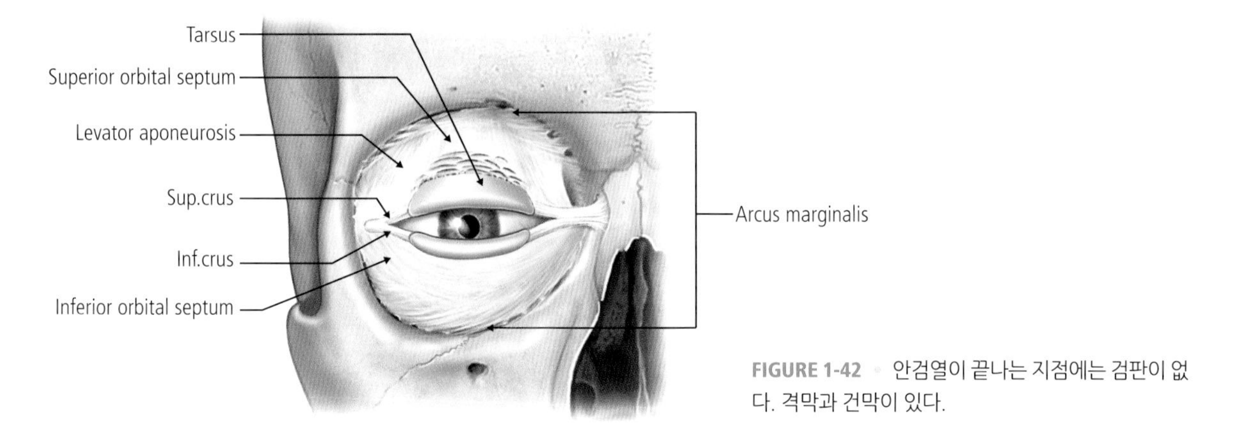


FIGURE 1-42 안검열이 끝나는 지점에는 검판이 없다. 격막과 건막이 있다.

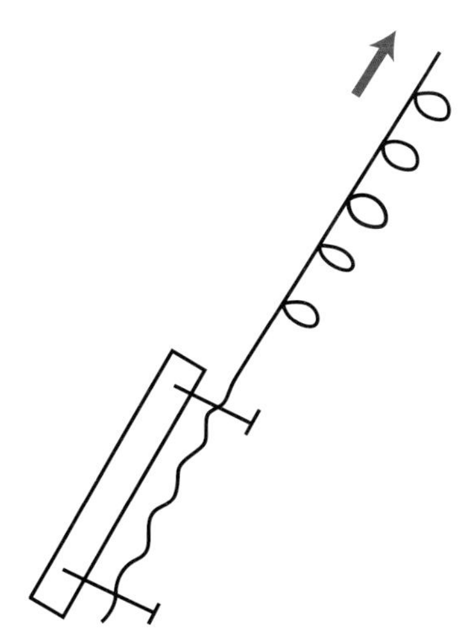

FIGURE 1-43 **주름진 헝겊을 판자에 못을 박으면 위에서 당기더라도 주름이 펴지지 않는다.**

Despite the tension from the upper end, the nail prevents stretching of the lower portion of the fiber. The partial thickness bite of the tarsal plate serves as the nail that prevents transmission of tension from the levator to the lower flap.

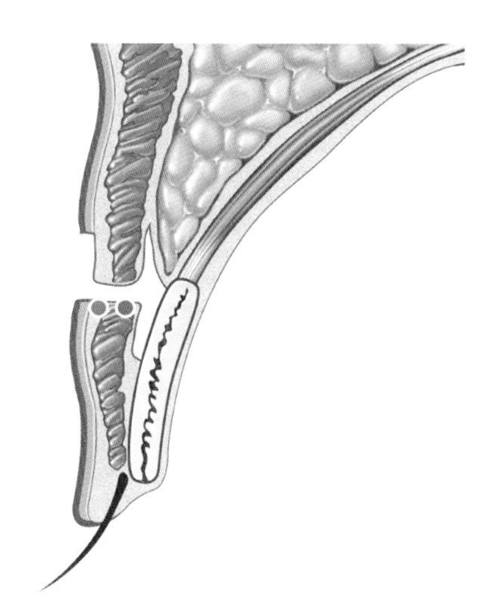

FIGURE 1-44 **안륜근의 고정지점.**

피부에 가까운(파란색 지점) 안륜근에 고정한다. 피부에서 너무 멀면(빨간색 지점) 쌍꺼풀이 일정하지 않다.

을 빌어 쌍꺼풀이 쉽게 풀어지지 않게 한다. 위에서 검판을 부분적으로 뚫는 이유는 위에서 건막이 당기더라도 아래 피판이 신전되지 않게 하기 위함이다(FIGURE 1-43).

- 피부에 가까운 안륜근을 통과한다. 안륜근이 피부에서 멀면 쌍꺼풀 폭이 일정치 않고 피부에 너무 가까워도 약간의 함몰을 유발할 수 있으므로 주의한다(FIGURE 1-44).

3. 위의 셋을 부드럽게 tie한다. 즉 검판이나 거근에 직접적으로 높게 걸지 않음으로써 외반증과 아래로 볼 때 함몰흉을 방지하고 위의 건막을 당겨 힘을 보완함으로써 쌍꺼풀이 희미하거나 풀어짐을 방지하는 원리이다.

이 방법은 특히 매몰이나 부분 절개법에서 중요하다. 어느 부분만 함몰되어 있으면 전체적으로 함몰이 있는 절개법보다 오히려 눈에 띄는 경향이 있기 때문이다.

저자의 방법을 보다 상세히 소개하면 젊은 사람의 경우 보통 4개 정도 고정하는데 안쪽에서 첫 번째, 두 번째는 TAO fixation을 하고 바깥 3, 4번째는 피부보다 1 mm 정도 높은 건막을 포함한 검판에 고정한다(FIGURE 1-45).

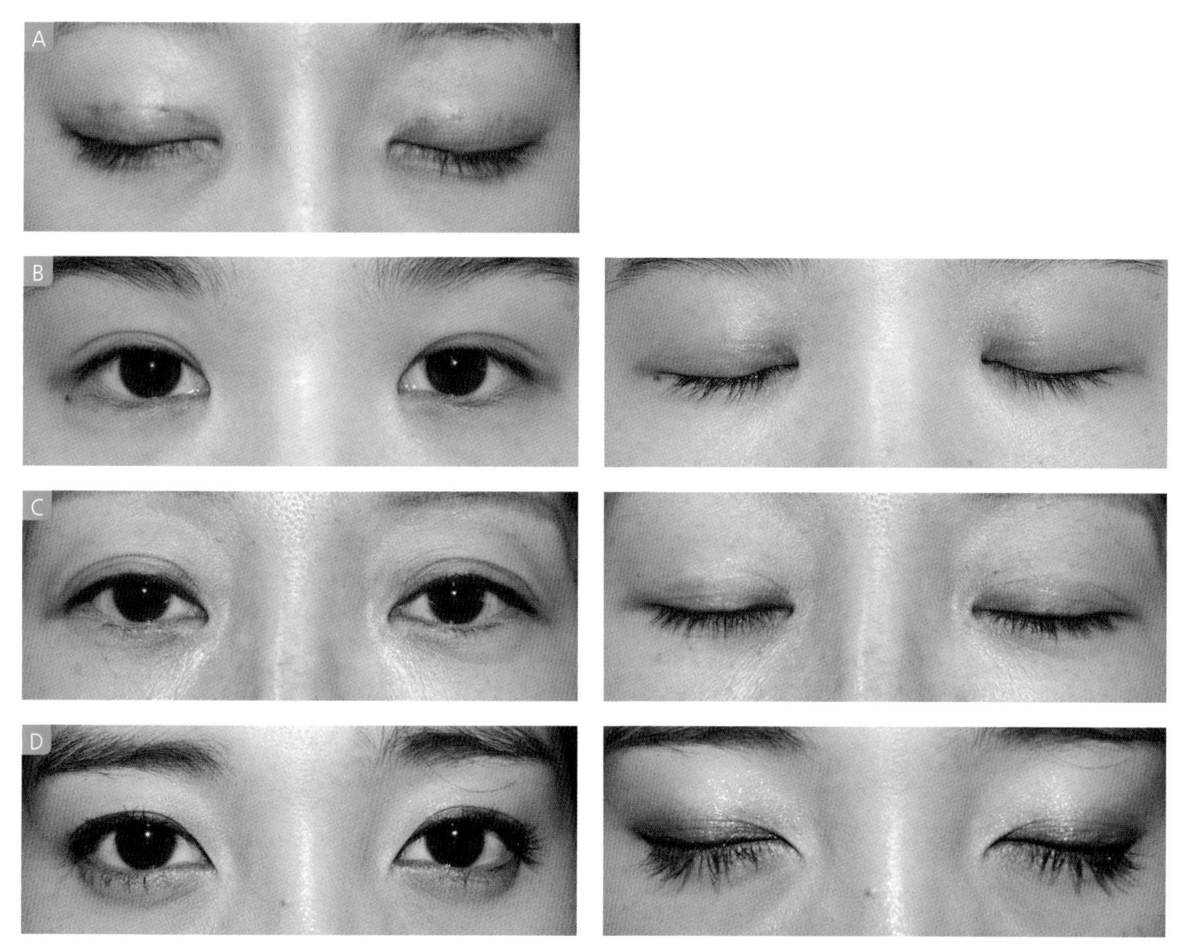


FIGURE 1-45 A. 매몰법이라 하더라도 흉터가 함몰되어 있으면 눈에 띈다. B. 고급쌍꺼풀은 눈을 감을 때 접혀져 있지 않고 함몰도 없으면서 눈을 뜨면 쌍꺼풀은 또렷한 것을 말한다. C. 수술한 쌍꺼풀 D. 수술하지 않은 자연쌍꺼풀 눈감았을 때의 C, D의 차이가 없다.

*TAO fixation의 원리*

1. 피부가 심하게 신전되지 않을 정도로 높지 않은 검판에 부분적 두께로 통과할 정도로 깊게 고정
2. 검판 상단 위의 거근 건막 고정
3. 안륜근 고정

*TAO fixation의 장점*

1. 쌍꺼풀이 지나치게 깊을 가능성 또는 외반증이 생기는 것과 풀어질 가능성, 이 두 가지를 예방할 수 있다.
2. 회복기간이 짧다 : 검판에 높게 걸지 않으므로 쌍꺼풀이 깊은 것에서 얕은 것으로 전환되는 데 걸리는 시간이 짧다
3. 부분절개법으로는 delayed told를 만들 수 있다.
4. 쌍꺼풀 수술 후 눈뜨는 힘이 약화되지 않는다.(p-3 쌍꺼풀 수술 후 눈 크기가 커지는가? 참조) : 약간의 건막 주름술 효과가 있다.
5. 여러 가지 특수상황에 다양하게 사용된다(p-42).

그 외

***TAO fixation (3-point fixation을 하면서 검판을 반쯤 뚫는 것)을 유용하게 사용할 수 있는 경우***

1. 내측의 고정(medial fixation): 상대적으로 검판의 높이가 낮은 검판의 상단에 고정하더라도 쌍꺼풀이 잘 풀어질 수 있으므로 검판 상단 고정 후 상단보다 위에 있는 건막에 고정힌다. 단순히 건막에 높게 고정하는 것은 lazy eye를 만들고 하방주시에도 쌍꺼풀

 **WAIT A MINUTE!**

### DYNAMIC 쌍꺼풀과 STATIC 쌍꺼풀?

"눈을 감고 있을 때는 쌍꺼풀이 없는 듯 하다가 어느 정도 눈을 뜨기 시작할 때 보이는 쌍꺼풀을 dynamic 쌍꺼풀, 눈을 감아도 또렷한 쌍꺼풀을 static한 것으로 표현하는 경향이 있다. 또는 delayed folding이라는 용어를 사용하는데 이것이 더욱 정확한 표현이라고 생각된다. 또 나아가서 건막은 dynamic tissue이고 검판은 static tissue이므로 dynamic 쌍꺼풀을 위해선 검판에 고정하기 보다는 건막이나 건막에 붙어있는 격막에 고정하는 것이 좋다."라는 표현이 있다.

이는 용어가 잘못된 걸로 생각된다. 건막(aponeurosis)이나 검판이니 격막(septum)이나 그 자체는 탄력성이 없는 조직이다. 설혹 건막이 뮬러근에 붙어서 뮬러근 수축 시 건막에 주름이 잡히므로 검판보다는 더 dynamic tissue라고 하더라도 어떤 쌍꺼풀이든지 모두 dynamic한 쌍꺼풀이다. 예를 들면 아이들이 가지고 노는 새총이 있다. 새총의 줄이 탄력성이 있는 고무만으로 만들어졌거나, 줄 끝에 탄력성이 없는 딱딱한 가죽이 붙어 있거나 돌멩이가 움직이는 운동은 같다. Dynamic하지 않는 쌍꺼풀은 안검하수 환자의 쌍꺼풀이다. 상거근이 탄력성이 떨어져 있기 때문에 위로 보나 아래로 보나 쌍꺼풀 모양이 변화가 적다. 그래서 static하다. 그러므로 건막에 고정하거나 검판에 고정하거나 위에서 말하는 고급 쌍꺼풀을 만들 수 있다. 문제는 '어떤 조직이냐'가 아니라 '어떠한 방법이냐'이다.

이 함몰되고 또렷하게 나타날 수 있다.

2. 전체적으로 검판이 비교적 작을 경우, 검판의 상단을 고정해도 높이가 낮아서 lower flap이 제대로 stretching이 안 되는 경우, 이때 검판 상단에 고정해도 쌍꺼풀이 풀어질 수 있다. 그러므로 보다 높게 걸기 위해서 건막에 직접 고정하면 lazy eye를 만들 수 있다.
3. 유난히 작은 쌍꺼풀(속 쌍꺼풀)을 요구하는 경우에는 높게 걸면 외반이 심해지므로 높게 걸기가 힘들고 낮게 걸자니 풀어질 위험이 있을 때 풀어짐과 외반증을 동시에 방지하고자 사용한다. 이는 외반증도 방지하고 풀어짐도 방지하는 이중 안전장치이다.
4. 이미 지난 수술에서 외반증이 있어 이를 교정하고자 할 때. 이때는 외반증이 재발하기도 쉽고 외반증을 너무 조심하다 보면 풀어지기도 쉬우므로 검판에 낮게 걸어 외반증을 방지하고 검판 상부의 건막에 이중으로 걸어 풀어짐을 방지한다.
5. 안검하수 수술을 하면 거근을 전진시킨 안쪽과 중간부위는 쌍꺼풀이 잘 풀어지지 않지만 전진이 통상 생략되는 바깥(lateral) 부위는 쌍꺼풀이 풀어지기 쉬우므로 이때는 건막을 전진한다는 느낌으로 높은 건막과 함께 3-point fixation 방법을 사용한다. 이때도 검판을 부분적으로 깊게 통과하지 않으면 쌍꺼풀이 너무 넓어지거나 외반된다. 건막이 plication되는 효과가 있어 잘 풀어지지 않는다.
6. 여러 번 수술로 인해 피부가 부족할 때는 비록 낮게 고정하더라도 피부 봉합 시 아래 피판이 당겨져서 stretching이 되면서 외반이 될 수가 있다. 이때는 아래 피판이 늘어나지 않도록 검판에 낮게 partial thickness로 통과하여 걸면서 상방의 건막에 걸어준다. 그러면 피부 봉합을 해도 아래 피판의 피부가 stretching 되지 않는다(**FIGURE 1-43**).
7. 거근의 힘이 약한 경우에 쌍꺼풀 수술 후 안검열의 세로 길이가 줄어들 수 있다(p-3 쌍꺼풀 수술 후 눈이 커지는가 참조). 이런 식의 고정 방법은 약간의 거근주름(levator plication) 작용이 있기 때문에 눈 크기가 약간 작아지는 것을 상쇄할 수 있는 효과도 있다.

## 고정방향

고정방향은 방사선(radial) 방향으로 한다. 즉 안쪽의 안륜근은 보다 안쪽의 검판에, 바깥쪽의 안륜근은 보다 바깥쪽의 검판 또는 건막이나 격막에 고정한다. 안구가 평면적이 아니기 때문에 눈꺼풀의 상하 운동도 수직이 아니기 때문이다. 상안거근은 아래로 갈수록 부채꼴(fan shape)로 퍼지므로 위쪽으로 당길 때는 중앙을 향한 방향으로 당기기 때문에 고정은 반대로 바깥을 향해 고정하게 된다.

실제 수술에서 검판을 먼저 고정하면 양쪽 피판의 고정은 중앙을 향해 고정하게 된다. 즉 내측(medial)에서는 검판 고정을 먼저 한 후 보다 외측(lateral)의 안륜근에 고정하고, 반대로 외측의 검판은 보다 내측의 안륜근에 고정한다(FIGURE 1-47).

결국은 Figure 1-44와 같은 설명이다. 검판 쪽에서 피부 쪽을 가리키느냐 피부 쪽에서 검판 쪽을 가리키느냐가 다를 뿐이다.

### 쌍꺼풀의 길이

내측 2-3 mm 정도는 쌍꺼풀이 없다가 서서히 나타나는 것이 좋다. 외측으로는 외안각에서 4-6 mm 정도 뻗는 것이 무난하다. 소극적인 사람과 남자에게서는 짧게 한다. 피부를 절제(skin excision)할 때는 바깥으로 절개선이 연장되는데 외안각에서 4-6 mm 정도 이후에 절개선이 위로 올라가는 turning point가 된다(FIGURE 1-48 참조).

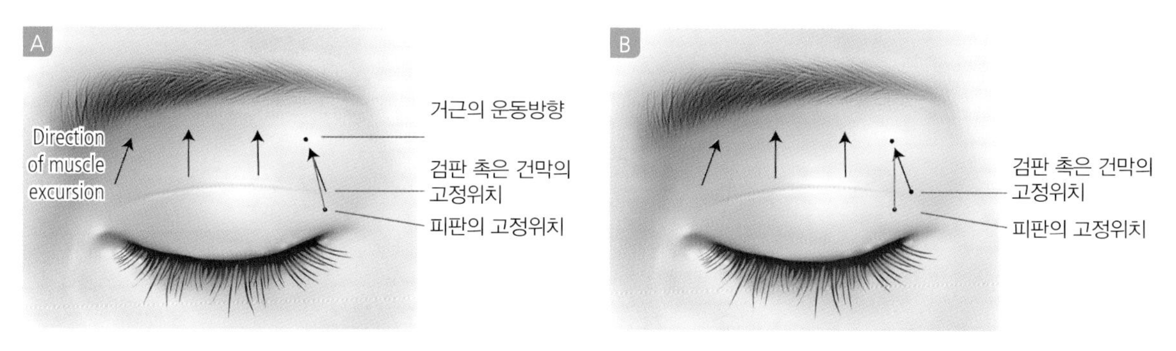


FIGURE 1-46 내 외측에서 피판과 검판의 고정위치 상관관계.
A. 검판 고정위치를 수직으로 하면 눈을 뜰 때 피판이 안쪽으로 당긴다. ↑눈을 뜰 때 아래 피판의 운동 방향
B. 검판 고정위치를 바깥으로 했을 때 수직상방으로 당긴다.

## 매듭(TIE)

고정 시의 매듭은 저자는 주로 7-0 PDS을 사용하여 4-6번 매듭을 만든다. 3번 매듭 후 매듭이 풀어지는 것을 경험한 적이 있다. 나일론 실을 사용할 수도 있다. 나일론 실 사용 후 두 달 후에 염증이 생겨 나일론을 제거한 후에도 쌍꺼풀이 풀어지지 않는 것을 많이 경험해 보았으리라 생각된다. PDS는 강도는 두 달간 지속되고 6개월 이후에 흡수된다.

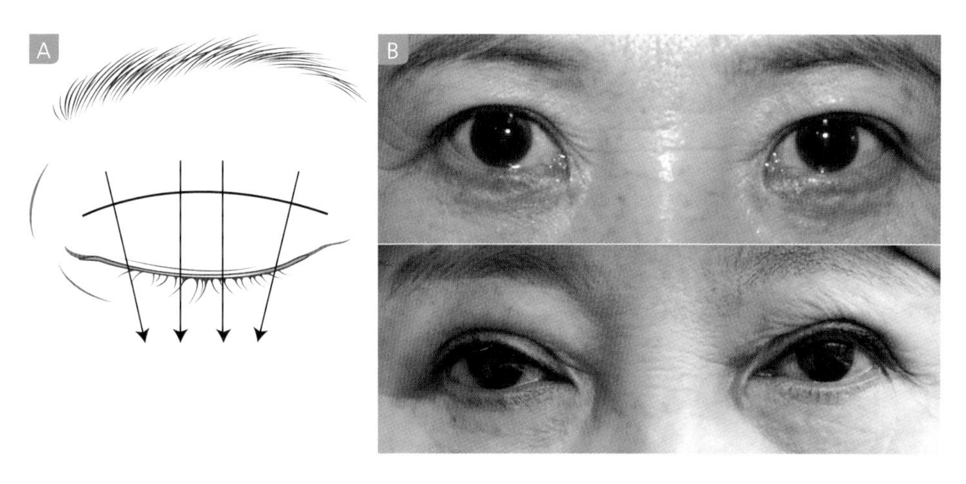


FIGURE 1-47 **A.** 고정방향, 검판 고정에서 피부고정으로 향하는 방향은 안쪽으로 몰리는 방향이다. 중앙에서는 직상방으로 양 측면에서는 방사선 반대 방향으로 나가는데 내측이 외측보다 더 기울어진다. **B.** 안쪽으로 고정을 그림과같은 방향으로 하지 않으면 내측으로 빗살 주름이 생기기 쉽다. 안쪽으로 쌍꺼풀 위쪽으로 빗살 주름이 있다.

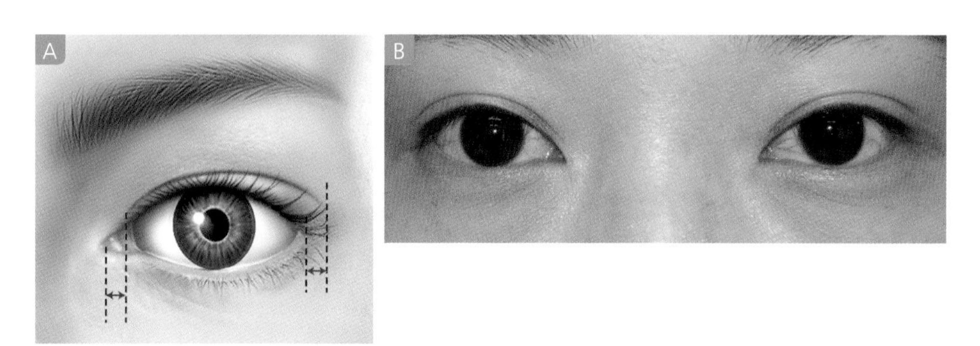


FIGURE 1-48 **쌍꺼풀의 길이.**
내측으로는 2~3 mm 정도는 쌍꺼풀이 없고 외측으로는 외안각에서 4~6 mm가 무난하다.

매듭의 강도는 처음과 두번째는 느슨하게 하여 매듭속의 조직 괴사를 방지하고 나머지는 강하게 매듭을 만들어 풀어짐을 방지한다.

## 피부봉합

피부봉합은 다른 경우와 마찬가지로 eversion suture를 하여 흉이 적게 생기게 한다. 안륜근의 결손 부위(gap)가 생기지 않도록 매몰법에서는 피부와 안륜근을 함께 봉합하고 절개법에서는 드문드문(intermittent) 피부와 안륜근과 검판을 함께 봉합하여**(FIGURE 1-49)** 매몰된 고정 봉합(buried fixation suture)의 긴장(tension)을 덜어주면서 유착도 도와주며, 나머지 부위는 피부만 연속봉합(running suture)을 시행한다.

나이 많은 사람에서 쌍꺼풀선이 없는 바깥쪽피부절개선의 봉합은 vertical mattress suture를 해서 확실한 eversion이 되게 한다.

봉합은 촘촘히 해야 한다. 매몰된 고정 봉합사(buried fixing suture)가 lower flap에 고정되어 있다면 눈을 깜박거리면서 lower flap이 inner side로 dislocation될 수 있기 때문이다**(FIGURE 1-50)**. 연속봉합을 할 때 저자는 단순연속봉합을 하기보다는 interlocking 연속봉합을 선호한다. 이유는 자세히 보면 단순연속봉합은 봉합 후 피부가 물결치듯 곡선이 있는 데 비해 interlocking 연속봉합은 마치 따로 따로 봉합(interrupted suture)처럼 피부가 일직선 상태가 되기 때문이다.

그리고 나이 많은 사람의 경우, 피부를 많이 절제한 후에 upper flap과 lower flap의 두께가 차이가 많이 나는 경우에는 피부 표면을 맞추기 위해 lower flap은 전층을 upper flap은 부분층을 봉합하여 표면을 잘 맞춰야 한다.

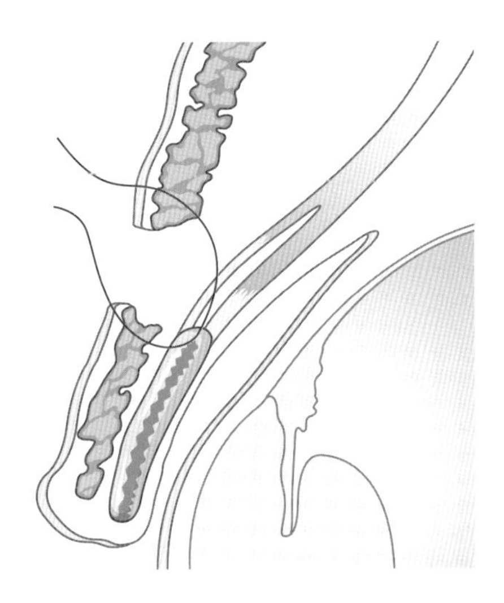

FIGURE 1-49 • 때때로 피부-안륜근-검판-안륜근-피부의 봉합을 한다.

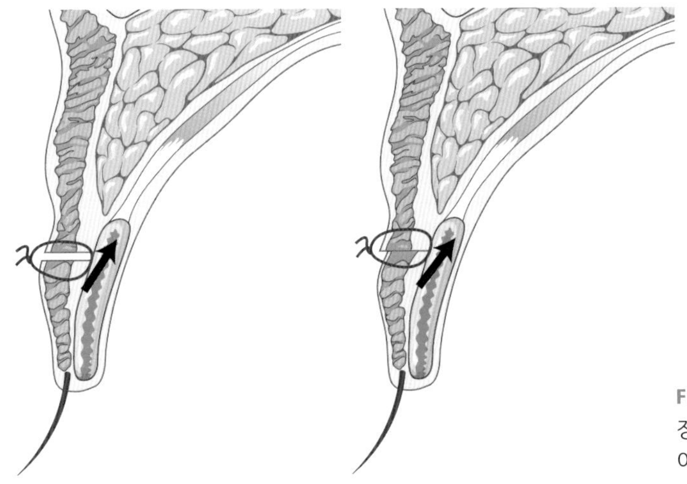

FIGURE 1-50 • 피부를 촘촘히 봉합하지 않으면 속의 고정 봉합이 상하피부 탈구(dislocation)를 일으켜 하부 피판이 상부 피판 밑으로 딸려 들어간다.

## FREQUENTLY ASKED QUESTIONS

### Q 눈 크기가 다르게 보이는 경우에는 어떻게 쌍꺼풀 수술을 해야 하나요?

**A** 외관상 눈 크기가 다를 때는 다르게 보이는 원인을 파악하여 그 원인에 따라 수술방법을 달리 하여야 한다. 원인에 따른 수술방법 차이는 다음과 같다.

#### 1. 실제 눈뜨는 폭이 다른 경우 (FIGURE 1-51).

상안거근의 기능이 다를 경우로, 작은 쪽을 안검하수 수술을 하여 눈 크기를 맞춘 후 쌍꺼풀 수술을 한다. 그러나 차이가 미세하고 환자가 안검하수 수술을 거절할 때는 눈 크기가 작은 쪽의 쌍꺼풀 선을 적당히 낮게 잡고 눈 크기가 큰 쪽을 높게 잡는다. 이럴 때는 아래로 볼 때나 눈을 감을 때는 낮게 잡은 쪽의 쌍꺼풀이 좁다는 것을 미리 설명해 주는 것이 좋다.

#### 2. 속 쌍꺼풀의 크기가 다른 경우 (FIGURE 1-52).

쌍꺼풀 크기가 다르면 당연히 눈 크기도 다르고 보통은 쉽게 발견된다. 그러나 속쌍꺼풀 크기가 다른 경우나 한쪽은 속씽꺼풀이 있ㄱ 다른 한쪽은 없을 때는 눈이 작은 쪽에 안검하수가 있는 것으로 착각하기 쉽다. 쌍꺼풀이 작거나 없는 쪽의 눈이 피부 처짐이 많아 눈이 작아 보이는데 이때 수술방법은 눈 크기가 다른 데 개의치 않고 평상시대로 양쪽의 쌍꺼풀 높이를 같게 수술하면 된다. 그러나 문제는 수술 전 눈 크기가 다른 환자의 경우 그 원인이 위에서

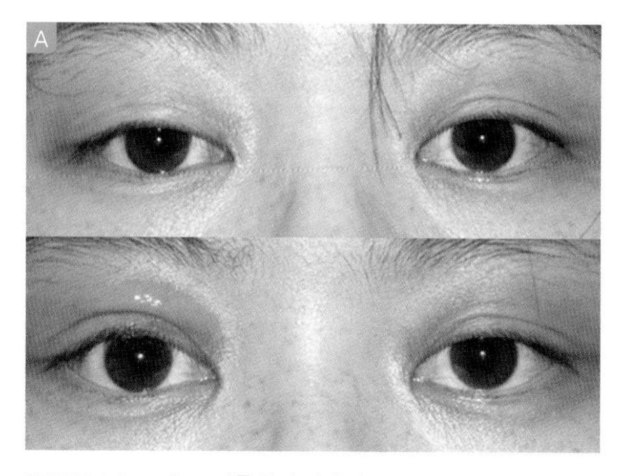


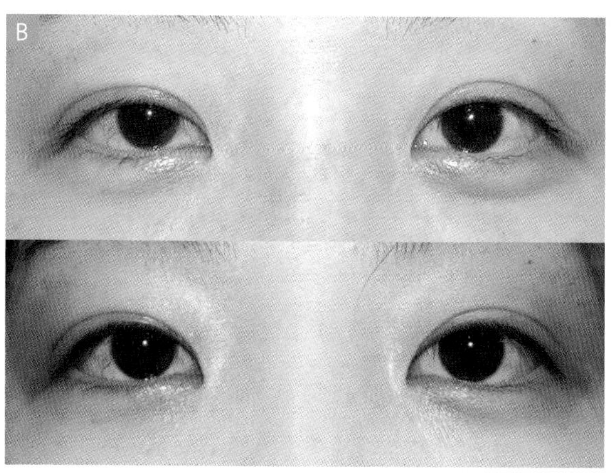


FIGURE 1-51 눈 크기를 같게 하기 위하여 상안거근의 기능이 약한 우측은 안검하수 수술을 시행하였다.

열거한 것 중에 어떤 것인지 구별하기 힘들 때가 있다.

**눈크기 차이의 원인 찾기**

- 속눈썹이 겨우 안 가릴 정도로 양쪽 눈꺼풀 피부를 살짝 위로 들어 올려서 비교해 보고 그래도 양쪽이 다르면 그 원인은 상안거근의 기능의 차이 때문이다.
- 부지로 양쪽 쌍꺼풀을 만들어 보고 양쪽이 같지 않으면 상안거근의 기능 차이 때문이다.
- 하방 주시(downgaze) 시 양안을 본다. 하방주시 시는 피부 처짐이 덜하기 때문에 피부 처짐을 R/O 하기 쉽다. 누운 자세에서도 피부 처짐이 없다. 그러나 눈 크기가 누운 자세에서 앉은 자세와 달라지는 사람이 있기 때문에 이것은 때때로 부정확할 수 있기 때문에 참고 사항으로 생각하면 된다.

### 3. 쌍꺼풀 깊이가 다른 경우

쌍꺼풀이 희미한 쪽이 눈 크기가 작아 보이기 쉽다(**FIGURE 1-53**).

### 4. 아래 눈꺼풀의 높이가 다른 경우

윗 눈꺼풀은 차이가 없더라도 아래 눈꺼풀의 높이가 다르면 눈 크기가 달라 보인다.

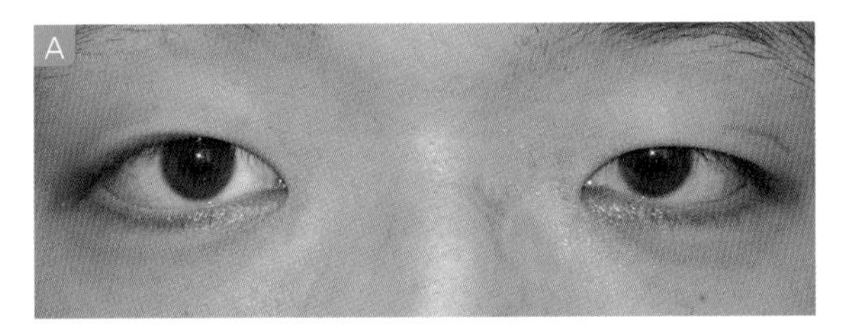
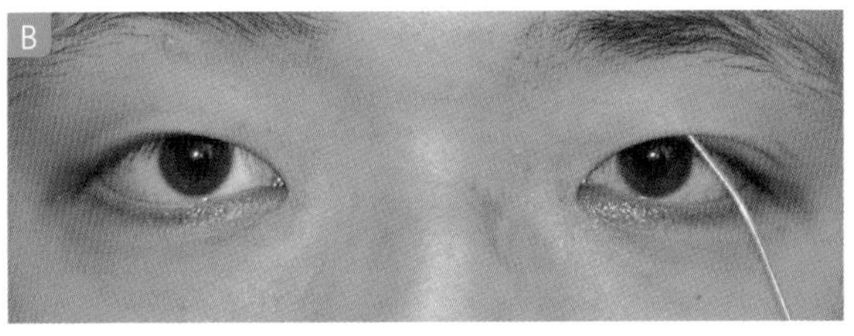

**FIGURE 1-52** A. 속쌍꺼풀 크기가 오른쪽이 더 크기 때문에 오른쪽 눈이 더 커 보인다. 쌍꺼풀 수술은 속쌍꺼풀 유무에 개의치 않고 양쪽 수술을 똑같이 하면 된다. **B.** 왼쪽 눈에 부지로 작은 쌍꺼풀을 만들어 보면 양쪽 눈 크기가 같아진다.

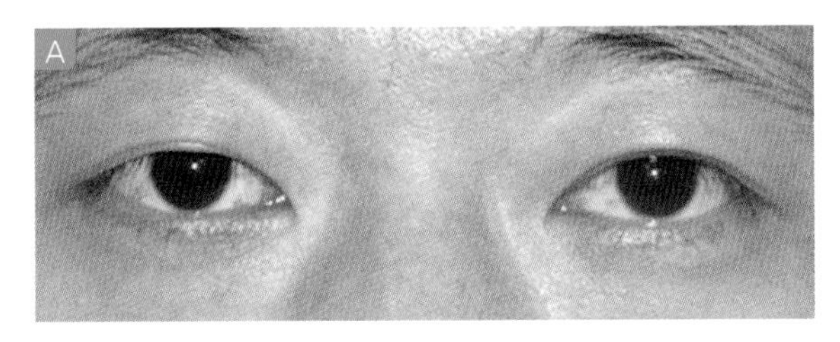
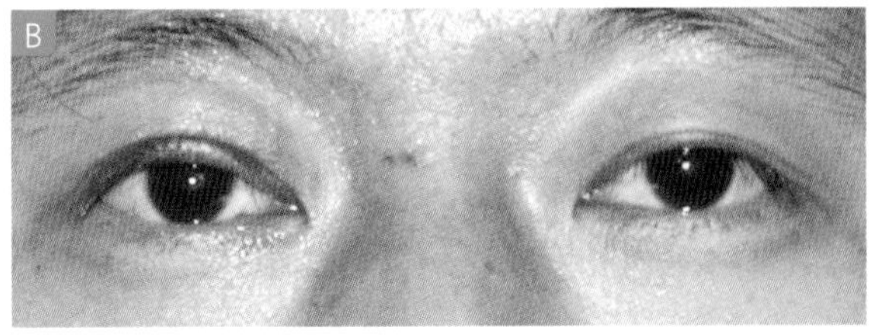

**FIGURE 1-53** A. 오른쪽 쌍꺼풀이 희미하기 때문에 오른쪽 눈 크기가 작아 보인다. **B.** 쌍꺼풀 수술 후 양쪽 눈 크기가 같아진다.

## Q 피부 늘어짐이 있긴 하지만 심하지 않은 젊은 환자의 경우 피부를 절제하는 것(SKIN EXCISION)이 좋을지 하지 않는 것이 좋을지 어떻게 결정하나요?

**A** 앉은 자세에서 부지로 쌍꺼풀을 만들어 보고 옆에서 조수로 하여금 눈썹을 위로 당긴 상태의 쌍꺼풀 모양과 안 당긴 상태의 모양을 비교하여 쌍꺼풀선 위로 덮히는 피부가 심하게 처져 보이면 피부절제를 권하고 별 차이가 없으면 권하지 않는다. 상안검 피부가 완전히 펴질 때까지 당기는 게 아니라 80~90% 펴질 때까지만 당긴다.

대개 3 mm 이상의 피부를 자르는 것이 좋다고 생각되면 피부 절제를 하고 그 이하는 흉터를 고려하여 권하지 않는다. 그러나 눈꺼풀이 너무 두툼하여 안와 지방 제거만으로는 두툼함이 해결되기 어렵겠다고 판단되면 적은 양이라도 피부를 절제한다.

그 다음으로 빠뜨리기 쉬운 중요한 차이점은 검판전 비후(pretarsal fullness)를 들 수 있다. Primary gaze에서 매몰법과 피부 절제법 모두가 쌍꺼풀 크기가 같다고 할 때 이 pretarsal fullness는 primary gaze에서는 절제법과 매몰법에서 뚜렷한 차이를 보이지 않는다. 하지만 하방주시(downgaze) 때는 매몰법에서 절개법에서보다 쌍꺼풀 폭도 더 크고 그와 함께 pretarsal fullness가 문제가 될 수 있다는 점을 염두에 두고 이러한 문제가 일어날 수 있다고 판단되면 쌍꺼풀 높이를 낮게 하고 피부를 절제하는 편이 낫다. 같은 쌍꺼풀 크기에서 매몰법에서는 절개법보다 쌍꺼풀 선이 높다. 그러므로 매몰법에선 pretarsal fullness가 생기기 쉽다는 것이 매몰법과 절개법의 큰 차이 중 하나이다(FIGURE 1-54).

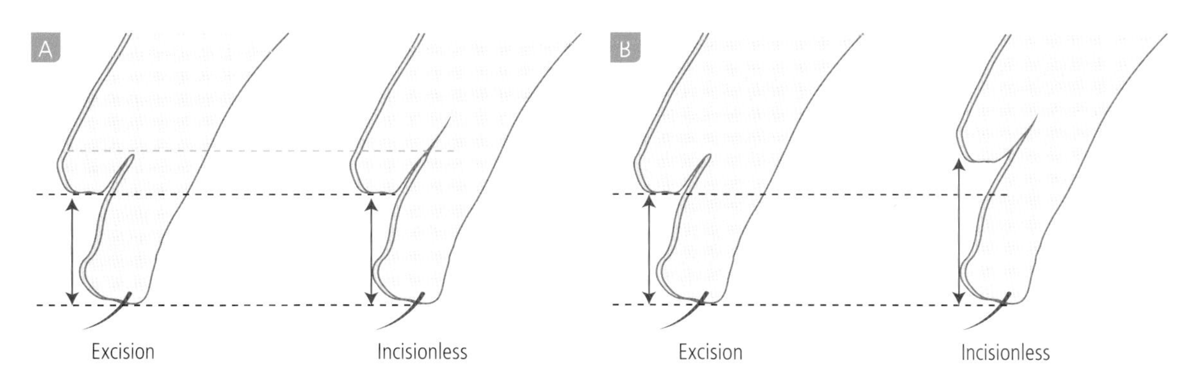


FIGURE 1-54 A. 정상 주시 시 쌍꺼풀 폭이 같다. B. 하방 주시 시 매몰법쪽이 쌍꺼풀이 더 넓다. 쌍꺼풀이 더 넓은 쪽이 pretarsal fullness(속칭 소세이지)가 나타나기 쉽다.

### KEYPOINT

**피부 절제 없이 쌍꺼풀을 만드는 경우에는 피부 절제 때보다 쌍꺼풀선을 높게 하는데 이런 경우 주의 사항**

- 회복기간이 오래간다.
- Pretarsal fullness 가능성을 확인해야 한다. 특히 하향시(downgaze)에 나타난다.
- 높은 쌍꺼풀은 깊게 되기가 쉽다.

**피부 절제하면서 쌍꺼풀을 낮게 할 때 고려사항**

- 피부 처짐이 일찍 나타난다.
- 절개 흉

## 기타

### 누선 탈출(Lacrimal gland prolapse) (FIGURE 1-55 & 1-56)

누선은 바깥 쪽 지방 조직과 혼돈되기 쉬운데 지방 조직보다는 약간 아래쪽이 불룩한 것이 그 위치가 다르다. 누선은 지방조직보다 훨씬 단단하며 창백한 색깔(pale)을 띤다. 누선 탈출이 있거나 누선이 너무 내려와 있으면 누선을 박리하여 윗 안와연의 안쪽 골막에 걸어서 lacrimal gland fossa에 들어가게 해 준다. 수술 후 쉽게 재발하는 문제점이 있으므로 견고하게 여러 개 걸어 준다.

누선이 주위 조직과 연결되어 있으므로 분리하여 자유롭게 만든 다음 골막에 걸어주어야 재발하지 않는다. 일부만 제거(partial excision)하는 경우는 결찰(tie)을 하고 잘라 주어야 계속된 눈물로 인한 lacrimal fistula를 방지할 수 있다.

만약 lacrimal ductule의 열상 등으로 fistula가 발생하면 그 부위를 묶거나 전기소작하고 그 자리에 drain을 꽂고 눈물 나오는 양이 줄어들 때까지 기다린다. 눈물 양이 줄어들면 drain을 제거한다.

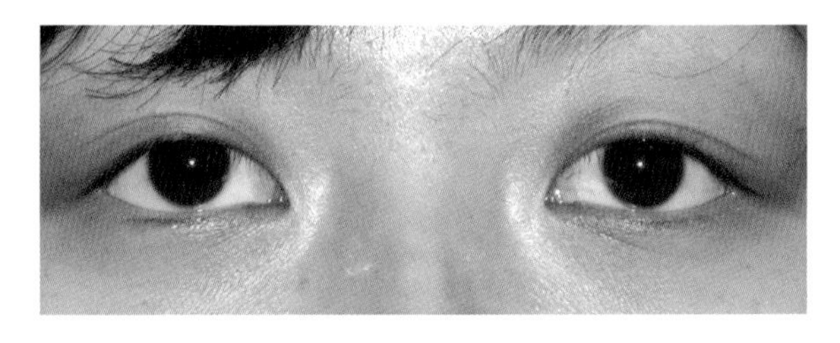

FIGURE 1-55 **누선 탈출 증례.**
누선탈출의 경우는 지방이 비대한 것보다 비후위치가 대개 낮다.

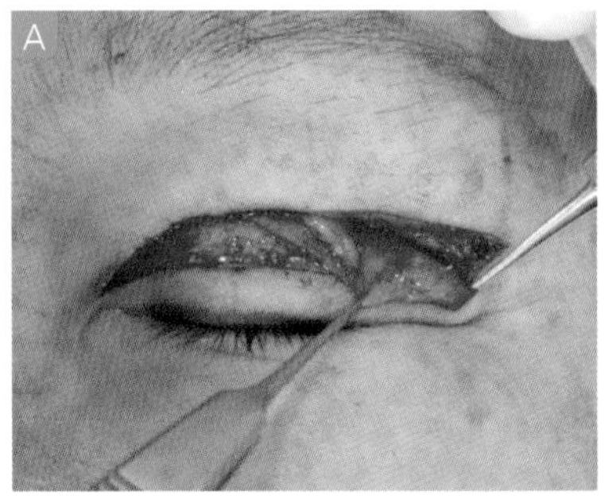


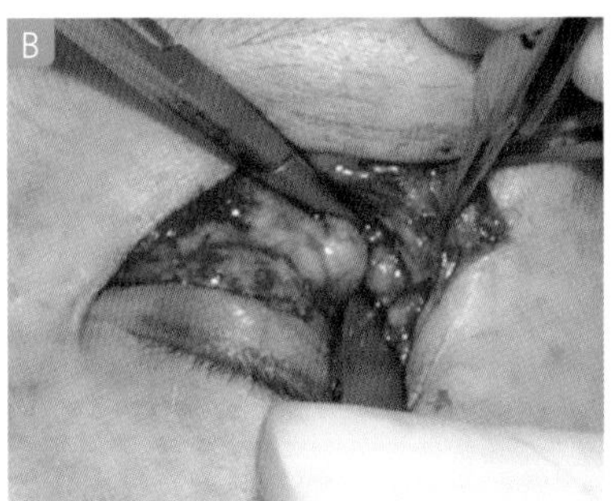


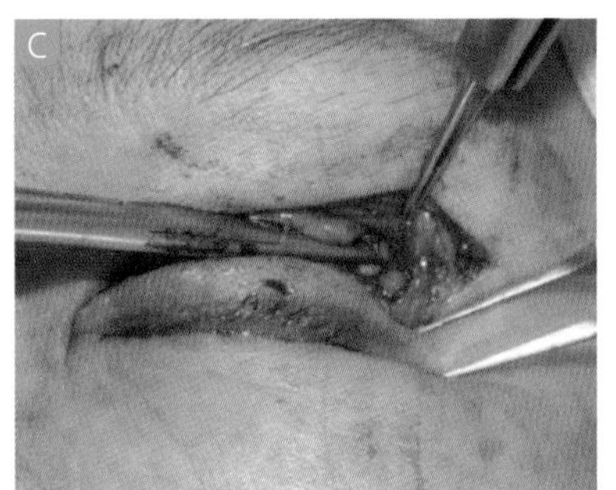


FIGURE 1-56 **누선 탈출 수술 예.**
**A.** 탈출된 누선. **B.** 누선을 주변조직으로부터 분리하고 안와연 골막아래를 박리한다. **C.** 누선을 골막아래 봉합한다.

## REFERENCES

1. Flower RS : Upper blepharoplasty by eyelid invagination; Anchor blepharoplasty. Clin Plast Surg 20(2):193-207, 1993.
2. Fagien S : Temporary management of upper lid ptosis, lid malposition and eyelid fissure asymmetry with botulinum toxin type A) Plast Reconstr Surg 114:1892, 2004.
3. Ahn HB, Lee YI : The study of anatomic relationship between the Müller muscle and tarsus in Asian upper eyelid. Ophthl Plast Reconstr Surg 26(50):334-338, 2010.
4. Morikawa K, Yamamoto H : Scanning electron microscopic study on double and single eyelids in orientals. Aesth Plast Surg 25:20-24, 2001.

# 비절개 수술법(NON-INCISIONAL METHOD)

| 안태주 |

## 저자의 방법과 다른 방법의 비교

### 사각형 모양 매몰법

기존에 많이 사용된 방법으로 앞층판(anterior lamella)과 뒤층판(posterior lamella)의 층을 사각형 형태로 잡아주는 방법(FIGURE 1-57)이다.

### 저자의 삼각형 모양 매몰법

저자는 삼각형 형태를 주로 이용한다. 삼각형을 늘려서 붓기가 적고 힘을 강하게 하여, 비교적 두터운 피부에도 적용하고, 절개법 쌍꺼풀 수술 후 풀어진 경우에도 적용하고 있다(FIGURE 1-58).

쌍꺼풀은 앞층판인 피부가 posterior로 당겨져서 생기는 것이다. 이렇게 뒤로 당겨지는 힘을 벡터라고 할 때 삼각형의 수를 늘리면 뒤로 당기는 벡터는 늘어난다.

또 같은 폭에서 삼각형의 수를 늘리면, soft tissue의 눌리는(strangulation) 면적은 같다. 이러한 점으로 보아 붓기의 차이가 크지 않게 하면서도 피부가 접히는 힘을 늘릴 수 있

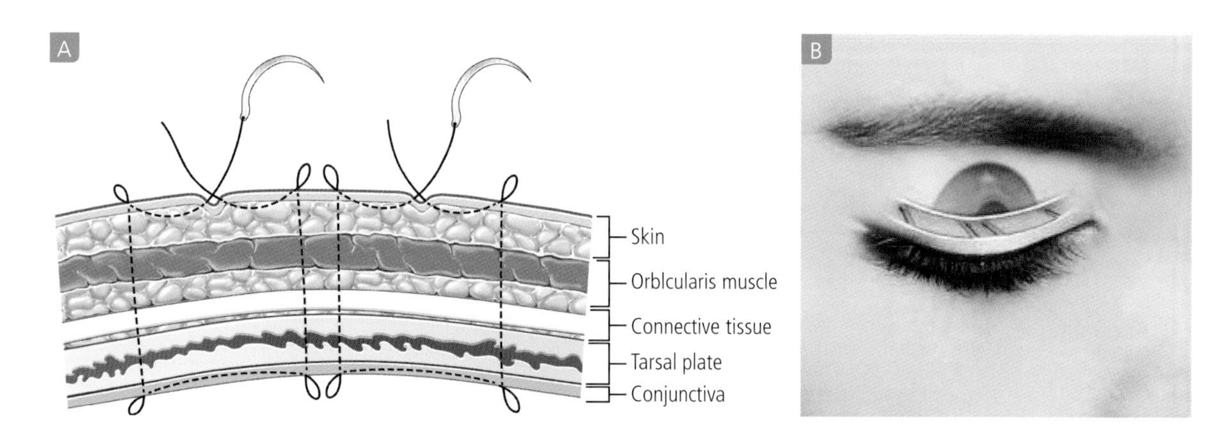


FIGURE 1-57 사각형 형태의 매몰법.
A. 피부와 conjunctiva의 사이로 실이 지나가는 모습 B. 입체적인 모습

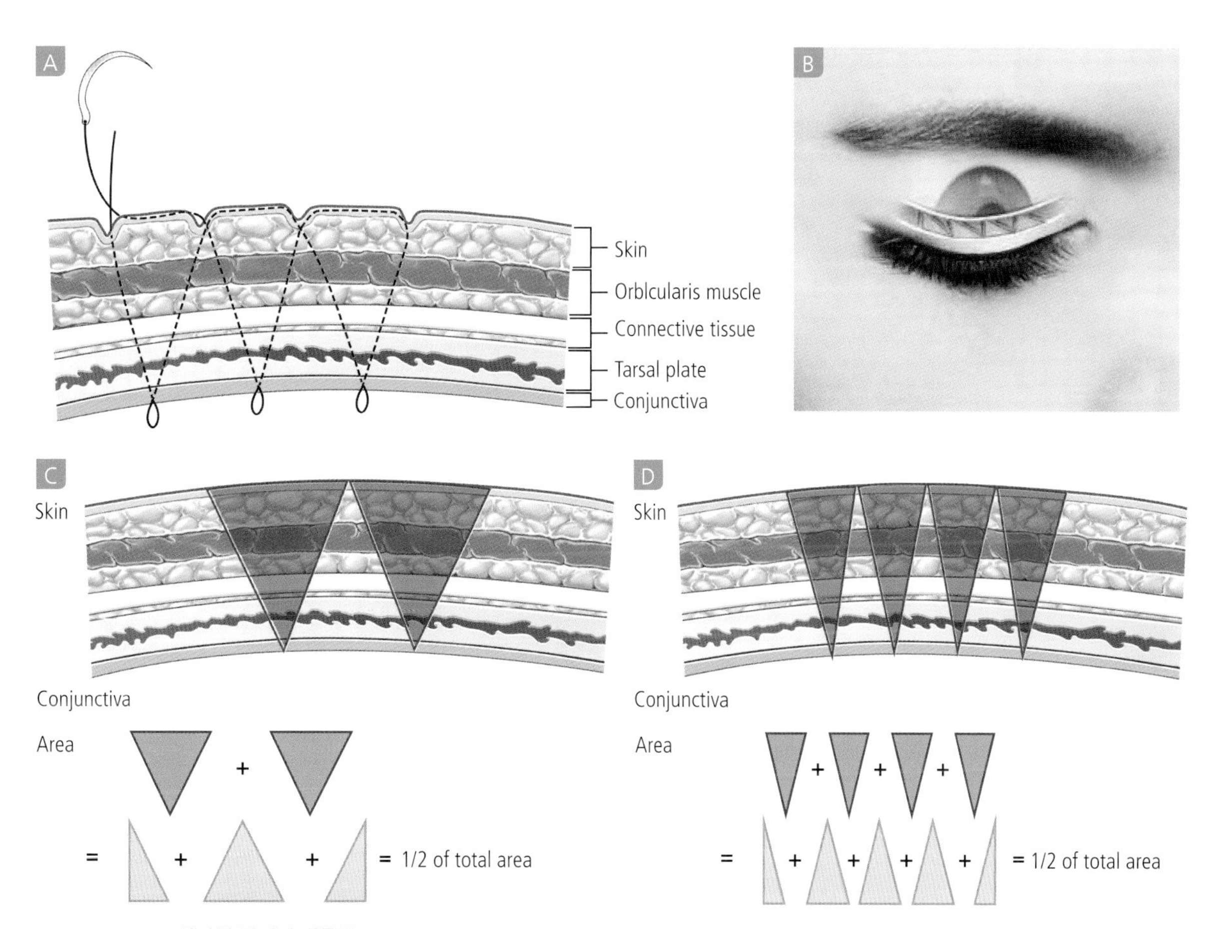


FIGURE 1-58 **삼가형 형태의 매몰법.**

**A.** 실이 지나가는 단면모습 **B.** 삼각형 형태 매몰법의 입체적인 모습. 3군데 절개창을 통한 삼각형 모양(C)보다 5군데 절개창을 이용한 방법(D)이 보다 강한 힘을 만들 수 있다. 같은 폭에서 포인트를 늘린다면, 조직의 strangulation되는 면적은 일정하므로, 힘을 세게 만들어도(포인트를 늘려도) 장기적인 붓기를 많이 만들지는 않는다.

다고 할 수 있다(FIGURE 1-58 C,D). 또한 삼각형의 장점으로 실이 조직을 파고드는 biting effect가 생기더라도 삼각형의 모서리에서 주로 생기게 되는데, 전체적으로 유지가 잘 되고, conjunctiva 쪽에서 자극을 줄여주는것도 용이한 장점이 있다.

즉, 요약하면 사각형 형태에 비해 상대적으로 덜 붓게 하면서 보다 강하게 쌍꺼풀을 유지할 수 있고, 자극은 줄일 수 있다.

참고로 Loop 묶음형태의 매몰법이 있는데, 좁은 loop는 잡아주는 조직이 적어서 힘이 적거나 잘 풀릴 수 있다. 넓은 반원형태의 loop는 조직을 상대적으로 많이 잡아서 붓기나

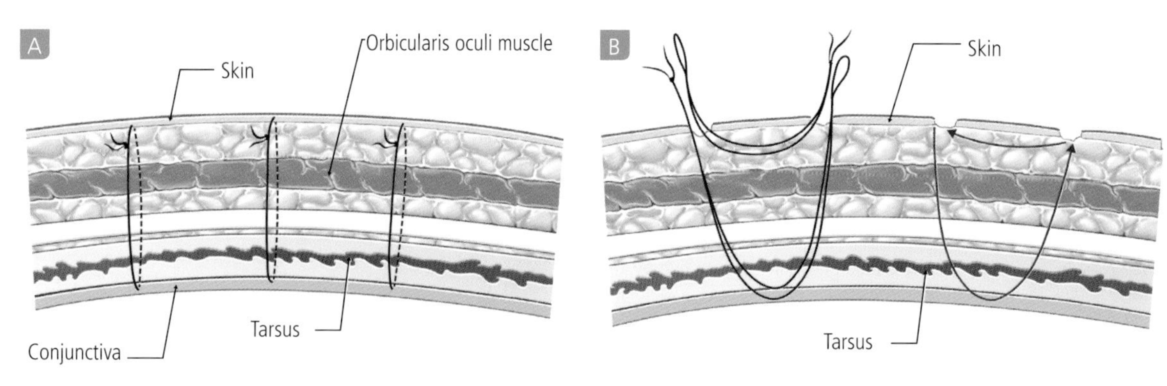


FIGURE 1-59 A. 좁은 loop B. 넓은 반원형태의 loop

힘 조절에 불리한 것으로 생각된다(FIGURE 1-59).

## 단매듭 연속 매몰법과 다매듭법의 장단점

다매듭법은 하나하나의 매듭을 따로 만들어야 하는 단점이 있지만, 여러 개를 이용할 경우 하나의 매듭이 풀어져도 쌍꺼풀이 유지될 수 있는 장점이 있다.

단매듭법은 매듭의 수가 한 개이므로, 매듭을 관리하기가 용이하다. 즉, 잘 풀어지지 않도록 매듭에서 실길이를 길게 남기면서, 매듭이 안쪽으로 들어갈 수 있도록 조절하기가 용이하고, 전체적으로 힘을 나누어 가질 수 있어, 상대적으로 전체적으로 강한 힘이 잘 유지된다고 할 수 있다.

다매듭법은 사각형 형태나 loop형태가 많고, 단매듭법은 넓은 loop와 사각형을 같이 이용한 방법과 삼각형 형태의 방법에 다양하게 사용될 수 있다.

## 시술 순서

### 환자 선택

먼저 환자가 수술에 적합한지 판단한다. 눈꺼풀 두께나 탄력정도를 보아 피부가 얇고, 부드러운 편이라면 non-incisional method에 적합하다. 만일 환자의 피부가 두텁고 늘어져 있다면, 수술 후에 효과는 적을 수 있으므로, 절개법을 우선 권하도록 한다.

### 수술 전 도안(Design)

환자가 앉은 상태에서 거울을 보면서 라인을 잡아본다. Medial쪽 라인은 앉은 상태에서 주로 결정하고, 중간 이후는 누워서 눈감은 상태로 eyelash margin과 평행하게 가도록 한다.

라인을 잡아주는 범위는 medial과 lateral canthal angle에서 수직선을 그린 후 쌍꺼풀 라인을 따라 4~5mm 범위 폭 내에서 잡아주게 된다. 만일 nasally tapered crease(내주름, infold)를 원한다면, 내측으로 오면서 점차 선을 줄어들게 도안하고, parallel crease(외주름, outfold)를 원한다면, 평행하게 앞쪽으로 오게 하는 것을 기본으로 한다. 하지만 환자마다 약간씩 다른 점이 있어, 앉은 상태에서 라인을 잡으면서 구체적으로 포인트를 정하는 것이 좋다(FIGURE 1-60).

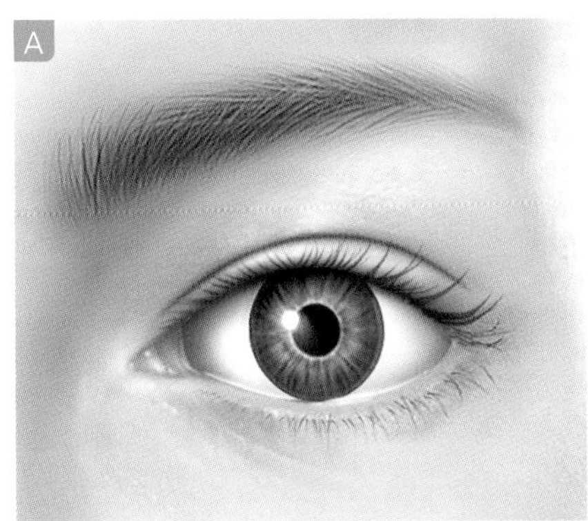

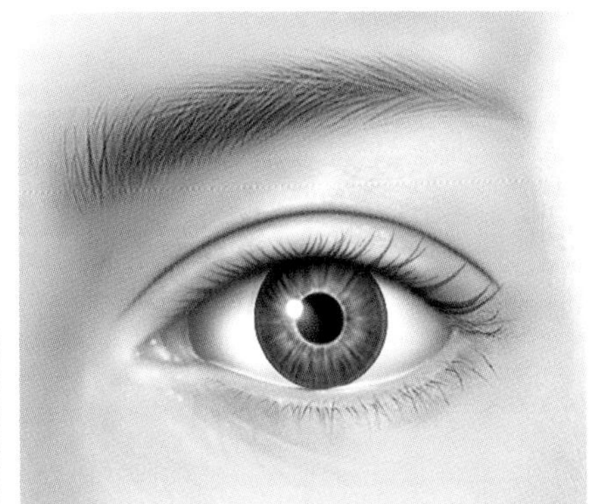

FIGURE 1-60 **Nasally tapered creas와 parallel crease의 그림.**

**A.** Nasally tapered crease와 parallel crease의 도안 차이 **B.** 눈구석주름이 있는 동양인의 경우 라인을 design할 때, 눈구석주름 아래쪽으로 들어가게 하면, 즉, 앞쪽이 좁아지게 하면 nasally tapered crease가 된다(사진의 오른쪽, 환자의 왼쪽눈). 전체적으로 eyelash 라인과 평행가게 design하면, parallel crease가 된다(사진의 왼쪽, 환자의 오른쪽 눈). 하지만 중요한 것은 앉은 상태에서 wire로 라인을 잡아보면서 확인하고, 환자에 따라 선을 약간씩 위, 아래로 바꾸면서 실제로 눈을 떴을 때 좋은 모양이 되도록 최종 결정하는 것이 좋다.

### 마취

국소마취를 시행한다. 눈꺼풀은 혈액순환이 좋아 1:50,000 농도의 에피네프린도 사용이 가능하다. 에피네프린의 농도가 높아지면, 수술 중이나 직후에 눈의 크기가 일시적으로 달라지기 쉬워 환자의 상태나 수술 숙련정도에 따라 선택하는 것이 좋다.

### 쌍꺼풀 만들기(Triangular single-knot suture method)

가급적 아래의 원칙에 따라 시술한다. 1. 매듭을 연부조직이 많은 바깥쪽(lateral)에 주로 들어가게 한다. 2. 만일 교정이 필요한 경우 매듭을 찾기 쉽도록 하기 위해, 가장 끝 부분보다는 한 칸 안쪽(medial)에 매듭을 만든다. 3. 몽고주름의 영향을 줄이기 위해 가장 안쪽(medial) point는 가급적 실이 수직으로 들어갈 수 있도록 한다. 4. Point에 따라 자연적인 유착을 유도하고, 매듭이 뒤 쪽(inner side)으로 잘 들어가도록 soft tissue tunnel을 만든다.

피부가 얇은 경우 4-point 절개창을 통해 쌍꺼풀을 만들기도 하고, 피부가 두꺼운 경우 강한 힘을 유지하기 위해서 7-point의 절개창을 이용하기도 한다. 일반적으로 가장 많이 이용하는 5-point와 6-point 방법은 다음 순서대로 진행한다.

#### *5-Point technique*

쌍커풀 예정선을 따라서 11번 메스를 사용하여 피부에 작은 절개창을 5개 만들고, Medial

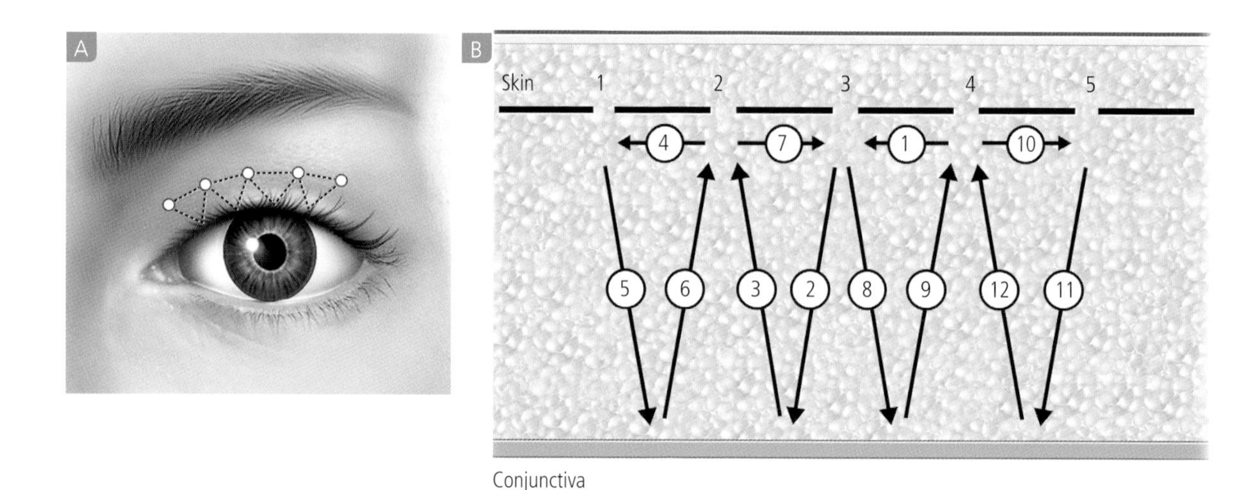


**FIGURE 1-61** 삼각형 형태의 단매듭연속매몰법 (5-point)
**A.** 외부에서 본 모습. 뒤쪽으로 들어가는 실 부분이 아래로 그려진 것임(그림 11의 B 참조) **B.** 실이 지나가는 단면모습

쪽부터 1번부터 번호를 붙여 5번까지 정한다. 4번에서 3번으로 피부 바로 아래로 통과시키고, 3번에서 2번으로는 conjunctiva를 통과하며 이동한다. 2번에서 1번으로는 피부아래로 통과, 다시 1번에서 2번으로는 conjunctiva를 통과시킨다. 이러한 식으로 피부아래 통과와 conjunctiva 통과 과정을 반복하면 삼각형 형태의 단매듭 연속매몰법이 완성된다(FIGURE 1-61).

### *6-Point technique*

만일 상대적으로 두터운 피부이거나 절개 후 풀려서 온 경우라면 6-point로 늘려서 수술할 수 있다. 피부에 6개의 작은 절개창을 넣는다. 5번에서 6번으로 결막을 통해 나온 뒤 6번에서 5번으로 피부 아래로, 5번에서 4번으로 결막을 통해 이동하고, 4번에서 3번으로는 피부아래로, 다시 3번에서 2번으로 결막을 통해서 나온다. 2번에서 1번으로는 피부아래, 1번에서 2번으로는 결막을 통해, 2번에시 3빈으로는 피부아래로, 3번에서 4번으로는 결막을 통해, 4번에서 5번으로는 피부아래로 오면 매몰법이 완성된다.

이렇게 point를 늘려주어 anterior의 skin이 posterior로 당겨지는 힘을 늘릴 수 있다(FIGURE 1-62).

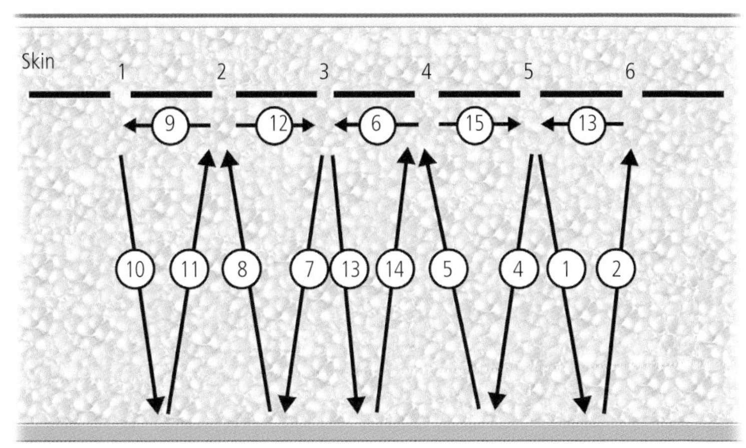


**FIGURE 1-62 삼각형 형태의 단매듭연속매몰법 (6-point)**
안쪽(medial)에서 바깥쪽(lateral)까지 번호를 붙인다. 보통의 경우 soft tissue가 많은 바깥쪽에서 시작하여 매듭을 완성한다. 저자의 경우 가장 바깥쪽에서 하나 안쪽, 즉 6-point의 경우 5-point에서 매듭을 만드는 것을 선호한다.

### 추가적 시술

약한 경도의 눈꺼풀처짐이 있다면, 이러한 방법에 추가하여 뮐러근의 주름잡기(Müller muscle tucking)를 시켜 주면 교정할 수 있다.

#### *Müller muscle tucking & conjoint facial sheath sling*

기존의 non-incisional method와 유사하게 피부 쪽 절개창을 통해 conjunctiva쪽으로 바늘이 나온 뒤에 Müller muscle tucking을 하게 된다. 결막 쪽에서 후측벽(posterior wall)을 따라 뮐러근이 존재하는 상측(superior)방향으로 올라 갔다가 내려오면 Müller muscle tucking이 이루어진다. 아래 conjunctiva로 나온 바늘은 피부쪽으로 나오게 해서 서로 연결하여 매듭을 만든다. 한개의 창으로 할 수도 있고, 서로 다른 창으로도 가능하며, Müller muscle tucking만 하기도 하고, 필요에 따라 추가적으로 쌍꺼풀을 만들기 위한 nonincisional method를 별도로 더 만들 수 있으며, non-incisional method로 쌍꺼풀을 만들 때 Müller

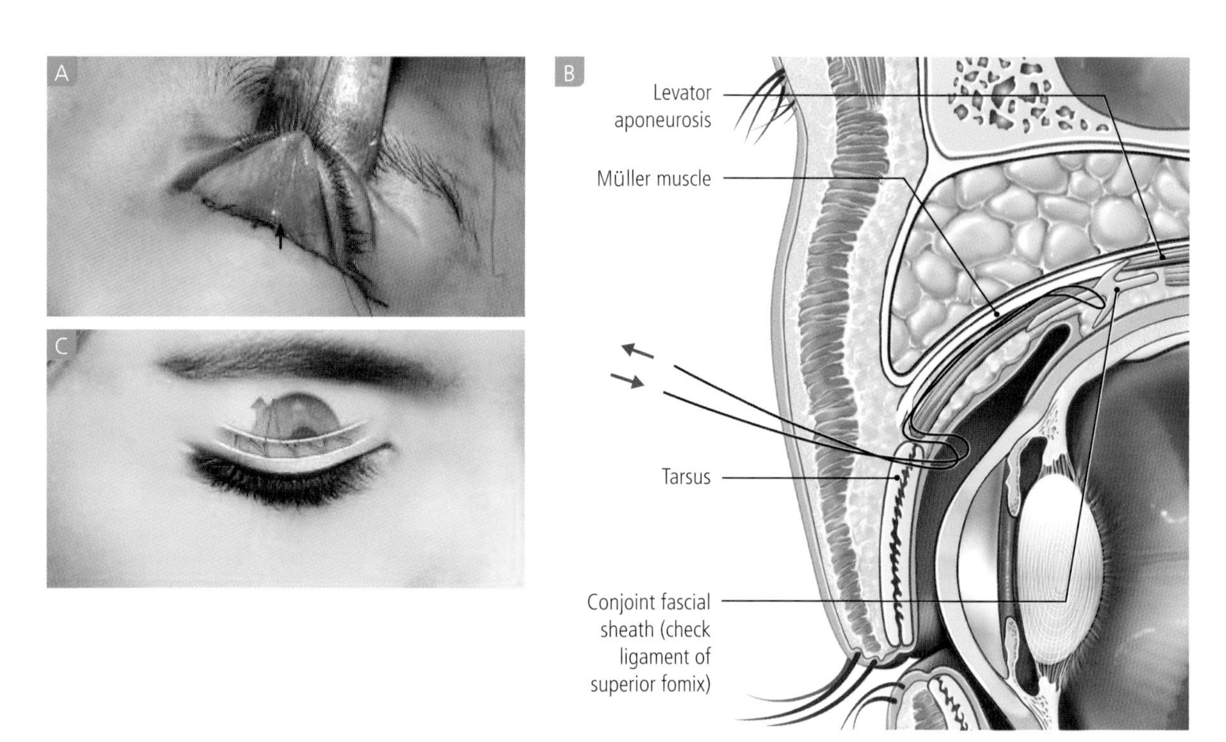


FIGURE 1-63 Müller muscle tucking

**A.** conjunctiva에서 실이 지나가는 모식도. 당기고자 하는 부분을 위주로 당기는데, 보통의 경우 midpupilary line을 중심으로 당기게 된다. 안쪽의 하얗게 보이는 부분(tarsal plate와 평행하게 진행하는 혈관보다 안쪽, 화살표)이 conjoint fascial sheath이다. 이렇게 당기는 횟수에 따라 MRD1이 점차 증가하게 된다. **B.** 단면 그림. Müller muscle tucking을 기존 5-point technique과 연결하였을때의 입체모식도. 기존의 매몰법(minimal incision supratarsal crease surgery)과 연결하여 시행할 수도 있고, 별도로 Müller muscle tucking을 시행할 수도 있다.

muscle tucking과 연결하여 만들기도 한다.

저자는 Müller muscle tucking을 안정적으로 유지하기 위하여, 아래는 tarsal plate의 superior border를 걸어주고, 위쪽으로는 conjoint fascial sheath까지 12mm 이상 올라갔다가 내려오는데, 기존 올라가기 시작한 부분에서 약 4mm 옆으로 내려오게 하여 Müller muscle tucking & conjoint facial sheath sling 이 되도록 한다(FIGURE 1-63).

### 수술 후 관리

1~2일간 mild compression을 동반한 얼음찜질을 하도록 한다. 만일 ptosis 교정을 같이 하였다면, 5분간 얼음찜질 후에 2~3분간 눈을 크게 뜨는 연습을 하도록 하고, 수술 첫날은 가급적 반복해서 하도록 한다. 1~2일간의 얼음찜질이 끝나면, 따뜻한 찜질을 하거나 많이 걷도록 권장한다. 단, 멍이 심할 경우 직사광선을 많이 쬐지 않도록 주의시킨다.

수술 후 두달간은 눈을 비비지 않도록 하고, 콘텍트렌즈는 2주 정도 착용하지 않도록 한다(ptosis 교정을 같이한 경우는 한달간 콘텍트렌즈를 착용하지 않도록 한다).

## 합병증

### 쌍꺼풀 풀림 또는 visible knot

실이 쉽게 끊어지는 것을 예방하기 위해, 수술 중에는 실이 날카로운 기구 주위에 있지 않도록 따로 놓도록 한다. 매듭이 만들어질 절개창 부위 아래의 근육과 사이막(septum)의 일부을 excision한다. 이때 작은 터널형태를 만들어 매듭이 근육아래로 들어가기 쉽도록 한다. 매듭을 만들때 가급적 posterior로 당겨져 들어가도록 만들도록 한다. 이렇게 매듭이 posterior로 들어가게 하면 근육아래의 knot가 보이지 않고, 또 매듭에서 2mm 정도 실을 남기고 실을 자를 수 있어 풀리는 확률을 줄일 수 있다.

매듭 부위에 granuloma가 생기는 경우 큰 볼록한 덩어리를 만들 수 있지만 매듭을 제거하면 좋아진다. 이러한 granuloma는 매듭을 만들때 파우더나 거즈의 섬유가 끼어서 같이 들어가는 경우에 잘 생긴다.

### 비대칭

약간의 비대칭은 흔히 생길 수 있다. 비대칭을 줄이기 위해서는, 피부의 도안을 가급적 정확하게 한다. 또 눈꺼풀판(tarsal plate)은 양쪽의 크기가 비슷한 경우가 많으므로, conjuctiva로 바늘이 나올 때 tarsal plate의 superior margin으로 나오게 하면 비대칭을 줄일 수 있다.

levator fuction이나 눈썹의 움직임, 눈의 돌출정도가 달라도 비대칭이 올 수 있으며, 이러한 경우는 도안을 달리하거나 stitch 방법을 통한 ptosis 교정을 같이 해 주도록 한다.

### Eye irritation과 discomfort

실이 conjunctiva 쪽에서 1~2mm 이상 노출되지 않도록 한다. 만일 수술 직후부터 눈의 불편함을 호소한다면 바로 눈 안쪽을 확인해 보고, 실의 노출이 많아 보인다면 풀어서 다시 쌍꺼풀을 만들어 주는 것이 좋다. 확인이 여의치 않은 경우 1~2일간 안연고를 눈안에 넣도록 한 뒤에 계속되는 자극이 있는지 확인한 후에 풀어주도록 한다.

### 눈꺼풀겉말림(ectropion) 또는 excessively deep crease

매듭을 지나치게 강하게 지으면, 초기에 ectropion이나 deep crease를 만들 수 있다. 하지만 시간이 지나면서 좋아지는 경우가 많다.

### 염증

실도 foreign body이므로 실을 따라 염증이 생기는 경우도 있을 수 있다. 눈꺼풀 안쪽에 결막낭종(conjunctival cyst) 또는 피하낭종(dermoid inclusion cyst) 등의 cyct가 생길 수도 있다.

### 기타

사시(heterotropia), 복시(diplopia)는 눈꺼풀처짐 교정을 동시에 할 때 생길 수 있으며, heterotropia와 diplopia는 대부분 1~2주 내에 좋아진다.

Hooding된 피부일 때 시야가 일부 가려져서 눈썹을 올리는 습관이 만들어질 수 있다. 이러한 경우는 쌍꺼풀이 만들어지면서 눈썹을 올리는 습관이 좋아질 수 있다. 눈꺼풀처짐이 있는 경우 교정 수술 후에도 이러한 현상이 잘 생기는데, lateral hooding이 생기면, subbrow excision을 동시에 하거나 추가적 다른 시술을 할 수도 있다.

## REFERENCES


5. Shirakabe Y, Kinugasa T, Kawata M, Kishimoto T, Shirakabe T. The double-eyelid operation in Japan:its evolution as related to cultural changes. Ann Plast Surg. 1985;15(3):224-41.
6. Mutou Y, Mutou H. Intradermal double eyelid operation and its follow-up results. Br J Plast Surg. 1972;25(3):285-91.
7. Baek SM, Kim SS, Tokunaga S, Bindiger A. Oriental blepharoplasty:single-stitch, nonincision technique. Plast Reconstr Surg. 1989;83(2):236-42.
8. 안태주. 매몰법을 이용한 일측성의 경미한 눈꺼풀처짐 교정. 대한미용성형외과학회지 2010;16(3):140-143.
9. 유현석, 금인섭, 민경원. 5mm 단일 부분 절개를 통한 이중 안검 성형술. 대한성형외과학회지 2002;29(6):521-525.
10. 정두성, 김영환, 최준. 결막하 매몰법을 이용한 이중검 성형술. 대한성형외과학회지 2001;28(4):337-341.
11. Ahn TJ, Kim K. Mild ptosis correction with stitch method. Archives of Aesthetic Plast Surg 2012;18(1):15-20.
12. Cho BC and Byun JS. New Technique Combined with Suture and Incision Method for Creating a More Physiologically Natural Double-Eyelid. Plast Reconstr Surg. 2010;125:324-331.
13. Shimizu Y, Nagasao T, Asou T. A new non-incisional correction method for blepharoptosis. J Plast Reconstr Aesthet Surg. 2010;63(12):2004-12.
14. Suzie HC, William PC, Cho IC, Ahn TJ. Comprehensive Review of Asian Cosmetic Upper Eyelid Oculoplastic Surgery:Asian Blepharoplasty and the Like. Archives of Aesthetic Plast Surg 2014;20(3):129-139.
15. NeliganPC . Plasticsurgery. 3rd ed.: Elsevier;2013;2:163-168.

CHAPTER

# 02

# 노인성 상안검 수술

## UPPER BLEPHAROPLASTY FOR THE ELDERLY



- 술 전 계획
- 수술방법
- 보조적 수술방법(Ancillary Procedures)
- 기타 문제점
- 눈썹 아래 상안검 거상술(Infrabrow Blepharoplasty, Subbrow Lifting)
- 상안검 수술 후 알아 두어야 할 사항

## 술 전 계획

나이 많은 사람에게 있어서 상안검 수술의 특징은 쌍꺼풀 자체의 미적 완성도보다 그 사람의 전제적인 분위기와 어느 정도 조화를 이루느냐 하는 것에 목표를 두어야 한다는 것이다. 노인성 상안검 수술의 가장 중요한 목적은 눈꺼풀의 처짐을 교정하는 것인데, 이를 위해서 쌍꺼풀을 만들 수도 있고 안 만들 수도 있으므로 환자와 이를 잘 상의해서 결정해야 하겠지만, 특별히 반대하지 않는다면 처짐을 교정하는 것에도 효과적이고 다시 처짐을 방지하는 면에서도 유리하기 때문에 쌍꺼풀을 권하는 편이다. 쌍꺼풀을 원하지 않는 사람에게는 안 보이는 정도의 작은 속 쌍꺼풀을 권장한다. 쌍꺼풀이 완전 없는 것보다는 처짐이나 재발이 적은 이점이 있기 때문이다. 하지만 남자들의 경우는 사회적인 면을 고려하여 쌍꺼풀을 만들지 않은 경우도 있다. 또한 눈처짐이 있는 경우에는 이를 보완하기 위해 눈썹이 올라가 있지만, 눈처짐이 교정되고 나면 눈썹처짐이 나타나기 쉽다.

눈썹처짐 양을 미리 예측하고 이에 대한 대비책은 생각해 두어야 한다. 나이 많은 사람의 상안검은 피부와 안륜근이 얇고 피하지방이나 ROOF도 비교적 적은 편이므로 피부 이외의 연조직을 제거할 필요가 없는 경우가 많다. 또한 연조직을 많이 제거하면 회복기간이 길어지는 경향이 있다. 젊은 사람과 달리 나이 많은 사람에게서 쌍꺼풀 선 아래피부가 완전 신전(stretching)되면 인상이 강해 보일 수 있다. 자연스럽고 부드러운 인상을 위해서는 쌍꺼풀 아래 피판이 적당히 신전되어 주름이 약간은 남아 있는 상태가 되도록 하는 것이 중요하다.

## 수술방법

### 절개선 도안(Designing the upper lid incision)

쌍꺼풀 선(아래선)과 피부절제하기 위한 윗선, 두 개의 선을 도안한다.

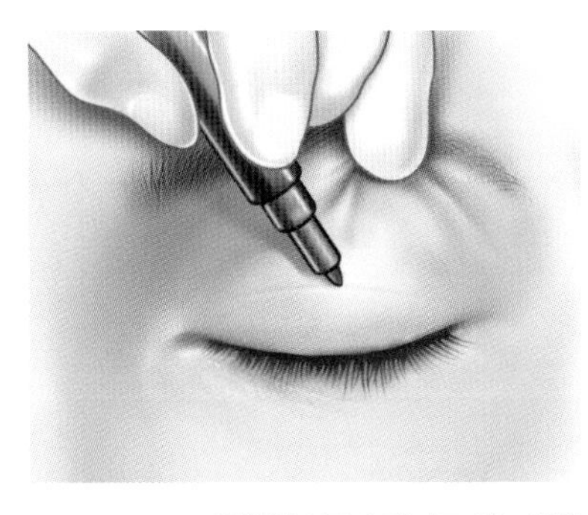

FIGURE 2-1 **일반적으로 소개되고 있는 방법**
eyelash line의 중앙에서 7~9 mm 정도의 폭을 잡는다.

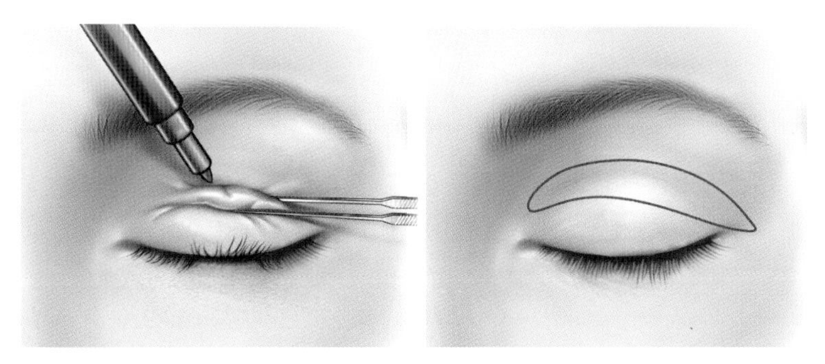

FIGURE 2-2 **피부 절제량을 결정하는 방법(일반적으로 책에 소개된 방법)**
겸자로 잡았을 때 속눈썹이 살짝 들릴 만큼의 피부를 절제한다.

## 방법 1) 일반적으로 많이 등장하는 방법

### *쌍꺼풀선 도안(아래선 도안) (FIGURE 2-1, 2-2)*

일반적으로 eyelash line에서 7-9 mm 정도의 폭을 잡아 디자인한다. 또는 검판을 뒤집어 검판의 폭을 재고 같은 높이로 쌍끼풀 선을 잡는 방법도 있다(예, Flower). 김판의 크기가 쌍꺼풀 폭을 결정하는 데 기준이 되지 않는다. 또한 이 방법으로 피부 절제량을 결정하는 것은 피부가 얇은 사람에게서 피부를 많이 절제할 가능성이 있어 권하지 않는다. 이 방법은 부정확하고 어려운 방법으로 생각된다.

### *절제량 결정(윗선결정)*

겸자로 늘어진 피부를 잡고 속눈썹이 약간 들릴 때까지를 절제량으로 정한다.

## 방법 2) 저자의 방법

### *쌍꺼풀선 도안(아래선 도안)*

환자가 앉은 자세에서 조수로 하여금 상안검 피부의 주름이 80~90% 펴질 정도로 눈썹을 위로 당기게 한다. 이 상태에서 술자가 부지로 여러 개의 쌍꺼풀을 만들어 보고 이를 환자에게 거울로 보여주면서 상의하여 마음에 드는 쌍꺼풀 선을 도안한다. 만일 100% 피부가 펴진 상태에서 쌍꺼풀을 도안하면 부드럽지 않은 인상이 되기 쉽다.

### 기존 쌍꺼풀이 있을 경우

기존 쌍꺼풀대로 수술하면 될지, 수정을 해야 할지를 결정하는 것도 눈썹을 올려 눈꺼풀 피부를 80~90% 편 상태에서 부지로 쌍꺼풀을 만들어 보면서 환자와 상의를 하여 결정한다. 전체적으로 쌍꺼풀 크기를 키울지, 줄일지, 바깥 부분만 선을 위로 올려 처져 보이는 것을 수정할지 등을 결정하게 된다.

#### *절제량 결정(윗선도안)*

환자가 앉은 자세에서 도안한다. 눈썹을 적당히 올린 상태에서 아래 선을 도안한다. 쌍꺼풀 선이 결정되면 눈꺼풀 피부가 80~90% 정도 펴진 상태로 눈썹을 적당히 당긴 상태에서 안검연(lower margin)에서 쌍꺼풀 선까지 길이를 잰다. 다음 당긴 눈썹을 제자리에 놓고 눈썹이 제자리로 간 상태에서 같은 폭의 윗선을 도안한다(FIGURE 2-3). 이런 방법으로 잘라낼 피부의 양이 결정되는데 중앙으로는 동공 바로 위 지점, 안쪽으로는 medial limbus, 바깥쪽으로는 lateral canthus 세 지점에서 자를 양을 결정해서 점을 연결하여 윗선을 완성한다(FIGURE 2-4, 2-5).

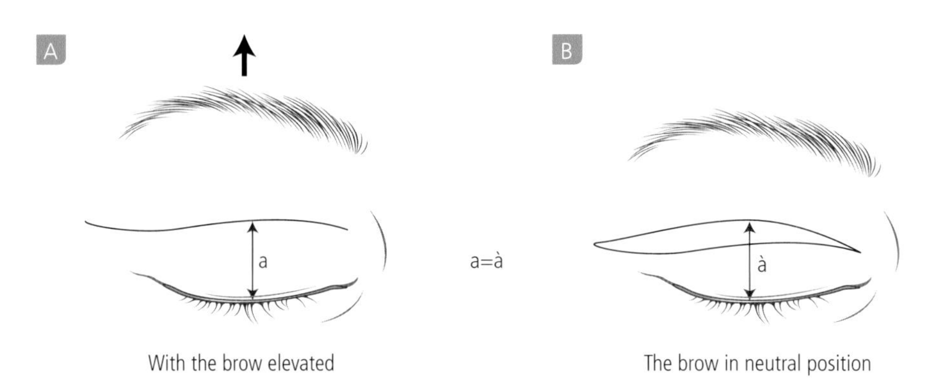


FIGURE 2-3 · **쌍꺼풀 선과 피부 절제량을 결정하는 방법.**
**A.** 눈썹을 위로 당겨 눈꺼풀을 80~90% 편 상태에서 쌍꺼풀 선을 도안한다. 이것이 아래 선이 된다. **B.** 눈썹이 원래대로 내려온 상태에서 같은 폭의 윗선을 도안한다. 눈썹을 올렸을 때 아래선과 눈썹을 내렸을 때 윗 선의 높이가 같다(a=à).

나이 많은 사람에게서 쌍꺼풀 위를 덮고 있는 조직의 주된 구성 성분은 피부와 안륜근이다.

그러므로 처진 것을 해결하기 위해서는 피부와 안륜근을 제거해야 하는데, 많은 피부 절제는 눈썹하수를 초래할 수 있으므로 피부를 많이 자르는 대신에 피부는 적당히 자르고 안륜근과 그 아래 결체조직을 충분히 제거하는 것이 비슷한 효과를 가져올 수 있다. 이때 윗선에 가까운 안륜근은 절제하면 삼꺼풀(triple fold)을 만들 수 있으므로 조심한다 **(FIGURE 2-9)**(p112 삼겹쌍꺼풀 참조).

피부와 안륜근은 하나의 unit이기 때문에 늘어짐, 처짐과 얇아짐, 퇴화(thining, attenuation)가 함께 일어난다.

### 참고사항

- 피부를 지나치게 절제하면 절제하지 않은 바깥 부위의 피부가 늘어진 느낌을 준다.
- 쌍꺼풀선보다 위의 피하조직을 절제할 때는 지나치게 절제하여 삼꺼풀이 생기는 일이 없도록 유의한다.
- 눈꺼풀이 얇은 경우는 피부만 제거하고 나머지 안륜근 등 연조직을 일체 제거하지 않는 것이 좋다. 저자는 노인성 상안검 수술의 반수 이상에서 안륜근을 제거하지 않고 안륜근을 제기할 경우에도 피부 절제량보다 적게 절제한다.

수술 중에는 피부를 적절히 잘랐다고 생각되지만, 수술 후 눈썹이 많이 내려와 쌍꺼풀선 위로 여분의 피부가 심하게 처져 있는 실망스러운 수술 결과를 경험한 적이 있다. 이를 방지하기 위해서는 환자가 눈을 감았을 때 눈썹이 완전히 처지도록 심리적으로 안정된 상태를 유지하게 하고, 조수가 저항이 적은 범위 내에서 눈썹을 살짝 아래로 누른 상태에서 윗선을 도안하여 피부 절제 양을 결정한다. 즉 피부를 80~90% 폈을 때 아래선(쌍꺼풀선)의 높이는 피부를 펴지 않았을 때 윗선의 높이와 같게 함으로써 피부 절제량을 결정하는 방식이다.

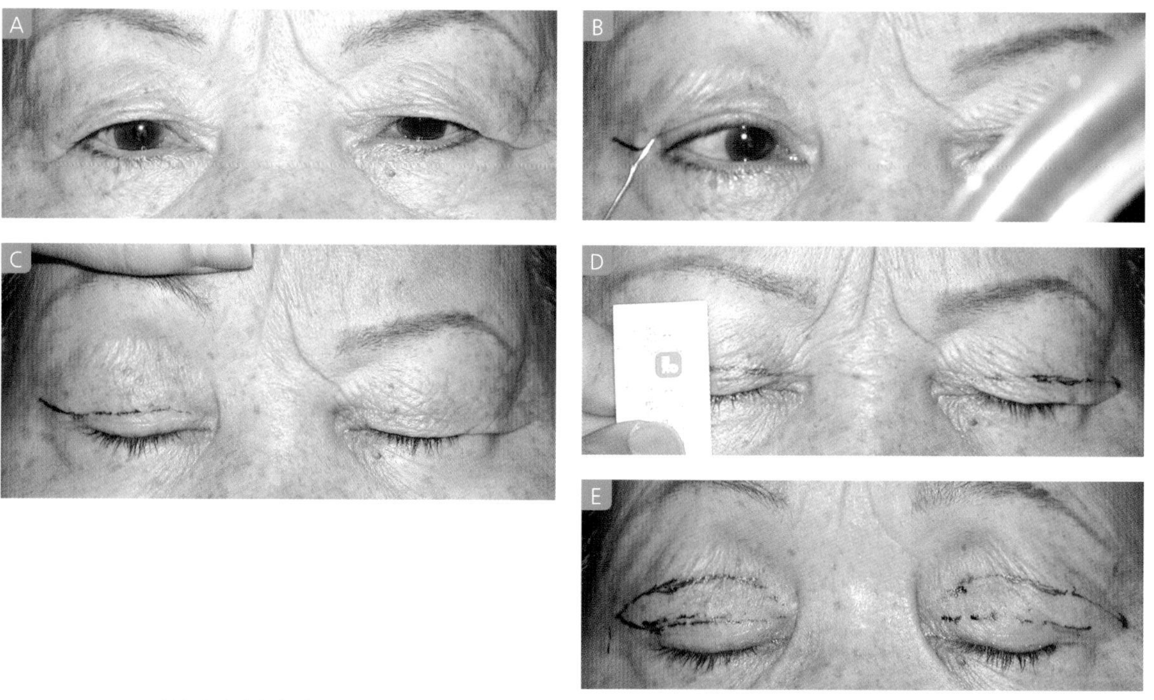

FIGURE 2-4 **노인성 상안검 수술에서 쌍꺼풀선과 피부 절제량을 결정하는 방법**
A . 술전 모습. **B.** 눈썹을 적당히 들어올린 상태(아래 피부가
80~90% 펴진 상태)에서 쌍꺼풀을 만들어 보면서 상의한다. **C.** 눈썹을 적당히 올린 상태(아래 피부가 80~90% 펴진 상태)에서 쌍꺼풀선의 높이를 잰다. 본인이 낮은 쌍꺼풀을 원하므로 8 mm 정도의 높이가 되었다. **D.** 눈썹을 내린 상태에서 그림 C에서 측정한 길이와 같은 높이-8 mm로 윗선을 도안한다. **E.** 눈썹을 올린 상태에서 쌍꺼풀 선과 피부 절제량이 보인다.

## 양쪽 피부 절제량이 양측이 다른 예

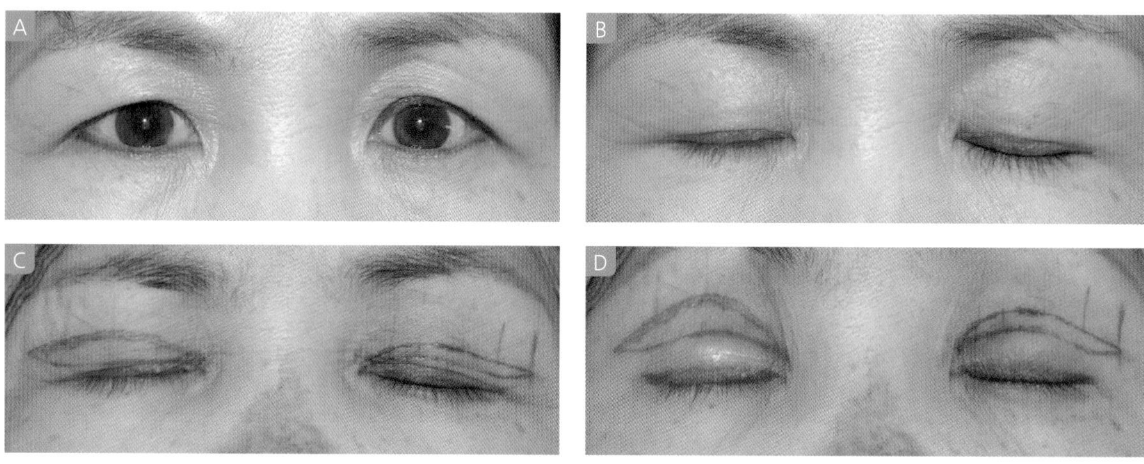

FIGURE 2-5 **A, B** 술 전 **C.** 눈썹을 내린 상태에서 아래선 즉 쌍꺼풀 선의 높이는 확연히 다르다. 그러나 윗선의 높이는 같다. D 눈썹을 올려 피부를 편 상태에서는 아래선의 높이는 같으나 윗선의 높이는 다르다. 따라서 피부 절제량도 양쪽이 차이가 난다. 그림 C에서 윗선의 높이는 약 10 mm 정도이며 그림 D에서 아래선의 높이도 10 mm로 같다.

*절개선 길이*

내안각 쪽으로는 눈꺼풀 피부(upper eyelid skin)를 한계로 하여 코 피부를 침범하지 않는다. 외안각 쪽으로는 안와연보다 가능한 한 2 cm 이상을 지나지 않도록 한다. 그 이상 절개선이 연장되면 피부가 두꺼워져 흉이 많이 남을 우려가 있다. 피부를 많이 자르게 될 때는 피부 절제량을 줄이는 대신 안륜근 절제량을 늘여서 쌍꺼풀선 위의 drooping 정도를 줄이고 과다한 피부 절제로 인한 눈썹하수를 방지한다. 피부와 안륜근은 하나의 unit이기 때문에 피부를 덜 자르는 대신 안륜근을 많이 잘라 보완할 수 있다. 이때는 삼꺼풀을 조심해야 한다.

*절개선 구도*

**내측 상안검 도안 시 고려해야 할 점**

피부의 처짐은 대개 내측보다는 외측이 심하고 눈썹하수도 외측이 심한 편이며 상대적으로 내측은 비교적 피부 처짐이 덜 한 편이다.

내측의 피부 처짐 정도에 따라 구도를 다음과 같이 다르게 작도한다.

- 내측 피부 처짐이 적은 경우에는 내측으로는 피부를 자르는 폭이 작기 때문에 아래선의 길이와 윗선의 길이의 차이가 적다(FIGURE 2-6A).
- 내측 피부 처짐이 어느 정도 큰 경우에는 위 아래 선의 길이 차이가 어느 정도 있기 때문에 이 차이를 극복하기 위해 절개선을 내측으로 보다 길게 연장한다(FIGURE 2-6B).
- 내측 피부 처짐이 심한 경우에는 내측 피부에 주름이 많고 심지어는 코 주름이 있을 수 있는데 이런 경우엔 back-cut을 도안하여 아래선과 윗선의 길이 차이로 인해 피부 주름이 생기는 것을 방지해 준다(FIGURE 2-6C). back-cut을 도안할 때는 그 부위에 피부 긴장으로 인한 band 및 비후성 반흔이 생기지 않도록 삼각형의 폭을 넓지 않게 도안해야 한다. 그리고 back-cut 지점에 비후성 반흔을 예방하기 위해 희석된 트리암 용액을 주사한다.

**외측 쌍꺼풀 도안 시 고려해야 할 점**

쌍꺼풀이 생기기를 원하는 지점까지는 하향곡선을 그리다가 그 이후에는 위로 crow's feet 방향-대략 15° 정도 상방으로 꺾이는 선을 도안한다. 대개 쌍꺼풀이 끝나는 점, 즉, 하향곡선이 상향으로 바뀌는 turning point는 눈꼬리 끝에서 4-6 mm 지점이 적당하며 소극적인 쌍꺼풀을 원하는 사람이나 남자들에게는 약간 짧은 쪽이 좋다(**FIGURE 2-7, 2-8**).

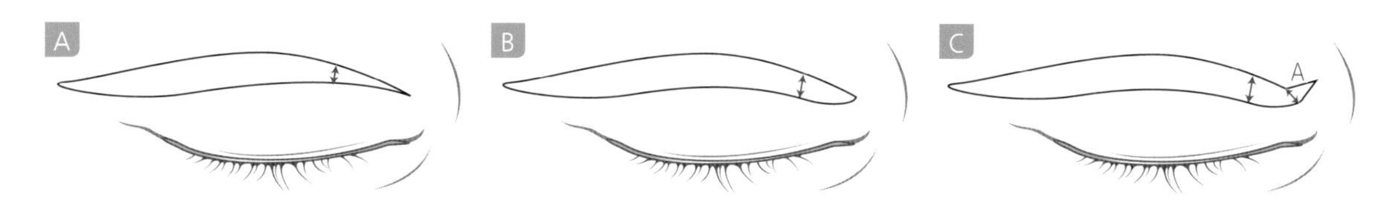


**FIGURE 2-6** **내측 피부 처짐의 정도에 따라 도안이 달라진다.**
**A.** 안쪽 피부처짐이 작을 때, 안쪽으로 절제량이 적게 도안한다. **B.** 안쪽으로 피부처짐이 보통일 때 절제선을 안쪽으로 더 길게 한다. **C.** 안쪽으로 피부처짐이 심하면 삼각형의 back-cut를 넣는다. 이때 A의 폭이 크면 비후성 반흔이나 췌피와 비슷한 band가 생길 수 있으므로 조심한다.

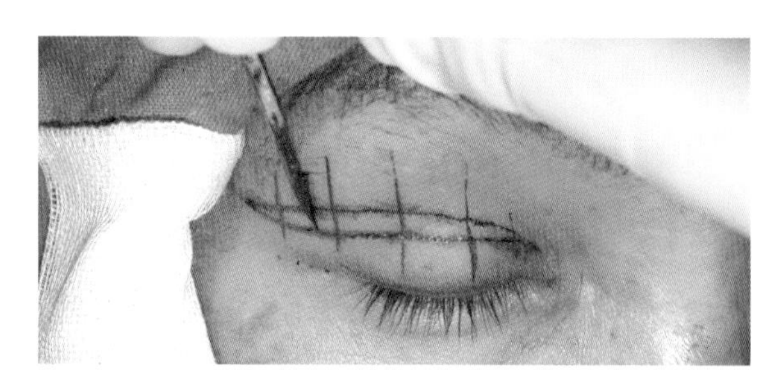

**FIGURE 2-7** Turning point는 눈꼬리에서 4~6 mm 정도(가리키고 있는지점)가 좋다. 이보다 더 긴 경우엔 주름처럼 보여서 좋지 않고 짧으면 쌍꺼풀이 디자인한 선과 상관없이 아래로 처진다.

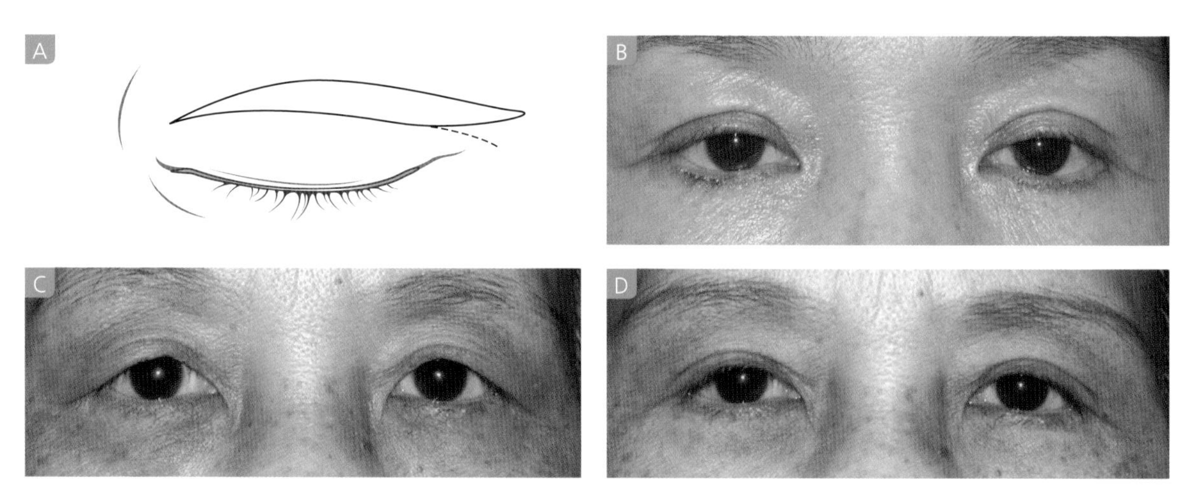


**FIGURE 2-8** Turning point가 일찍 꺾이면 쌍꺼풀선이 짧아지거나, 예상한 쌍꺼풀선보다 아래로 처진 선이 나오기 쉽다. **A, B.** 바깥에서 쌍꺼풀선이 아래로 꺾인 모습. **C.** 바깥으로 짧은 쌍꺼풀. **D.** 쌍꺼풀 폭이 줄어들지 않고 길게 뻗어 눈이 처지지 않고 시원하게 뻗은 모습.

## 안륜근 절제(Orbicularis oculi muscle)

보통의 두께의 상안검에서는 안륜근을 절제하는데, 안륜근 절제는 위로 삼꺼풀 방지를 위하여 피부 절개선보다 1-2 mm 정도 여유있게 남겨두고 절제하고, 아래도 피부 절개선 위치보다 1-2 mm 정도 남겨 놓고(cuff of pretarsal orbicularis muscle remaining) 안륜근을 절제하여 함몰흉을 방지한다(FIGURE 2-9).

그러나 피부가 얇고 전체적으로 눈이 꺼져(sunken eyelid) 있을 때는 안륜근은 제거하지 않고 피부만 절제하여 눈꺼풀을 풍부하게 보이게 한다. 특히 노인성 상안검에서 하부 피판(lower flap)은 피부가 늘어져서 얇거나 안륜근이 얇아져 있다. 이런 경우 하부 피판을 박리하거나 안륜근을 절제하지 않는다. 안륜근을 제거하면 유착으로 인해 딱딱하게 느껴지고 눈을 뜰 때 피부의 폭이 좁아지는 아코디온 효과가 없어지고 때로는 피부 색갈이 진

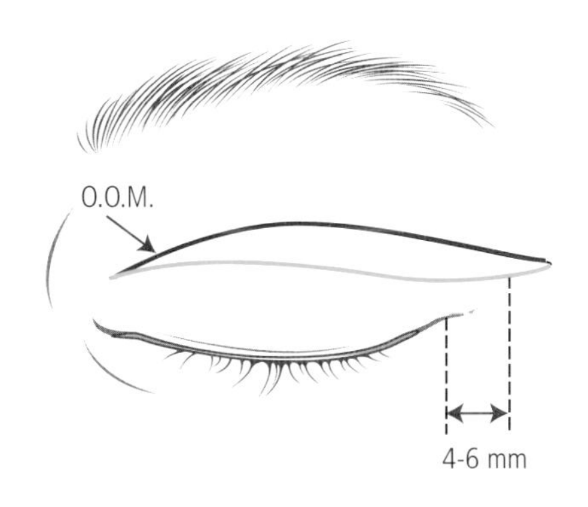


FIGURE 2-9 피부와 함께 안륜근을 절제할 때 위로도 1~2 mm 정도의 안륜근(붉은 표시)을 남겨둔다. 이것을 제거하면 삼꺼풀이 생길 수 있다. 아래 1 mm~2 mm 정도의 안륜근(푸른 표시)을 제거하면 함몰 흉이 생길 수 있다.

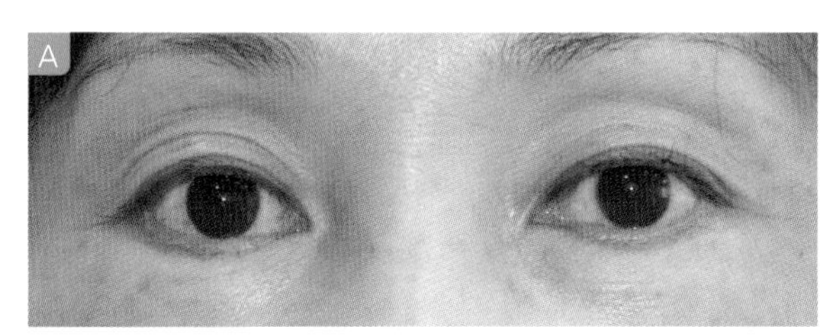


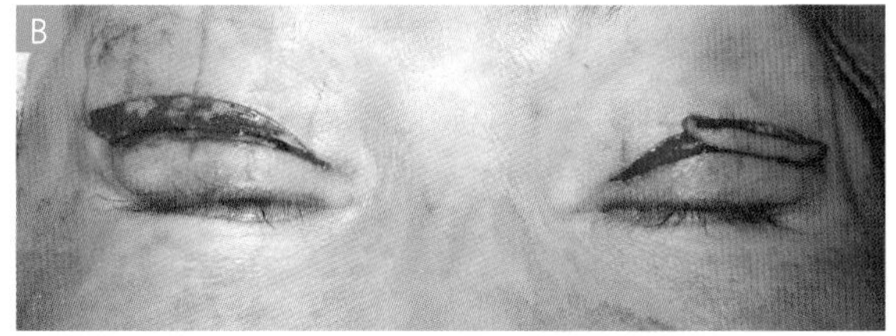


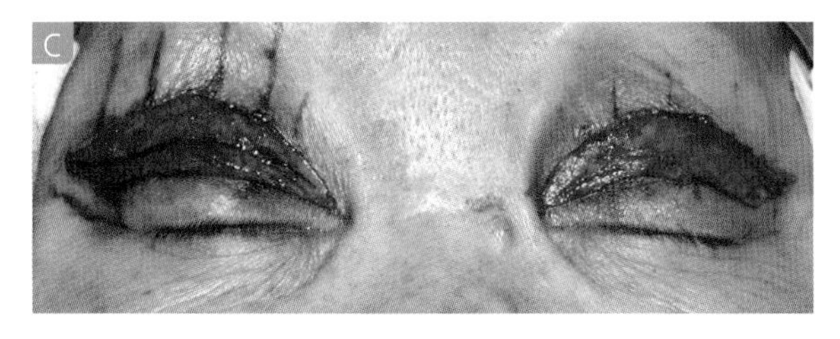


FIGURE 2-10 **눈이 꺼지고 주름이 많은 얇은 눈꺼풀의 경우엔 늘어진 피부만 제거하고 안륜근을 포함한 연조직은 일체 제거하지 않는다.** **A.** 전체적으로 조직양이 적어서 눈이 꺼져 있다. **B.** 아래 절개선 1 mm 상방(우측 눈에서 gentian violet으로 표시된 선)에서 안륜근에 절개선을 가하고 절개선 위의 안륜근은 상부 피판의 볼륨을 증가하는 데 이용한다. **C.** 다른 예. 안륜근에 절개선을 넣고 절개선 아래 부분은 아래 피판의 볼륨을 보강하는 데 사용하고 윗 부분은 윗 피판을 보강한다.

해지거나 모세혈관이 발달하는 telangiectasia가 나타나서 자연스러운 느낌이 사라진다. 그리고 대개는 쌍꺼풀선 아래 피판이 두꺼워지는 것은 부어 보여서 싫어한다. 흔히 쌍꺼풀에 소시지가 있다고 불평한다. 하지만 예외가 있다. 노인성에서 피부가 매우 얇아 절개선 아래 피판에 주름이 너무 많고 퇴행성 변화(attenuated)가 있는 경우에는 피부만 절개하고 안륜근은 절제하지 않는다.

안륜근을 아래 피판으로 보완을 해 주면서 오히려 약간의 pretarsal fullness를 만드는 것이 더 젊어 보이는 효과가 있다(FIGURE 2-10).

## 지방절제(Orbital fat)

눈꺼풀이 두툼한 경우 격막(septum)을 작게 열고(septal button hole) 외측 지방을 제거한다. 격막은 gliding membrane이므로 유착을 방지하는 데 유용하다. 내측에도 두툼한 경우엔 내측 지방(medial fat)도 제거한다. 내측 지방은 색깔이 좀 더 희고 dense하며 굵은 혈관도 지나가므로 지혈에 신경을 써야 한다. 눈이 얇고 꺼진 경우에도 내측 지방은 돌출되는 경우가 많은데 이는 거근의 medial horn이 lateral horn에 비해 퇴화되었기 때문에 내측지방의 돌출을 일으키기 때문이다.

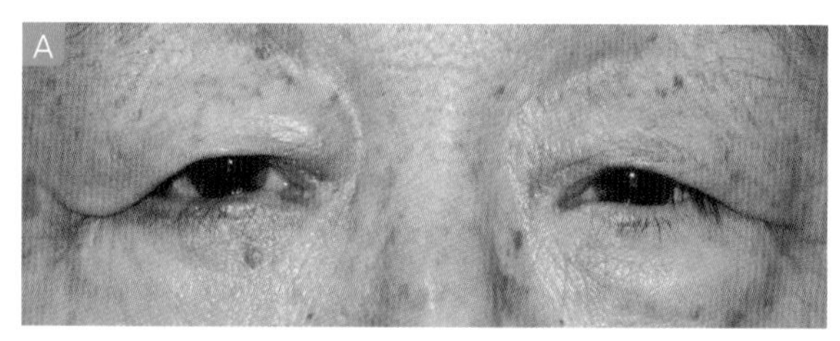


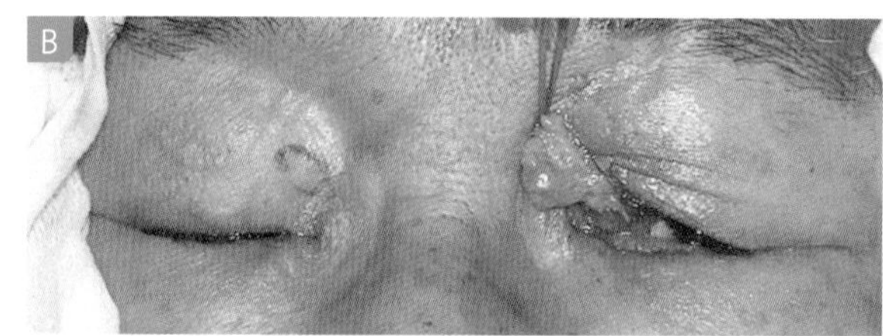


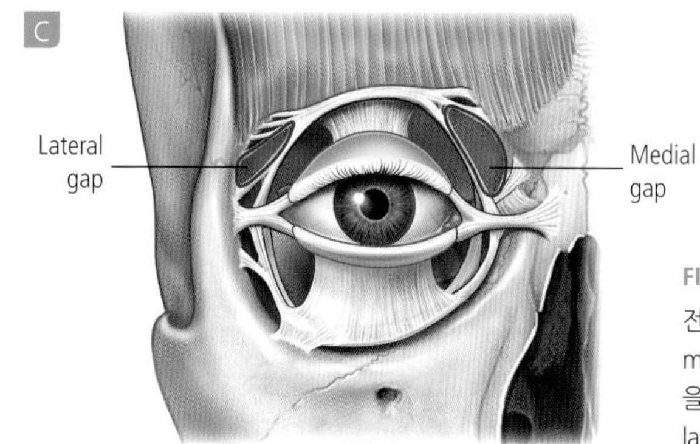


**FIGURE 2-11** **내측 지방이 불룩한 예.**
전체적으로는 눈이 꺼져 보이지만 내측지방만 불룩한 경우가 흔하다. **A.** medial horn이 attenuate되어 내측지방이 돌출되어 있다. **B.** 내측지방을 경결막으로 절제하는 과정. **C.** Levator aponeurosis gap, medial and lateral gap.

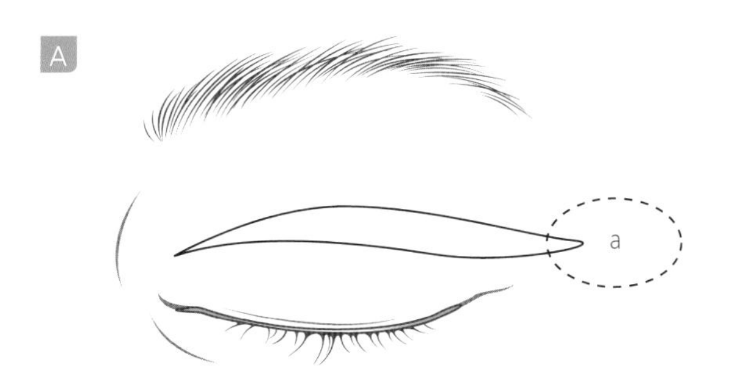


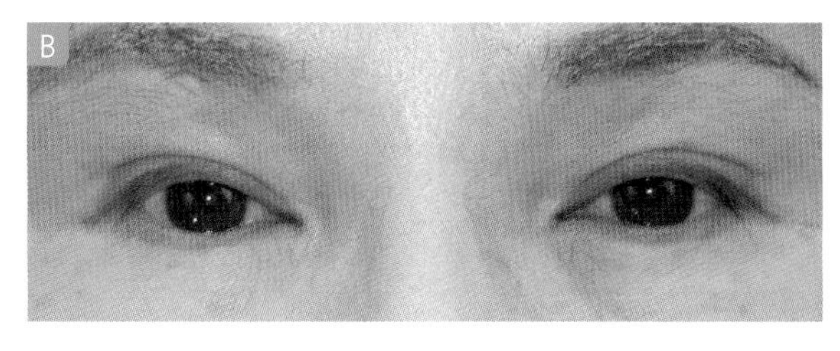


FIGURE 2-12 A. 쌍꺼풀이 없는 a 지점에 결체조직을 많이 제거하면 병적으로 보일 수 있으므로 조심해야 한다. B. 눈 바깥지점(그림에서 a지점)에 조직을 과다 절제한 경우 lateral roundness가 없어져 어색하다.

내측지방은 경결막으로(transconjunctrival) medial horn을 크게 상하지 않고 빼낼 수 있다. 빼낸 지방을 다른 꺼진 곳에 유리 이식할 수도 있다(FIGURE 2-11).

## 안륜근하 지방(ROOF) 절제

안륜근하 지방은 안륜근이 안와연에서 미끄러지는 운동을 원할하게 할 수 있게 하는 역할을 한다. 따라서 이것을 많이 제거하거나 골막에 바짝 붙어서 제거하면 대개는 일시적이긴 하지만 때로는 영구적으로 유착을 일으켜서 함몰을 일으킬 수 있고, 유착이 피부의 움직임에 제한을 주어 안검하수까지 유발할 수 있다. 안륜근하 지방은 바깥쪽은 제거해도 비교적 안전하나 중앙에서 안쪽으로는 삼꺼풀(triple fold)을 일으킬 수 있으므로 주의를 요한다. 그러나 외측이라고 해도 쌍꺼풀이 끝나는 안와연 부근은 항상 convexity을 유지해 주어야 하는데 이곳을 심하게 제거하여 평평하거나 함몰되면 병적으로(cachectic) 보일 수 있으므로 심하게 불룩한 경우가 아니면 제거는 삼가해야 한다(FIGURE 2-12).

## 고정(Fixation)

고정은 아래 피부를 약간 당겼을 때 피부상단과 같은 높이의 검판이나 상안거근에 걸어 준다. 이때 더 높이 걸게 되면 피부가 완전히 신전(stretching)되어 높고 깊은 쌍꺼풀 혹은 외반증이 되기 쉽다. 때로는 작은 혈관들이 들어나면서 피부 색깔이 짙어지기도 한다. 나이든 사람에게서 피부가 신전된 모습은 젊은 사람과는 달리 인상이 강하다는 말을 듣게

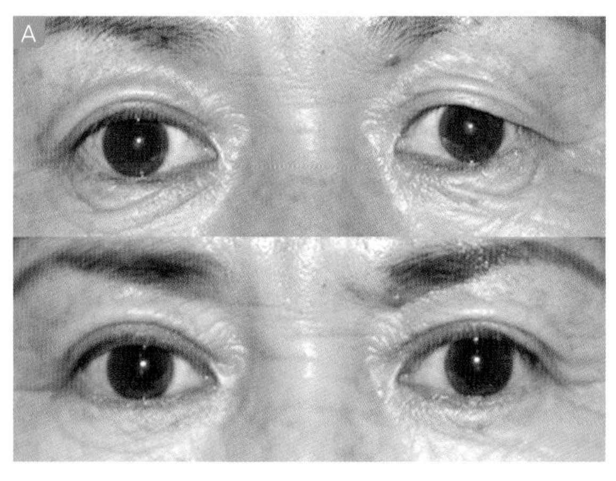


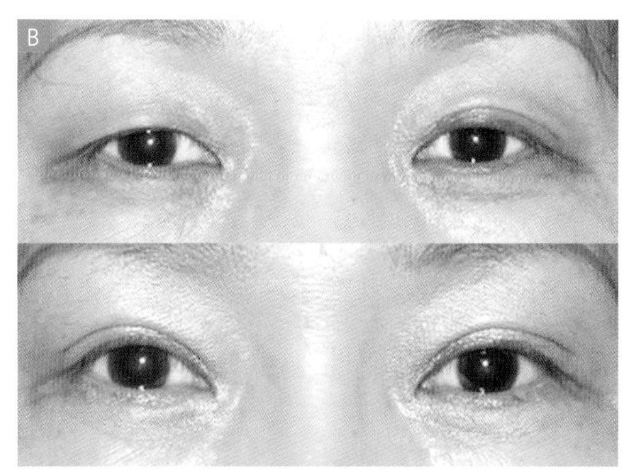


FIGURE 2-13 **위) 술 전, 아래) 술 후.**
**A.** 나이가 있는 사람에게서도 쌍꺼풀의 깊이를 적당히 하면 자연스러운 쌍꺼풀을 만들 수 있다. **B.** 원래 있는 자연스러운 왼쪽 쌍꺼풀에 비해 새 쌍꺼풀 모양이 비슷하게 자연스럽다.

되고 부자연스러운 모습의 원인이 된다.

나이 든 사람들은 상안검 수술을 받고 나면 인상이 강해지고 부자연스러운 느낌이 들기 쉽기 때문에 쌍꺼풀을 만드는 것을 꺼려하는 경우가 많다. 일부 의사들 중엔 나이 많은 사람에게는 쌍꺼풀을 권하지 않는 것이 좋다고 생각하는 사람이 있다. 그러나 나이가 많아도 고정위치를 잘 선정하여 하부 피판의 streching 정도가 적당하고 외반증이 없고 깊이가 깊지 않고 적당한 쌍꺼풀을 만들어 낼 수 있다면 얼마든지 자연스럽고 아름다운 결과를 낼 수 있다(**FIGURE 2-13**). 이점은 쌍꺼풀의 기전을 잘 이해하면 가능한 일이다.

저자는 외반증이 생기는 것도 방지하고 함몰 흉도 방지하면서 반대로 쌍꺼풀이 풀어지는 것도 방지하기 위하여 TAO fixation을 시행한다.

1. 높지 않은 검판에 얕게 바늘이 통과하고(아래 피판 피부 주름이 약간 남아 있는 정도의 높이)
2. 약간 상단의 거근건막(긴장이 강하지 않게 느껴지는 정도의 근막)을 아래로 내려 고정하고
3. 아래 피판 상단의 안륜근(inferior pretarsal orbicularis platform)에 고정한다.

나이 많은 사람에게서 쌍꺼풀을 만들 것인지 단순히 늘어진 피부만을 절제하는 것이 좋을지 고려해 봐야 한다. 처진 눈에서 쌍꺼풀은 눈이 덜 처져 보이게 하고 내반증을 예방하는 장점이 있다. 그러나 오랜 기간 동안 쌍꺼풀이 없이 지내던 사람이 쌍꺼풀이 있게 되

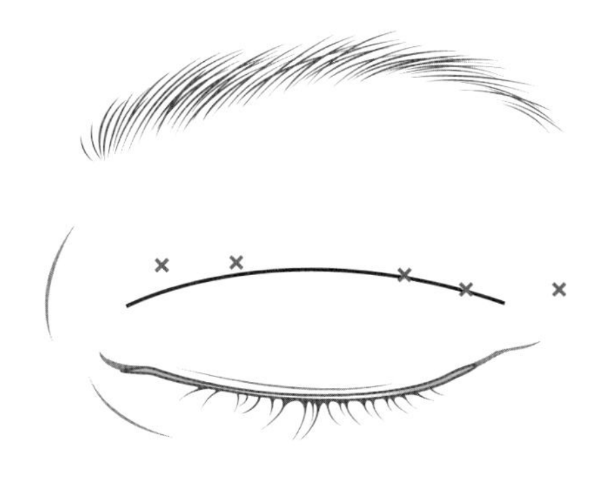

FIGURE 2-14 절개선과 고정 위치와의 관계. 절개선에 비해서 바깥쪽으로 갈수록 낮게 고정하는 것이 비교적 균등한 깊이를 만들게 된다. 검판이 없는 가장 바깥쪽은 건막이나 격막에 고정한다.

면 그 변화를 견디기가 어려울 수도 있다는 사회적인 점도 고려해야 하고 쌍꺼풀이 없는 눈에 비해 회복 기간이 길다는 단점도 생각해야 한다.

젊은 사람의 경우는 쌍꺼풀이 어느 정도 풀어질 것을 예상하여 깊게 고정하지만 나이 많은 사람은 젊은 사람에 비해 풀어지는 경향이 적고 쌍꺼풀 선이 약간 희미한 편이 잘 어울리므로 처음부터 깊게 고정하지 않는다. 따라서 젊은 사람은 깊은 쌍꺼풀이 옅어지는데 회복 시간이 걸리지만 나이 있는 사람들은 처음부터 깊지 않아 옅어지는 시간이 필요하지 않기 때문에 오히려 더 빨리 자연스러워지는 경우가 많다.

**KEYPOINT**

**나이 많은 사람에게서 피부가 완전 팽창되면**

- 외반증이 생기면서 인상이 사나워 보이기 쉽다. 눈뜨기가 불편하다고 호소하기도 한다.
- 피부가 얇아 보인다. 피부의 작은 혈관들이 드러나면서 피부색깔이 어두워진다. Pretarsal fullness와는 반대로 빈약함(pretarsal flatness)이 신경질적으로 보인다.

*고정위치*

보통 고정을 4~6곳에 하게 되는데

- 나이 많은 사람은 비교적 낮게 고정한다.
- 일반적으로 절개선의 높이에 비해 내측으로 갈수록 높게, 외측으로 갈수록 낮게 고정하는 것이 비교적 균등한 깊이의 쌍꺼풀을 만들게 된다(FIGURE 2-14).
- 검판이 클 경우 상단에 걸면 함몰 흉과 외반증을 유발할 수 있다.

### *바깥으로 길게 뻗는 쌍꺼풀을 만드는 방법*

- 노인성 상안검 수술에서 안검열을 벗어난 외측으로는 쌍꺼풀선이 원하는 방향으로 잘 뻗어나가지 않는 경향이 있으므로 정확한 고정이 매우 중요하다. 가장 바깥쪽의 고정은 안검연(eye fissue)이 끝나는 지점에서 4-6 mm 지점에 하게 되는데(**FIGURE 2-15B**) 이곳은 검판이 없으므로 검판에는 걸 수 없고 상안거근건막에 걸거나 건막 주위의 격막(septum)에 건다(1장 고정편 참조).
- 상안거근건막(levator aponeurosis)에 걸면 상안거근건막이 다른 곳에 비해 깊게 위치해 있어서(**FIGURE 2-15C**) 쌍꺼풀이 깊어지다가 갑자기 끊어지는 모양이 되므로(**FIGURE 2-16**) 건막에 걸 때는 깊어지지 않도록 조심해야 한다. 건막에 거는 두 가지 방법을 설명하면 ① 직접건막고정법 외측 말단 부위는 건막이 안륜근에 비해 깊게 위치해 있기 때문에 일단 2-3 mm 정도 깊게 바늘이 들어가서 건막을 통과한다. 이 바늘이 안와면 바깥으로 충분히 나간다음 안륜근에 고정한다(**FIGURE 2-17A**). 이때 건막과 골막 위의 조직을 완전히 열어 건막이나 골막을 노출시키면 쌍꺼풀이 지나치게 깊어지면서 함몰 흉터가 생기기 쉬우므로 완전히 노출시키지 않는다. ② 건막하단고정법: 바깥 절개선 부위에서 건막을 노출시킨다. 건막을 따라서 아래로 내려가면서 건막하단(lower margin of tarsus)를 찾는다. 건막하단의 바깥부위를 안륜근에 고정한다(**FIGURE 2-17B**). 건막하단은 비교적 잘 움직이는(mobile) 조직이지만 골막에 붙어있는 부위를 조금만 풀어주면 더욱 잘 움직인

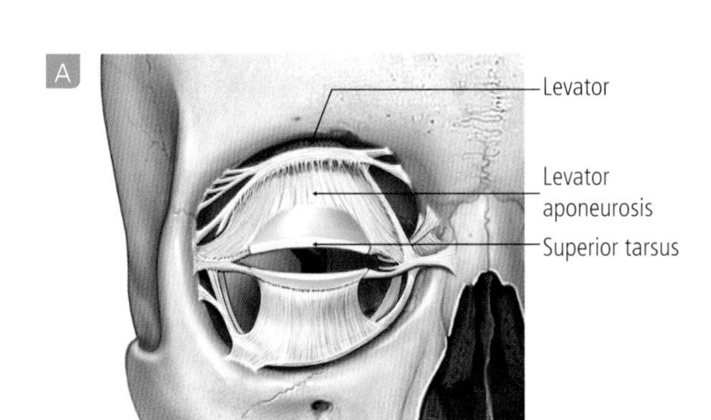


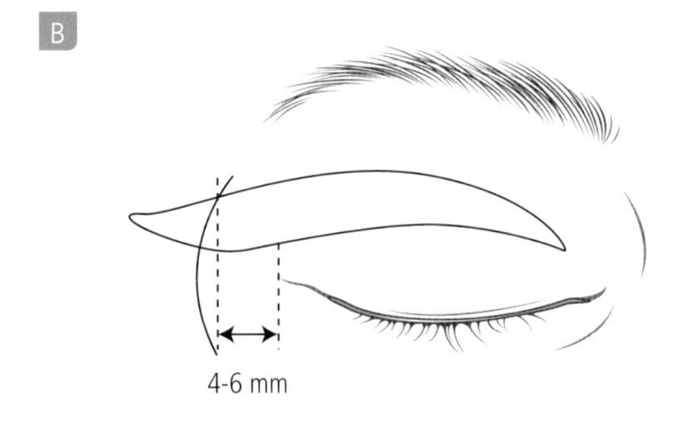


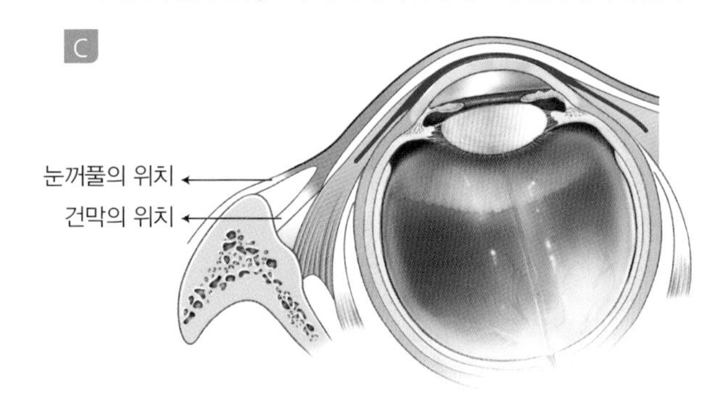


**FIGURE 2-15** **A.** 안검열을 벗어나면 검판이 없다. **B.** 쌍꺼풀은 외안각(canthal angle)에서 4~6 mm 정도 길게 나가는 것이 좋다. **C.** 거근건막(aponeurosis)이 바깥쪽에서는 외안각건(lateral canthus)을 따라가면서 눈꺼풀(eyelid)에 비해 다른 부위보다 깊게 위치해 있다.

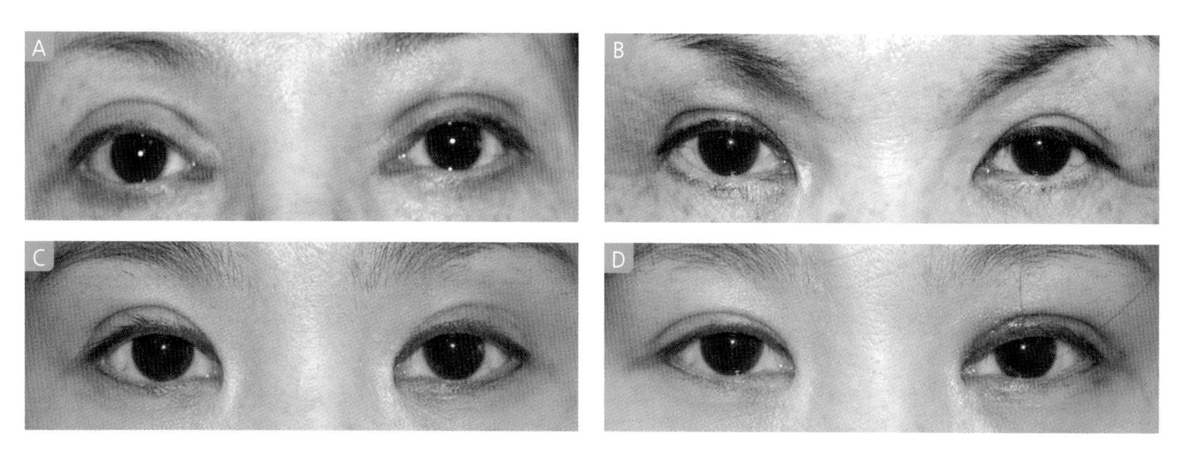


FIGURE 2-16 쌍꺼풀이 외측에서 길게 뻗지 않고 깊어지기 쉽다. 짧게 끊어지든가 선이 아래로 향하는 경향이 있다. **A**. 짧게 끝난 쌍꺼풀 **B.** 바깥 끝이 아래로 향한다. **C.** 바깥쪽이 짧고 아래로 처져 있다. **D.** 교정 3일 후

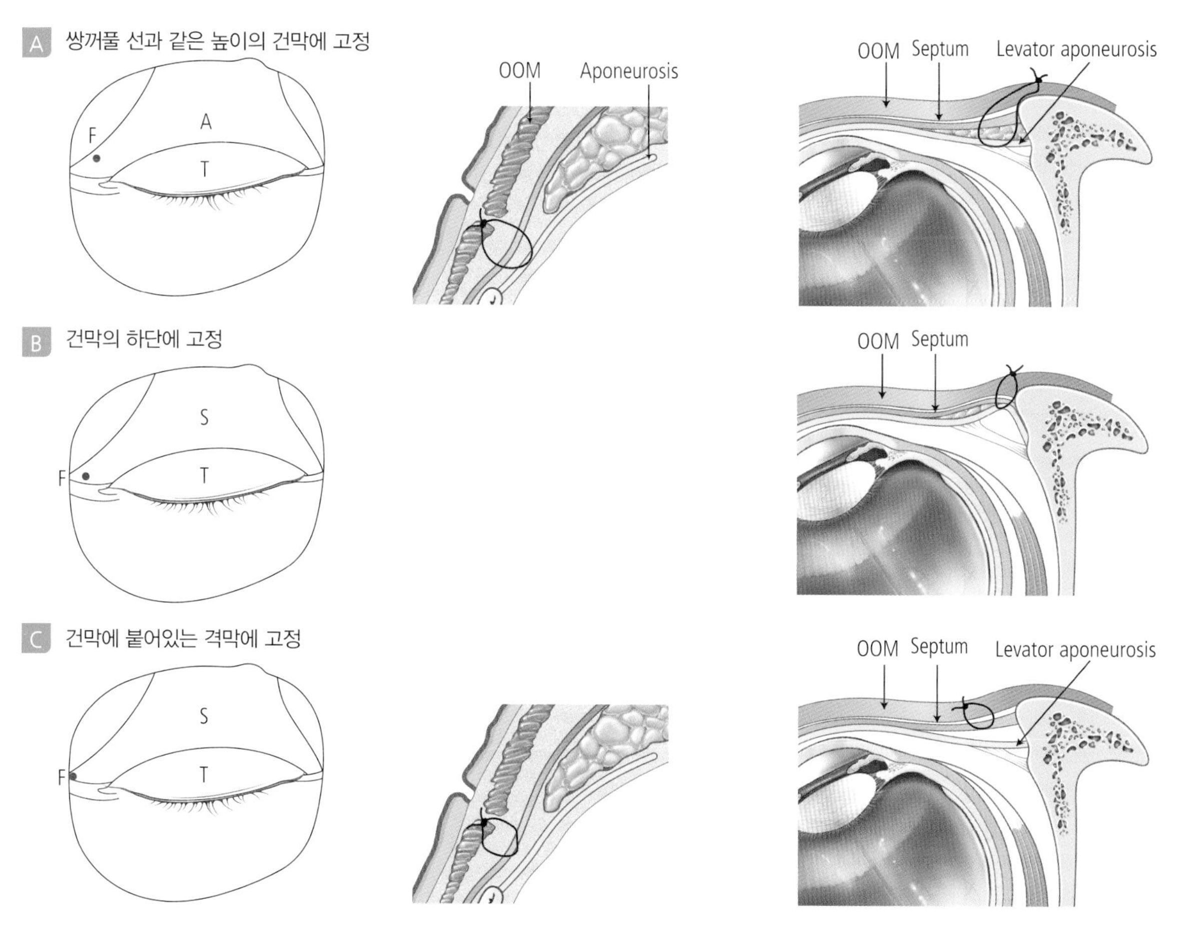


FIGURE 2-17 **바깥으로 길게 뻗는 쌍꺼풀을 만드는 방법.**

**A.** 쌍꺼풀 선과 같은 높이의 건막에 고정한다. 이곳의 건막은 깊기 때문에 쌍꺼풀이 깊어지지 않도록 건막을 완전히 노출시키지 않는다.

**B.** 건막의 하단에 고정한다. 건막하단은 고정되어 있지 않고 움직이는(mobile) 조직이므로 쌍꺼풀이 깊어지지 않는 장점이 있다.

**C.** 건막에 가까이 붙어있는 격막에 곡정한다. 격막이 건막에서 멀어지면 쌍꺼풀이 형성되지 않는다.

OOM: 안륜근, Aponeurosis: 건막, F: 고정위치

다. 이곳에 연결하면 깊지 않고 길게 뻗는 쌍꺼풀을 만들 수 있다. ③ 격막에 고정 시 격막의 위치가 중요하다. 건막에 멀리 떨어진 격막에 고정하면 쌍꺼풀이 너무 얕거나 잘 생기지 않는다. 건막에 가까운 격막을 이용하면 깊지 않고 길게 뻗으면서 부드럽게 끝나는 선을 만들 수 있다(**FIGURE 2-17C**). 외안각(canthal angle)에서 안와연(orbital rim)까지의 거리가 5.4±1.5 mm(황건)로 다양하다. 짧은 사람의 경우는 4 mm 정도 밖에 되지 않으므로 쌍꺼풀 선이 바깥으로 길게 안와연 바깥으로 뻗어나가기가 용이치 않다. 이런 경우에는 건막에 붙어 있는 격막을 길게 만들어 쌍꺼풀선에 연결하는 방법(septal turnover flap)도 있고(**FIGURE 2-17B**) 건막 하단을 밖으로 내어 안륜근에 고정하여 길게 뻗게 할 수 있다(**FIGURE 2-17B**).

 **WAIT A MINUTE!**

**젊은 사람들에선 쌍꺼풀이 외측으로 길게 잘 뻗는 데 비해 나이 든 사람들은 왜 길게 뻗지 못하고 짧거나 아래로 처지는 걸까?**

지방을 싸고 있는 격막이 외측으로 갈수록 아래로 처지는데 이것이 나이가 많아질수록 더욱 처지게 되어 결국 외측에서는 쌍꺼풀선보다 더 내려가게 된다. 이 내려간 지방이 건막(aponeueurosis)과 안륜근 사이에 끼게 되어 쌍꺼풀 형성을 방해한다.

### *고정방향*

피판을 검판이나 건막에 고정할 때 수직 방향으로 고정하지 않고 방사선 방향으로 고정한다. 술기 순서상 검판에 먼저 고정하고 피판에 고정할 때는 중앙을 중심으로 방사선 반대 방향이 된다. 눈꺼풀은 평면적이 아니라 둥근 안구를 감싸고 상하 이동하고 건막이 부채 모양으로 바깥으로 넓어지기 때문이다. 즉 안쪽은 검판을 집고 나서 보다 바깥쪽(중앙

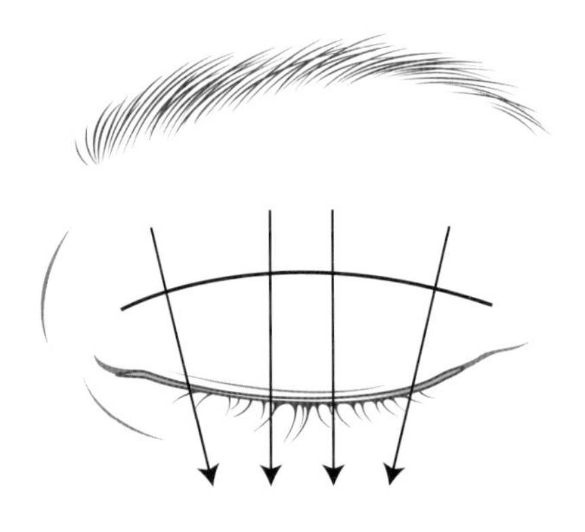

**FIGURE 2-18** · **고정방향.**
검판쪽에서 피판으로 고정하는 방향은 중앙으로 모이는 방향이다.

을 향한 방향)의 피판(안륜근)을 집고, 바깥쪽으로는 검판을 집고 보다 안쪽(중앙을 향한 방향)의 피판(안륜근)을 고정한다(FIGURE 2-18). 그렇지 않으면 내측에서 빗살 주름이 생기기도 하고(FIGURE 2-21) 외측은 쌍꺼풀 선이 짧아지는 경향이 있다.

## 피부 봉합(Skin suture)

### 안내봉합(guiding fixation suture) 혹은 임시 고정 봉합

내부에 영구 봉합 외에도 피부를 봉합할 때 3~4개 정도 안내봉합을 하여 속의 영구 고정에 대한 긴장을 줄여줌으로써 부기로 인해 영구고정이 느슨해지지 않도록 보조한다. 이러한 보조적 고정을 시행할 때에는 피부-안륜근-검판-안륜근-피부로 봉합하여 함몰흉을

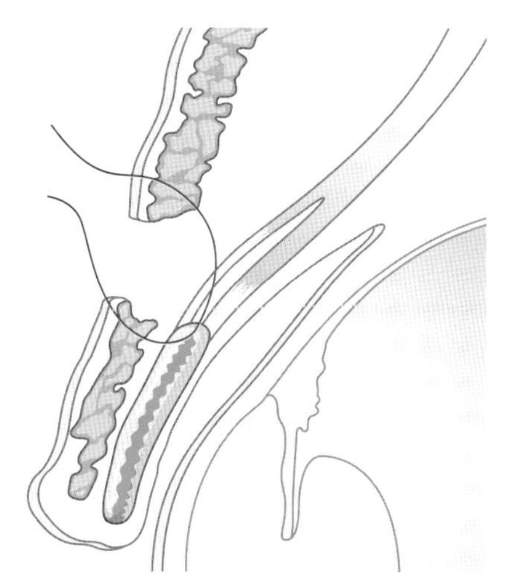

FIGURE 2-19 **임시 고정 봉합(Guiding fixation suture).**
피부봉합 시에 4~5개 정도 임시 고정 봉합하고 3~4일 후에 발사한다.

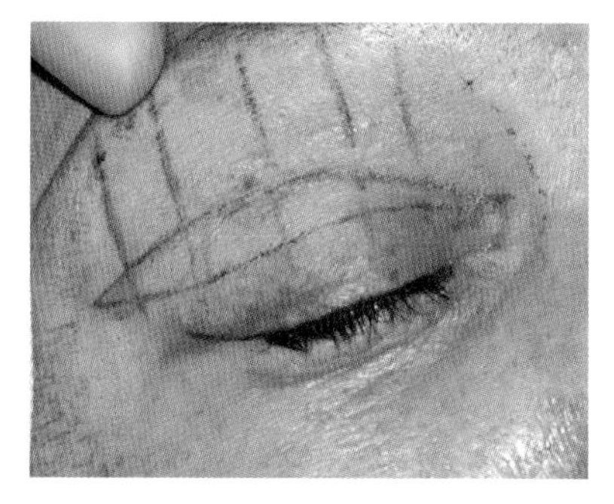

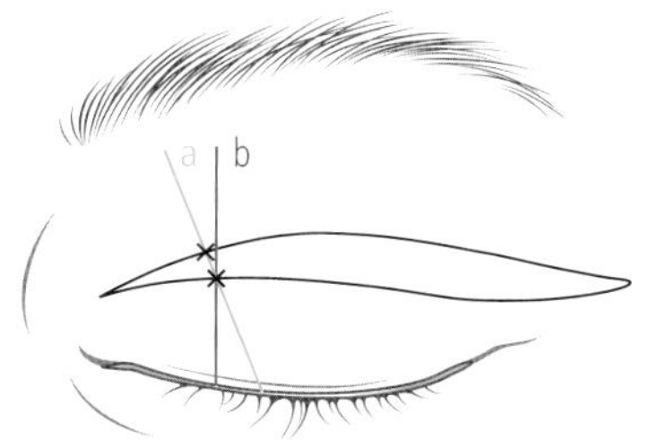


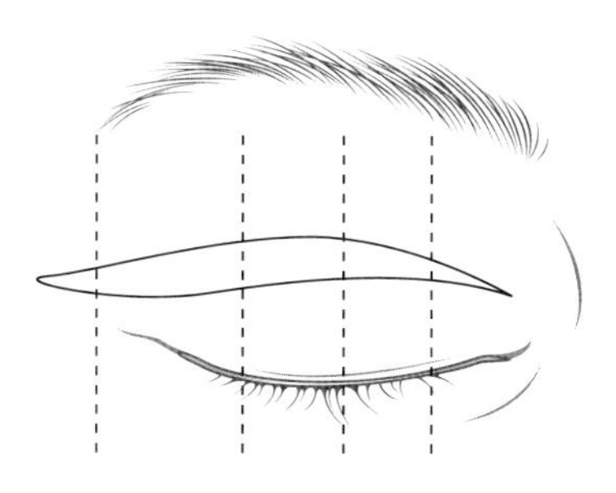

FIGURE 2-20 **피부봉합 방향.**
상부 피판과 하부 피판의 봉합시 상하 길이를 맞추기(a)보다는 수직에 가깝게(b) 봉합하여야 내측에 수평 주름이 생기는 것을 방지할 수 있다. 즉 눈을 조금 떴을 때 위 아래 피부가 자연스레 만나는 지점을 봉합하는 것이 좋다.

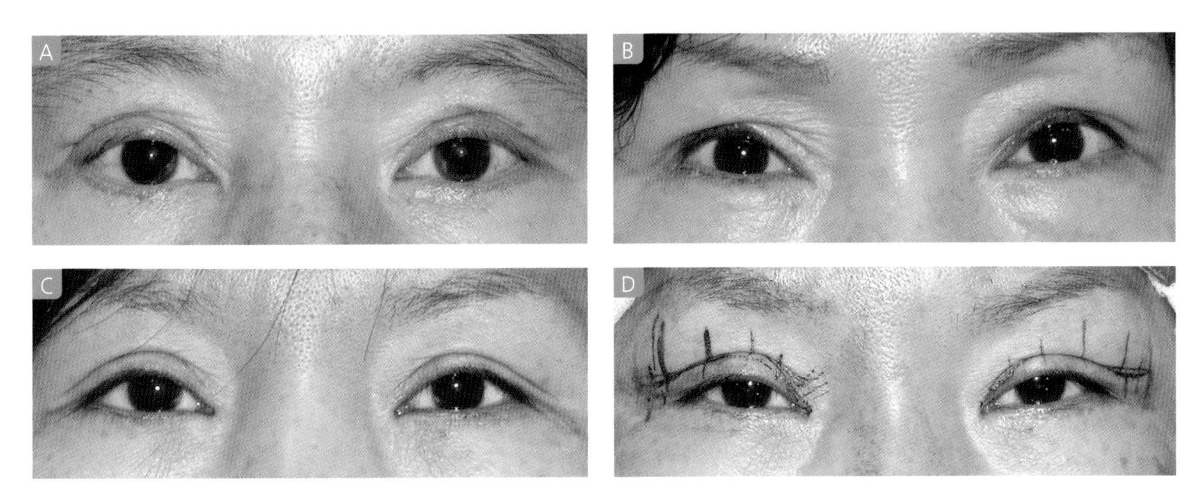


FIGURE 2-21 **내측 빗살주름.**
검판 고정이 안쪽(medial)으로 되지 않았거나, 피부 봉합 시 수직으로 봉합하지 않고 길이를 맞추어 봉합했을 때 빗살주름의 원인이 될 수 있다.

방지한다(FIGURE 2-19). 나머지 부분은 피부만 연속 봉합(running suture)한다. 피부봉합은 함몰이 안 되게 봉합한다. 이때 고정하는 실이 윗 피판으로도 연결되므로 윗 피판 봉합 부위에 삼꺼풀이 생길 수 있다. 이것을 방지하기 위해 윗 피판에 안륜근을 많이 붙여 두껍게 한다.

피부 봉합 시 윗 절개선과 아래 절개선의 길이가 윗 절개선이 길기 때문에 위 아래 피부 길이를 맞추어 봉합해야 한다고 생각할 수가 있는데(FIGURE 2-20A) 그런 경우 눈앞쪽으로 빗살주름이 생길 수 있으므로(FIGURE 2-21) 수직에 가깝게 봉합하는 것이 좋다(FIGURE 2-20B).

그리고 일반적으로는 눈꺼풀 피부는 피하박리를 하지 않지만 바깥쪽의 쌍꺼풀이 없는 부위에서는 약간의 피하박리를 하는 것이 피부의 긴장도 줄이고 eversion suture 하기에도 유리하다. 발사 후 쌍꺼풀이 없는 외측에는 접착 테이프를 2주간 붙여 둔다.

## 꺼진 눈 지방이식

꺼진 눈에서 지방을 주사할 때는 눈을 뜬 상태에서 주사한다. 지방이식 후 흔한 부작용으로 눈 감은 상태에서는 여전히 꺼져 있으나 눈을 감은 상태에서는 지나치게 지방이 튀어나온 것을 볼 수 있다. 이것은 이식된 지방이 눈을 뜰 때 안와 내로 딸려 들어가기 때문이다. 이를 방지하기 위해서는 눈을 뜬 상태에서 지방이식을 해야 한다.

## 보조적 수술방법(ANCILLARY PROCEDURES)

### 회복기간을 줄이기 위하여

회복기간을 단축하는 것이 얼마나 중요한 문제인가 하는 데는 굳이 많은 설명이 필요치 않다. 상안검 수술에서 회복기간을 줄이기 위해서 가능한 한 atraumatic하게 하기 위하여 꼭 필요한 절차를 최소화하여야 하고, 수술 직후의 결과가 회복 후 최종 결과와 차이가 많이 나지 않는 방법이여야 한다. 예를 들면 쌍꺼풀이 풀어질 것을 고려하여 약간 ectropic하게 수술을 하는데, 많이 ectropic하게 하여 많이 풀어지는 방법보다는 약간만 ectropic하게 하여 약간만 풀어지는 방법이 회복기간이 짧다.

#### 회복 기간을 줄이기 위한 수술방법

피부는 절제식(skin excision), 고정은 매몰식으로 대변할 수 있다.

- 여분의 피부를 자른다.
- 두툼한 눈꺼풀은 안륜근을 절제한다. 얇은 눈꺼풀은 안륜근을 제거하지 않고 단순히 안륜근에 절개선을 가하여 절개선 윗부분은 윗 눈꺼풀의 볼륨을 보완하고 아래 부분은 지나치게 얇은 눈꺼풀의 볼륨을 보완한다.
- 전검판 조직은 제거하지 않는다. 전검판 조직은 눈이 두툼할지라도 영향이 없다. 전검판 조직(pretarsal tissue)에 3~4개의 구멍을 낸다. 그리고 구멍을 통해서 안륜근을 검판에 고정한다. 고정의 높이는 아래 피판이 80~90% 정도 펴졌을 때의 높이로 한다.
- 고정은 3곳을 연결하여 고정한다. 검(tarsas)과 검판상단의 건막(aponeurosis)와 안륜근(orbicularis oculi muscle)을 연결하는 TAO fixation을 한다.

#### 회복이 빠른 이유

- 전검판 연조직을 제거하지 않고 고정 부위에 구멍만을 내기 때문에 혈행(blood flow)이 잘 보존되는 atraumatic surgery이다.
- 직접 건막에 고정하는 것은 아래 피판의 피부가 신진되어 나중에 쌍꺼풀이 적당히 희미해지는데 시간이 오래 걸리는 데 비해 Art of fixation 하면 피부가 신전되지 않아 회복하는 데 긴 시간이 필요치 않기 때문이다.

### 눈썹 모양

눈썹 모양에서 남녀의 차이는 여자는 아치형인데 비해 남자는 평행형이고 눈썹 하 지방이 여자보다 많다.

## 안륜근 분열법(Orbicularis muscle splitting)

### 효능

1. 눈썹하수 방지: 안륜근은 눈썹을 내리는 역할을 하므로 이의 연결성을 차단하여 수축기능을 약화시켜 눈썹이 내려오는 것을 방지한다.
2. 까치발 주름(crow's feet)을 개선한다.
3. 지방을 갈라진 안륜근 사이에 삽입함으로 안륜근이 갈라진 부위가 함몰되지 않게 하고 안륜근이 다시 연결됨을 방지한다.
4. 바깥 지방조직(lateral orbital fat)이 바깥 쌍꺼풀 형성을 방해하곤 하는데 이것을 빼냄으로써 바깥쪽 쌍꺼풀이 잘 형성되게 한다.

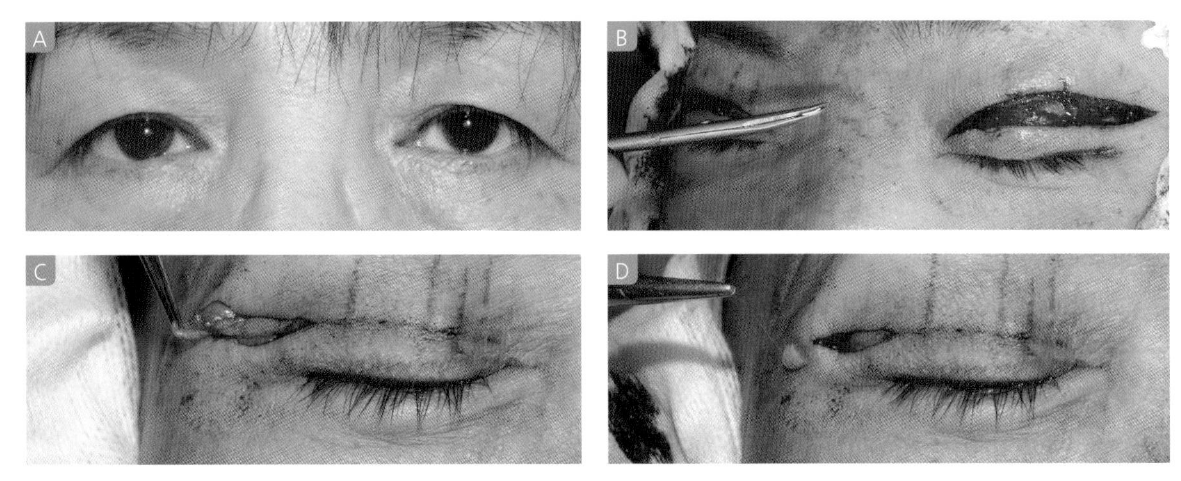


FIGURE 2-22 **안륜근 분열법 및 안와 지방 피판 삽입술.**
**A.** 술 전 모습. 외측 처짐과 crow' feet이 뚜렷하다. **B.** 피부 절제 후 쌍꺼풀을 만드는 위치(lateral commissure에서 4~6 mm)까지는 안륜근을 strip으로 일부 절제하고 보다 외측으로는 더 이상 안륜근을 제거하지 않고 길게 수평으로 절개하여 안륜근을 벌려 틈을 만든다. 피부 절개선 바깥으로도 피하 터널을 통해 전기소작으로 안륜근을 split한다. **C.** 안륜근의 벌어진 틈 속으로 안와지방을 끼워 넣기 전의 모습 **D.** 안륜근을 바깥에서 고정한 모습(pull-out fixation suture)

#### 수술방법

- 상안검수술(blepharoplasty) : 도안대로 피부를 절개한 후 피부와 안륜근을 절제한다.
- 안륜근을 확실히 절개하고 피부 절개선을 지나서 바깥 쪽으로는 피부 아래 터널을 통해 안륜근을 전기소작으로 길게 절개하면 안륜근이 벌어진다. 이때 안면신경의 이마줄기(frontal branch of facial nerve)를 조심해야 한다.
- 외측 안와지방 피판을 길게 빼낸다. 이것을 벌어진 안륜근 사이에 끼워 넣는다. 지방을 삽입하는 양은 적당해야 한다. 너무 많으면 불룩하므로 일부 절제한다. 끼워 넣은 지방은 pull-out suture로 고정한다(**FIGURE 2-22**).

안륜근을 길게 절개하면 절개된 안륜근이 벌어지는데 이곳을 그냥 두면 함몰이 발생하거나 절개된 안륜근이 다시 붙게 될 우려가 있기 때문에 벌어진 안륜근 사이에 외측 지방을 끼워두는 것이 좋다. 절개된 안륜근을 벌리는 시술이 외측 눈썹이 떨어짐을 예방할 수 있다. 여기에 경우에 따라 안륜근 현수법(orbicularis suspension)을 첨가한다.

## 기타 문제점

### 노인성 안검하수

후천적으로 안검하수가 나타나는 원인은 노화나 과거 안검 수술, 외상으로 인한 부종, 또는 안검 부종이 계속되는 갑상선 안검질환 등으로 볼 수 있고 최근에는 콘택트 렌즈의 착용으로 늘어나는 추세가 있다.

이때는 상안거근막의 피열(dehiscence)이나 파열(disinsertion)이 나타나는데 이는 상안거근막을 당겨서 검판에 봉합하여 해결할 수 있고 좀 더 재발을 막고자 한다면 근막뿐만 아니라 뮬러근을 함께 전진할 수 있다. 안검하수 난에서 자세히 설명하기로 한다.

### 원래 있는 쌍꺼풀은 만족스럽게 있는 상태이나 피부 늘어짐이 문제가 될 때

원래의 쌍꺼풀 선이 만족스러울 때는 subbrow lifting이 좋은 적용이 되기도 하고 blepharoplasty를 하기도 한다. 기존 쌍꺼풀이 있을 경우에도 다시 쌍꺼풀을 만들기 위해 고정을 할 필요가 있는가를 생각해 볼 필요가 있다. 피부절개 시 기존 쌍꺼풀 선을 침범하기때문에 유착이 약한 경우에는 쌍꺼풀이 희미해질 수 있다. 선천성 쌍꺼풀이라고 해서 방심할 수 없다. 선천적인 경우에도 희미해질 수 있다. 절개 후 쌍꺼풀이 약해지는 기미가 보이면 고정이 필요하다. 아래 피판에 유착이 없으면 함몰 영구 고정을 해 주어야 하지만 대부분 경우는 하부 피판에 약간의 유착이 남아 있기 때문에 따로 고정 봉합을 생략하고 피부 봉합 시에 동시에 검판을 4곳 정도 걸어주는 것으로 충분하다고 생각한다.

이런 보조적인 봉합이 반드시 필요한 이유는

- 흉을 잘라낼 때 쌍꺼풀을 유지하는 유착 부분이 잘라져 나감으로 쌍꺼풀이 풀어질 수 있다.
- 수술로 인한 외상이 있는 곳이면 어떤 곳이든 원치 않는 쌍꺼풀이 생길 수 있으므로 절개선 위에 약간의 trauma 때문에 triple fold가 생길 수 있다. 그러므로 다른 곳에 쌍꺼풀 선이 생기는 것을 방지하기 위해 어느 정도 길잡이 역할을 확실히 해 두는 과정이 필요하다. 이를 저자는 쌍꺼풀선이 다른 곳으로 가지 않게 안내 역할을 한다고 하여 안내 고정봉합(guiding fixation suture)이라고 명명한다(FIGURE 2-23).

안내 고정 봉합은 함몰 흉을 방지하기 위해 피부 봉합 시 검판에 고정할 때 안륜근도 함께 포함하여 봉합하도록 한다.

쌍꺼풀 폭에 큰 불만이 없으면 원래 선을 따라서 수술하지만 때로는 쌍꺼풀 선을 수정할 수도 있다.

아래 피부가 너무 늘어진 경우 쌍꺼풀 아래 피부를 80% 정도 펴주고 20% 정도 주름을 남기는 기분으로 원래 쌍꺼풀선보다 약간 아래에 절개하여 하부 피판의 늘어진 피부

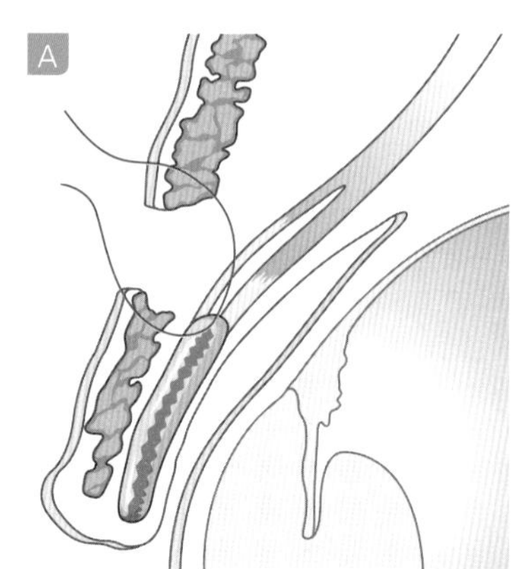


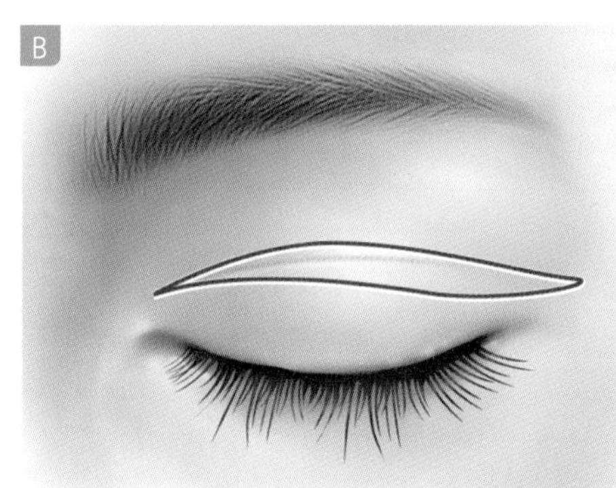


FIGURE 2-23

**안내 고정봉합(guiding fixation suture)**

**A.** 원래 쌍꺼풀이 있을 때는 피부 봉합 시 피부-안륜근-검판-안륜근-피부 식의 고정만으로도 충분하다. 전혀 고정을 하지 않으면 예기치 않은 곳에서 쌍꺼풀이 생길 수 있으므로 이를 방지하기 위하여 시행한다. **B.** 쌍꺼풀 아래 피판이 심하게 늘어진 경우에는 원래 쌍꺼풀 선보다 아래에 절개선을 가하여 아래 피판의 주름을 줄여 준다.

도 절제한다. 이로써 아래 피판의 주름도 줄여주고 쌍꺼풀이 넓어지는 것도 방지한다.

### 쌍꺼풀을 원치 않는 안검성형

눈꺼풀이 심하게 처져 있으면서 쌍꺼풀은 원치 않는 경우가 있다. 특히 남자의 경우 기존 이미지가 많이 달라지는 것에 대한 거부감이 있는 경우가 많다. 이런 경우는 눈썹 아래 상안검 거상술이 적용될 수 있다. 상안검에서 수술을 시행할 경우 고려사항으로는

- 아래 선을 낮게 한다. 속눈썹 선에서부터 3-5 mm 정도로 낮게 한다. 낮은 곳에서는 쌍꺼풀이 잘 생기지 않으며 생기더라도 일시적인 경우가 많다. 높게 하면 쌍꺼풀이 잘 생기고 너무 낮게 하면 피부가 얇아서 봉합하기 힘들며 위 피부와 두께 차이로 인해 흉이 많아질 수 있다.
- 원치 않는 쌍꺼풀이 생기는 것을 피하기 위해서는 연조직을 많이 제거하지 말아야 한다.
- 쌍꺼풀이 생기지 않게 하기 위해선 안륜근의 gap이 없도록 하고 피부 봉합 시에 eversion 잘 되도록 vertical mattress로 봉합한다.
- 발사 후 피부 봉합 부위에 2주간 반창고를 붙여 준다.

문제는 늘어진 피부를 제거하고 나면 눈썹이 내려와 눈꺼풀이 매우 bulky해지는 경우가 많다는 것이다. 특히 남자의 경우는 피부가 두꺼워서 너욱 이런 현상이 심하며 특히 노인성 안검하수를 수술했을 때는 지방을 포함한 연조직을 상당히 제거했는데도 오히려 더 불룩해지는 경우도 있다. 이런 이유로 불룩한 눈꺼풀이 되지 않도록 하기 위해선 연조직을 많이 제거할 수 밖에 없다. 연조직을 많이 제거하면 쌍꺼풀이 생기기 쉽다. 저자는 이런 경우에 속 쌍꺼풀을 권한다. 속 쌍꺼풀은 쌍꺼풀에 대한 거부감이 있는 사람도 수용할 수 있고 비록 눈에 띄지 않는 크기의 속 쌍꺼풀이라 하더라도 쌍꺼풀이 아예 없는 것에 비

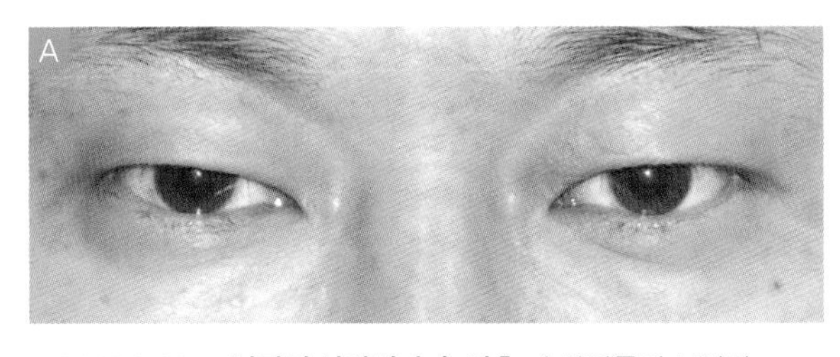


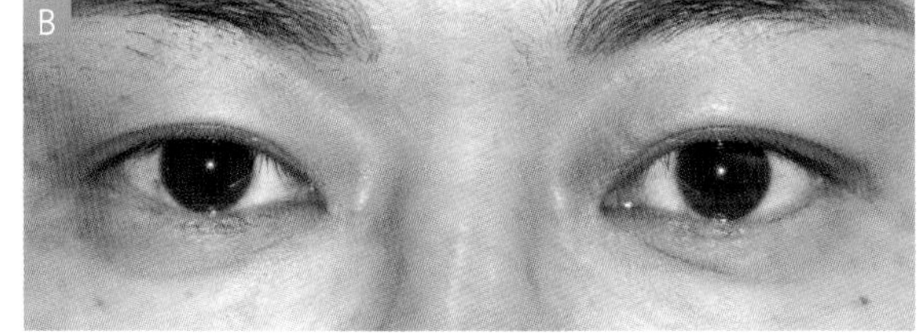


FIGURE 2-24 **남자의 상안검 수술 전후.** 속쌍꺼풀이 보인다.

해 눈이 처지는 것을 방지하는 효과가 크기 때문이다(FIGURE 2-24).

### 노인성 상안검 외반증(senile Ectropion in upper lid)

노인성 외반증은 상안검 조직의 퇴화(rarefaction)에 의한 것으로 자주 안검하수를 농반한다. 안검하수 수술후 안구 건조증을 동반하는데 이는 두 가지 기전에 의한 것으로 생각해 볼 수 있다. 첫째는 외반증으로 인해 grey line 자체가 건조해지는 불편감 때문이다. 부지로 grey line을 외반시키면 잠깐 동안이라도 견디기 힘든 것을 알 수 있다. 두 번째는 grey line의 각질화(keratinization)에 의해 meibomian gland의 입구(orifice)가 막히기 때문에 눈물의 3층인 mucin, aqua, lipid 층 중 가장 바깥층인 lipid 층이 부족하여 눈물의 증발이 과하게 일어나기 때문이다. 교정 방법은 3장(p109,110,112) 외반증 교정 최종단계(scoring of the tarsus)를 참조한다. 다행히 각질화에 의한 orifice 폐쇄는 외반증이 교정되면 정상적으로 열린다(reversible change).

## 눈썹 아래 상안검 거상술 (INFRABROW BLEPHAROPLASTY, SUBBROW LIFTING)

눈썹 아래 피부 절제를 통한 상안검거상술은 일반적인 상안검 수술이 가져올 수 있는 여러 가지 문제점을 보완할 수 있는 수술방법이다.

### 일반적인 상안검 수술과의 차이점

일반적인 상안검 수술은 쌍꺼풀 선이 새로 형성되거나 달라짐으로 생길 수 있는 여러 가지 불만족스러운 문제가 있을 수 있는 데 비해서 이 수술은 단지 처진 피부만을 교정하기 때문에 단순히 피부가 처지기 전의 상태로 시간을 되돌릴 수 있다는 것과 회복기간이 매우 빠르다는 것이 큰 장점이다. 그러나 단점으로는 쌍꺼풀을 만들거나 수정할 수 없고 두툼한 눈에서 지방제거가 어렵다는 점이 있다. 이 단점을 보완하기 위해 별도로 아래에 쌍꺼풀을 만들기도 한다. 이때 쌍꺼풀을 만들면서 눈꺼풀 피부를 일부 절제하면 피부 절제를 두 곳에서 분산시켜 절제함으로써, 한 곳에서만 많이 절제함으로써 발생하는 부담감(

흉의 길이가 길어진다. 눈썹바깥이 처진다. Crow's feet가 두드러진다 등)을 줄일 수 있다. 또 다른 단점으로는 상안검 성형술에 비해 눈썹이 더 내려오고 눈썹의 모양이 수평으로 변한다는 점을 들 수 있다. 그러므로 눈썹이 내려오는 것을 방지하기 위해서 절단부위의 안륜근을 이마근이나 deep galea 또는 눈썹상단의 골막에 고정한다. 그 외 상안검 교정술은 눈꺼풀 아래 부분의 얇은 피부를 잘라내어 위의 두꺼운 피부와 봉합하기 때문에 피부 두께의 차이로 인한 문제점이 있을 수 있지만 눈썹아래 거상술은 두께가 비슷한 피부끼리 절제 후 봉합한다는 점을 들 수 있다.

즉 피부절제 부위가 눈썹아래인가 눈꺼풀 아래 부분인가에 따라 절제부위에서 가까운 부위는 영향을 많이 받고 먼 부위는 영향을 덜 받는다. 다시 말하면 눈썹아래 피부절제술은 눈썹이 내려오는 영향이 크고 눈꺼풀 처진 곳의 교정의 영향은 적고, 눈꺼풀 절제술은 눈꺼풀처짐 효과가 크고 눈썹 내려옴은 덜하다. 그러므로 눈썹위치가 낮거나 내려올 가능성이 있는 경우에는 적응이 되지 않는다.

그리고 상안검 수술이 전통적인 방식인 경우 피부절제부위 바깥으로 crow's feet가 생기는 경향이 있는 데 비해 눈썹 아래 거상술은 윗부분이기 때문에 crow's feet에 영향을 주지 않는다.

### 조기에 바깥쪽 눈썹하수가 일어나는 원인(mechanism of early lateral eyebrow ptosis)

- 눈썹 아래지방(subbrow fat)이 골막에 붙어 있는 상태가 안쪽보다 바깥쪽에서 더 느슨하다(brow fat pad attachment to periosteum is loose).

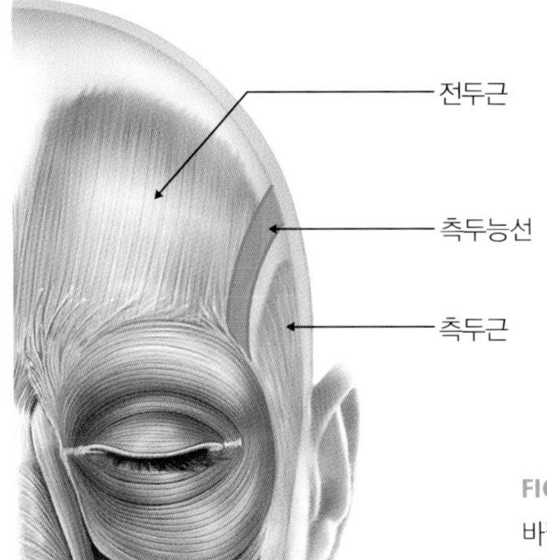


FIGURE 2-25 **측두능선(temporal crest)**
바깥으로는 눈썹을 올리는전두근이 없는 것이 바깥 눈썹이 쉽게 처지는 원인이 된다.

- 눈썹 외측 1/3 부근에 있는 측두능선(temporal crest)내측으로는 눈썹을 올리는 전두근이 있지만 외측으로는 측두근(temporal muscle)으로 대치되어 있어서 눈썹거상(eyebrow elevation)에 관여하지 않는다(FIGURE 2-25).

*적응례*

- 쌍꺼풀을 만들고 싶지 않거나 기존 쌍꺼풀을 수정하고 싶지 않을 경우
- 눈썹이 두꺼운 경우 눈썹 일부 절제
- 이전 눈썹 아래 상안검 거상술 후 흉이 있을 때
- 눈썹이 높은 사람: 눈을 감은 상태에서 눈꺼풀 하단에서 눈썹하단까지가 16 mm 이상. 혹은 눈썹하단이 안와연(orbital rim)보다 높을 때.
- 눈썹 문신이 있는 사람
- 빠른 회복을 원하는 경우

*수술방법*

- 디자인 및 피부절제
- 안륜근 제거
- 안륜근 거상
- 봉합

*디자인 및 피부 절제*

- 눈썹 아래를 따라서 피부절제 범위를 디자인한다. 상안와신경(supraorbital nerve)과 그 내측 1 cm에 상활차신경(supratrochlear nerve)의 위치를 각각 표시한다.
- 눈썹 문신이 있는 경우엔 눈썹 자체 위치보다는 문신의 위치에 따라서 도안한다. 눈썹이 두껍거나 문신이 넓은 경우엔 눈썹을 일부 포함하거나(intrabrow incision) 문신을 일부 포함하여 절제하면 눈썹이 거상되는 것 같은 효과도 있을 뿐만 아니라 흉도 눈에 덜 띄는 경향이 있다. 눈썹 내 절제 시 모낭이 다치지 않도록 조심한다. 이 때 상안와신경과 상활차신경에 손상이 가지 않도록 조심한다.
- 피부 절제량은 앞에서 설명한 상안검 성형술 시 피부 절제량을 결정하는 방법과 같다.
- 대개는 안쪽으로는 처짐이 적고 바깥쪽으로 처짐이 많으므로 상안와신경이 있는 위치에서 절제를 시작한다. 하지만 안쪽으로도 처짐이 많은 경우에는 안쪽으로 절제선

을 연장하는데, 이곳은 안륜근은 절제하지 않고 피부만 절제하는 점이 다르다.

- 바깥쪽으로는 눈썹 혹은 문신이 끝나는 지점까지 절제한다.
- 도안선을 따라 피부를 절제한다.

*안륜근 제거 박리*

- 피부 절제 부위에서 안륜근을 strip으로 제거한다. 이때 상안와신경과 상활차신경 부위에서는 안륜근을 제거하지 않는다. 안륜근을 많이 제거하면 눈썹 아래가 평편해져서 좋지 않다. 꺼진 눈에서는 안륜근을 제거하지 않고 turn over하여 두껍게 해준다.
- 윗피판의 안륜근 아래 모상건막층(subgalea plane)으로 박리한다. 이때 눈썹아래 지방(subbrow fat) 아래로 박리하는 것이 보다 유착이 잘 되어 견고하다. 골막이 노출된다. 상안와신경을 확인한다. 눈썹지방아래 박리는 눈썹 움직임이 원활하지 않고(immobilization of eyebrow) 눈썹아래 지방과 안륜근 사이로 박리해야 눈썹이 잘 움직이기 때문에 자연스럽다는 의견도 있으나 유착이 강하게 생기기 어렵다.
- 아래 피판의 안륜근의 근막을 윗피판의 2-3 mm 상방의 이마근 또는 deep galea층에 2-3곳 고정한다.
- 피하조직을 봉합하고 피부 봉합한다. 피부 봉합은 양 바깥을 먼저 하는 편이 dog ear를 방지하는 데 도움이 된다(**FIGURE 2-37, 2-38**).

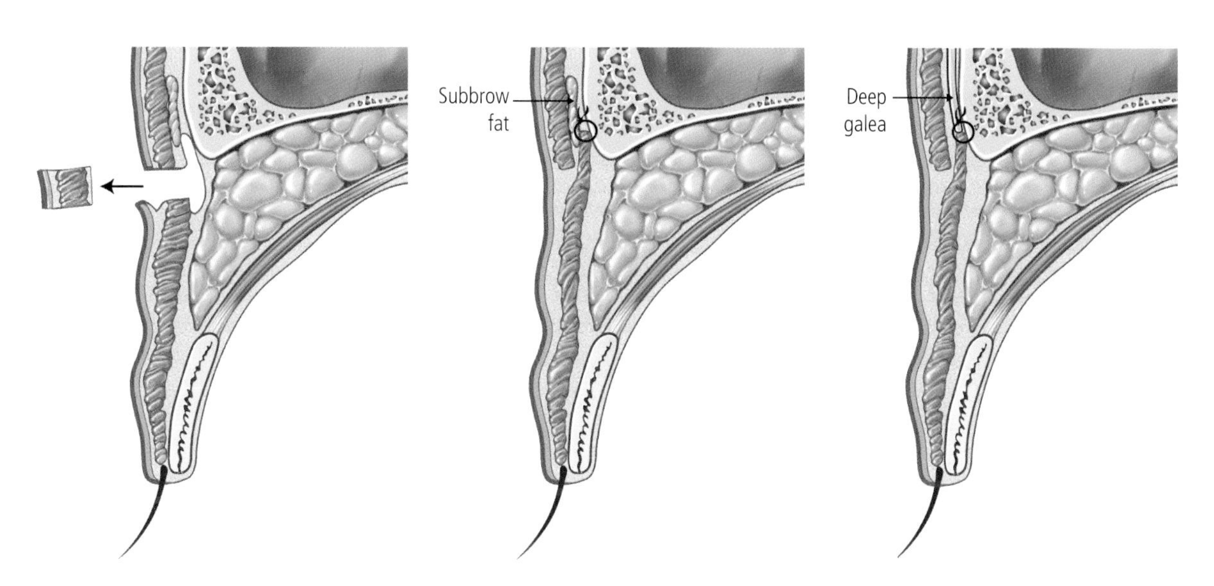


**FIGURE 2-26** **Subbrow lifting.** 아래 피판의 안륜근을 골막이나 deep galea 고정한다.

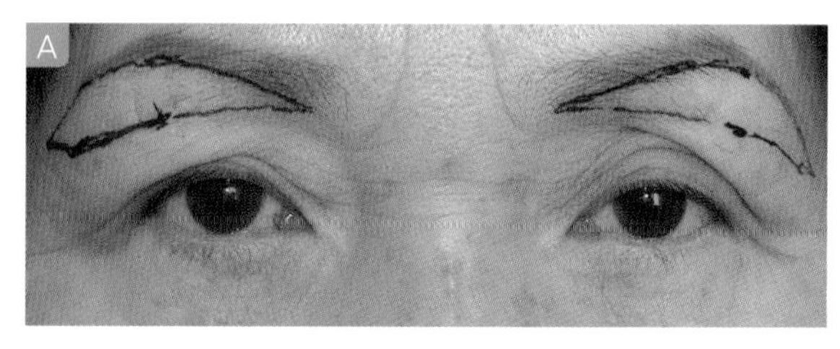


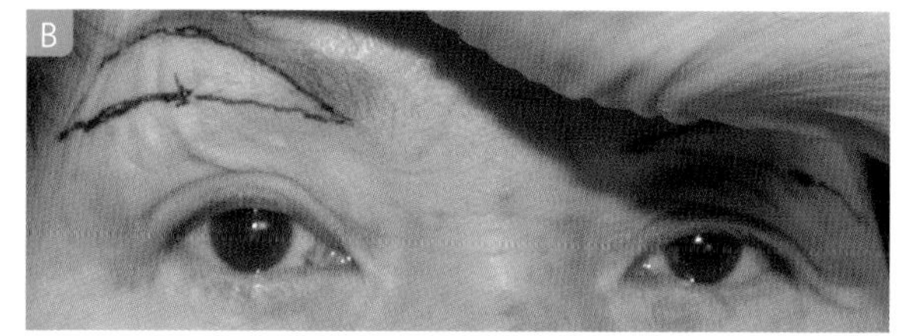


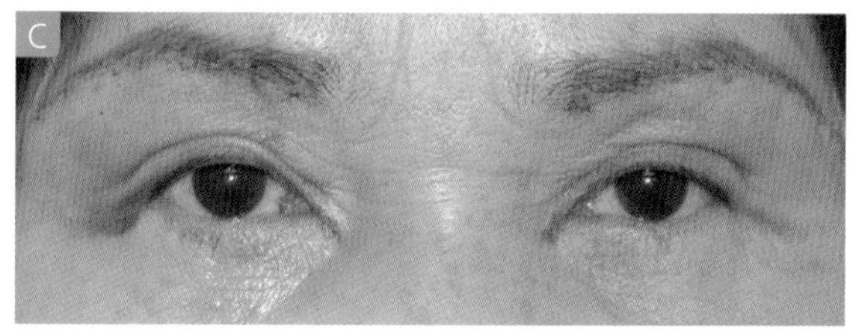


FIGURE 2-27 **눈썹아래 거상술.**
**A.** 도안. **B.** 수술 후 예상되는 눈 모양을 보면서 피부절제 양을 측정한다. **C.**수술 후

**KEYPOINT**

**In aging blepharoplasty**

1. 피부를 완전히 신전되지 않은 상태에서 쌍꺼풀을 도안하고 그 상태에서 피부상단과 같은 높이의 검판에 고정하여 아래 피판에 약간의 주름이 남아있도록 한다. 즉 높게 걸지 않는다.
2. 아래피판에 undermining을 하지 않고 아래 피판의 안륜근 제거도 하지 않는다.
3. Pretarsal tissue는 일체 제거 않는다. 검판의 고정 위치의 pretarsal tissue에 구멍을 낸다.
4. 낮은 검판의 고정에 의해 쌍꺼풀이 풀어지지 않도록 위의 건막의 힘을 빌린다. 3-point fixation
5. 지나친 피부 절제를 삼간다. 처짐이 많은 눈은 피부보다 상피판의 안륜근 절제를 추가한다.

*합병증*

- 이상감각
- 흉터
- 눈썹의 수평화

수술 이후에 다음과 같은 지침서를 교부하여 준다.

## 상안검 수술 후 알아 두어야 할 사항

### 수술 후 변화

수술 직후 나타나는 것은 ① 부기 ② 멍 ③ 쌍꺼풀의 높이 ④ 쌍꺼풀의 깊이 ⑤ 흉이 신경 쓰인다는 점이다. 이 중 멍은 대개 2주 정도 가면 없어지지만 나머지는 3-6개월 정도의 호전 되어 가는 과정을 거치는데 체질적인 문제나 재수술의 경우는 1년 정도까지 점점 좋아지는 경우도 있다.

#### *부기*

부기가 빠지면서 쌍꺼풀의 폭과 통통한 것이 줄어든다. 회복기간은 수술 방법과 체질마다 다르지만 특히 쌍꺼풀 크기가 작을수록 경과가 빠르다.

#### *깊이*

처음엔 라인이 깊고 진하여 속눈썹이 약간 들려지고 당기는 느낌이 들지만 차차 얕아지면서 희미해진다(3-6개월).

#### *흉터*

처음보다 한 달이 가까울수록 흉이 붉고 단단해지고 울퉁불퉁해지나 3달 정도면 붉은 빛이차차 없어지면서 부드러워지지만 체질에 따라서 6개월 이상 갈 수도 있다.

### 수술 후 처치 및 주의사항

1. 실은 수술 후 만 3일째 제거하지만 2일에 반 정도 제거하기도 하고 4일에 모두 제거할 수도 있다.
2. 세수는 실 뽑고 하루 뒤부터 할 수 있다. 이때 상처가 완전히 아무는 것은 아니므로 부드럽게 한다.
3. 수술 후 하루 혹은 이틀 동안 냉찜질을 한다. 이는 부기와 멍이 심하게 들지 않는 효과가 있다(실밥제거 후 냉찜질 팩의 무게 때문에 상처가 벌어질 수도 있으니 삼간다). 그러나 삼꺼풀 발생 위험이 있는 경우에는 하루 동안 눈을 뜨고 있게 하기 위해서 냉찜질도 하지 않는다.

4. 화장은 수술 1주일 후, 온찜질은 수술 2주일 후에 한다. 온찜질은 혈액 순환을 도와 부기와 멍을 가라앉히는 데 도움을 준다. 그러나 효과가 그리 큰 것은 아니므로 생략할 수도 있다. 온찜질은 쿨백을 뜨거운 물에 담구어 사용하거나 따뜻한 수건으로 한다. 이때 온찜질 팩으로 인해 상처가 벌어지지 않도록 조심한다.
5. 피해야 하는 것들: 술, 담배, 심한 운동, 과로, 사우나를 한 달 정도 피한다. 좋은 컨디션을 유지한다.
6. 약체질적으로 흉이 많이 남는 것이 의심되거나 여러 차례 수술 받은 사람은 흉에 관한 약을 복용하거나 연고 등을 사용한다. 하지만 일반적인 경우에는 필요 없다.
7. 실밥제거 후 2-3주간 눈을 자주 문지르거나 만지면 흉터가 벌어질 수 있고 늘어날 수 있다.

## REFERENCES


1. Flowers RS : Blepharoplasty and periorbital aesthetic surgery. Clin Plast Surg 20;193-207, 1993.
2. Baek BS, Park DH : Cosmetic and reconstructive oculoplastic surgery. 3rd Edition, Seoul Koonja Publishung Company, 2009.

CHAPTER

# 03

# 상안검 성형술 합병증의 원인 및 교정술

## SECONDARY UPPER BLEPHAROPLASTY



- 흉터
- 쌍꺼풀의 깊이 문제
- 쌍꺼풀 높이의 문제
- 쌍꺼풀 비후증(Pretarsal Fullness)
- 쌍꺼풀 비대칭(Asymmetry of Double Eyelid)
- 삼겹 쌍꺼풀(삼꺼풀)(Triple Fold)
- 안검함몰 및 삼꺼풀(Sunken Eyelid and Triple Fold)
- 안검하수
- 쌍꺼풀을 없애길 원할 때
- 불만족스러운 쌍꺼풀의 조기 교정술

아름다운 눈의 모양이란 인종과 지역에 따라 다를 뿐만 아니라 시대에 따라서도 다르며 수술 받는 사람 개개인에 따라 다르다. 그러므로 개인에 따라 호소하는 불만도 각기 다르고 다양하다.

수술 후 제기될 수 있는 불만족스러운 수술 결과는 다음과 같이 열거될 수 있다.

*쌍꺼풀 수술의 합병증*

- 흉터
- 쌍꺼풀의 높이(쌍꺼풀 폭의 크기)
  낮은 쌍꺼풀(low fold)
  높은 쌍꺼풀(high fold)
- 쌍꺼풀의 깊이
  얕은 쌍꺼풀 혹은 쌍꺼풀의 소실(shallow fold or loss of fold)
  깊은 쌍꺼풀 혹은 외반증(deep fold or ectropion)
- 전검판 비후증(pretarsal fullness)
- 비대칭(asymmetry)
- 삼꺼풀(triple fold) 혹은 다겹 쌍꺼풀(multiple fold)
- 꺼진 눈(sunken eyelid)
- 안검하수(ptosis)
- 쌍꺼풀을 풀기를 원함(removal of double eyelid fold)

## 흉터

### 원인

① 부적절한 봉합
② 발사의 지연에 의한 봉합사 자국(stitch mark)
③ 지나친 절개, 과다한 피부 절제, 과다한 피하조직 절제
④ 깊은 쌍꺼풀로 인한 함몰 흉터(depressed scar)
⑤ 내안각 췌피성형술(epicanthoplasty)의 과다 흉

쌍꺼풀 흉이 문제가 되는 경우는 체질적인 요소도 관계 있다. 그리고 쌍꺼풀을 위해 고정을 할 때 대개 아래 피판만을 고정하는데 눈을 뜰 때마다 아래 피판이 속으로 당겨지기

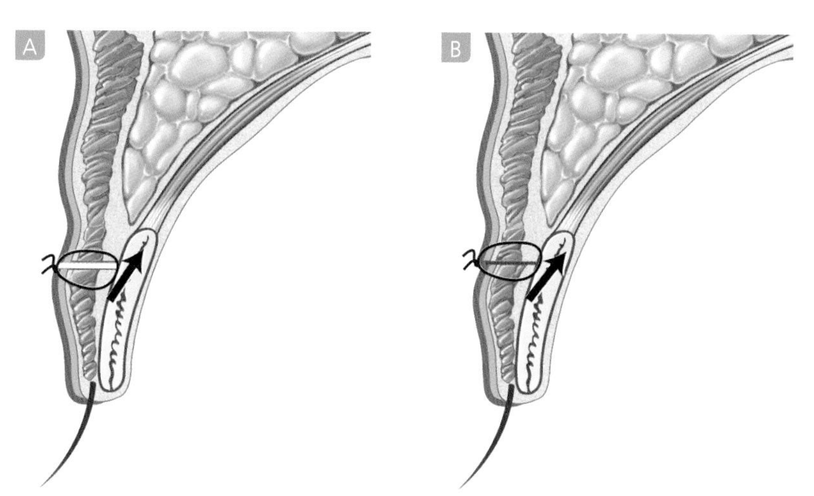


FIGURE 3-1
아래 피판에 있는 고정봉합사가 눈을 뜰 때마다 아래 피판을 안쪽으로 당겨 위 피판과의 이탈(dislocation of the lower flap)이 일어난다. 이를 방지하기 위해서는 피부봉합을 촘촘히 해야 한다. **A.** 수술 초기. **B.** 수술 후 3일. 오른쪽 그림에서 아래 피판의 이탈이 보인다.

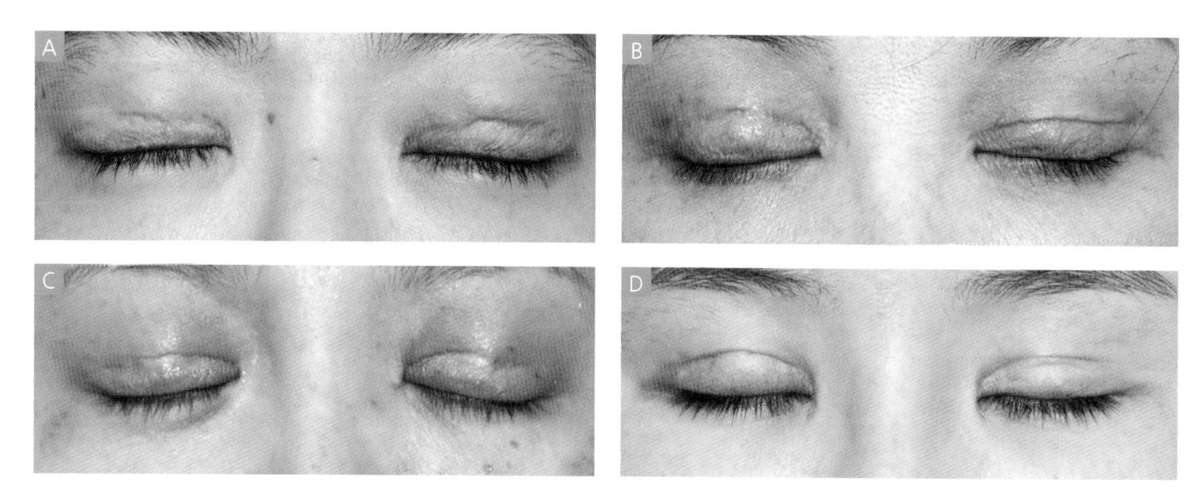


FIGURE 3-2 **안륜근 결손에 의한 함몰 흉.** 쌍꺼풀 선 바로 아래 안륜근 절제로 2~3 mm 폭으로 함몰된 모습을 볼 수 있다.

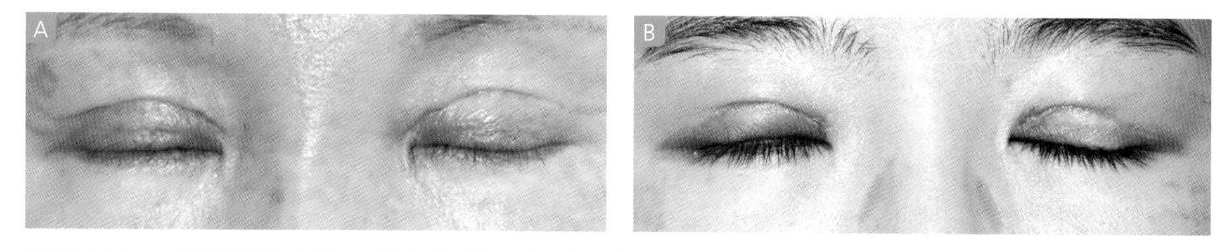


FIGURE 3-3 **외반증에서 볼 수 있는 함몰 흉.** 쌍꺼풀 선이 깊게 위치하므로 함몰된다. 피부가 위로 당겨져 있는(stretched) 모양이다.

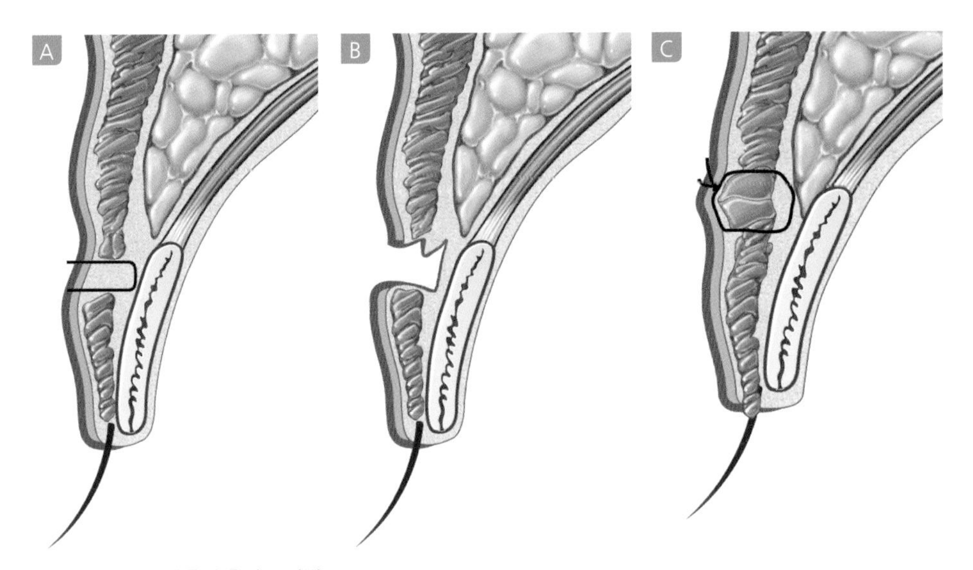


FIGURE 3-4 **함몰된 흉의 교정법.**
**A.** 흉이 있는 피부를 잘라낸다. **B.** 윗 피판의 안륜근 아래를 짧게 박리한다. **C.** 피부와 근육을 한꺼번에 봉합한다.

때문에 상하 피판이 이탈되는 수가 있다(FIGURE 3-1). 이런 현상이 특히 외측에서 잘 일어나는 것은 내측이나 중앙보다 외측의 건막이 피판에 비해서 깊게 위치해 있기 때문이다(FIGURE 2-15). 이를 방지하기 위해서는 피부봉합을 촘촘히 해야 한다.

또한 발사의 지연으로 인한 봉합사 자국 때문에 발생할 수도 있다. 봉합사 자국은 대개 봉합 후 5일이 지나면 희미하게 나타나기 시작하며 1주일 이상이면 또렷해지고 더 오래 두면 epithelial tunnel이 형성되는 것을 볼 수 있다.

젊은 환자의 경우는 원하는 쌍꺼풀 길이보다 약간 짧게 절개해도 쌍꺼풀 길이가 충분한 경우가 많으므로 필요 이상의 절개선은 피해야 한다.

무엇보다 흉이 함몰되면 눈에 잘 띄는 경향이 있으므로 함몰 흉은 꼭 피해야 한다. 이런 함몰 흉은 안륜근이나 결체조직을 과다하게 제거한 경우이거나(FIGURE 3-2) 다음에 설명할 깊은 쌍꺼풀 혹은 외반증으로 인하여 발생할 수 있다(FIGURE 3-3). eversion suture를 한다. 눈을 감을 때나 아래로 볼 때 쌍꺼풀 주름이 있는 것도 함몰흉과 유사하게 보여지므로 이것도 피해야 한다. 함몰흉을 피하는 방법은 1장(고급 쌍꺼풀을 추구하며)에서 자세히 설명되어 있다.

또한 수술 후 초기에 수정을 위해서 다시 절개를 해야 하는 경우에는 비후성 반흔이 생기기 쉽다. 이를 어느 정도 예방할 목적으로 marginal revision을 하고 triamsinolone을 주사 하든지 벌어진 상처에 뿌려 준다.

## 흉터교정술(Scar revision)

흉터 교정술은 일반 흉터 교정술과 같은 기법으로 한다. 함몰된 흉터는 안륜근이 없는 부위의 피부를 잘라내고 피부봉합 시 아래 위 안륜근을 함께 봉합하므로 안륜근의 빈 곳을 메워주면 된다.

깊은 쌍꺼풀로 인한 함몰 흉은 얕은 쌍꺼풀로 교정해 주면 된다(3장 깊은 쌍꺼풀에서 설명). 쌍꺼풀이 없는 외측에는 피부 접착제를 2주 정도 붙여둔다.

통상 눈꺼풀에서는 피하 박리를 하지 않지만 함몰 흉이 있는 부위는 흉 부근의 피부가 약간 안으로 말려있는 경우가 있어(inverted) 함몰 부위의 피부를 절제하고 위쪽 절개선에 약간만 피하박리를 해주는 것이 eversion suture 하는 데도 유리하고 피부 긴장도 완화하여 함몰 흉도 방지하고 흉을 적게 남기는 데 도움이 된다(FIGURE 3-4).

피부를 연속봉합(contineous suture)할 때 단순 연속 봉합보다는 interlocking 연속봉합을 선호한다. 자세히 보면 단순연속봉합은 봉합 후 피부가 물결치듯 똑바르지 않는 데 비해 interlocking 연속봉합은 따로 봉합(interrupted suture)처럼 피부가 일직선 상태가 되기 때문이다.

## 쌍꺼풀의 깊이 문제

모든 쌍꺼풀은 수술 후 일정기간 동안 어느 정도는 풀어지는 경향이 있는데 그 정도는 크게 다음 두 가지 요소에 의해 결정된다.

**첫째, 피술자의 눈꺼풀의 특징**
**둘째, 술자의 술기**

그러므로 눈꺼풀이 어느 정도가 풀어질 경향이 있는지 그리고 술자가 하려는 술기가 어느 정도 많이 풀어지는 술기인지를 수술 전에 미리 예상하여 쌍꺼풀의 깊이를 결정해야 하는데 그 예상이 틀릴 경우 쌍꺼풀의 깊이가 지나치게 깊거나 지나치게 얕거나 풀어지는 불만족스러운 결과를 초래할 수 있다.

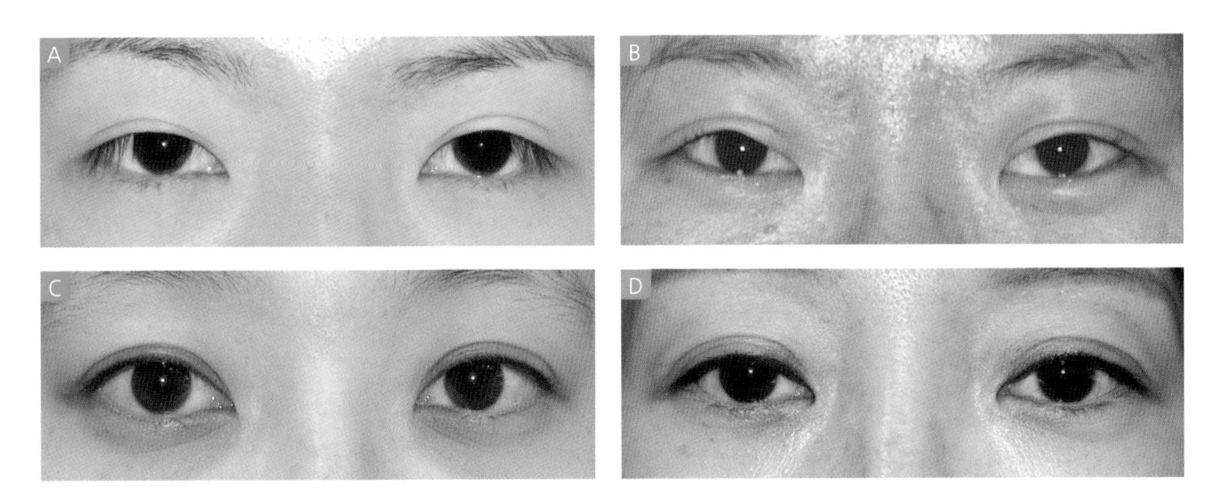


FIGURE 3-5 • **얕은 쌍꺼풀(희미한 쌍꺼풀) 외 2종류.**
**A & B.** 속눈썹이 완전 노출되지 않고 속눈썹 뿌리 쪽이 눈꺼풀에 가려져 있다. **C & D.** 쌍꺼풀선 아래 피부에 주름이 있다.

## 얕은 쌍꺼풀 혹은 쌍꺼풀의 소실(Shallow fold, loss of fold)

### *수술 술기에 따른 원인*

- 검판 앞 연조직의 불충분한 제거
- 부정확한 고정
- 낮은 고정
- 혈종, 부종으로 인한 고정의 이완, 풀림

### *환자의 눈꺼풀의 원인*

- 두꺼운 피부, 연부조직 과다
- 안검하수
- 안검함몰(sunken eyelid)
- 안구함몰(enophthalmos)
- 지난번 수술 이후 풀어진 쌍꺼풀
- 어린 나이
- 낮은 쌍꺼풀
- 췌피(epicanthal fold)
- 심한 체중 증가

쌍꺼풀 수술 후 쌍꺼풀이 지나치게 얕거나 소실되는 원인으로는 수술 과정 중 특히 고정이 문제가 될 수 있다. 고정을 너무 낮게 하였거나 쌍꺼풀을 너무 낮게 디자인한 경우, 상거근 건막이나 상거근 건막과 연계가 되는 검판에 확실히 고정하지 않고 지방 혹은 다른 연부조직 등에 느슨한 고정을 하였을 때, 혹은 너무 강하게 묶어 조직이 괴사되는 경우 또는 혈종이나 부종으로 인하여 고정이 이완되거나 풀리는 경우 등을 들 수 있다.

쌍꺼풀 수술 후 일정기간 동안 쌍꺼풀이 풀어지는데 많이 풀어지는 방법보다 적게 풀어지는 방법이 회복도 빠르고 결과가 예측하기 유리하다(predictable).

쌍꺼풀은 앞 뒤층(anterior and posterior lamella)의 유착에 의해 유지되는 것이므로 고정실은 일정기간 이후엔 기능이 없어진다고 생각하고 수술해야 한다. 이것이 Goldburg가 말하는 mechanical thinking에 대비되는 biological thinking이다.

얕은 쌍꺼풀은 두 가지 형태로 나타난다. 한 가지는 처진 눈꺼풀 피부가 눈동자를 가리는 것(**FIGURE 3-5A**)이고, 다른 한가지는 쌍꺼풀 선 아래 피부 주름이 약간 보이는 것(**FIGURE 3-5B**)으로 첫 번째 것은 바람직하지 않지만 두번째는 부드럽고 자연스럽다 (**FIGURE 1-34** 참조).

### 쌍꺼풀에 대한 저항(Fold resistence)

수술 후 쌍꺼풀이 풀리기 쉬운 눈이란 쌍꺼풀에 대한 저항이 강한 눈을 일컫는 것으로 수술 전 상담 시에 부지를 이용하여 쌍꺼풀을 만들어 볼 때 힘이 들어가는 정도와 부지를 눈꺼풀에서 떼자마자 쌍꺼풀이 없어지는 속도 등으로 쌍꺼풀에 대한 저항 정도를 느낄 수 있다.

저항이 강한 눈으로는 눈꺼풀 피부가 두껍거나 연조직이 과다한 경우, 안검하수가 있는 경우, 피부가 팽팽한 어린 나이의 눈, 안검함몰, 안구함몰의 경우 저항이 강한 것을 느낄 수 있으며 그리고 몽고 주름이 있는 경우, 바깥 쌍꺼풀(outside fold)을 만들고자 하면 내측의 저항이 강하여 내측이 쉽게 풀어지는 것을 볼 수 있다. 또한 속 쌍꺼풀과 같이 작은 쌍꺼풀은 쉽게 풀어지는 경향이 있다. 무엇보다 저항이 심하여 풀어지기 쉬운 건 수술 후 풀어진 쌍꺼풀을 2차 수술하는 경우, 그 중에서도 아래 피판이 유착이 되어 있는 것은 심한 저항을 초래해서 잘 풀어지는 원인이 된다. 그 외에 수술 후 체중이 과하게 불어난 경우에도 쌍꺼풀이 풀어지는 원인이 될 수 있다.

### 쌍꺼풀의 풀어짐을 방지하는 법

풀어지지 않게 하는 방법으로는 고정할 때 고정조직 사이에 지방조직이나 방해되는 연조직이 끼어들지 못하게 해야 한다. 저항이 심한 경우에는 풀릴 것을 예상하여 약간 외반이 될 정도로 깊은 쌍꺼풀을 만들어 주는 것이 중요하다. 이 때, 수술 후 풀어질 정도를 잘 예상하여 그 깊이를 잘 조정하는 것이 성공의 관건인데 너무 깊게 하면 나중에 풀어지더라도 약간의 외반이 남을 수 있으니 조심하여야 한다.

저자는 검판과 함께 건막에 고정하는데 검판과 건막의 높이를 조정함으로써 풀어짐을 방지한다.

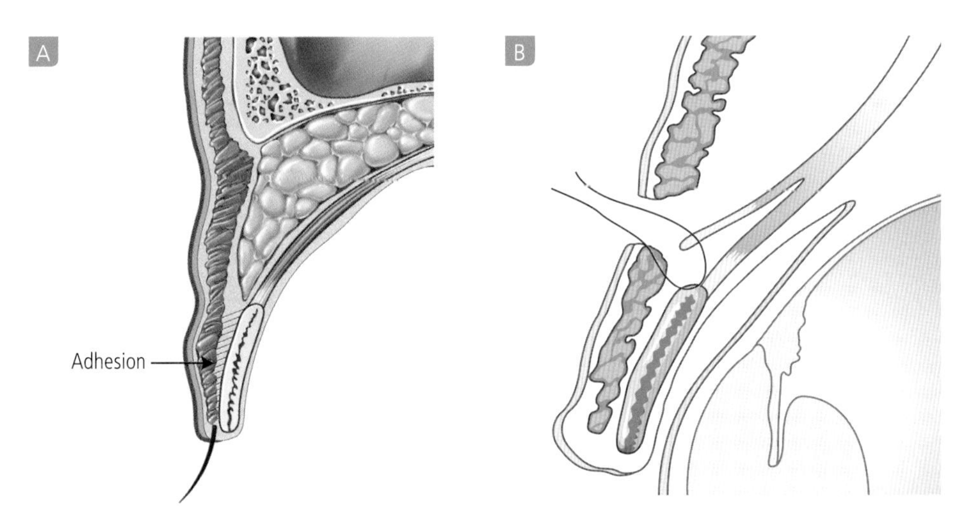


FIGURE 3-6 • **얕은 쌍꺼풀의 교정 방법.**
**A.** 아래 피판의 유착이 있으면 아래 피판을 박리하고. **B.** 안륜근을 검판과 함께 높은 부위의 건막에 2중 고정하여 약간 외반되게 한다(과교정).

### 얕은 쌍꺼풀의 교정 방법

검판 앞에 지방조직이나 다른 연조직이 많이 있으면 이것을 제거하여 유착을 도와준다. 안검하수나 몽고주름과 같은 빈발요소가 있으면 먼저 그 요소들을 해결하여 준다. 지난번 수술로 인하여 쌍꺼풀 선 아래 피판에 유착이 있으면 이 유착이 쌍꺼풀 형성을 방해하므로 박리하여 유착을 풀어주어야 하며 지난번 수술로 인해 생긴 섬유조직에 의해 피판의 유연성과 탄력성이 떨어져 있으므로 처음 하는 수술보다 많이 풀어진다는 점을 고려하여 일반적인 경우보다는 좀 더 깊어지도록(ectropic) 해준다(**FIGURE 3-6, FIGURE 3-7**).

## 깊은 쌍꺼풀 혹은 외반증

쌍꺼풀의 고정 시 높게 고정하여 나타난다. 아래 피판의 폭에 비해서 고정부위가 지나치게 높을 때 아래 피판의 피부가 심하게 신전되면서 외반증이 발생한다.

깊은 쌍꺼풀의 임상적 특징은 속눈썹이 들리고, 인상이 강하게 보이며 눈을 감았을 때 함몰 흉터가 나타난다. 환자는 눈이 당기는 불편한 느낌이 든다고 호소하는 경우가 많고, 때로는 눈 크기가 커질 수도 있으나 심한 경우에는 반대로 눈이 작을 수도 있으며 라인 위가 불룩해지는 경향이 있다. 여기서 눈 크기가 커질 수 있다는 것은 높은 상거근 건막에 고정하였을 경우 상거근 건막이 주름지게 되어(plication) 진폭(amplitude)이 증가하기 때문

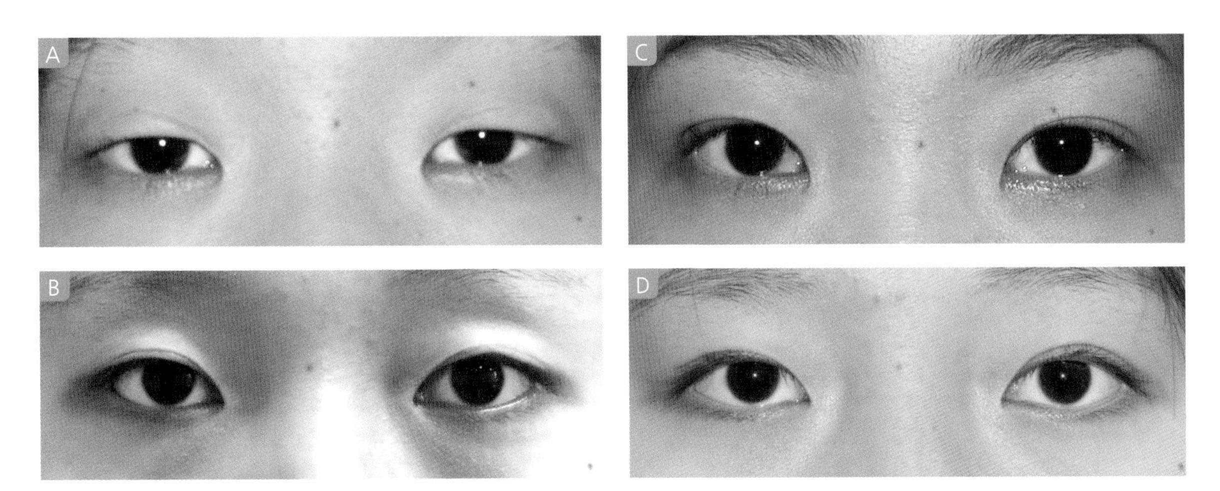

FIGURE 3-7 • **얇은 쌍꺼풀 교정 수술 전후.**
**A & B.** 완전 풀어진 쌍꺼풀, 수술 전후. **C & D.** 희미한 쌍꺼풀(반쯤 풀어진 쌍꺼풀), 수술 전후.

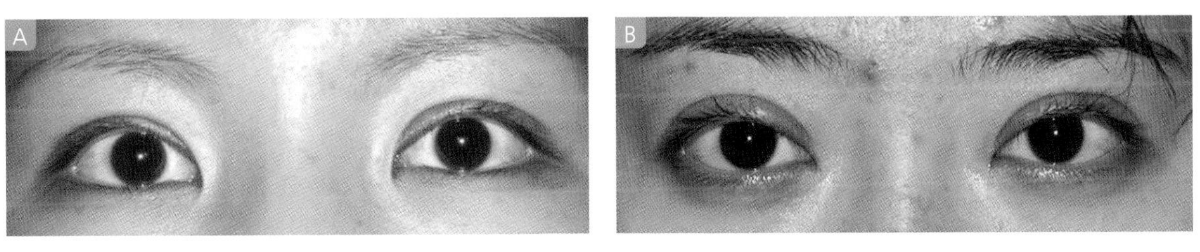

FIGURE 3-8 • **A.** 낮고 깊은 쌍꺼풀. **B.** 높고 깊은 쌍꺼풀.

이며, 한편 이것이 높은 쌍꺼풀과 결합하게 되면 거근의 운동을 제한하여 오히려 눈 크기가 작아질 수도 있다는 점(lazy eye syndrome)을 염두에 둘 필요가 있다. 외반증이 심한 경우엔 점막이 노출되므로 점막피부연결 부위(mucocutaneous junction)가 각화되어(keratinized) 이곳의 meibomian 선의 출구(orifice)가 막혀 눈물의 가장 바깥층인 지방층이 약하여 눈물이 빨리 증발함으로 안구건조증이 일어날 수도 있다(FIGURE 3-8).

### 교정방법

깊은 쌍꺼풀을 이루고 있는 높은 고정이 있는 유착 부위를 풀어준 후 보다 아래의 검판에 고정하여 준다. 위의 유착을 풀어 준 후 외반증이 사라지는 경우에는 아래 피판을 낮은 곳에 고정하는 것으로 충분하다. 그러나 유착을 풀어준 후에도 외반증이 지속된다면 아래 피판에 유착이 있는 경우이므로 아래 피판을 박리하여 유착을 풀어준 다음 피판이 기존 부위보다 검판의 아래쪽으로 재배치되게(redraping) 유도한다. 이때, 기존의 쌍꺼풀이

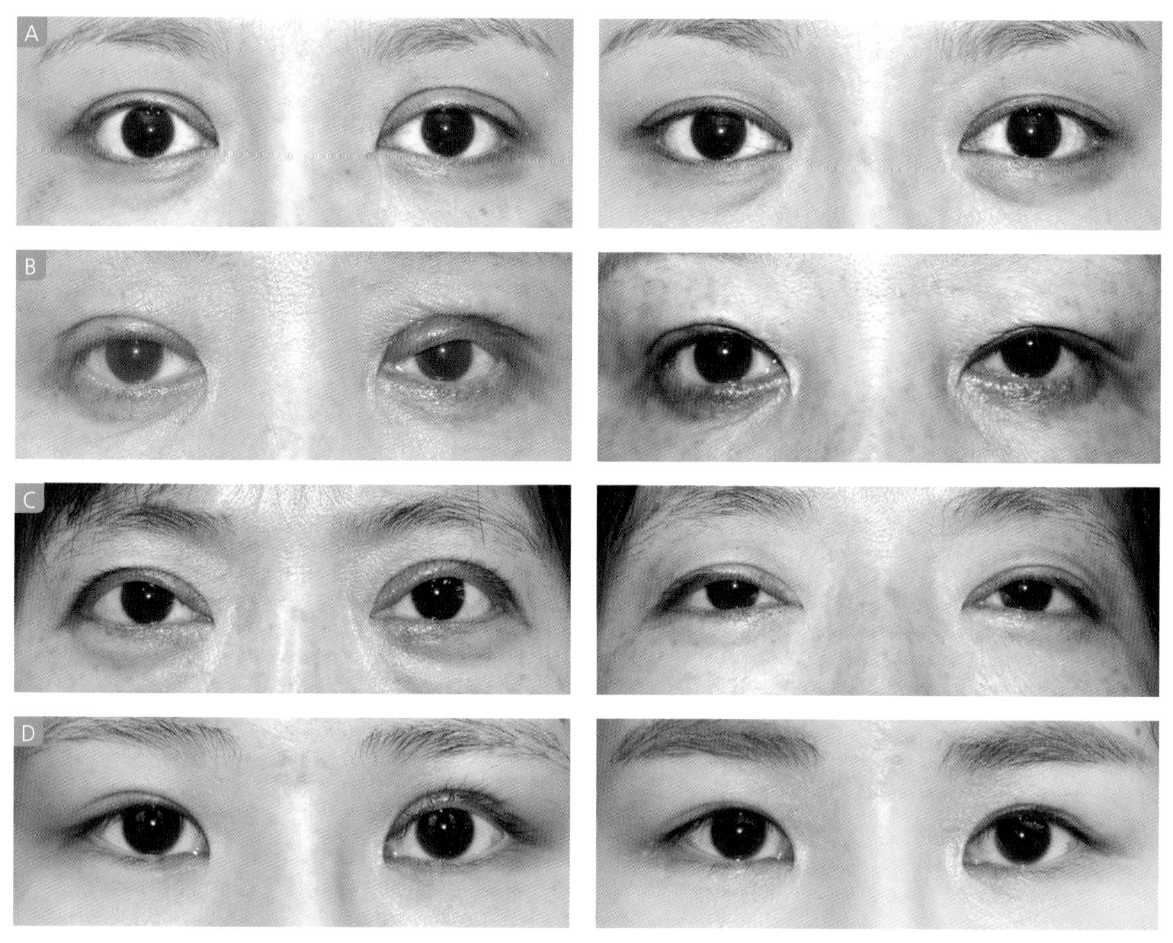


FIGURE 3-9 • 외반증 수술 전후.

있던 부위에서 다시 유착이 일어나 삼꺼풀이 생기지 않도록 유의하여야 한다. 삼꺼풀 발생이 의심되면 건막(aponeurosis)과 안륜근 사이에 격막과 안와 지방과 같은 조직을 끌어내려 예방한다(p 114에서 자세히 설명).

깊은 쌍꺼풀은 높은 쌍꺼풀과 자주 동반되는 경향이 있고 깊은 쌍꺼풀의 교정 방법은 높은 쌍꺼풀과 유사함 점이 많으므로 높은 쌍꺼풀 부분에서 함께 설명하기로 한다. 높은 쌍꺼풀과 깊은 쌍꺼풀은 교정 방법은 대체로 유사하나 높은 쌍꺼풀과 다른 점은 단지 쌍꺼풀 선이 높지 않고 깊기만 한 경우에는 쌍꺼풀선을 기존선 그대로 이용하고 높은 쌍꺼풀의 경우에는 기존보다 낮게 디자인하고 그 사이 피부를 잘라내는 것이다.

또한 수술 후 불만이 있을 때 조기 교정(early correction)을 하는 수가 종종 있는 데 저자는 여러가지 합병증 중에서 외반증은 조기 교정을 잘 권하지 않는다. 외반증은 조기 교정

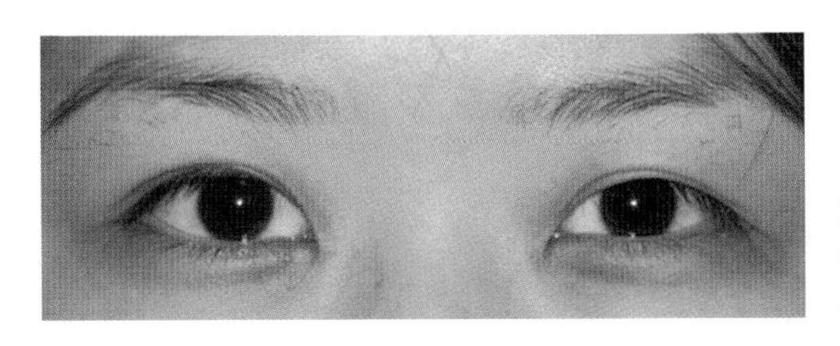

FIGURE 3-10 낮은 쌍꺼풀.
왼쪽 눈은 쌍꺼풀이 희미하여 더욱 낮게 보인다.

이 실패율이 매우 높기 때문이다. 심지어 쌍꺼풀의 조기 교정 자체만으로도 없던 외반증이 발생할 수도 있다(FIGURE 3-9).

## 쌍꺼풀 높이의 문제

### 낮은 쌍꺼풀(Low fold)

낮은 쌍꺼풀은 폭이 작은 쌍꺼풀이라고도 표현하는데, 낮은 쌍꺼풀이 생기는 원인은 처음부터 도안을 낮게 한 경우가 가장 흔하지만 때로는 도안은 별로 낮지는 않으나 희미한, 즉 얕은 쌍꺼풀로 인해 피부가 주름이 지므로 예상보다 낮게 보이는 경우도 있다(FIGURE 3-10). 그외에도 피부가 처진 정도에 비해 피부 절제를 덜 하였을 경우에도 낮게 보인다.

#### 낮은 쌍꺼풀을 높게 하는 교정방법

낮은, 즉 폭이 작은 쌍꺼풀을 크게 하는 방법으로는 세 가지가 있다(FIGURE 3-11).

첫째, 쌍꺼풀 선을 변경시키지 않고 쌍꺼풀 선 위를 덮고 있는 조직(피부와 안륜근)을 절제하여 쌍꺼풀을 크게 보이게 하는 방법

둘째, 원래 선보다 위에 절개 혹은 매몰법으로 새로운 쌍꺼풀 선을 만드는 방법

셋째, 두 가지를 병합하는 방법, 즉 새로운 선의 쌍꺼풀을 만들면서 늘어진 피부를 잘라내는 방법

첫 번째 방법은 흉이 심할 때 흉을 교정할 수 있다는 것과 흉이 한 줄로 남는다는 장점이 있고 노인성 상안검에서처럼 쌍꺼풀 선 위의 피부가 많이 늘어진 경우에 효과가 있다. 하지만 많이 늘어지지 않은 눈꺼풀에서 쌍꺼풀 선보다 위의 피부를 많이 잘라내면 눈썹하수를 초래할 수 있으므로 조심해야 한다. 또한 눈썹이 내려옴으로 인해 기대했던 것만큼 쌍꺼풀이 커지지 않는다. 가능한 피부를 많이 잘라내려고 하기보다는 쌍꺼풀 선 위를

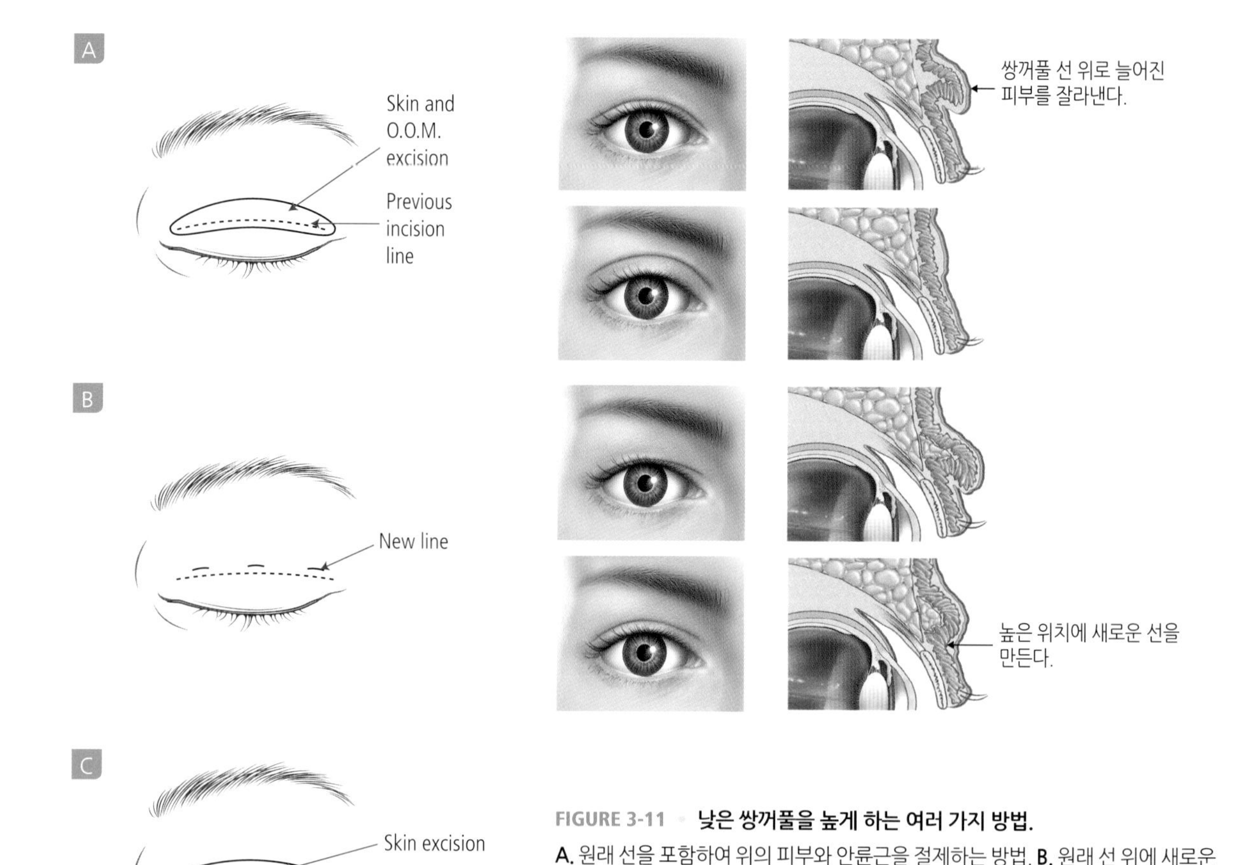


**FIGURE 3-11** **낮은 쌍꺼풀을 높게 하는 여러 가지 방법.**
**A.** 원래 선을 포함하여 위의 피부와 안륜근을 절제하는 방법. **B.** 원래 선 위에 새로운 쌍꺼풀선을 만드는 방법. **C.** A, B를 혼합하여 새로운 쌍꺼풀 선위에 피부를 절제하는 법.

덮는 안륜근을 많이 절제하여 눈썹 하수를 예방한다.

이 방법으로 쌍꺼풀 폭을 키우는 경우엔 쌍꺼풀의 폭이 어느 정도 커질 수 있는지 환자에게 설명하여 줄 때 눈썹을 완전히 올려 눈꺼풀 피부를 100% 펴 있는 상태를 보여주지 말고 80~90% 편 상태에서 보여주고 커질 수 있는 한계를 인식시켜야 한다. 이 방법으로는 쌍꺼풀 크기가 지나치게 작은 경우에는 많이 키울 수 없다는 한계가 있기 때문에 쌍꺼풀 크기가 아주 작은 경우에는 적합하지 않다.

눈꺼풀 크기가 비교적 적당하고 조금만 키우고자 할 경우나 젊었을 때는 비교적 적당한 크기였지만 나이 들어 윗 피판이 많이 늘어진 경우와 아래 피판이 늘어져 주름이 많을 경우에 사용하면 좋은 결과를 얻을 수 있다(FIGURE 3-11A).

두 번째 방법은 높이를 원하는 대로 할 수는 있으나 흉이 추가된다. 기존 쌍꺼풀 선 흉이 심하지 않고 쌍꺼풀 크기를 많이 키우고자 할 때 유용하다. 이 방법은 완전 절개를 할 수도 있고 매몰법이나 부분 절개법을 이용할 수도 있다(FIGURE 3-11B).

그리고 기존 쌍꺼풀이 심하게 깊은 경우가 아니면 아래 피판은 그대로 두지만 아래 쌍꺼풀이 지나치게 깊고 또렷하면 이중 쌍꺼풀이 생길 수 있으므로 이런 경우는 아래 피판을 박리하여 희미한 쌍꺼풀로 만들어 준다. 이 수술에 있어서 특별히 조심해야 할 점은 기존 쌍꺼풀 주위의 흉터조직이 많아 흉터조직이 없는 눈에 비하여 검판전 비후(pretarsal fullness)가 생기기 쉽다는 것이다. 이 사실을 미리 환자에게 충분히 인식시켜 차후 불만요소를 없애야 한다.

세 번째 방법은 쌍꺼풀 폭이 지나치게 작으면서 피부가 많이 늘어졌을 때 적응이 된다(FIGURE 3-11C).

## 높은 쌍꺼풀(High fold)

### 임상적 문제(FIGURE 3-13)

높은 쌍꺼풀은 동양인으로는 어색하고 자연스럽지 않으며 항상 검판전 비후(pretarsal fullness)를 동반하기 때문에 수술한 지 오래 됐었음에도 불구하고 부종이 있는 것처럼 보이고 대개 깊은 쌍꺼풀을 동반하는 경우가 많다. 그러므로 증상도 깊은 쌍꺼풀이 가지고 있는 문제 즉, 부자연스러움, 눈의 당김, 강한 인상, 함몰 흉, 속눈썹 외반 등을 가지고 있는 경우가 흔하다.

또한 높은 상거근 건막에 피부가 유착이 된 경우가 많으므로 상거근 운동이 제한을 받아 약간의 안검하수를 동반하는 수가 많다.

### 원인

- 높은 도안
- 높은 고정
- 지나친 피부제거
- 높은 유착
- 안검하수
- 안검함몰

높은 쌍꺼풀의 원인은 일단 쌍꺼풀 선을 도안할 때 높게 도안한 경우가 가장 흔하다(FIGURE 3-14A). 또한 높게 도안하지 않더라도 고정을 높게 하거나 높게 유착이 일어나면 피부가 당겨져 높은 쌍꺼풀이 되며 외반증을 동반하게 된다(FIGURE 3-14B). 또한 피부를 지나치게 많이 잘라내면 쌍꺼풀 선 위로 덮는 피부가 적어서 높게 보이는 데 이런 현상은 안검함몰의 경우에도 유사하게 나타난다. 안검하수가 있는 경우에도 쌍꺼풀이 높게 보

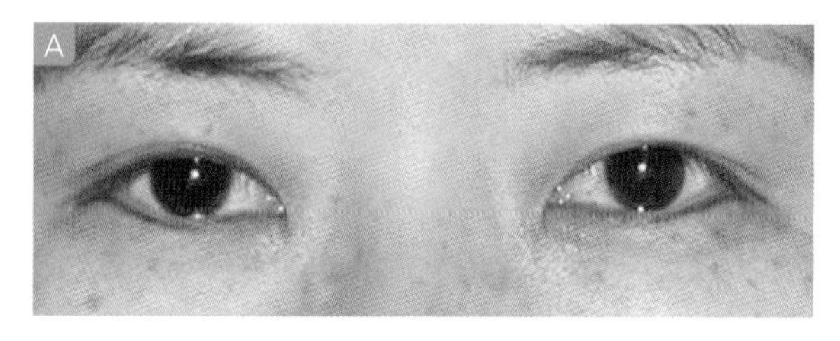
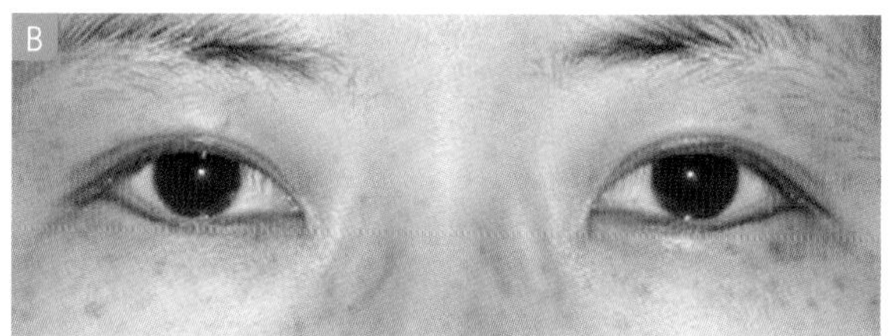

FIGURE 3-12 FIGURE 3-11의 첫번째 방법으로 낮은 쌍꺼풀 교정 전후.

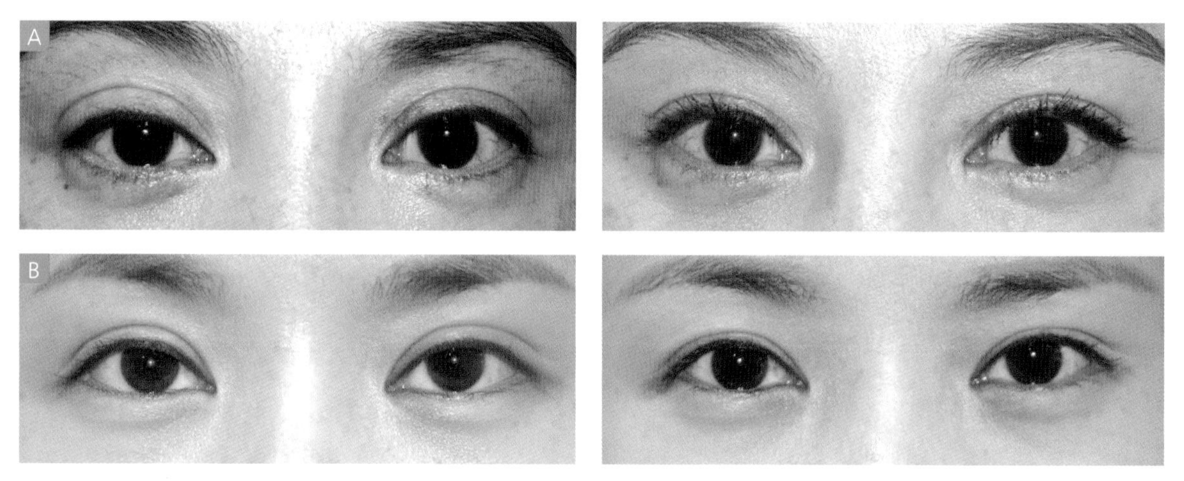

FIGURE 3-13 높은 쌍꺼풀 수술 전후.

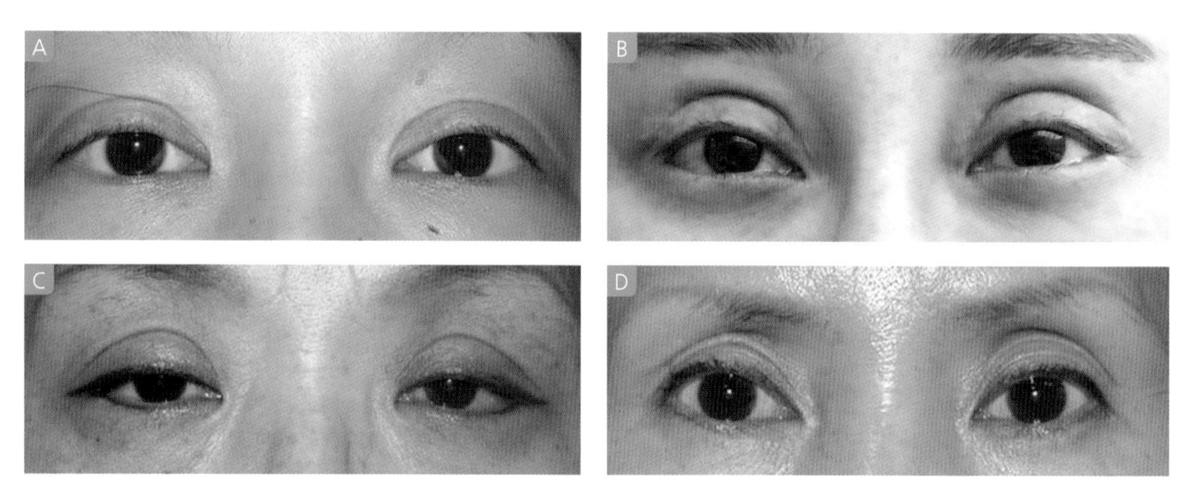

FIGURE 3-14 여러 가지 원인에 따른 높은 쌍꺼풀.

**A.** 높은 절개에 의한 높은 쌍꺼풀. **B.** 높은 고정, 외반증에 의한 높은 쌍꺼풀. **C.** 안검하수에 의한 높은 쌍꺼풀 **D.** 안검함몰에 의한 높은 쌍꺼풀. 안검하수와 안검함몰은 가운데가 특징적으로 높다.

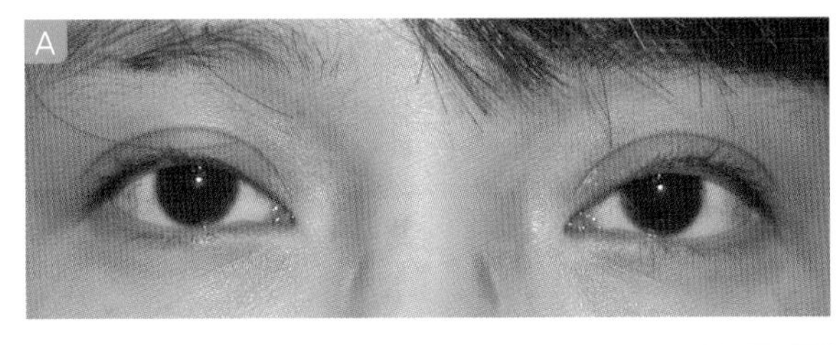
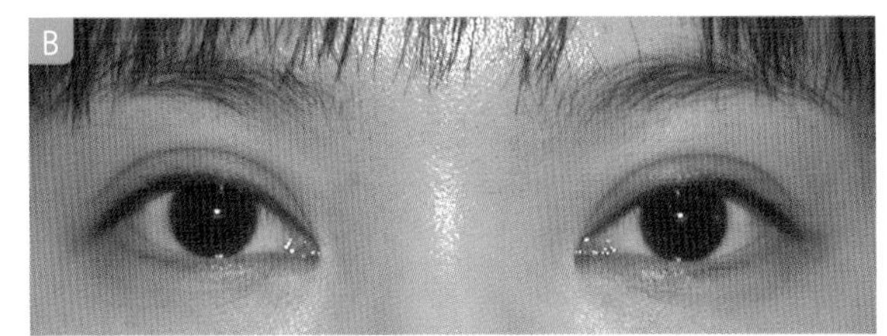
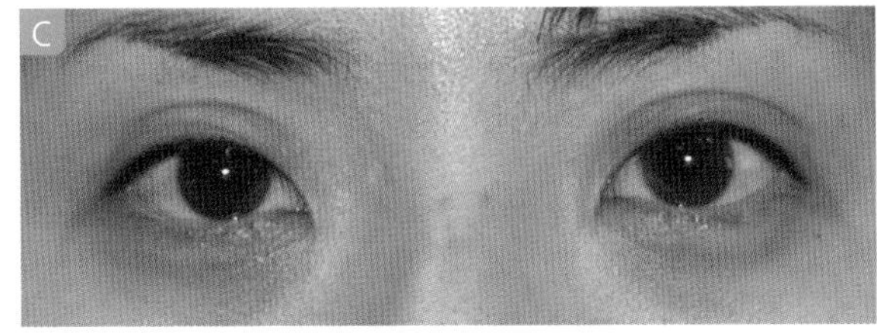

FIGURE 3-15 **높은 쌍꺼풀의 여러 가지 유형.**
**A.** 높고 깊은 쌍꺼풀. 속눈썹이 외반되어 있다. **B.** 높고 정상적인 깊이. **C.** 높고 희미한 깊이. 쌍꺼풀 선 아래 주름이 보인다.

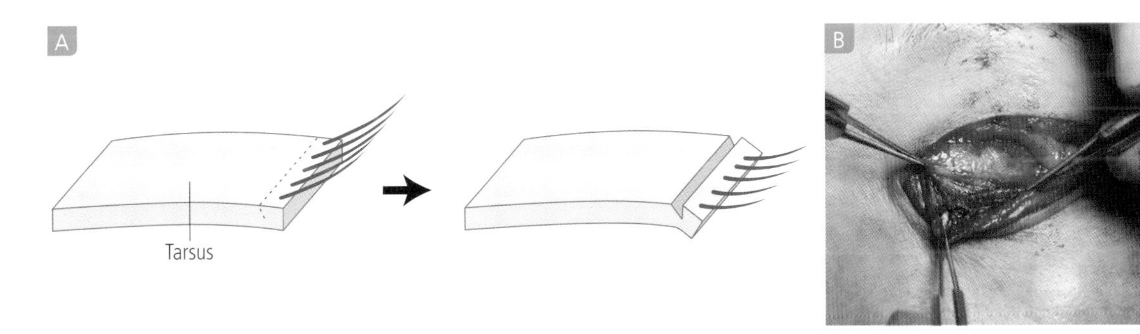


FIGURE 3-16 **검판 말단 부위의 쐐기절개(Mechanism of scoring incision).**
**A.** 수술 후 속눈썹의 방향이 아래로 향하게 된다. **B.** 임상사진. **C.** 외반증을 외반증을 검판의 쐐기 절개에 의한 교정 전후

이거나 풀어지기 쉽다. 안검하수 때 나타나는 높은 쌍꺼풀은 양 가장자리보다 가운데가 특히 높은 것이 특징이다(FIGURE 3-14C).

### 높은 쌍꺼풀의 종류

깊이에 따라 나눌 수 있다(FIGURE 3-15).

- 높고 깊은 쌍꺼풀: 대부분의 경우가 이에 해당되는데 외반증 혹은 깊은 쌍꺼풀을 동반 한다.
- 높고 정상적인 깊이
- 높고 희미한 쌍꺼풀: 높은 쌍꺼풀이면서 희미하거나 풀어진 경우도 볼 수 있다. 높은 쌍꺼풀은 대부분 외반증 혹은 깊은 쌍꺼풀을 동반하는데 가끔 깊이는 정상범위인 높은 쌍꺼풀도 있고 희미하거나 얕으면서 높은 쌍꺼풀도 볼 수 있다. 어떤 경우는 깊이가 일

정치 않아서 예를 들면 가운데 부분은 깊고 안쪽 부분은 얕은 경우도 흔히 볼 수 있다.

### 교정방법

교정 방법은 높은 쌍꺼풀이 생긴 원인에 따라 수술을 다르게 한다. 일반적인 높은 쌍꺼풀에서는 일단 높은 쌍꺼풀을 낮게 하기 위해서는 낮은 도안을 하고 높은 쌍꺼풀선과의 사이의 피부를 절제하는데 예외적으로 피부가 부족한 경우에는 피부를 절제하면 눈을 뜨고 잘 우려가 있으므로 피부를 절제하지 않고 낮은 절개선을 통해 위에 존재하는 기존의 쌍꺼풀을 풀어준다(FIGURE 3-17).

기존의 높은 유착을 풀어주는 층은 다음 두 가지 층에서 가능하다.

**건막전 층(격막후층)(pre-aponeurotic layer) 박리**

- 깊은 층이므로 삼겹쌍꺼풀과 같은 후유증이 적다.
- 안검하수 교정술과 동시에 시행하기 용이하다.
- 안와지방을 처리하기 쉽다.
- 박리를 잘못하면 건막이나 뮬러근의 외상으로 인하여 안검하수가 발생할 수 있다.

**격막전 층(preseptal layer) 박리**

- 안검하수를 일으킬 위험이 적다.
- 얕은 층이므로 조그만 유착으로도 삼겹 쌍꺼풀이 생길 수 있다.

* 저자는 pre-aponeurotic layer를 선호한다.

***높은 쌍꺼풀의 깊이에 따른 교정술의 algorism***

**깊은 쌍꺼풀** (외반증) → 쌍꺼풀 선의 유착분리 ↗ 깊은 쌍꺼풀 잔존 → 아래 피판 박리 후 → 잔존 → 검판 scoring incision 후 낮은 고정
↘ 깊은 쌍꺼풀 해소 → 낮은 고정 ↘ 해소 → 낮은 고정

**정상적 깊이**→낮추고자하는 만큼의 피부와 안륜근 일부 제거 후 봉합
(쌍꺼풀 선의 유착분리 불필요)

**얕은 깊이** (희미한 쌍꺼풀) (쌍꺼풀 선의 유착분리 불필요) → 낮추고자 하는 만큼의 피부 제거 후 ↗ 아래피판의 유착 심하면 → 박리 후 높은 고정
↘ 아래피판의 유착 약하면 → 박리없이 높은 고정

* Scoring incision : tarsus를 wedge 모양으로 벌어지게 하여 외반증을 교정하는 술기

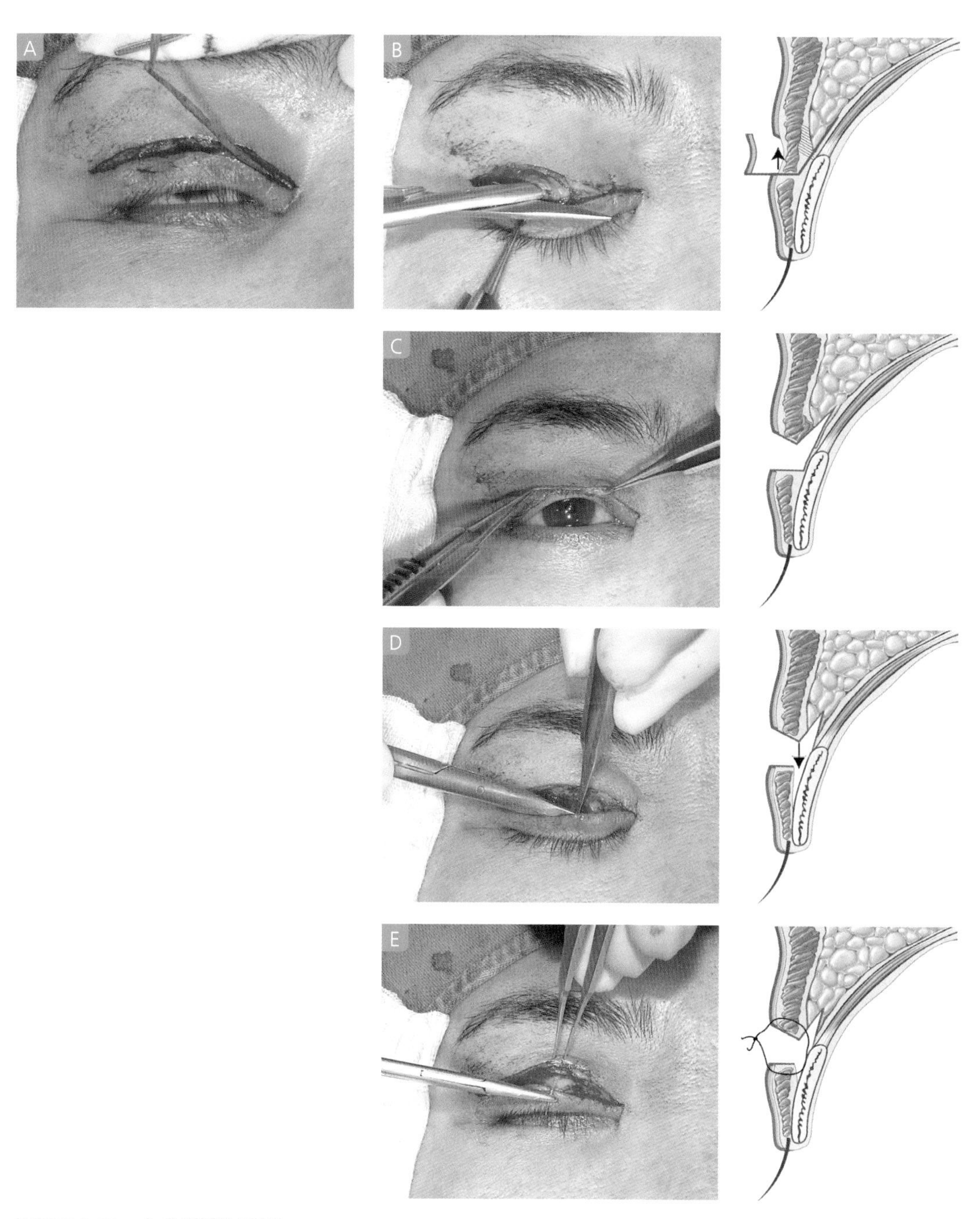


FIGURE 3-17 **높은 쌍꺼풀 교정술.**

**A.** 기존 높은 쌍꺼풀선에서 낮게 만들고자 하는 선까지 피부절제. 이때 피부만 제거하고 내부의 조직은 흉 조직을 포함하여 제거하지 않는다.

**B.** 상거근 건막전(preaponeurosis) 유착분리.

**C.** 유착 완전 분리 후 윗 피판을 잡고 있는 상태에서 눈을 뜰 수 있음을 보여준다. 피하조직이 두꺼워진다.

**D.** 외반증이 잔존할 경우 아래 피판 박리.

**E.** 아래 피판을 낮게 고정하면서 피부봉합.

*깊은 쌍꺼풀 또는 외반증의 교정을 정도에 따라 3단계로 나눌 수 있다.*

- 1단계 : 기존 쌍꺼풀을 풀기 위해서 쌍꺼풀 선의 유착을 상거근막 앞쪽(preaponeurotic layer)에서 분리한다. 분리하고 난 후 쌍꺼풀 깊이가 얕아지면 새로이 낮은 곳에 고정을 해 주면 되지만, 그래도 외반증이 남아 있는 경우에는 아래 피판의 유착에 의한 것이므로 2단계가 필요하다.
- 2단계: 쌍꺼풀 아래 피판의 유착을 풀어주고 나서 redraping 하면서 낮게 고정한다. 대부분 외반증이 이 단계에서 해결되지만 그래도 안되는 경우 3단계가 필요할 수 있다.
- 3단계: 검판 scoring을 실시한다(**FIGURE 3-16**).

그러나 실제로 임상적으로 볼 때 중요한 사실은 수술 당시에는 외반증이 완전히 해결되지 않은 것처럼 보이더라도 시간이 지나면서 차차 해결되는 수가 많다는 사실이다. 그러므로 수술당시에 약간의 외반이 남아있더라도 어느 정도 좋아지는 기미가 보인다면 다음 단계에 넘어가는 것은 신중히 결정해야 한다. 또한 3단계의 시술을 하는 과정에서도 완전히 외반을 해결하려고 하면 나중에 오히려 내반증(entropion)이 생길 수도 있기 때문에 약간의 저교정이 안전하다. 3단계 수술을 요하는 경우는 노인성 외반증(senile ectropion)과 심한 외반증이 5년 이상 오래된 경우이다. 그리고 대부분 외반증에서는 쌍꺼풀선아래 피부(lower flap)가 신전(stretching)되어 있지만, 쌍꺼풀 선 아래 피부가 신전되지 않으면서 외반증이 있는 경우에도 3단계 수술을 요한다.

높으면서 깊이가 적당한 경우에는 기존 유착을 풀어 줄 필요가 없기 때문에 단순히 낮게 고안한 선과의 사이의 피부를 잘라주기만 하고 피부를 봉합하면 되므로 아주 간단한 수술이 될 수 있다.

높으면서 얕은 쌍꺼풀인 경우에도 기존 유착을 풀어줄 필요가 없다는 것이 특징이다. 꼭 같은 식으로 쌍꺼풀 선 아래 피부를 잘라 낸 다음엔 높게 고정해 주면 된다. 이때 아래 피판의 유착이 심한 상태로 풀어진 경우엔 그 유착 때문에 쌍꺼풀의 저항이 높아 수술 후 다시 쌍꺼풀이 풀어지기 쉬우므로 아래 피판의 유착을 풀어준 후에 높게 고정하면 된다.

그런데 실제 많은 예에서 위치에 따라 다른 깊이가 공존한다. 안쪽으로는 얕고, 가운데는 깊고, 바깥은 보통이고 그런 식이다. 대개 안쪽으로는 깊은 경우가 적어 안쪽으로는 유착을 분리할 필요가 없는 경우가 많다. 실제 안쪽의 외반증이 있다고 하더라도 이것은 안쪽자체의 외반증이 아니고 가운데 외반증으로 인하여 간접적으로 생긴 것이므로 가운데 외반증을 해결하면 안쪽의 외반증은 저절로 해결되는 경우가 대부분이다.

*높은 쌍꺼풀에서 선을 낮추면 실제 쌍꺼풀은 얼마나 낮아질까?*

높은 쌍꺼풀과 낮은 쌍꺼풀 사이의 피부를 잘라내는 것 자체가 쌍꺼풀을 높게 하는 효과가 1/2 정도 있기 때문에 실제로 쌍꺼풀이 낮아지는 효과는 1-1/2 즉 낮게 도안한 길이의 반 정도 낮아지는 효과가 있다.

## 높은 쌍꺼풀 교정술의 실패

높은 쌍꺼풀 교정술은 수술이 정확하지 않으면 실패하기 쉬운 수술이다. 그 원인으로는 기존 유착된 부위를 완전히 풀어주지 못했거나 완전히 풀어주었다 하더라도 원래의 자리에 다시 유착되기 쉽다는 점을 고려하여 충분한 예방 조치를 취하지 않았을 때 발생한다. 높은 쌍꺼풀 교정이 실패한 경우는 다음과 같은 두 가지 형태로 나타난다.

**외반증(Ectropion)**: 유착 부위가 완전히 풀어지지 않았거나 풀고 난 후 다시 그 자리에 유착되는 경우 또는 피부가 모자라는 것이 원인이 될 수 있다. 외반증이 있는 경우는 눈을 감았을 때는 쌍풀선은 전보다 낮아졌으나 눈을 떴을 때는 외반에 의해 피부가 팽창되기 때문에 쌍꺼풀이 줄어 보이는 느낌이 들지 않는다. 인상은 오히려 강해 보인다(FIGURE 3-18A).

**삼겹쌍꺼풀(Triple fold)**: 기존에 높게 있던 뒷 판(posterior lamella)의 유착부위가 같은 높이의 앞판의 조직과 다시 유착되어 새로 만든 쌍꺼풀 위에 삼꺼풀이 생긴다(FIGURE 3-18B). 이들 합병증을 예방하기 위해서는 무엇보다 충분한 조직의 볼륨을 유지하는 것, 조직 간에

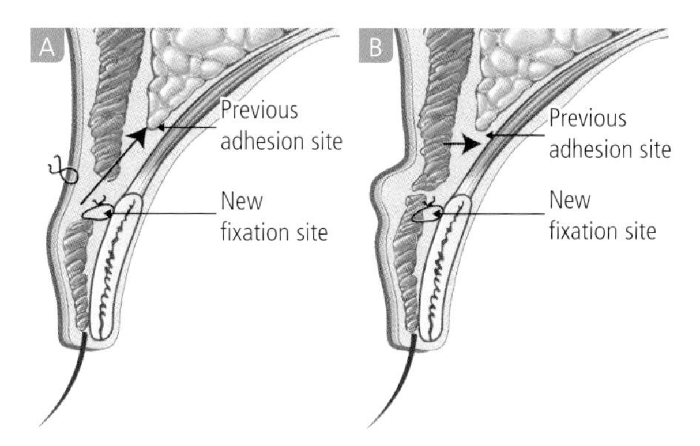


FIGURE 3-18 **높은 쌍꺼풀 교정의 실패 사례.**
**A.** 외반증 : 기존 유착이 완전히 풀리지 않을 때 또는 피부부족으로 아래 피부가 위로 당겨져 올라가 기존 유착부위에 재유착되므로 일어난다. **B.** 삼꺼풀 : 기존유착 부위에서 같은 높이의 앞피판과 유착이 재발할 때.

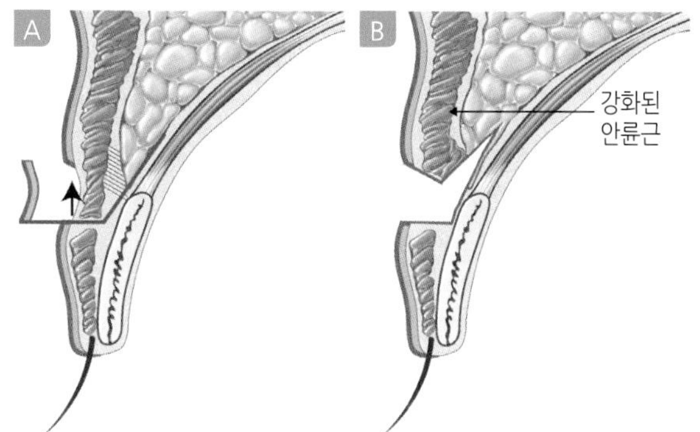


FIGURE 3-19 **낮추고자 하는 만큼 피부 절제.**
**A.** 피부절제와 유착부위 박리. **B.** 윗피판의 볼륨이 강화된 모습. 낮추고자 하는 만큼의 피부조직만 절제하고 다른 연조직은 제거하지 않으므로 윗 피판의 볼륨을 강화한다.

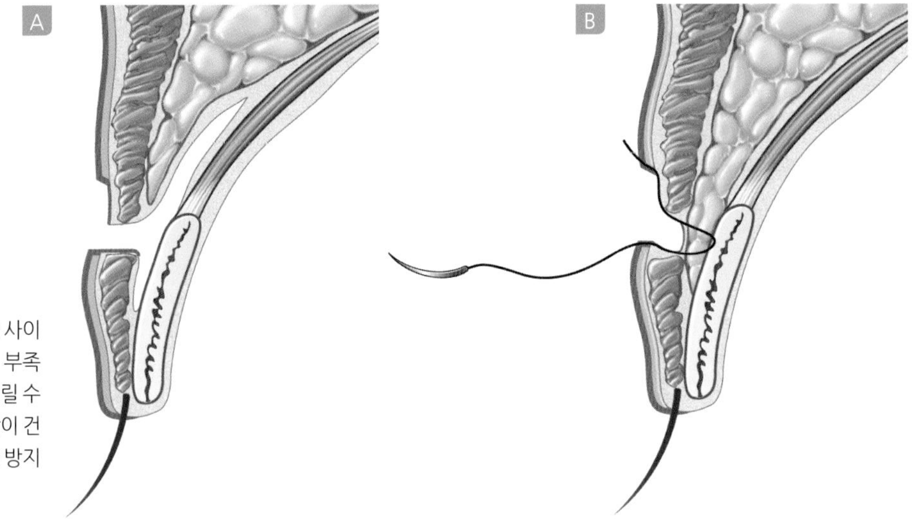


FIGURE 3-20

A. 건막 앞 박리.

B. 안와지방을 안륜근과 검판 사이에 끼워넣기. 검판 앞 조직이 부족할 경우 격막과 안와지방을 내릴 수 있다. 안와지방을 포함한 격막이 건막과 안륜근 사이에서 유착을 방지하여 삼꺼풀을 예방한다.

유착을 확실하게 풀어주는 것과 풀고 난 후 유착이 다시 생기지 않도록 하는 것이 중요한데 그러기 위해서는 다음의 원칙을 지키는 것이 중요하다.

- 피부를 잘라낼 때 피부만 잘라내고 흉터조직을 포함하여 다른 조직은 일체 잘라내지 않고 위의 피판에 붙여서 윗 피판의 연조직량을 보강한다(FIGURE 3-17A, 3-19).
- 눈꺼풀 조직의 양이 부족할 경우에는 안와지방과 함께 격막을 끌어내린다. 이것은 지방으로 볼륨을 증가하는 의미도 있을 뿐만 아니라 격막이 안륜근과 거근막 사이에 있으면서 gliding membrane 역할을 하여 유착을 방지해 주는 중요한 기능이 있으므로 격막을 잘 끌어내리는 것만으로 유착으로 인한 삼꺼풀이 생기는 것을 방지하는 데 큰 도움이 된다(FIGURE 3-20).
- 안와지방이나 안륜근이 충분히 없는 경우에는 ROOF 피판을 작성할 수 있고 이것도 부족한 경우에는 유리 지방이식이나 진피 지방이식을 시행하거나 유착이 일어나기 쉬운안륜근 부위에 지방 주사 이식을 하는 것이 도움이 되는 수가 많다.
- 유착이 일어나기 쉬운 부위의 안륜근을 아래로 끌어내려 보강하는데(FIGURE 3-21), 이 방법은 삽겹풀이 생기기 쉬운 부위에 볼륨을 증가시켜 줄 뿐만 아니라 안륜근이 아래로 내려오면서 기존 유착 부위가 서로 빗나가게 만나게 하여 삼꺼풀을 교정하는 경우에도 유용하고, 예방하는 경우에도 매우 강력한 방법이다. 한번 유착이 일어난 부위는 서로 멀리하여 다시 만나지 못하게 하는 기전이다.

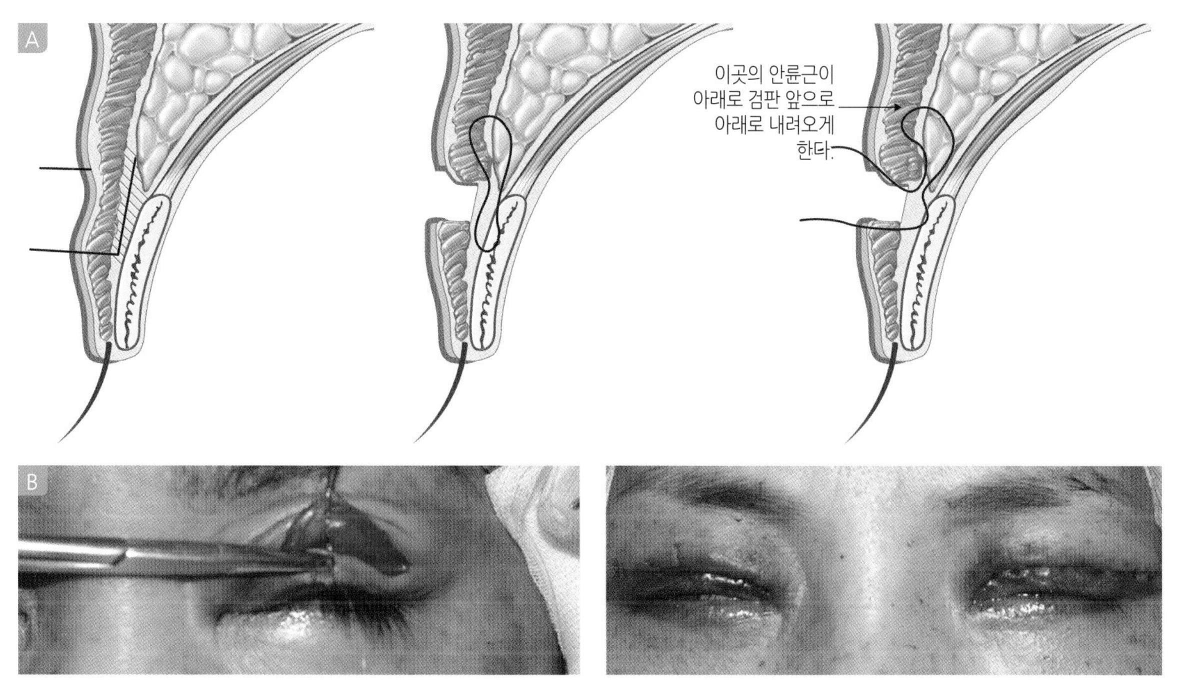


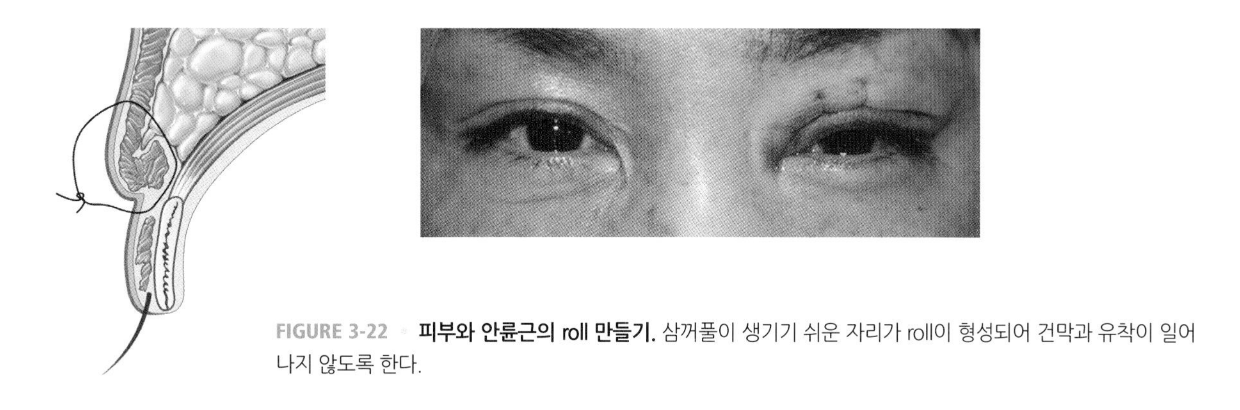


FIGURE 3-21 A. 상부의 안륜근을 아래로 내려 검판에 고정함으로 삼꺼풀을 방지. B. 임상사진 안륜근을 내리는 모습과 수술 직후.

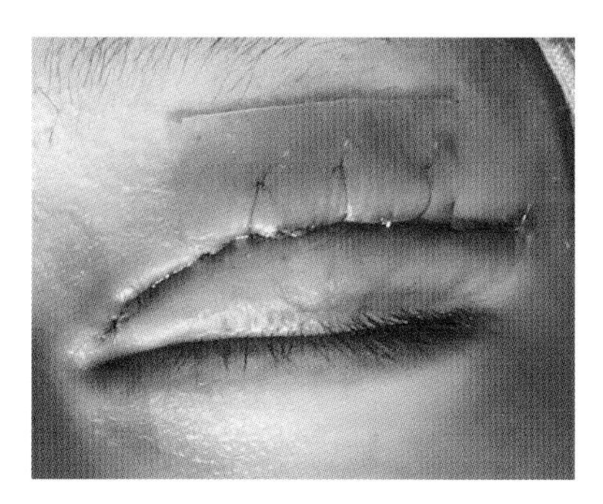

FIGURE 3-22 **피부와 안륜근의 roll 만들기.** 삼꺼풀이 생기기 쉬운 자리가 roll이 형성되어 건막과 유착이 일어나지 않도록 한다.

FIGURE 3-23 **duoderm 붙인 그 위에 rolling surture 사진.**

- 피부 봉합 후 바깥으로 피부와 안륜근을 동시에 봉합하여 둥근기둥(roll)을 만들어 주는 것도 매우 효과적인 방법이다. 방법은 쌍꺼풀선 아래 피부를 통과하여 바늘이 안륜근 밑으로 위 피판의 안륜근을 뚫고 피부로 나오는데 이때 위피판의 피부와 안륜근을 roll 모양으로 말아서 봉합하면 삼꺼풀이 생기기 쉬운 자리가 솟아나오게 되어 뒷판(posterior lamella)과 멀어지게 하여 삽겹풀 생성을 방해하는 방식이다(FIGURE 3-22).
- 수술 후 반창고나 duoderm 등을 부착하면 피부 부목 역할을 하여 삼꺼풀이 생기는 것을 방지해 준다(FIGURE 3-23).
- 유착이 심하여 외반이 교정이 잘 되지 않을 경우엔 스테로이드를 희석하여 아래 피판에 주사하거나 뿌려주는 것도 도움이 된다.

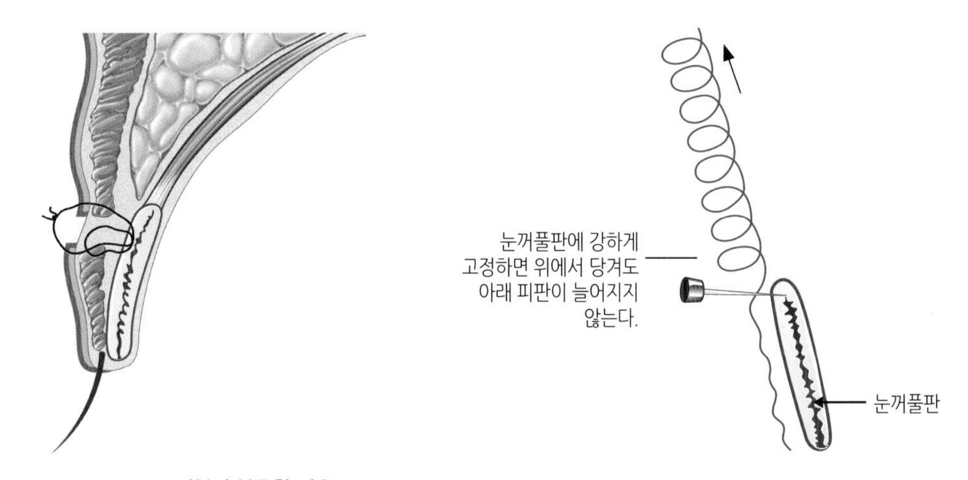


FIGURE 3-24 **피부가 부족할 경우.**
아래 피판을 검판에 부분두께(partial thickness)로 고정하여 피부결손으로 인해 아래 피판이 신전(streching)되어 외반증이 나타나는 일이 없도록 한다.

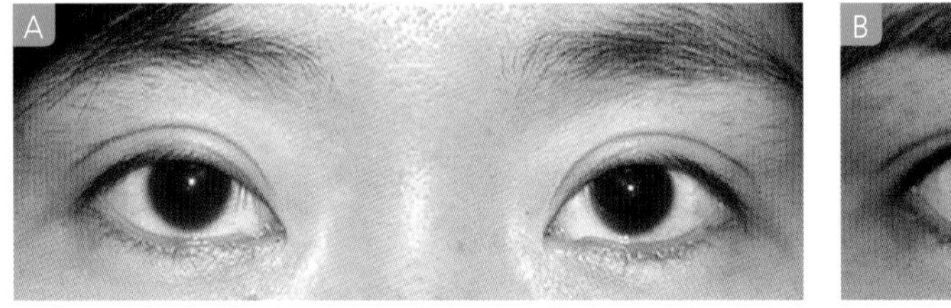


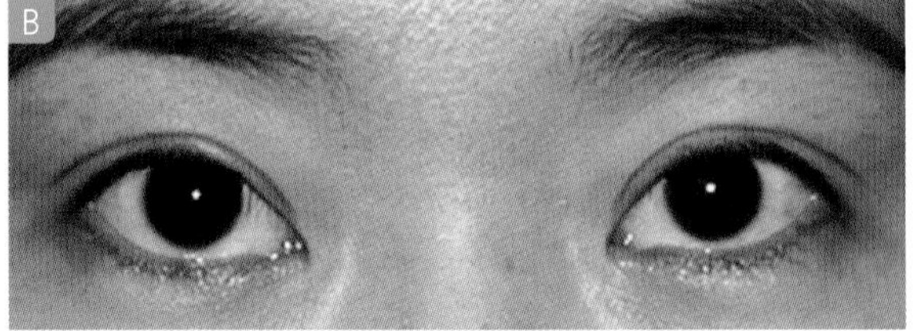


FIGURE 3-25 **절개선을 낮추어 높은 쌍꺼풀 교정. A.** 수술 전. **B.** 수술 후.

- 피부가 부족할 때는 아무리 낮게 고정하였다 하더라도 창상연을 봉합할 때에 아래 피부가 위로 당겨지면서 외반증이 생기는 수가 있다. 이를 방지하기 위해서 피부 봉합 시 아래 피판을 검판의 아랫부분에 partial thickness로 통과하면서 봉합한다. 이는 피부부족으로 인해 봉합 후에 쌍꺼풀선 아래 피부가 위로 당겨져서 외반증이 생기는 것을 예방한다(FIGURE 3-17E, 3-24).

***피부 부족의 경우 피부를 절제하지 않고 높은 쌍꺼풀을 교정하는 방법*(FIGURE 3-29)**

높은 쌍꺼풀을 교정할 때 피부가 절대적으로 부족하여 피부를 잘라내면 눈을 감지 못하고 눈을 뜨고 자는 문제가 생길 우려가 있을 경우에는 피부를 절제하지 않고 아래에 쌍꺼

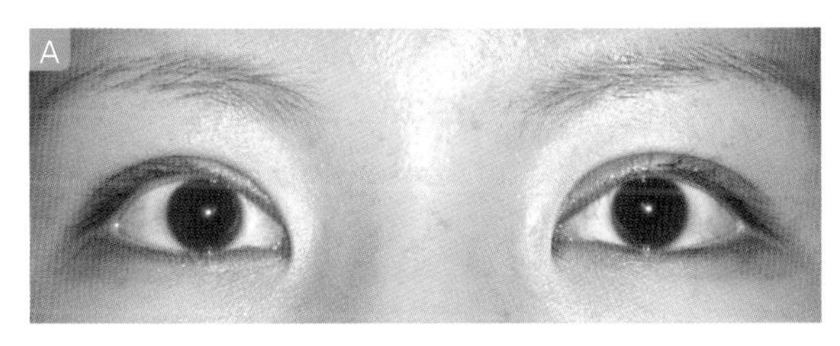


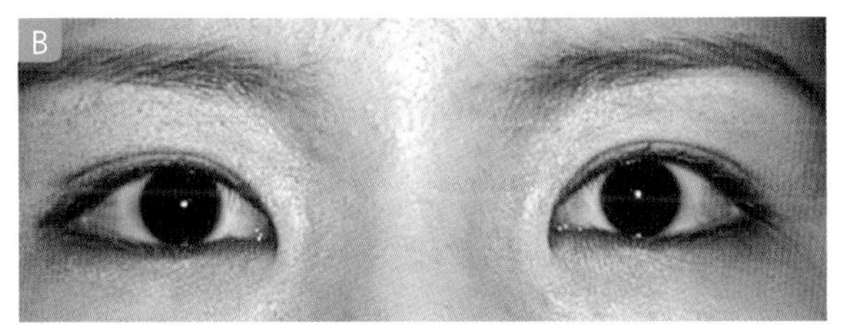


FIGURE 3-26 **고정 위치를 낮추어 높은 쌍꺼풀 교정. A.** 수술 전. **B.** 수술 후.

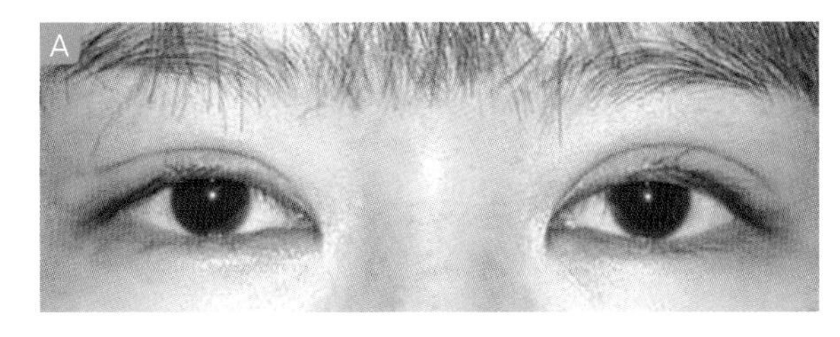


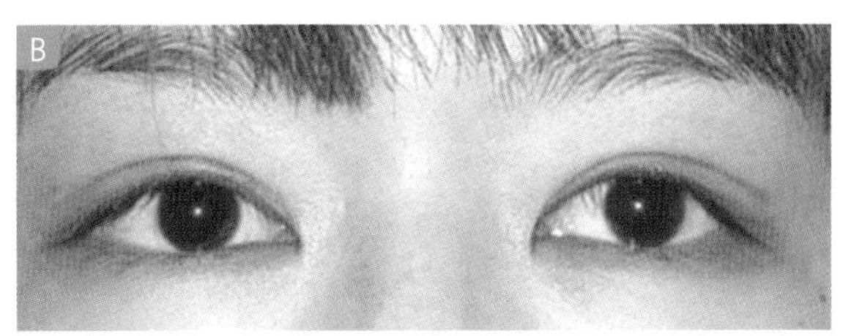


FIGURE 3-27 **안검하수 수술에 의한 높은 쌍꺼풀 교정. A.** 수술 전. **B.** 수술 후.

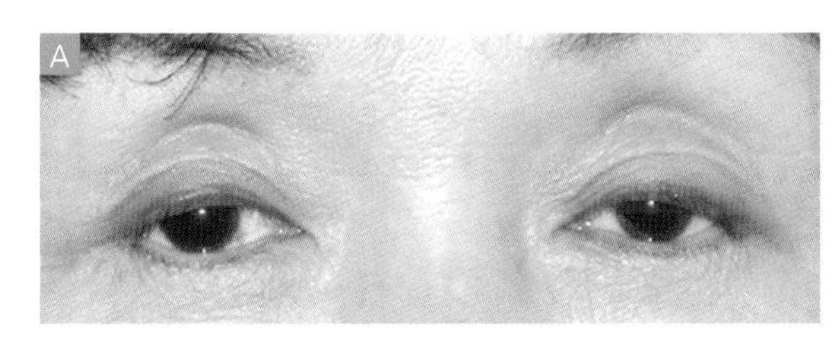


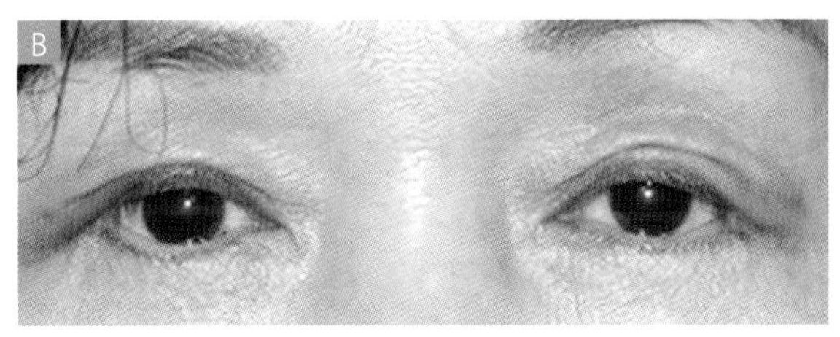


FIGURE 3-28 **지방이식과 쌍꺼풀 선을 낮추어 높은 쌍꺼풀 교정. A.** 수술 전. **B.** 수술 후.

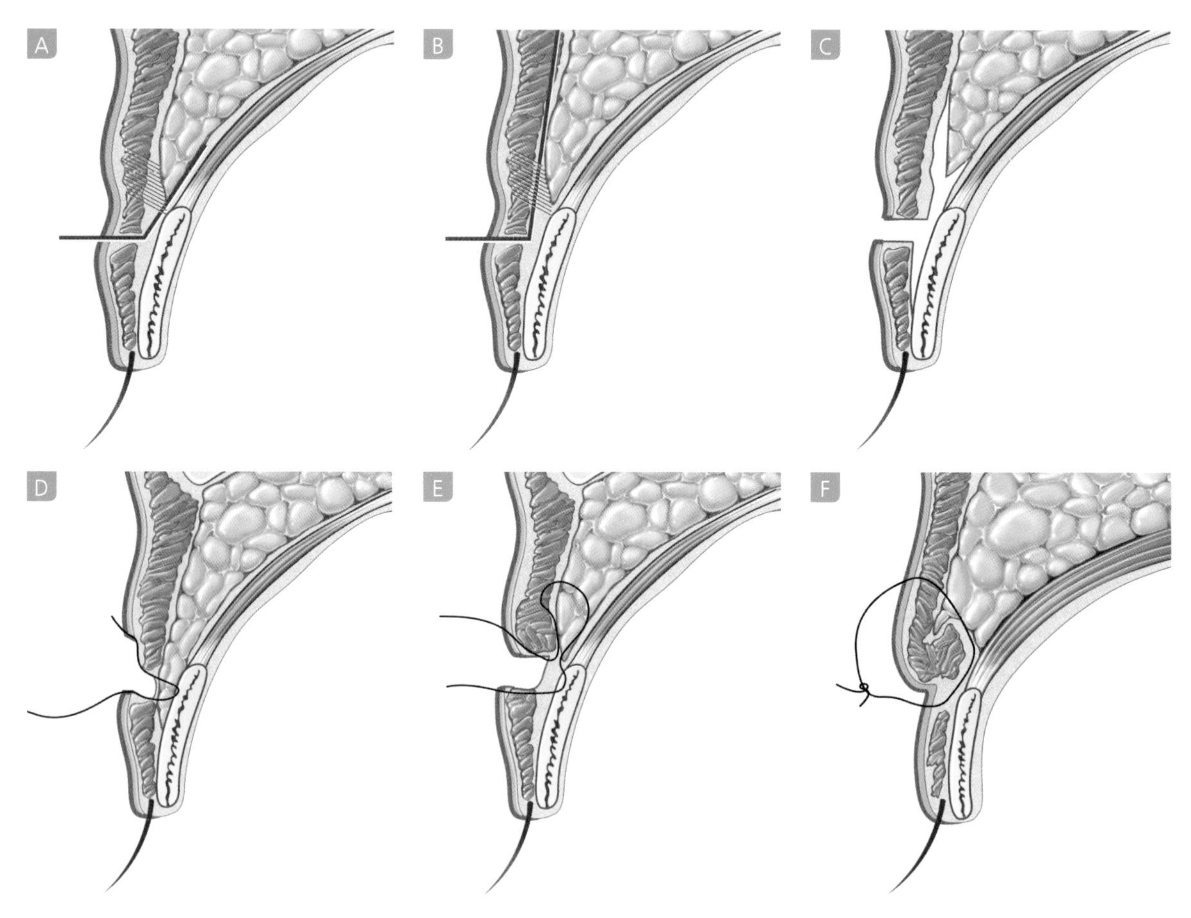


FIGURE 3-29 A. 건막전층 박리. B. 격막전층 박리. C. 건막전층과 격막전층 박리. D. 안와지방 삽입 E. 안륜근 강화. F. 피부와 안륜근 roll.

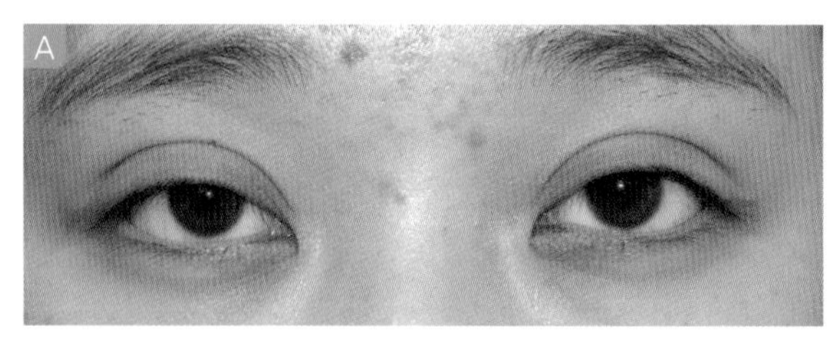


FIGURE 3-30 **피부 절제 없이 높은 쌍꺼풀 교정 예.**

A. 술 전.

B. 높은 쌍꺼풀의 윗 선과 낮추고자 하는 아래 선이 보인다.

C. 수술 후

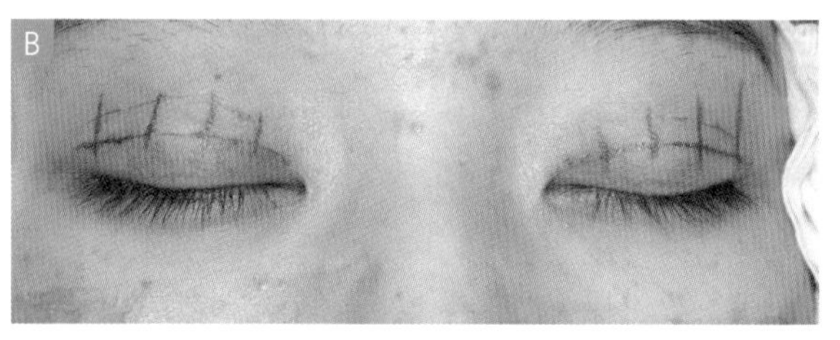


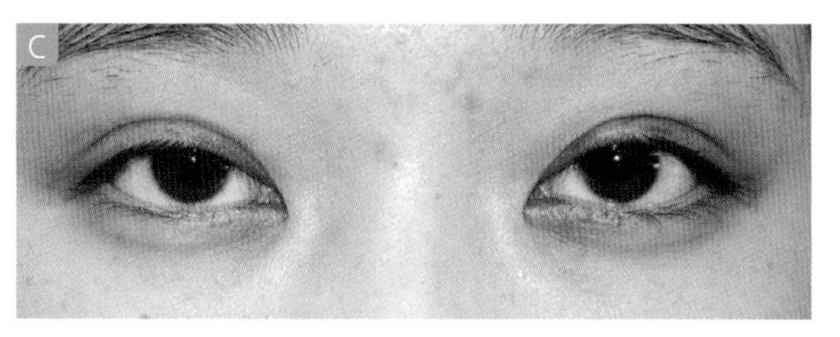

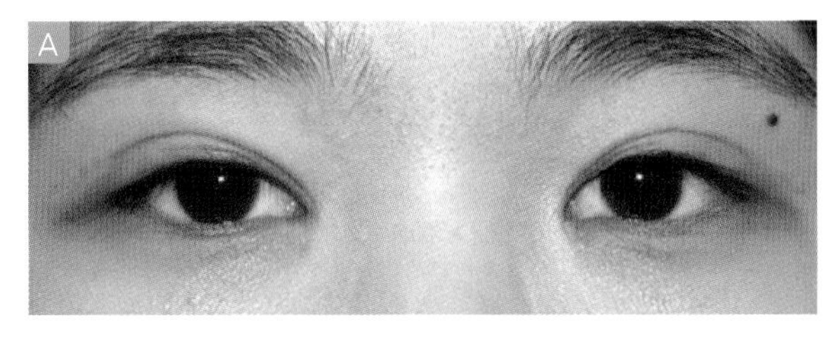
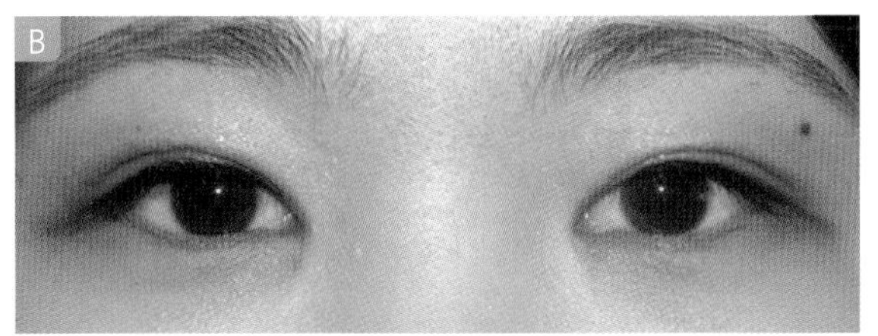

FIGURE 3-31 피부절제없이 높은 쌍꺼풀 교정 예.
A. 수술 전. B. 수술 후.

풀을 만들고 기존 쌍꺼풀을 박리하여 없애는 것이다. 기존 흉을 제거하는 것이 아니기 때문에 흉이 남기는 하지만 쌍꺼풀이 있을 때의 흉보다 쌍꺼풀이 없어진 흉은 훨씬 눈에 덜 띄는 효과가 있다. 피부를 절제하지 않고 아래에 쌍꺼풀을 만드는 자체가 이미 기존 쌍꺼풀이 삼겹 쌍꺼풀 역할을 하게 되는 것이므로 다음에 다루게 될 삼겹 쌍꺼풀 교정 방법을 적용하게 된다.

### 수술방법

- 기존 쌍꺼풀 선보다 아래에 낮추고자 하는 곳에 피부 절개를 가한다.
- 안륜근을 절개하고 쌍꺼풀을 고정할 검판 앞까지 절개
- 건막전 층(preaponeurotic layer)에서 기존 쌍꺼풀의 유착 박리. 이 박리 후 기존 쌍꺼풀의 유착이 완전히 풀어지지 않는 경우에는 격막전 층(preseptal layer)의 박리가 추가된다. 기존 쌍꺼풀의 흉터는 피부 층에서부터 안륜근, 격막, 거근 혹은 검판까지 전층에 걸쳐서 있기 때문에 유착 또한 여러층에서 일어날 수 있기 때문이다. 격막전 층(preseptal layer)의 박리는 redraping을 목적으로 하기 때문에 높게까지 박리한다.
- 이 다음 절차는 기존 쌍꺼풀이 재발되지 않도록 하는 술기가 필요하다. 필요한 술기로는 안와지방 삽입술, 윗 안륜근 끌어내리기, 안륜근 피판 roll 만들기, 테이프로 피부 고정하기의 과정이 요구된다(FIGURE 3-30, 3-31).

#### *부분적으로 높은 쌍꺼풀을 줄이는 방법*

부분적으로 높은 쌍꺼풀을 교정하고자 할 때 흔히 잘못된 도안을 하기 쉽다. 즉, 기존 쌍꺼풀 선에서 부분적으로만 낮게 디자인하게 되면 쌍꺼풀 선의 curvature에 변화가 올 수 있다. 예를 들어 그림과 같이 안쪽 쌍꺼풀 폭만을 줄이고자 할 때 고치고자 하는 부분만 짧게 도안하면 바깥쪽으로 높은 쌍꺼풀이 발생할 수 있으므로 길게 도안해야 한다.

# 쌍꺼풀 비후증(PRETARSAL FULLNESS)

## 비후증 원리

쌍꺼풀 비후증은 쌍꺼풀을 만드는 폭이 클수록 심해진다. 비후증은 일반적으로 쌍꺼풀 아래 피판이 소세이지처럼 불룩해 보인다고 표현한다. 쌍꺼풀이 같은 폭이라 해도 불룩해지는 정도는 눈꺼풀마다 다르다. 예를 들어 쌍꺼풀 폭이 비교적 큰 편(높은 쌍꺼풀)이 아닌데도 비후증이 많이 보이는 사람이 있고 반대로 큰 편인데도 비후증이 적은 사람이 있다. 눈꺼풀의 피부가 얇고 안륜근이 적고 주름이 많은 경우엔 쌍꺼풀 폭이 비록 크다 하더라도 그렇지 않은 사람에 비해 비후증이 덜 나타난다. 비후증이 잘 나타나는 경향이 있는 눈은 쌍꺼풀 폭을 보통보다 작게 하는 수밖에 없다.

비후성은 쌍꺼풀이 보이는 폭의 제곱에 비례하므로 쌍꺼풀 폭의 작은 차이에도 비후의 정도 차이는 크다(FIGURE 3-32). 예를 들면 눈을 떴을 때 쌍꺼풀의 폭이 4 mm인 것을 3

A

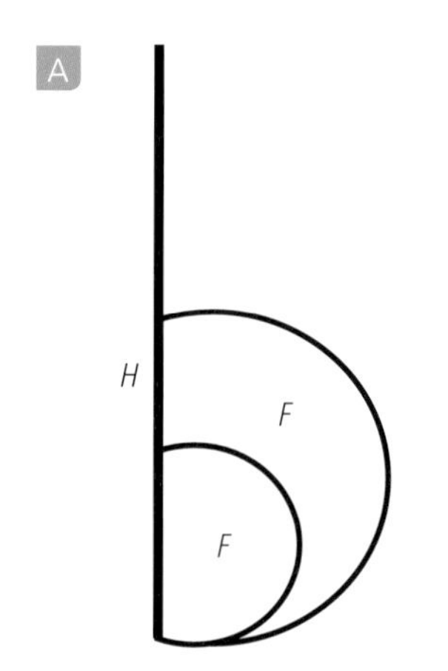


B

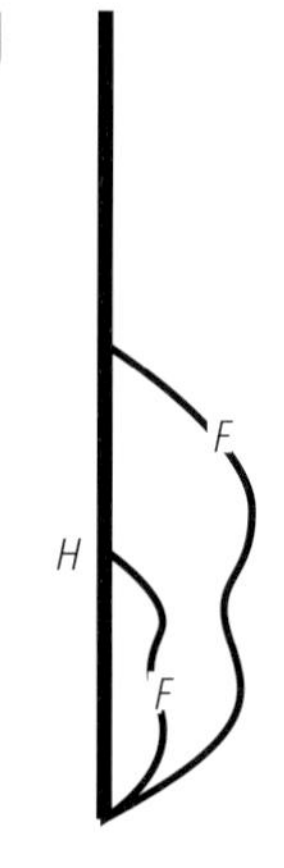


$F=\partial H^2$
F : Fullness; 비후정도
∂ : 변수
H : Height; 쌍꺼풀 높이

FIGURE 3-32 **쌍꺼풀 폭과 비후증과의 관계.** 비후정도(F)는 높이(H)의 제곱에 비례한다. ∂는 변수로서 환자의 눈꺼풀에 따른 비후경향 정도를 나타내는 것으로 피부가 두껍고 안륜근의 양이 많을수록 ∂가 커진다.
**A, B.** 비후증 성향이 높은 눈과 낮은 눈

A

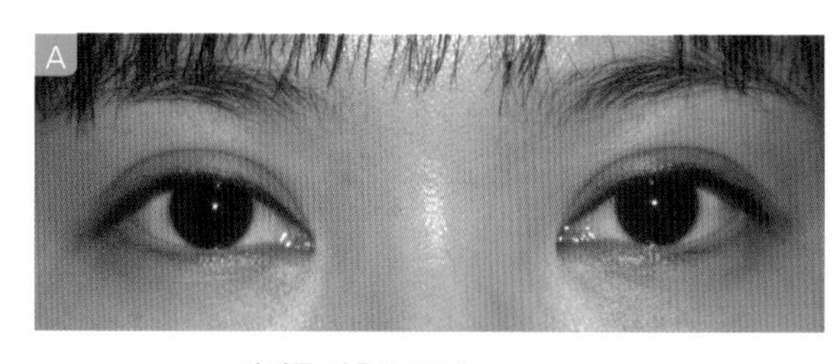

B

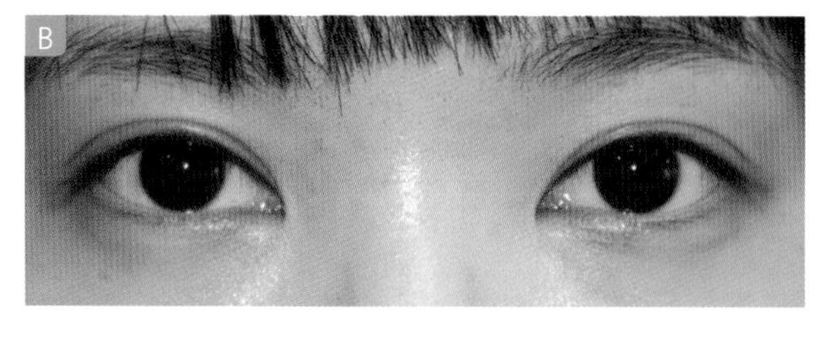

FIGURE 3-33 **쌍꺼풀 비후증 증례.**
**A.** 술 전. **B.** 술 후. 쌍꺼풀의 높이를 줄여 비후증을 교정한다.

mm로 줄이면 불과 1 mm 줄지만 비후증은 9/16 정도가 되어 거의 반으로 줄여 보이는 큰 효과가 나타난다. 쌍꺼풀이 비후해질 성향이 짙은 사람은 수술 전에 미리 부지로 만들어 보고 확인하여 비교적 폭이 작은 쌍꺼풀을 만드는 것이 좋다.

그 외에 비후해지는 원인으로는 2차 수술에서 쌍꺼풀선 아래 피판의 과다한 흉 조직을 들 수 있는데 이는 아래 피판의 과다한 박리나 안륜근의 과다절제나 소작술 등에 의해 흉 조직이 많이 형성되는 것이 원인이 되는 수가 많다.

## 비후증 교정

쌍꺼풀 아래의 불룩함을 교정하기 위해서는 쌍꺼풀 폭을 줄여야 한다. 흔히 쌍꺼풀 폭을 줄이지 않고 쌍꺼풀 폭 속의 안륜근등의 연조직을 제거하는 것으로 불룩함을 교정할 수 있다고 생각하는 경향이 있다. 그러나 그것이 뚜렷한 효과가 없다. 그 이유는 ① 제거한 자리에 섬유조직이 대신 들어차고 ② 섬유조직이 눈을 뜰 때 일어나는 피부의 아코디언 효과(눈을 뜰 때 선아래 주름이 지면서 폭이 줄어드는 현상)가 없어지게 작용하므로 오히려 비후증을 조장하는 경향이 있고 ③ 막상 눈을 뜰 때 보이는 쌍꺼풀의 폭은 아래 2-4 mm 정도인데 그 부분은 연조직 제거가 어렵다. 그곳엔 속눈썹의 모낭이 있고 marginal arterial arcade가 있어 연조직 제거가 여의치 않는 곳이기 때문이다.

비후증의 교정은 높은 쌍꺼풀을 낮은 쌍꺼풀로 고쳐서 해결하는 것이므로 높은 쌍꺼풀 교정 증례와 같은 것으로 보면 된다(FIGURE 3-33).

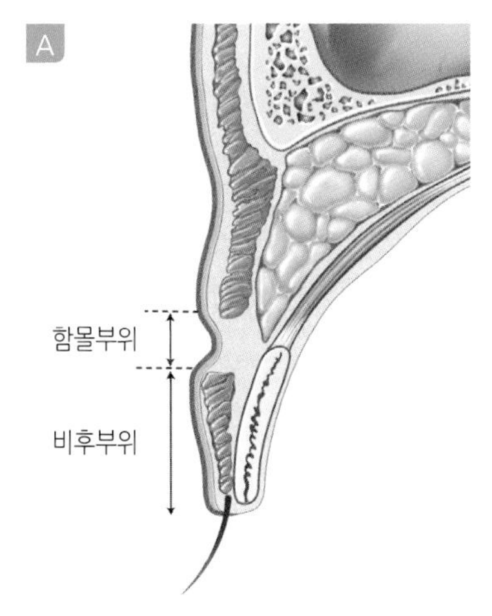


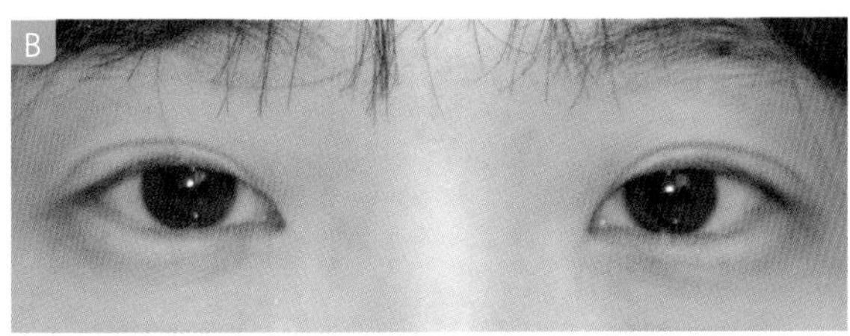


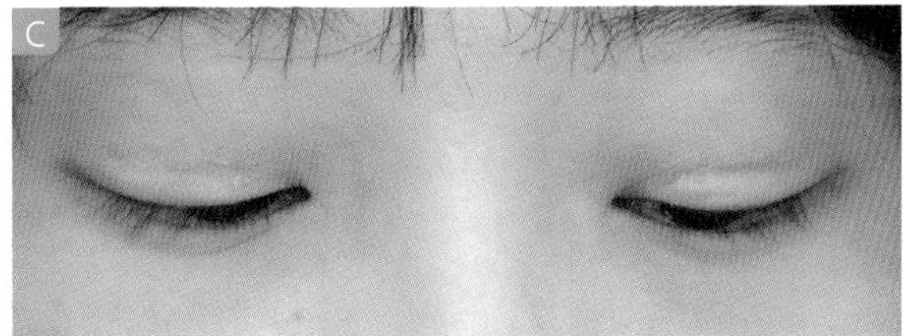


**FIGURE 3-34**

**쌍꺼풀 아래 피판에 안륜근을 심하게 제거하였으나 오히려 비후증이 심해진 사례.**

아래로 볼 때 쌍꺼풀 선 아래 2~3mm 정도 폭에서 안륜근 결손 부위가 있다.

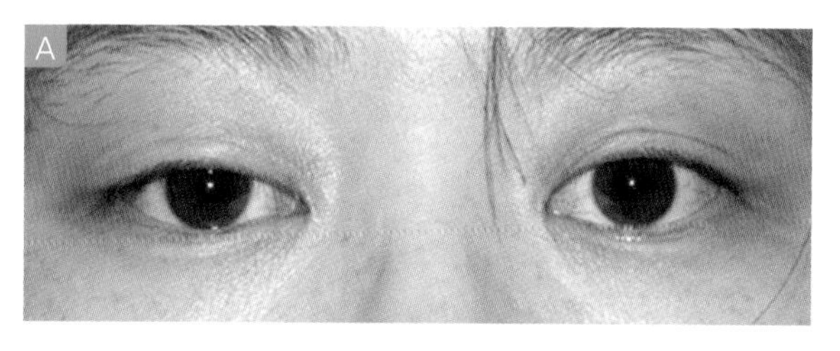
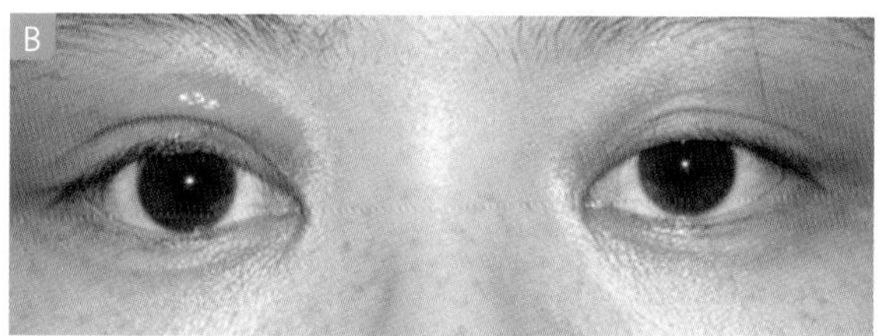

FIGURE 3-35 **눈 뜨는 기능이 달라 쌍꺼풀 크기가 다른 경우.** 수술 전후.

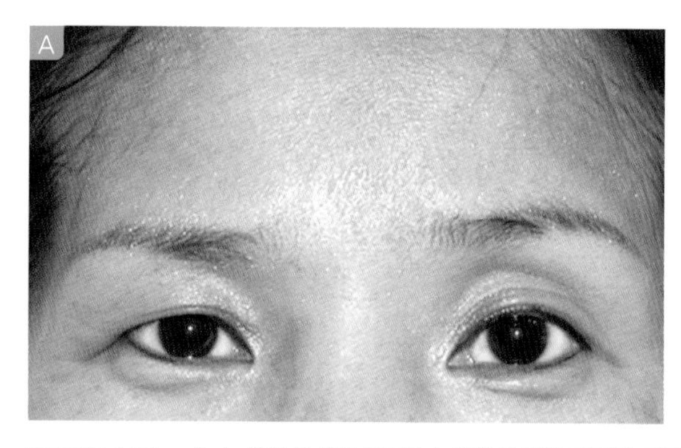
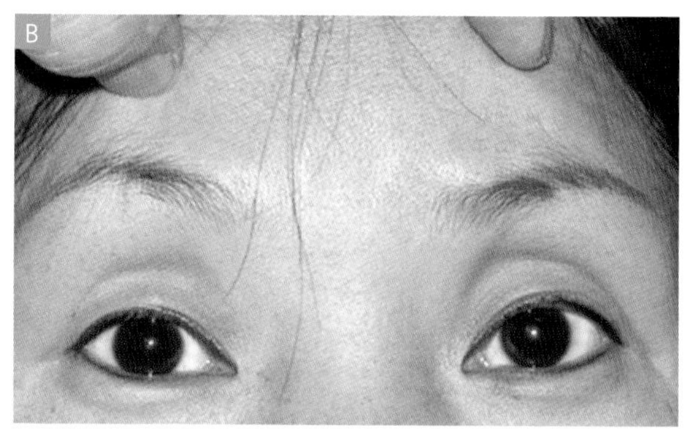

FIGURE 3-36 **A.** 눈썹의 위치가 다르고 눈꺼풀의 꺼진 정도가 다르기 때문에 쌍꺼풀크기가 달라 보인다. **B.** 양 눈썹을 손으로 똑같이 올려 보면 양눈의 크기가 비슷해진다.

## 쌍꺼풀 비대칭(ASYMMETRY OF DOUBLE EYELID)

원인으로

- 수술 전 비대칭 : 수술 전에 이미 양측 안검에 차이가 있었던 경우를 간과해서 일어나는 경우가 많으므로 수술 전 눈의 크기, 눈꺼풀 늘어짐, 눈썹의 높이, 속 쌍꺼풀의 비대칭 등에 대해 정밀한 검진이 필요하다.
- 수술로 인한 비대칭 : 전 수술과정, 즉 도안부터 피부절제, 연조직 제거, 고정 등의 전 과정에서 또는 치유과정에서 양측의 차이로 인해 발생할 수 있다.

### 수술 전 비대칭

먼저 수술 전 외견상 쌍꺼풀 폭이 다를 때는 다르게 보이는 원인을 파악하여 그 원인에 따라 교정 방법을 달리 하여야 한다.

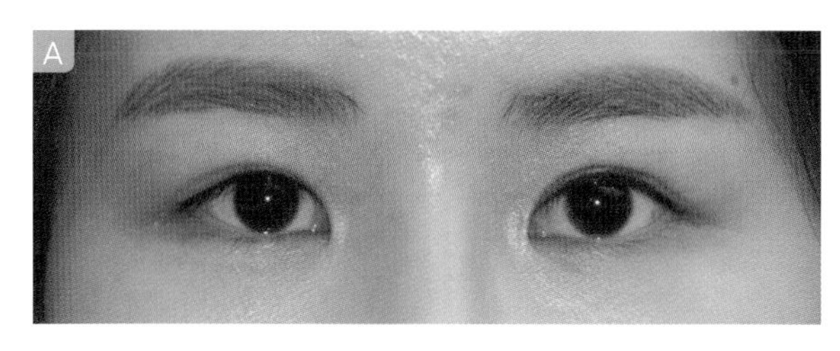

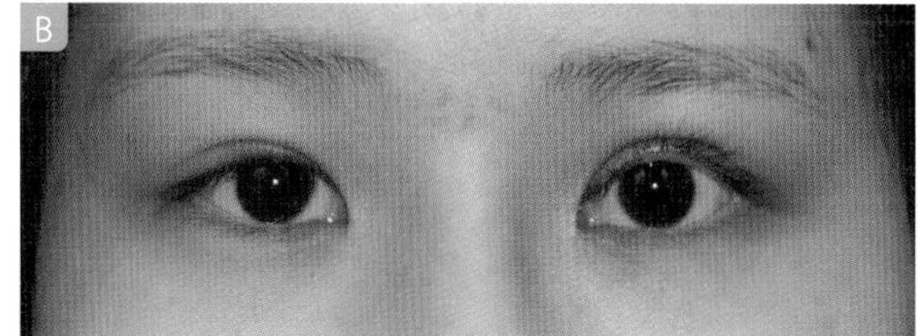


FIGURE 3-37 쌍꺼풀 깊이가 다르기 때문이다. 쌍꺼풀 폭이 다른 경우

원인으로

**눈뜨는 폭(안검열)이 다른 경우(안검하수)**(FIGURE 3-35)

상안거근의 기능이 다를 경우로 작은 쪽을 안검하수 수술을 통하여 눈 크기를 맞춘 후 쌍꺼풀 수술을 한다. 그러나 차이가 미세하고 환자가 안검하수 수술을 원치 않을 때는 눈 크기가 작은 쪽의 쌍꺼풀 선을 적당히 낮게 잡아서 쌍꺼풀 폭을 비슷하게 해 준다. 대체로 환자들은 눈 크기 비대칭보다는 쌍꺼풀 폭의 비대칭에 더 예민한 경향이 있다.

**상안검 피부의 처짐이 다른 경우**

쌍꺼풀 선은 같은 높이에 하고 처진 쪽의 피부 절제량을 좀 더 많이 하여 양쪽을 맞추어 준다(피부 절제량을 다르게 측정하는 방법은 2장의 피부절제 참조). 피부 절제량을 달리하지 않고 쌍꺼풀선의 높이를 달리함으로써 차이를 극복하려고 하는 것은 좋지 않다. 이는 기술상으로도 맞추기가 어려울 뿐더러 쌍꺼풀 폭을 primary position에서는 간신히 맞추었다 하더라도 하방주시(downgaze)나 상방주시(upgaze) 시에는 같지 않게 된다. 즉 하방주시 시에는 높게 도안한 쪽이 높게 되고 그로 인해 하방주시 시에는 높게 도안한 쪽의 검판전 비후(pretarsal fullness)가 문제가 되기 쉽다.

**눈썹(eyebrow) 위치가 다른 경우**(FIGURE 3-36)

물론 눈썹 위치를 같게 한 다음 쌍꺼풀 수술을 하는 것이 원칙이나 굳이 그렇게 하기가 힘들면 상안검 피부처짐이 다른 경우와 같이 눈썹위치가 낮은 쪽의 상안검 피부를 더 많이 절제한다. 이때 가장 큰 문제점은 눈을 감은 상태에서는 눈썹의 높이가 양쪽이 다르지 않다가 눈을 뜰 때 양쪽 눈썹의 높이가 다른 경우 눈을 감은 상태에서 도안을 하면 부정확할 수 있다는 점이다. 그러므로 환자가 눈을 뜨고 눈썹의 위치가 다른 상태에서 도안을 해야 정확한 피부절제량을 정할 수 있다.

#### 쌍꺼풀의 깊이가 다른 경우(FIGURE 3-37)

같은 높이의 쌍꺼풀이라 하더라도 쌍꺼풀 깊이가 양쪽이 다를 경우 깊은 쪽의 쌍꺼풀이 더욱 신전되어 폭이 넓게 보일 수 있다. 이런 경우에는 쌍꺼풀 높이는 그대로 두고 깊이만 교정하면 된다.

#### 눈동자가 함몰되거나 튀어나온 정도가 다른 경우

눈동자가 튀어나온 쪽의 쌍꺼풀 폭이 넓게 보인다. 그러므로 눈이 나온 쪽의 쌍꺼풀은 약간 낮게 도안한다.

## 삼겹 쌍꺼풀(삼꺼풀)(TRIPLE FOLD)

### 원인

#### 수술과 관계없이 생기는 경우(primary)

쌍꺼풀선보다 높은 곳의 피하지방이나 기타 지방조직의 감소. 주로 여려겹의 쌍꺼풀이 주름처럼 생긴다.

#### 일차 수술 후(after primary operation)

- 윗 피판의 안륜근 및 ROOF 등 연조직 과다제거(FIGURE 3-38)
- posterior lamella, 즉 검판 혹은 상거근 건막의 앞 조직 제거부위가 고정 위치보다 높을 때(FIGURE 3-39, 40). 그러므로 고정할 위치보다 높은 곳에 연조직을 제거하지 않아야 한다.

#### 2차 수술 후(after secondary operation)

- 높은 쌍꺼풀 혹은 깊은 쌍꺼풀 교정 후
- 상안검 퇴축 교정 후

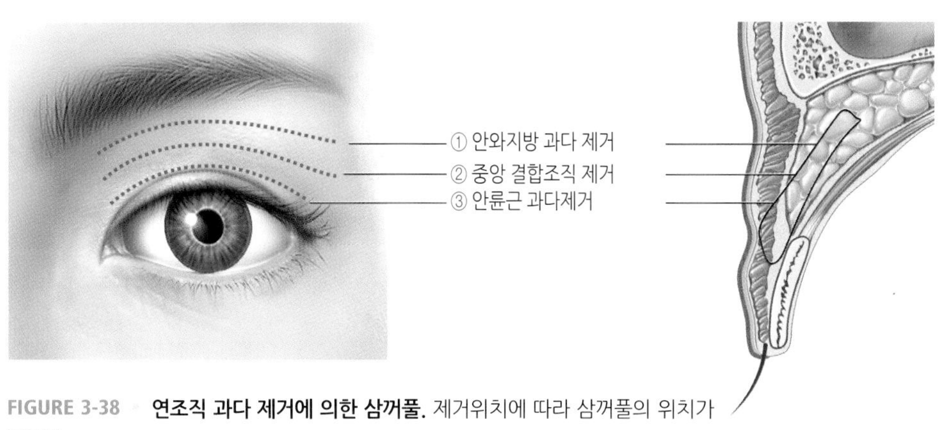


FIGURE 3-38 **연조직 과다 제거에 의한 삼꺼풀.** 제거위치에 따라 삼꺼풀의 위치가 다르다.

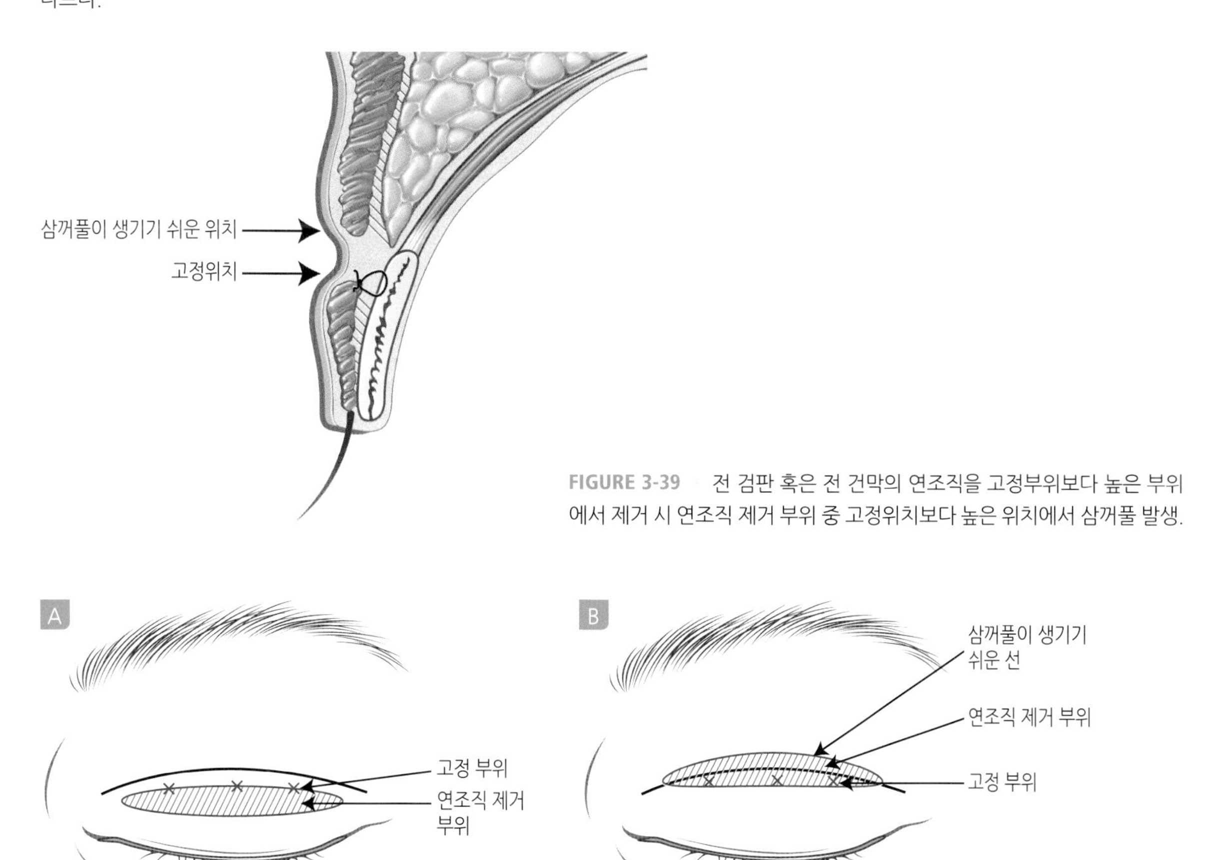


FIGURE 3-39 전 검판 혹은 전 건막의 연조직을 고정부위보다 높은 부위에서 제거 시 연조직 제거 부위 중 고정위치보다 높은 위치에서 삼꺼풀 발생.

FIGURE 3-40 **연조직 제거 부위가 고정 부위보다 높으면 삼꺼풀이 생길 수 있다.**
**A.** 연조직 제거 부위 중 최상단에 고정한다. **B.** 연조직 제거 부위보다 아래에 고정하면 연조직 제거 부위에서 삼꺼풀이 생길 수 있다.

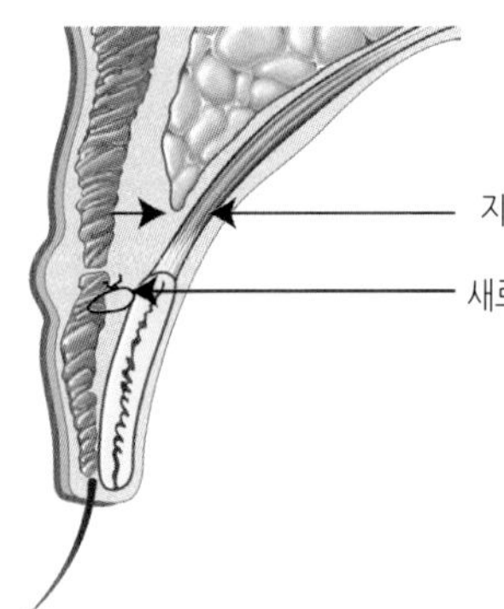


FIGURE 3-41 높은 고정 위치를 낮은 위치로 내린 후에 원래 고정 위치에 삼꺼풀이 발생하기 쉽다.

삼꺼풀이 생기는 원인을 ① 눈 수술과 관계없이 저절로 생기는 경우, ② 일차 수술 후, ③ 2차 수술 후로 나누어 볼 수 있다.

① 눈 수술과 상관없이 생기는 경우는 피하지방이나 기타 지방이 줄어들면서 쌍꺼풀 선 위에 새로운 쌍꺼풀이 생기는 경우인데 안와지방이 줄어들면서 생기는 경우는 안검함몰과 구별하기 어려운 때가 있다.

② 일차 수술 후 삼꺼풀이 생기는 원인으로는 절개선 윗 피판에 속한 연조직을 과다 절제하여 생길 수 있는데 이때는 절제된 연조직의 부위에 따라 삼꺼풀의 높이가 다르다. 즉 과다절제한 조직이 안륜근, 중앙 결합조직, 안륜근하 지방(ROOF), 안와지방에 따라 삼꺼풀의 선이 점점 높게 위치한다(FIGURE 3-38). 안륜근하지방(ROOF)을 제거하는 경우 내측 부위와 중앙 부위는 외측부위보다 삼꺼풀이 특히 잘 생기므로 제거할 때 신중해야 한다. 그러므로 중앙에서 내측으로는 ROOF를 가능한 한 적게 제거하는 것이 좋다. 또 다른 원인으로는 쌍꺼풀을 만들 때 통상 유착을 도와 쌍꺼풀이 풀어지지 않게 하기 위해 검판 앞이나 상거근건막 앞 부위의 연조직을 제거하는데 이때 고정할 위치보다도 상부의 연조직을 제거하면 고정 위치보다 상부에 유착이 생겨서 삼꺼풀이 발생할 수도 있다. 그러므로 이를 방지하기 위해선 고정하고자 하는 위치보다도 더 상부에 연조직을 과하게 제거하지 않도록 조심하여야 한다(FIGURE 3-39, 40).

③ 2차 수술 후 삼꺼풀이 생기는 것도 자주 볼 수 있는 현상중 하나인데 특히 높은 쌍꺼풀을 줄이거나, 깊은 쌍꺼풀을 얕게 하는 경우 원래 고정된 위치에서 삼꺼풀이 발생한다. 또한 상안검 퇴축의 교정 수술 후에도 삼꺼풀이 잘 생긴다. 그 기전은 이전에 있던 유착의 자리가 쌍꺼풀 선위로 올라가 있게 되므로 올라간 위치에서 새로운 유착을 일으키기 때문이다(FIGURE 3-41, 42)(높은 쌍꺼풀교정에서 실패 원인 참조).

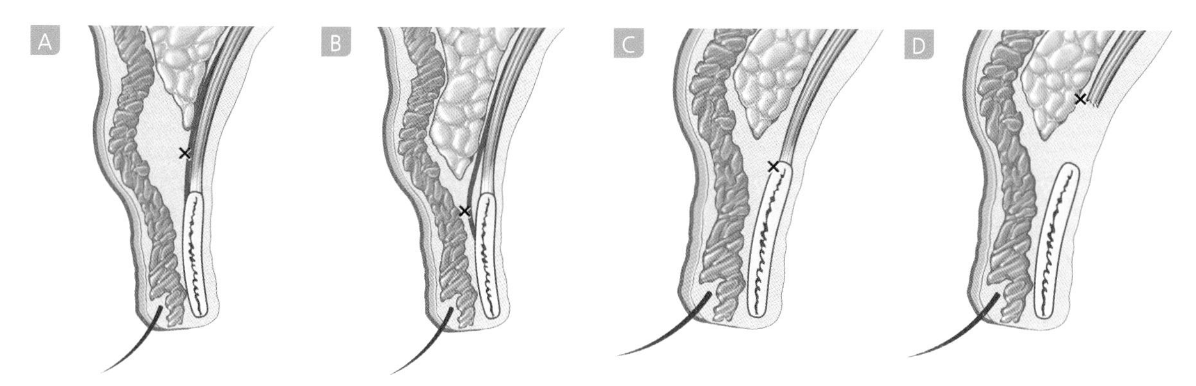


FIGURE 3-42 **A.** 안검하수 수술 전. **B.** 안검하수 수술 후. 안검하수 교정을 하면 쌍꺼풀 고정 위치가(× 표시) 내려오게 되므로 삼꺼풀이 쉽게 교정되고 재발이 방지된다. **C.** 퇴축 수술 전. **D.** 퇴축 수술 후. 같은 원리에 의해 반대로 안검퇴축 수술 시 상거근을 후퇴(recession) 시키므로 고정위치(× 표시)가 올라가게 되는데 올라간 고정 위치에서 삼꺼풀이 생기기 쉽다.

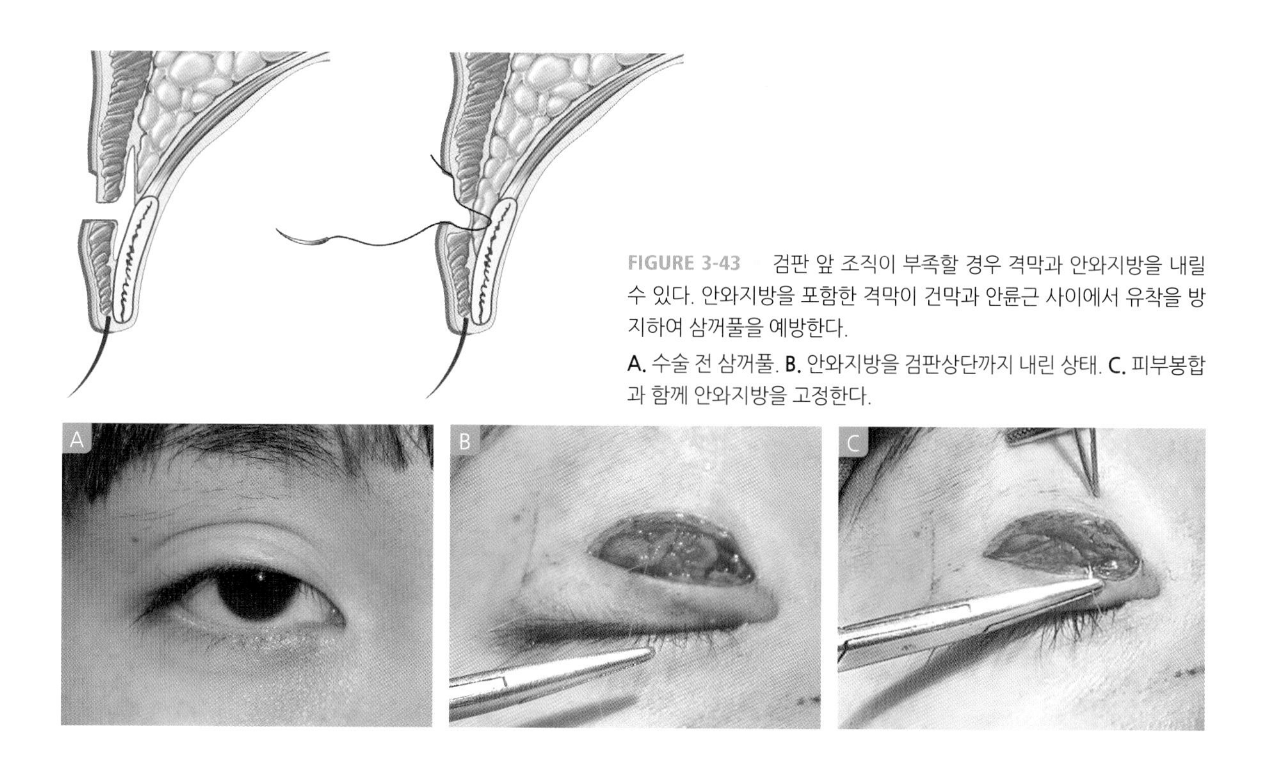


FIGURE 3-43 검판 앞 조직이 부족할 경우 격막과 안와지방을 내릴 수 있다. 안와지방을 포함한 격막이 건막과 안륜근 사이에서 유착을 방지하여 삼꺼풀을 예방한다.

**A.** 수술 전 삼꺼풀. **B.** 안와지방을 검판상단까지 내린 상태. **C.** 피부봉합과 함께 안와지방을 고정한다.

## 교정방법

삼꺼풀이 희미한 경우엔 유착이 경미한 경우이므로 그 선을 따라 지방을 주사한다. 가끔 눈이 부을 때 삼꺼풀이 사라질 때도 있다는 경우에 해당된다. 대부분의 경우엔 절개선을 통해 유착을 풀어주면서 재유착을 방지하기 위한 예방 조치를 확실히 하여야 한다.

### *수술방법*

- 먼저 유착부위를 풀어준다.
- 상거근건막과 격막 사이를 박리하여 기존의 유착을 모두 풀어주고 그래도 삼꺼풀이 사라져서 해결되지 않은 경우엔 안륜근후 근막(postorbicularis fascia)과 격막사이를 박리하는데 이때는 보다 넓게 위로 박리하여 유착을 풀어준다.

### *다시 유착이 일어나는 것을 방지하기 위한 작업*

- 격막과 안와 지방을 아래 검판 부위로 내려 안륜근과 거근사이 즉 anterior lamella와 posterior lamella 사이에 gliding 층을 형성하여 재유착을 예방한다(**FIGURE 3-43**).
- 유착이 있던 부위의 안륜근 후근막(postorbicularis fascia)과 안륜근을 아래로 당겨 검판에 걸어준다(**FIGURE 3-44**).
- 상부의 안륜근과 피부의 근피판으로 roll을 만들어 삼꺼풀의 재발을 방지한다. 방법은 피부 봉합 후 절개선 바로 아래 피부를 바늘이 통과하여 안륜근 아래 층으로 상피판까지 올라가서 다시 피부로 나올 때 피판이 불룩하게 세워지도록 하여 삼꺼풀이 생기기 쉬운 자리가 불룩하게 솟아나게 한다(**FIGURE 3-45**).
- 피부 봉합 후 삼꺼풀이 생기기 쉬운 자리에 두꺼운 테잎을 붙여 주는 것도 예방이 될 수 있다. 통상 저자는 두꺼운 테잎을 먼저 붙이고 나서 근피판 roll을 만드는 suture를 하는데, 이 방법은 테잎 위로는 tie을 강하게 할 수 있어서 보다 효과적이다(**FIGURE 3-46**). 앞에서 설명한 바와 같이 안검퇴축(retraction) 교정술 후 삼꺼풀이 잘 생기는 것과 반대로 삼꺼풀 교정수술을 할 때 안검하수 교정술을 같이 하면 삼꺼풀 재발이 잘 일어나지 않는다. 그러므로 삼꺼풀 수술을 할 때는 안검하수정도가 심하지 않더라도 가능한 한 안검하수 교정 수술을 하는 게 도움이 된다.

**WAIT A MINUTE!**

#### 꼬치끼기

우리의 민속음식 중에서 산적이라고 대나무 꼬치에 여러 가지 육류와 채소류를 다양하게 끼워서 요리하여 먹는 음식이 있다. 삼꺼풀을 방지하기 위해서 하나의 바늘을 꼬치처럼 이용하여 여기에 지방 ,격막, 안륜근, 안륜근 근막(posterior orbicularis fascia), 흉조직 등 포함할 수 있는 부근의 여러 조직과상 피판(upper flap)과 함께 끼워서 상피판 하단을 최대한 두껍게 하여 삼꺼풀을 방지하는 강력한 방법을 말한다(**FIGURE 3-44**).

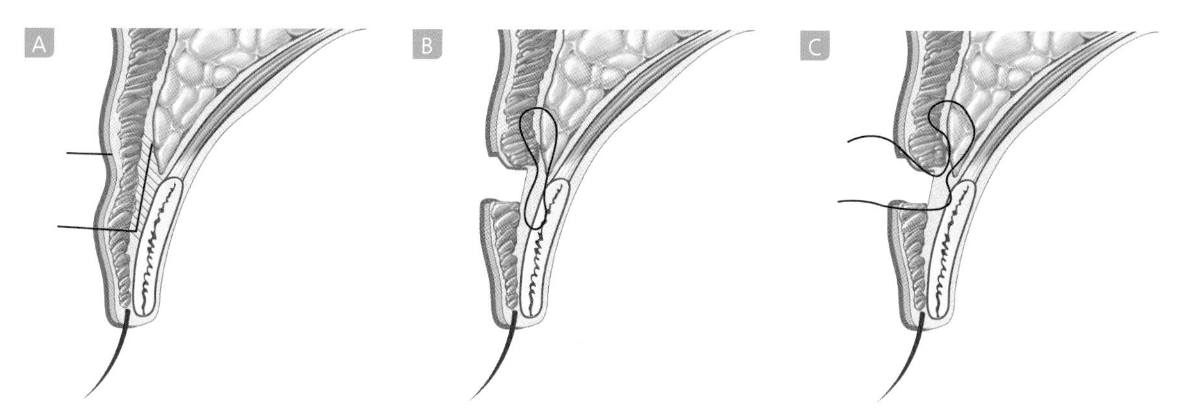


FIGURE 3-44 **삼꺼풀 예방 혹은 교정법.**

**A.** Preaponeurotic dissection. **B.** Oculi muscle and orbital fat interposition. **C.** Oculi muscle and orbital fat interposition during skin suture.

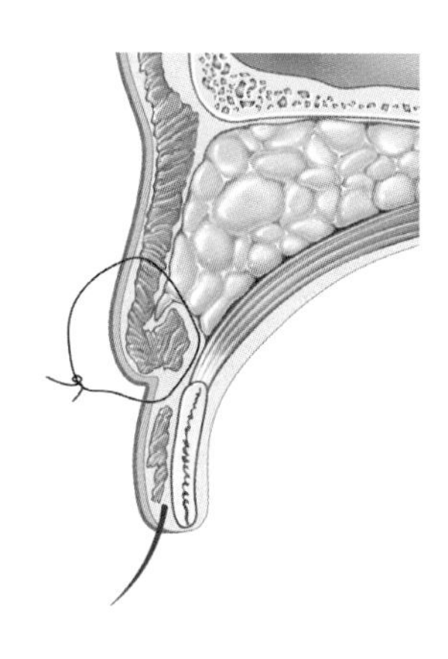

FIGURE 3-45 **삼꺼풀 예방 혹은 교정법.**

피부 안륜근판 roll 만들기.

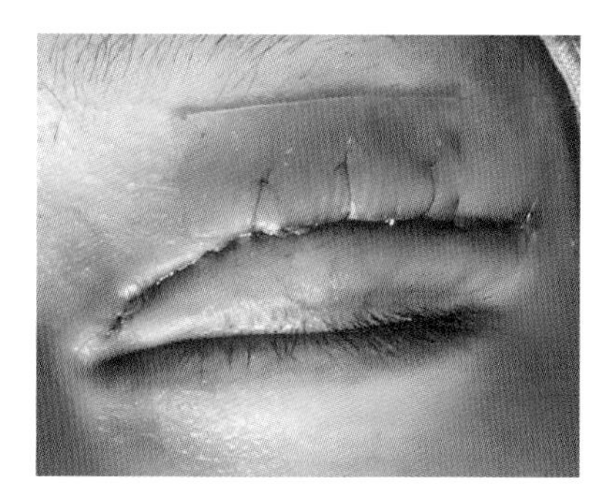

FIGURE 3-46 삽겹풀이 생기기 쉬운 자리에 테이프를 붙여 준다. 테잎을 먼저 붙이고 그 위에 roll을 만드는 봉합을 한다.

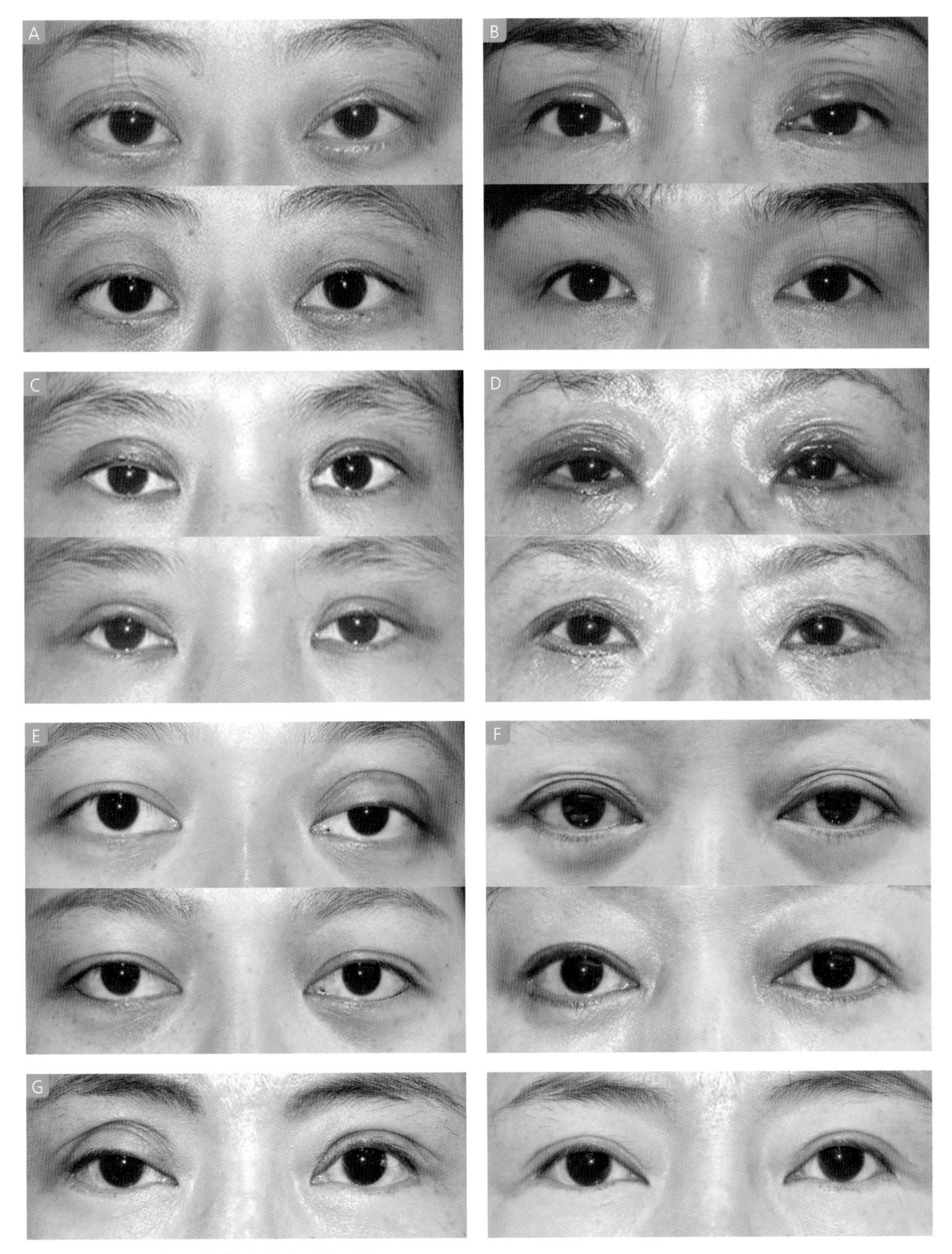


FIGURE 3-47 수술로 인한 삼꺼풀 증례. 수술 전후

### 수술 후 처치

삼꺼풀 교정 수술 후 재발 위험성이 있거나 높은 쌍꺼풀 혹은 깊은 쌍꺼풀 등의 교정 후 삼꺼풀 발생 가능성이 의심되면 수술 후 당일은 눈을 뜨고 있도록 한다. 그래서 냉찜질도 하지 않는다. 붓기가 있을 때는 삼꺼풀이 없다가도 붓기가 빠지면서 삼꺼풀이 발생하는 경우, 희미한 삼꺼풀은 테이프를 오래 붙이거나 마사지가 효과적일 수도 있다.

## 안검함몰 및 삼꺼풀(SUNKEN EYELID AND TRIPLE FOLD)

### 안검함몰

안검함몰은 일차적으로 안와지방이나 기타 연조직의 부족 때문에 생길 수 있고 지방을 과다 제거하거나 표면 조직과 심부조직의 유착으로 인해 함몰이 발생할 수 있다. 안검함몰은 아래 부분에 쌍꺼풀이 생기는 것을 방해해서 쌍꺼풀이 풀어지게 할 수도 있고 그 자체로 삼겹쌍꺼풀을 만들 수도 있다.

#### 교정 방법

지방이나 진피지방 또는 근막과 같은 연조직을 이식하는 방법이 있다. 이식의 위치는 안륜근이나 결합조직 속에 지방주사를 하는 방법, 진피지방이식이나 측두근막 등의 자가조직을 격막 앞에 이식하는 방법, 격막 뒤로 이식하는 방법이 있다(FIGURE 3-48).

**안륜근 후방 조직(ROOF)에 이식**

안륜근과 격막 사이에 지방을 이식하면 표면이 울퉁불퉁해질 가능성이 적다. 이 때 상거근에 주사되어 안검하수가 발생하지 않도록 주사하여야 한다. ROOF에 주사하는 경우엔 이식지방의 무게로 인하여 안검하수가 약간 발생하는 경우가 있는데 대부분 시간이 지나면서 회복이 된다. 하지만 비록 일시적이라도 안검하수 정도를 줄이기 위한 방법으로 지방주사 시 환자가 눈을 크게 뜨게 하여 상거근이 안와 속으로 들어간 상태에서 눈꺼풀을 손으로 위로 당긴 위치에서 골막 위로 주사하면 지방무게의 영향을 덜 받게 된다(FIGURE 3-49). 그리고 지방주사 이식 후 흔한 합병증으로 눈을 뜰 때는 꺼져 보이지만 감은 상태에서는 반대로 불룩해 보이는 현상이 있다. 이를 방지하기 위해서도 역시 눈을 크게 뜬 상태에서 지방이식 한다.

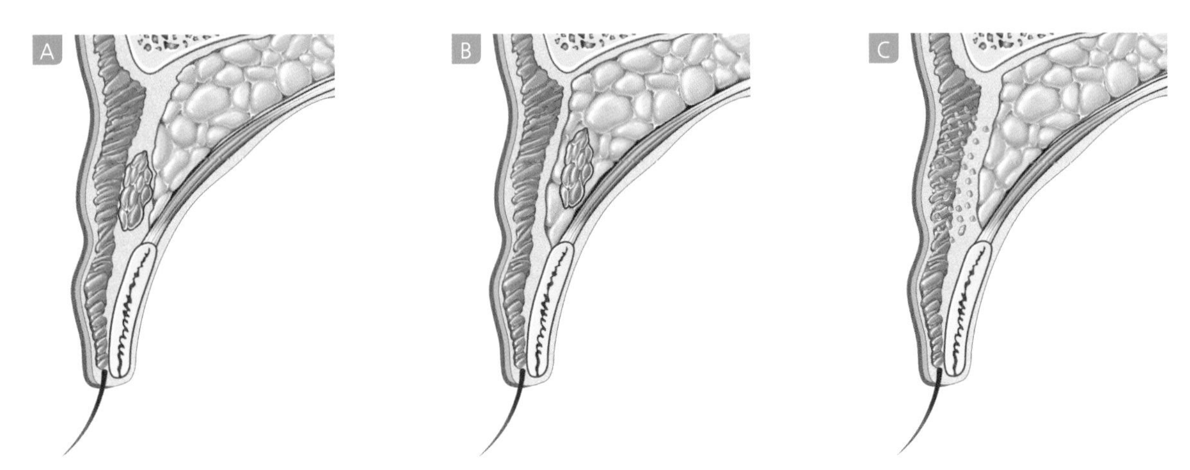

FIGURE 3-48 **안검 함몰 시 지방이식 위치.**
**A.** 안륜근 하 조직에 유리 진피 지방 혹은 지방이식. **B.** 격막 후방 지방이식. **C.** 안륜근 하 조직에 유리 지방 주사.

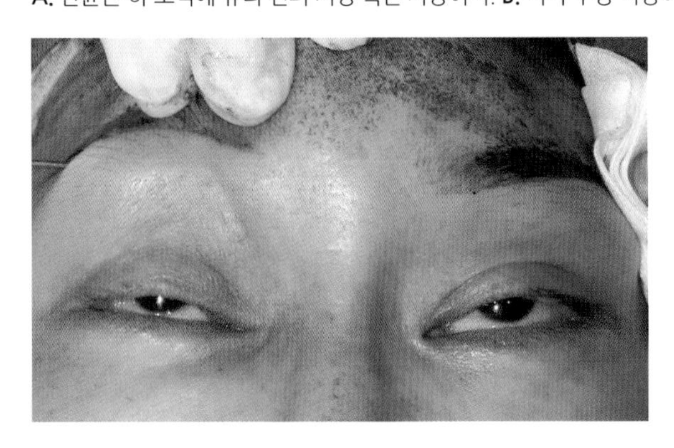

FIGURE 3-49 **Roof 조직에 지방주사 하는 방법.**
환자가 위로 보게끔 하여 상거근이 안와속으로 들어가게 하고 눈꺼풀을 위로 당긴 상태에서 골막위로 주사하여 지방이 거근에 접근하지 않도록 한다.

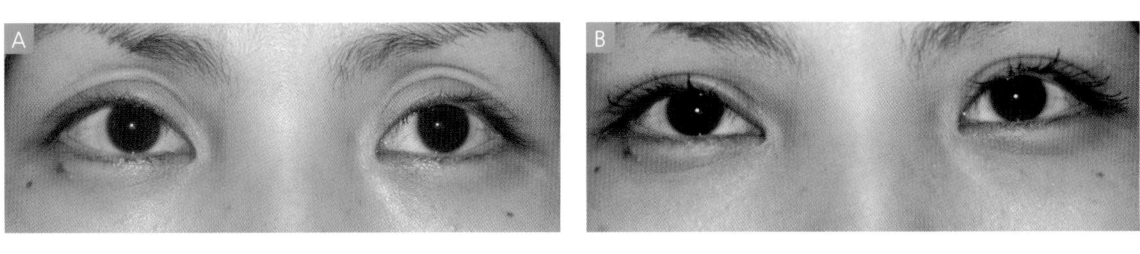

FIGURE 3-50 **지방주사에 의한 안검함몰 교정. A.** 수술 전. **B.** 수술 후.

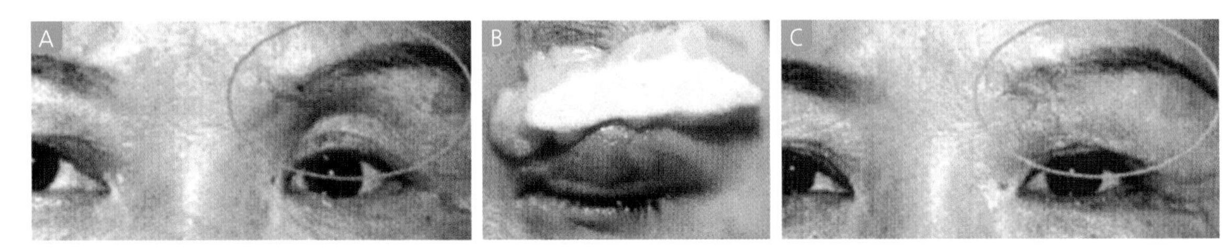

FIGURE 3-51 **안검 함몰 진피 지방이식. A.** 수술 전. **B.** 수술 중. **C.** 수술 후.

### 안륜근 속으로 직접 지방주사

지방이식으로 인하여 표면이 울퉁불퉁해질 우려가 있다. 안륜근속으로 지방 주사하는 것은 삽겹풀의 원인이 매우 얕은 층-피하층이나 안륜근층의 유착으로 인한 것일 경우에는 효과가 있지만 보통의 경우에는 지방이식으로 인해 표면이 울퉁불퉁해질 우려가 있어 선호하지 않는다(FIGURE 3-50).

### 격막 뒤쪽으로 지방주사

이 방법은 절개창을 통하여 격막을 보면서 격막을 뚫고 안와골 천장아래로 주입하는 방법으로 생착이 좋고 표면이 울퉁불퉁하지 않고 다른 방법에 비해 눈을 감았을 때 눈두덩이가 불룩해지는 현상이 비교적 적은 것이 장점이다. 하지만 거근과 가까워 거근과의 작은 유착으로도 안검하수가 발생할 수 있다.

## 안검하수

상안검 성형수술 후 부종으로 인해 경도 혹은 중증도의 안검하수가 일시적으로 있을 수 있지만, 수술 후 수일간 관찰해 보았을 때 안검하수가 심하면 수술 도중 상안검거근 손상이나 거근 건막을 절단했을 가능성을 고려해 보아야 한다(FIGURE 3-52).

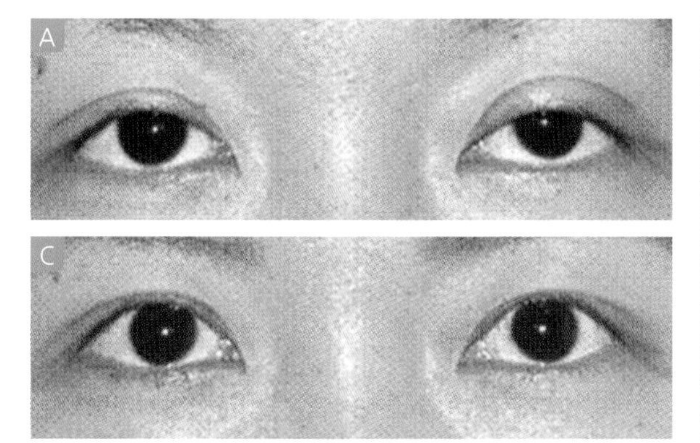

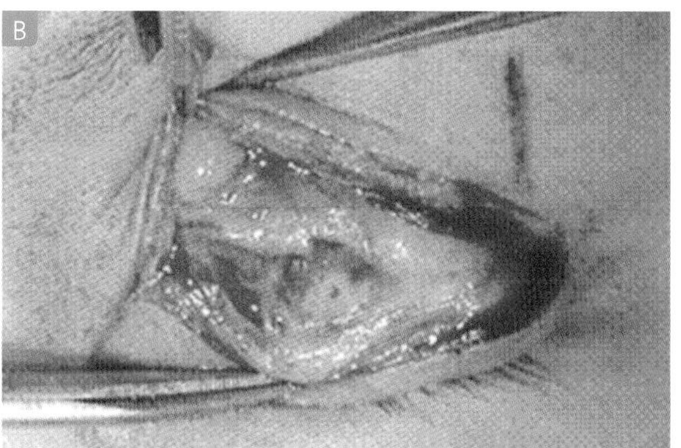


FIGURE 3-52 **양측 외상성 안검하수 수술 증례.**
A. 술 전. B. 수술 중 상안거근이 탈 부착된(disinserted) 상태. C. 술 후.

간접적으로 점상 출혈에 의한 섬유화나 유착 때문에 안검하수가 생길 수도 있다.

또한 쌍꺼풀을 만들 시에 유착을 돕기 위해 검판 위에 있는 연조직을 제거할 때 상거근 건막의 일부를 제거하는 수가 있는데 검판 하부에서 제거한 것은 문제가 없지만 검판 상단에서 제거하는 경우엔 거근 건막이 검판에서 분리될 수가 있나. 이 경우 당장엔 뮬러근이 지탱하기 때문에 안검하수가 생기지 않지만 건막이 검판에서 떨어진 채로 수년이 경과하여 뮬러근이 늘어지고 얇아짐에 따라 안검하수가 생길 수 있으므로 검판 상단의 건막을 제거하는 것은 유의하여야 한다.

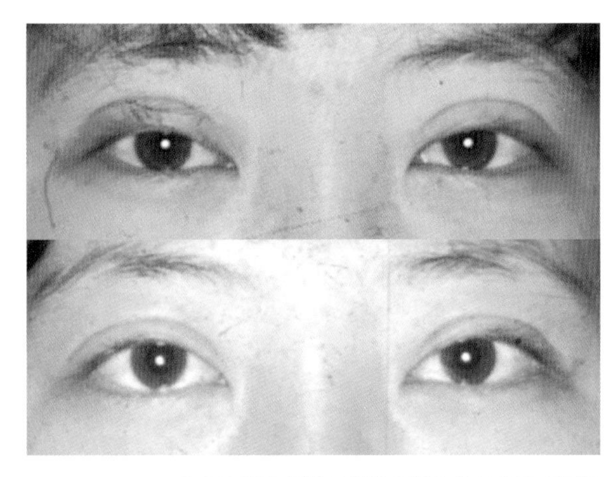

FIGURE 3-53 상단의 격막 주변 조직의 유착을 풀어 주면 저절로 눈 크기가 커진다.

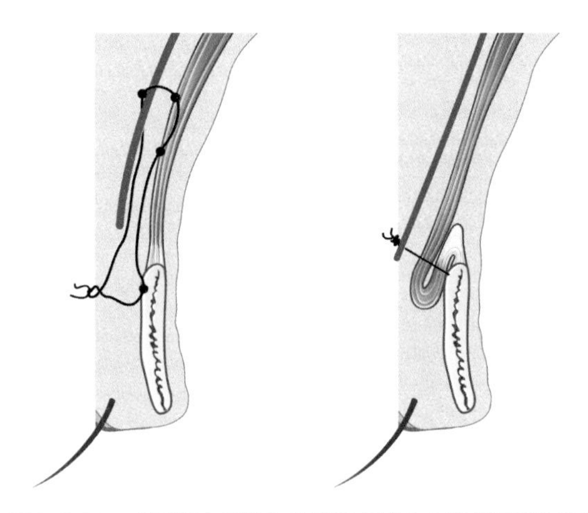

FIGURE 3-54 **안검하수 교정술 중 뮬러 주름 수술 및 상거근건막 전진술.** 붉은 표시 조직 - 거근건막, 황맥 표시 조직 - 뮬러근.

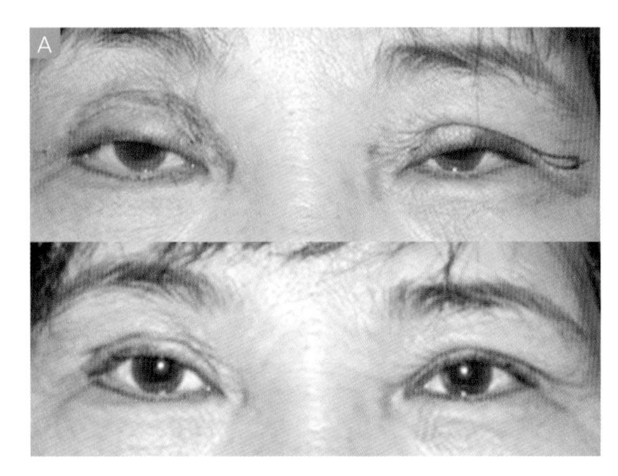


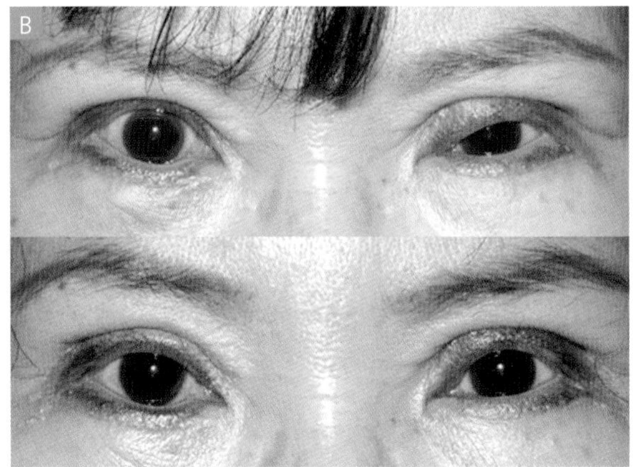


FIGURE 3-55 **수술 후 발생한 안검하수의 교정례. A.** 수술 전. **B.** 수술 후.

상안검 거근이 나이가 들면서 약화되어 경미한 안검하수가 있으면 눈꺼풀 피부처짐과 혼동되어 모르고 지내는 수가 있고 전두근의 대상 작용이 강하면 간과하기 쉬운데 쌍꺼풀 수술 후에 안검하수가 있는 쪽 눈이 쌍꺼풀 폭이 넓어지고 양쪽이 비대칭 되고 나서야 인식하는 수가 있다. 그러므로 나이 많은 환자의 경우엔 눈꺼풀 처진 것을 손으로 거상한 후 상안거근의 기능 검사를 실시하고 안검하수에 대한 평가를 정확히 하는 것이 바람직하다. 특히 나이 많은 사람의 경우엔 피부가 처져서 안검열이 작아보이는 것과 안검하수에 의해 안검열이 작아지는 것을 구별해야 한다. 술 중 상안거근이 손상된 경우엔 안검하수 정도를 보고 어느 조직을 어느 정도 전진시켜야 할지 신중히 생각해야 한다. 이때는 상거근이나 뮬러근이 벌어져 당겨져 올라가 있으므로 전층을 정확히 당겨서 철저히 봉합해주는 것은 물론이거니와 단순봉합만으론 부족하고 지난 번 수술 후 약간은 뮬러근이 늘어진 것을 생각하여 상거근을 약간 중복하면서 단축해야 한다.

그리고 매우 상단에서 격막 주변조직의 유착이 있는 경우엔 그것으로 인해 상거근의 활동에 장애가 생겨 안검하수가 생길 수가 있는데 이때는 유착을 풀어주고 아래로 고정하면 상거근의 운동이 자유롭게 되어 눈 크기가 커지는 것을 볼 수 있다(FIGURE 3-53).

수술 후 외상으로 발생한 안검하수일 경우는 일반적인 안검하수와 같이 수술하는데 선천적인 안검하수와 다른 점은 선천성 안검하수는 병리학적으로 보면 상거근의 섬유화 같은 질적인 안검하수이며 수술로 인한 외상성 안검하수는 상거근이 파열과 같은 기계적인 안검하수와 상거근 외상성섬유화 같은 질적인 변형의 혼합이기 때문에 파열쪽이 심한지 섬유화 쪽이 심한지에 따라 상거근의 전진 정도를 가감해야 한다(5장 안검하수 참조).

*비교*

- 선천성 안검하수: 상거근의 병리학적(질적) 이상
- 수술로 인한 외상성 안검하수: 외상성 섬유화(질적이상)와 건막의 파열 두가지가 원인이다. 이 중 어느 것이 주원인인지를 잘 파악하여야 한다.
- 노인성 안검하수: 파열이 주된 원인이며 약간의 질적인 변화 동반

그리고 수술로 인한 외상에 의해 안검하수가 생긴 경우는 대개 거근이 흉조직으로 인해 섬유화되어 거근 기능이 약화되어 활동량(range of motion, levator function)이 줄어 있기 때문에 교정수술 후 눈크기는 교정되지만 안검지체(lid lag)나 토안증(lagophthalmos)이 마치 선천성 안검하수 수술 후와 같이 발생할 수 있다는 점을 사전 주지시켜야 한다. 교정방법으로 경한 경우엔 거근 복합체 주름술(levator plication, Under through technique) 또는 뮬러

주름법과 상거근건막 전진술(Müller tuck and aponeurosis advancement)을 시행하고(FIGURE 3-54) 흉 조직이 많은 경우엔 보다 견고하고 재발이 적은거근 단축술을 시행한다.

 **WAIT A MINUTE!**

**쌍꺼풀 수술 중에 안검하수가 발생했다. 이때 안검하수 교정수술을 시행해야 할까?**

눈 수술 중에 안검하수가 발생하면 대부분의 경우 국소마취제나 부종 때문으로 생각해야한다. 설사 거근복합체의 일부에 열상이 있더라도 당장에 안검하수가 발생하지는 않는다. 예를 들면 건막(aponeurosis)의 열상만으로는 안검하수가 발생하기에는 수년이 걸릴 수 있고 Müller근이 50% 두께의 열상이 있는 경우에도 안검하수가 당장 나타나지는 않고 하루나 그 이상이 걸릴 수 있다. 또한 이를 다르게 설명하면 거근 복합체에 열상이 있을 경우, 수술당시 안검하수가 발생하지 않는다고 해도 이를 방치해두면 안 된다.

## 쌍꺼풀을 없애길 원할 때

환자가 수술 후 쌍꺼풀이 마음에 들지 않아 쌍꺼풀을 없애기를 원하는 경우가 있는데 쌍꺼풀을 없앨 때 생길 수 있는 문제점을 환자에게 잘 설명해야 한다.

***쌍꺼풀을 풀고 생길 수 있는 문제점***

- 쌍꺼풀이 없으므로 눈을 뜰 때 흉이 감추어지지 않는다.
- 세월이 지나면서 쌍꺼풀이 다시 생길 수 있다.
- 쌍꺼풀 있던 자리에 흉 조직으로 인해 눈꺼풀이 비대해질 수 있다. 특히 쌍꺼풀이 다시 생길 것을 방지하기 위해 안와지방과 격막을 유착되기 쉬운 자리에 끼우기, 지방이식 등의 방법을 통해 눈꺼풀이 비대해질 수 있다. 그러므로 쌍꺼풀 푸는 수술을 하면 수술 전 상태와 똑같게 돌아갈 수는 없다는 것을 인식 시켜야 한다.

저자는 이런 단점을 보완하기 위해 쌍꺼풀을 없애기보다는 거의 보이지 않게 속 쌍꺼풀을 권하는 편이다.

***수술방법*** (FIGURE 3-56)

- 쌍꺼풀 선을 따라서 절개한다. 피부 여유가 있으면 높은 쌍꺼풀을 최대한 낮추듯이 낮은 선을 그리고 그 사이 피부를 절제한다.

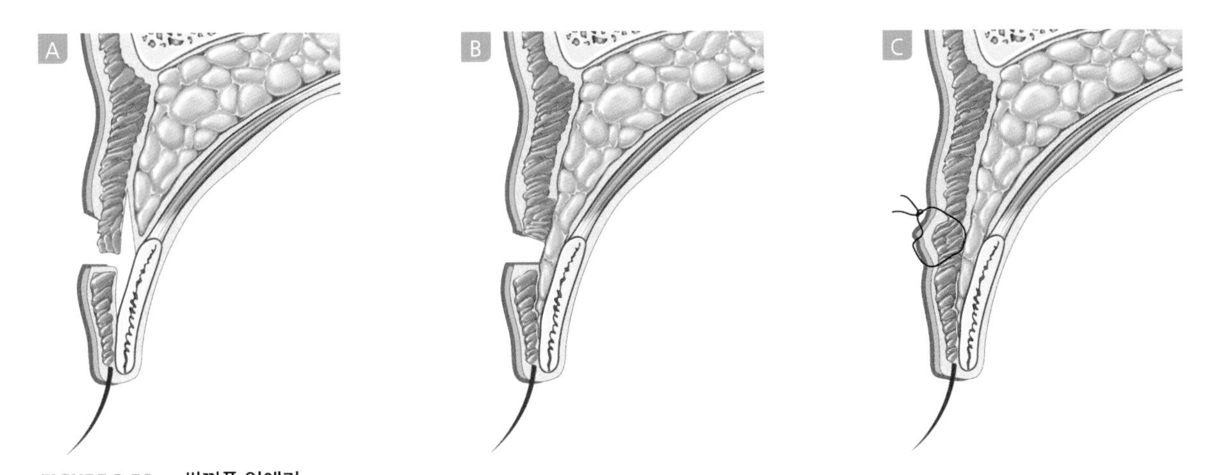

FIGURE 3-56 **쌍꺼풀 없애기.**
A. 흉조직 제거. B. 유착풀기와 안와지방 끼워넣기 등의 재발방지. C. 피부와 안륜근을 vertical mattress suture.

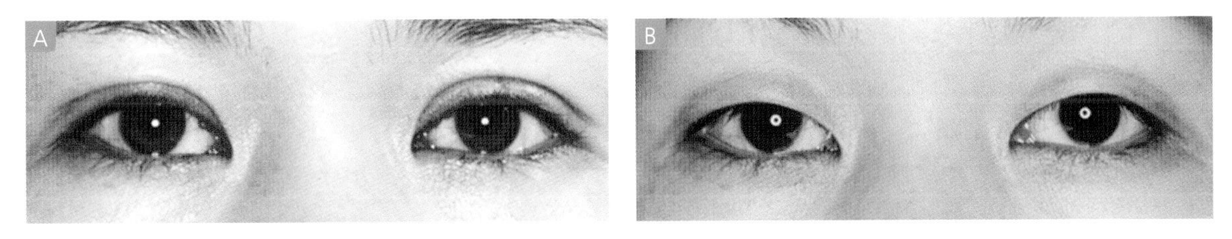

FIGURE 3-57 **원치 않는 쌍꺼풀을 없앤 수술 전후.** A. 수술 전. B. 수술 후.

- 쌍꺼풀의 고정 부위에서의 유착을 푼다. 이것은 높은 쌍꺼풀 교정 방법과 같다.
- 다시 쌍꺼풀이 생기는 것을 막기 위해 '삼꺼풀 교정'에서 설명한 여러 가지 방법을 동원한다.
- 피부봉합은 eversion되게 하고 봉합부위에 테이프를 2주 이상 붙여 둔다.
- 피부 마사지를 해 준다(FIGURE 3-57).

## 불만족스러운 쌍꺼풀의 조기 교정술(FIGURE 3-58)

상안검 수술이 어려운 이유는 상안검은 어느 기관보다도 매우 활발히 움직이면서 수술 후 일정기간 동안 모양이 많이 변화하는 기관으로 그 변화하는 양상이 환자에 따라 다르고 술자의 술식에 따라 다르므로 그 변화를 예측하고 미리 대비하여 조정하는 것이 매우 어렵기 때문이다. 2차 교정 시기는 1차 수술 후 상처가 어느 정도 성숙(wound maturation)한 걸로 생각되는 수술 후 6개월 이후에 시행하는데, 체질적으로 문제가 있거나 수술을 여러 번 시행한 경우에는 7-8개월이나 1년 이후에 절개선의 붉은 빛이 사라지고 상처가 부드러워진 다음에 수술하는 것을 원칙으로 하고 있다. 상처가 미성숙된 시기에 수술을 피하는 이유를 다음과 같이 열거해 볼 수 있다. 미성숙 조직을 수술하면 비후성 반흔이 생기기 쉽다. 이것은 피부뿐만 아니라 내부에도 비후성 조직이 형성될 수 있다. 비후성과 함께 수축기능도 강해진다. 미성숙된 조직이 강직되고 탄력성이 없고 붓기가 남아 있어 다루기 힘들다. 그러므로 안검하수의 경우는 조직이 쉽게 느슨해지기 때문에 저 교정이 되기 쉽다. 심한 수축 작용으로 인해 외반증이 심해지는 경향이 있다. 또한 마취가 잘 안되어 많은 마취액으로 인해 모양의 변이가 생길 수 있다. 그리고 상처가 성숙될 때까지는 결과가 유동적이므로 결과가 완전히 정착된 다음 수술하는 것이 정확하다는 견해를 들 수 있다. 그러나 수술의 결과가 매우 비참하여 정신적인 압박이 과중하거나 정상적인 사회생활이 불가능한 경우에는 6개월 이상 기다리는 것이 환자에게 큰 고통이라는 것을 생각할 때 환자의 회복 기간을 줄여줌으로써 환자와 좋은 관계를 유지할 수 있다는 점에서 조기교정을 고려할 수 있다. 또한 조기교정의 장점으로 합병증에 따라서 조기교정이 잘못된 점을 찾아내기도 쉽고 술기상 더욱 편리한 경우도 있다. 또한 조직이 완전히 아물은 상태가 아니므로 가위를 사용하기 보다는 두개의 포셉을 사용하여 조직을 벌려서 박리함으로써 1차 수술에서 실패한 원인을 찾아내기가 쉽다는 점이 있다. 수술 후 한달에서 한달 반 이전에는 포셉으로 박리가 가능하다.

특히 안검하수와 상안검퇴축의 경우는 2주 이내에 눈 크기가 거의 결정되므로 조직이 완전히 유착되기 전에 실을 풀고 전진된 양을 조정하는 것이 기술상 쉽고 좋은 결과를 얻는 데 유리하다. 삼꺼풀의 경우 상처가 성숙되기 전에 조기 수술하는 것은 비록 유착을 잘 풀어 두어도 다시 삼꺼풀이 생기려는 경향이 매우 강하므로 조기수술의 실패율이 높다. 하지만 안검하수 수술과 같이 한다면 성공률이 높기 때문에 자주 시도하는 편이다.

조기 교정을 요약하면

- 비후성 반흔을 일으키기 쉽다. 내부에도 많은 비후성 조직이 형성되어 부드럽지 못하다. 비후성 조직의 과다 형성을 예방하기 위해 희석된 트리암시노론을 뿌려 준다.

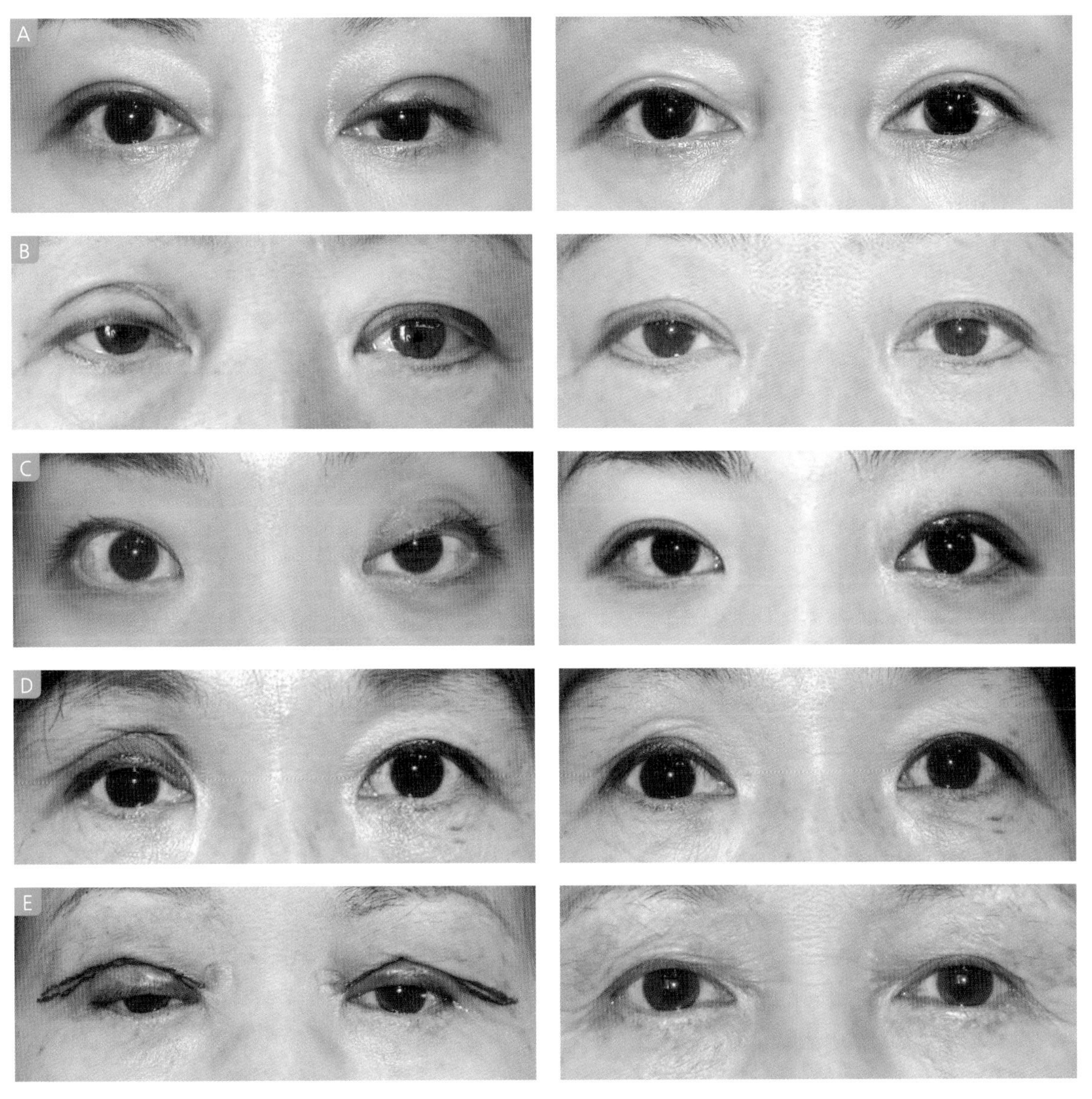


FIGURE 3-58 **불만족스러운 쌍꺼풀의 조기 교정 예.**
왼쪽 수술 전. 오른쪽 수술 후.

- 조직이 탄력성이 적어 다루기 힘들다. 탄력성이 줄고 부종으로 인해 조직이 쉽게 느슨해지므로 안검하수의 경우 과교정을 요한다.
- 조직의 수축으로 인해 쌍꺼풀이 깊어지는 경향이 있다. 그러므로 외반증은 아주 심한

경우가 아니면 호전되기 어렵고 오히려 악화되기 쉽다.

- 수술 후 한달-한달 반까지는 박리 시 조직가위를 사용하지 않고 두개의 포셉으로 벌림으로 지난 수술의 경로를 파악하기 쉽다. 그 이후는 조직이 매우 강하게 유착되어 벌림으로는 박리가 안 된다.
- 상안검 퇴축의 경우는 늦게 교정하면 안 질환이 생길 수 있으며 거근이 축소되어 토안(lid rag)이 영구적으로 생길 수 있다. 만기 교정은 거근 연장술이 필요하지만 조기교정은 봉합사를 풀고 전진된 조직을 후퇴시키므로 절대적으로 유리하다.
- 삼꺼풀 유착을 풀어준 후 다시 유착이 일어나는 경향이 조기 교정에서 매우 강하므로 피한다. 하지만 안검하수 교정 수술과 같이 할 경우에는 성공률이 높다.


### REFERENCES

1. Kim YW, Park HJ, Kim S : Secondary correction of unsatisfactory blepharoplasty : Removing multi-laminated septal structures and grafting of preaponeurotic fat. Plast Reconstr Surg 106:1399, 2000
2. Chen WP : The concept of a glide zone as it relates to upper lid crease, lid fold, and application in upper blepharoplasty. Plast Reconstr Surg 119:379, 2007
3. Kim YW, Park HJ, Kim S : Revision of unfavorable double eyelid operation by repositioning of preaponeurotic fat. J Korean Soc Plast Reconstr Surg 27:99, 2000
4. Yoon DJ, Kang CV, Bae YC : Correction of sunken upper eyelids using incisional double eyelidplasty and autologous microfat grafting into orbital septum, Archives of aesthetic Plastic Surgery 139-144, 2008
5. Choi Y, Eo S : A new crease. Fixation technique for double eyelidplasty using mini-flaps derived from pretarsal levator tissues. Plast Reconstr Surg 126;1048-1057, 2010
6. Kim DH, Kang JH, Cho IC : Correction of multiple upper eyelid fold in East Asians. Plast Reconstr Surg 127:1232, 2011

CHAPTER

# 04

# 내안각 교정술

## EPICANTHOPLASTY



- 수술 적응증
- 수술방법
- 내안각 복원술(Revision Epicanthoplasty)
- 뒤트임(Aesthetic Lateral Canthoplasty)

눈구석 주름(epicanthal fold)이 있으면 눈이 안쪽으로 답답해 보이고 눈 사이가 멀고 안검열(palpebral fissure)의 가로 길이가 좁으면서 안검열의 안쪽이 둥근 경향이 있다.

## 수술 적응증

1. 안검열의 가로 길이를 연장시켜 눈이 보다 시원하게 보이도록 하고 싶다.
2. 눈 사이의 길이가 길다.
3. 몽고주름

얼마나 여는 것이 좋은가는 다음과 같은 사항을 고려하여야 한다.

1. 누호의 노출량
2. 눈 사이의 거리
3. 누호의 모양, 색깔

### 누호의 노출양

누호의 노출 정도는 매우 다양하다. 적게 보이는 경우는 눈의 가로 길이가 짧아 답답하고 많이 보이는 경우는 인상이 강해 보이고 나이 들어 보이는 점이 있다. 누호는 편평한 lacrimal lake와 반달 모양의 lacrimal semilunalis를 경계로 하여 안쪽으로는 불룩하게 나온 caruncle이 보이는데(FIGURE 4-1), 이 caruncle 면적의 1/3 정도 가리거나 전체 누호의 80~90%가 보이는 것이 무난하다고 생각된다. 누호가 노출되는 모양에 따라서 적당한 노출 정도가 다를 수 있다.

### 눈 사이의 거리

내안각 교정술은 내안각간 거리(intercanthal distance)를 줄이는 수술이 아니라 외견상 보이는 내안각 췌피간 거리(interepicanthal distance)를 줄이는 수술이다(FIGURE 4-2).

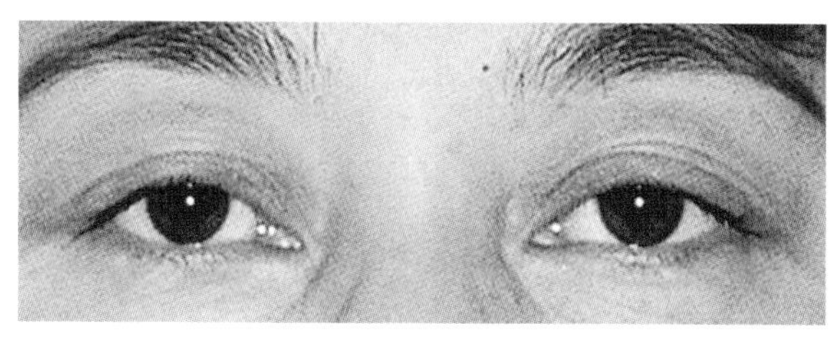

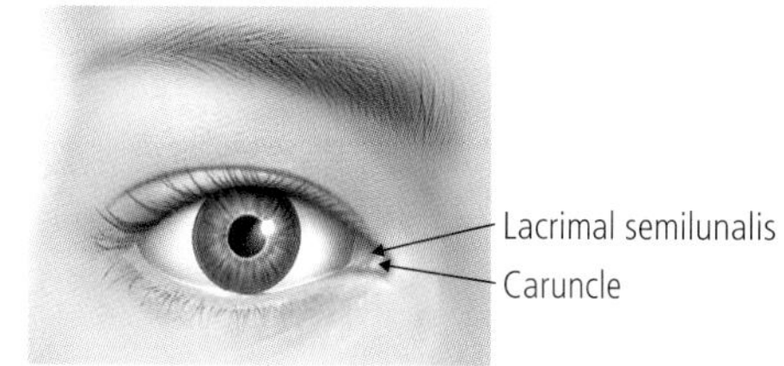


FIGURE 4-1 **선천적으로 누유두(papilla lacrimalis)가 완전히 보이는 눈.**

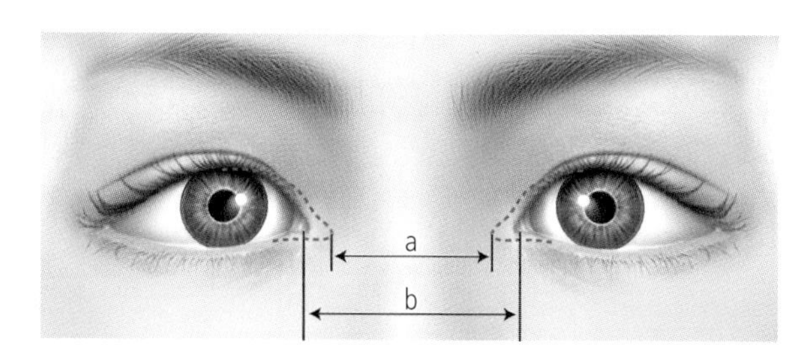


FIGURE 4-2 **눈 사이의 거리. a.** 내안각건 거리(Intercanthal distance). **b.** 내안각 주름간 거리(interepicanthal distance).

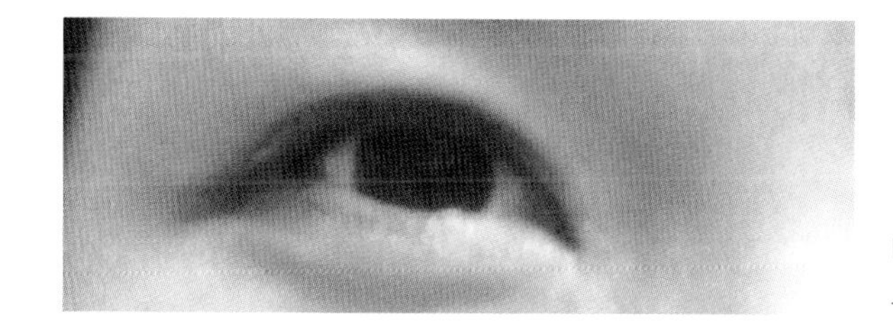

FIGURE 4-3 손으로 피부를 당겨 보았을 때 누호가 갈고리 모양으로 보이는 경우엔 어느 정도 덜 여는 편이 낫다.

조화로운 눈 사이의 거리는 그 사람의 눈 크기와도 관계가 있고 얼굴 폭과도 관계가 있다. 대개 35 mm 전후이며, 현대에 이르러 얼굴 폭이 좁아지는 경향이 있고 미적 기준 또한 서구화 영향으로 점차 좁은 것을 선호하는 경향이 있는 것으로 생각된다. 30 mm 이하는 눈이 몰려 보이기 때문에 피한다.

## 누호의 모양

누호의 색깔이 지나치게 붉거나 회색빛으로 어둡거나 caruncle가 심하게 튀어나온 경우거나 누호의 모양이 갈고리 모양인 경우 등 누호가 아름답지 못한 경우는 보다 적게 여는 것이 좋다(FIGURE 4-3).

## 수술방법

여러 가지 수술방법 중에서 좋은 수술방법의 조건은

1. 우선 흉이 적게 남아야 한다.
2. 몽고주름(epicanthal fold)을 충분히 없애는 것이 용이해야 한다.
3. 전체적인 모양이 자연스러워야 한다.

흉이 적기 위해서는

1. 절개선이 가능한 길지 않아야 하고
2. 흉이 눈에 잘 띄지 않는 곳에 있는 것이 좋고
3. 피판이 있는 경우는 복잡하고 많은 피판(예: Mustard 방법)보다는 단순한 디자인이 좋고

저자는 상기한 흉이 비교적 적으면서도 몽고주름을 충분히 없애는 방식으로 주로 닥터 오연웅 방식을 선호하며, 몽고주름이 심하지 않고 조금만 트고자 하는 경우, 또는 특히 다른 방식의 몽고 주름 수술 후 조금만 더 터주기를 원하는 경우에는 오히려 흉이 덜 남는 Hiraga 방식을 주로 한다.

### Oh 방식

본 수술방식은 ① 절개선이 아래 눈꺼풀 하연을 따라감으로(pericilliary incision) 흉이 눈에 잘 띄지 않는다는 것과 ② 몽고주름이 나타나는 것은 피부에서부터 안륜근층까지 몽고주름 주위를 싸고 있는 섬유 조직(fibrous connective tissue)이 밴드처럼 작용하기 때문인데 이 섬유성 밴드를 분리하여 몽고주름을 제거하면서 피부를 재배치(redraping)하는 것이 이 수술의 또 하나의 특징이다. 섬유조직 분리에 긴 절개가 필요하지 않기 때문에 몽고 주름이 길더라도 몽고 주름이 있는 곳까지 박리를 해주면 되고 절개 흉이 길 필요가 없는 것이 이 수술의 또 다른 장점으로 들 수 있다.

#### 수술 방법

**도안** *(FIGURE 4-5A)*

내안각 주름 피부를 코 쪽으로 당긴 상태에서 누호를 노출시킨 다음 누호의 구석점에 c

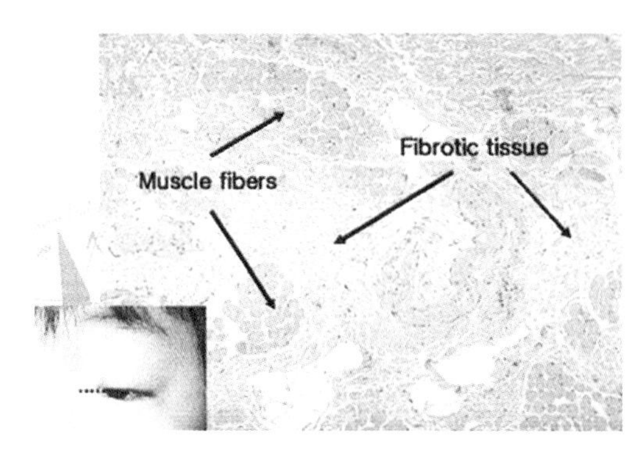


FIGURE 4-4 몽고 주름 주변의 섬유성 조직(출처:박재우Medial epicanthal fold(cross section))
섬유성 조직은 피부아래층에서부터 안륜근 층까지 분포되어 있다.

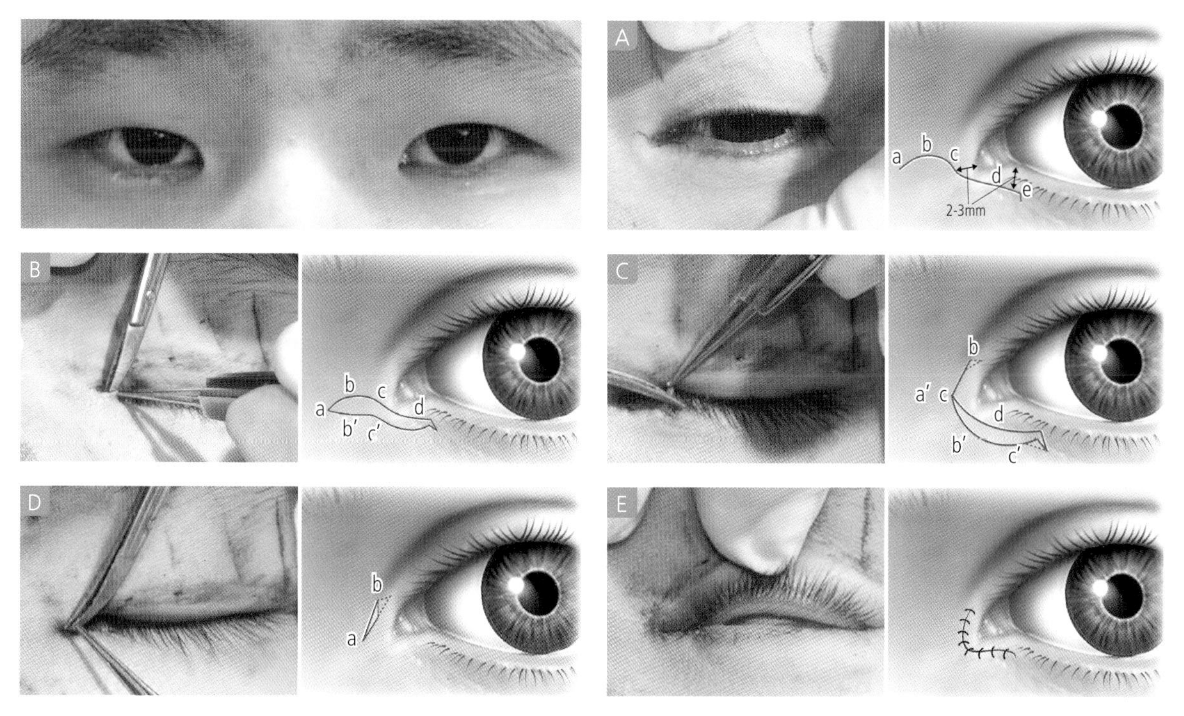


FIGURE 4-5 수술도안, 내안각 교정술.

표시를 한다. 당긴 피부를 놓고 c 지점을 덮고 있는 피부의 바로 앞 지점에 a 지점을 잡는다. a-c의 길이가 앞트임 정도를 결정한다. 일반적으로 a-c를 봉합할 때 긴장이 없이 조직이 남지 않게 자연스레 만나도록 하는 것이 중요하다. 조직이 모자란 상태로 당겨서 봉합하면 비후성 반흔이 생기기 쉬울 뿐 아니라 누호가 과다 노출됨을 의미하고 피부조직이 남은 상태로 봉합하게 되면 저 교정을 의미한다. a-b-c 선은 수평이 아니라 위로 둥글게 작도한다. 절개 아래 피판이 외측으로 이동하여 피부 봉합을 할 때 긴장이 되지 않고 피부가 여유있게 하기 위함이다. c 지점에서 하안검을 따라 도안한다. c-d-e절개선은 상연에 가까이 너무 위쪽으로 절개선을 가하지 말고 하안검 상연에서 약 2-3 mm 정도의 거리를 두어, 피부봉합 시에 긴장이 안되게 절개선을 정한다. c 지점도 눈구석에 깊이 들어가지 않고 2 mm정도 거리를 둔다. lacrimal punctum 전후에서 약 110도 각도로 2-3 mm의 짧은 back cut을 가한다. c-d-e 수평 절개선은 앞트임을 많이 열수록 길어진다.

### 절개 및 박리 *(FIGURE 4-5B)*

도안 선을 따라 절개를 가한다. 절개선 아래로 박리한다. 피하박리를 권장하는 경우도 있지만 저자는 약간의 근육층을 포함하는 층으로 박리한다. 피하박리보다는 약간의 안륜근을 포함하여 박리하는 것이 조직손상이 적은 면이 있다. 누관(lacrimal canaliculus)의 손상에 조심하면서 박리하고 몽고 주름 주변의 섬유조직을 충분히 release하여 몽고 주름을 펴준다. 누관은 누공(lacrimal punctum)에서 수직으로 2 mm 가다가 수평으로 6-7 mm 뻗어서 비공(nasal cavity)으로 열린다. 이 수술 방식에서는 절개선이 mucocutaneous junction에서 2 mm 하방에 절개를 가하게 되는데, 이 부위에서 피부에서 누관까지의 깊이는 수직부분(vertical segment)에서는 약 1 mm 이상(1.11±0.16 mm)이고 수평부분(vertical segment)에서는 2 mm 이상(2.08-2.74mm)이므로(황건) 특히 누공 아래 부위를 박리할 때 조심해야 한다. 이곳의 박리는 절단(cutting)보다는 벌리는(spreading) 방법이 안전하다.(FIGURE 4-4).

### 봉합 *(FIGURRE 4-5C, 4-5E)*

a-c를 당겨 봉합하고 그에 따라 위 피부와 박리된 아래 피부를 redraping하여 봉합한다. 피부봉합은 윗 피부에 비해 아래 피부의 길이가 더 길기 때문에 아래 피부에 아코디언처럼 작은 주름을 만들어서 길이의 차이를 줄여준다. 그리고도 아래 피부가 남는 dog-ear는 backcut을 넣어 삼각형의 피부를 잘라준다.

### 상안검 처리 *(FIGURE 4-5D)*

상안검에 dog-ear는 2-3 mm 정도 피부를 짧게 잘라주는 것으로 쉽게 해결된다.

## 이 수술의 합병증

1. 부족 교정(undercorrection) 혹은 과다 교정(누호의 과다 노출)
2. 누호의 하안검 쪽의 과다 노출 혹은 내측 하안검 편평함(medial pretarsal flatness or depression)(FIGURE 4-6)

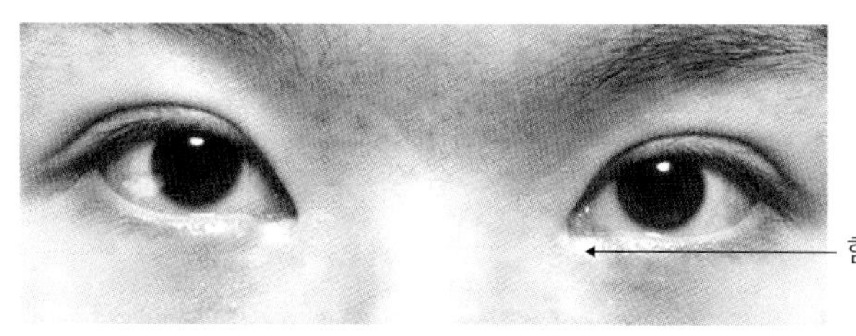


**FIGURE 4-6 누호의 수평 뿐만 아니라 수직 과다 노출 증례.**
누호가 있는 부위에서 하안검 피부의 부족으로 인해 미끄럼틀 - 오목한 슬로프가 형성되어 있다(slope deformity).

3. 멜라닌 색소 침착
4. 흉터
5. 절개선 양끝 부분의 불룩함
6. 하안검 내측 퇴축(retraction or scleral show)

일반적으로 누호가 가장 적절히 노출되는 것은 a-c 피부 봉합 시 피부 여분도 없고 긴장도 없이 봉합될 때이다. 그러기 위해서는 수평절개 시 한 번에 절개하지 않고 처음에는 조금 부족하게 절개하고 약간씩 추가로 열어가면서 맞추어 보는 것이 안전한 방법이다.

누호가 아래쪽으로 과다 노출되는 것이 가장 까다로운 합병증의 하나인데 이것이 생기는 원인은 수평절개 부위의 피부 봉합 시에 긴장이 많이 되기 때문이다.

누호의 수직 노출을 피하기 위해서는

1. 내안각의 내측 수평절개선(a-c)을 직선보다는 위로 불룩하게 해야 피부 봉합 시 수직 긴장을 줄일 수 있다(그림 4-5A). 예외적으로 epiblepharon과 같이 피부여유가 너무 많이 있거나 entropion이 있는 경우엔 남는 피부를 절제할 때도 있지만 보통은 약간의 피부여분이 있는 것이 좋다.
2. 누호 아래 절개선을 하안연에 바짝 붙이지 않고 2-3 mm 정도 여유 있게 떨어지게 해야 피부봉합 시 긴장으로 인한 누호의 수직노출 과다와 함몰을 예방할 수 있다.
3. 마찬가지로 눈구석에서도 c 지점이 2 mm 정도 떨어져 있게 해야 코쪽 피부의 함몰이 생기지 않는다.
4. d 지점이 함몰되기 쉬운 가장 취약 부위이므로 이 지점은 근육을 거상하지 않고 피판을 얇게 박리한다.

**WAIT A MINUTE!**

**눈 구석에서는 절개선이 얼마나 떨어져 있는 것이 좋을까?**

하안연 2 mm 아래 절개선이 있듯이 눈구석에서도 2 mm 떨어져야 눈구석의 코 방향이 여유있게 자연스럽다.

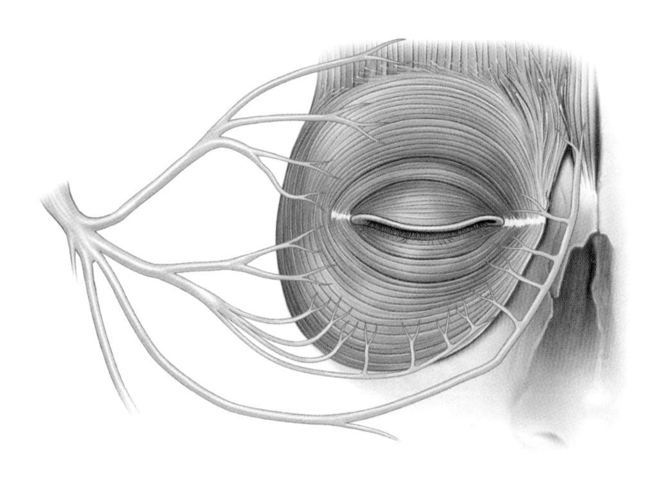

FIGURE 4-7 **안면신경의 볼가지가 내안각 부위를 통해 위로 주행한다.**

그리고 피부의 색소 침착을 방지하기 위해서는

1. 피하 박리보다는 근육층의 박리(intramuscular dissection)를 하고
2. 혈종으로 인한 hemosiderin 침착을 주의한다.

저자는 피하 박리보다는 약간 깊게 안륜근 층으로 내려가는 박리를 선호한다. 이곳은 피하조직이 단단한 결합조직으로 연결되어 있고 피부가 매우 얇아서 피하 박리 시에 피부가 외상을 입을 가능성이 높고 이로 인해 피부가 변색되는 수가 있다. 그러나 특히 함몰이 자주 발생하는 지점에서는 근육을 적게 붙인다.

또한 췌피를 절개할 때 내안각건 내측으로 안면신경의 볼가지(buccal branch)가 지나가므로 몽고주름 피부를 수평절개할 때 피부절개 길이만큼 안륜근도 수평 절개하는데, 이때 필요 이상으로 안륜근을 길게 절개하거나 또한 안륜근을 절제(excison)하는 것은 신경손상을 일으킬 수 있으므로 유의하여야 한다. 신경손상이 일어날 경우 수면 시에 누호가 노출되는 정도의 경미한 상안검 토안이 발생할 수도 있다(FIGURE 4-7). 이런 토안은 대개 3개월 이내에 소실된다. 이런 토안은 dacryocystorhinostomy 수술 후에 잘 일어난다는 보고가 있다. 또한 수평절개 부위에서 지나친 안륜근 절제는 하안검을 아래로 떨어뜨려 내

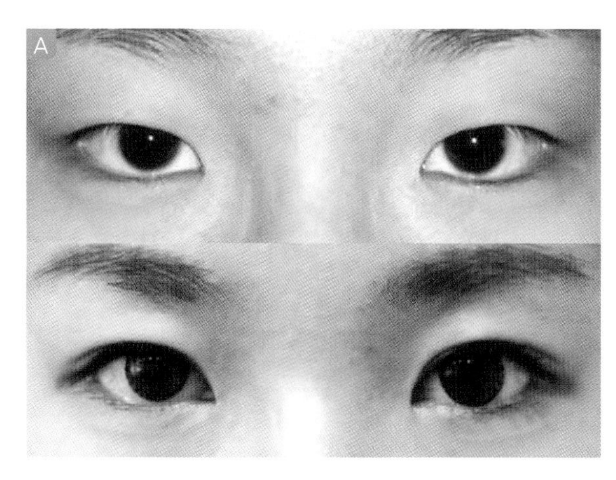
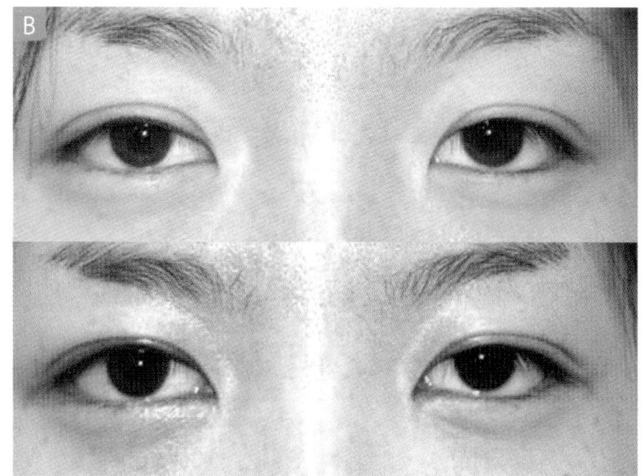

FIGURE 4-8 앞트임 수술 전후 사진.

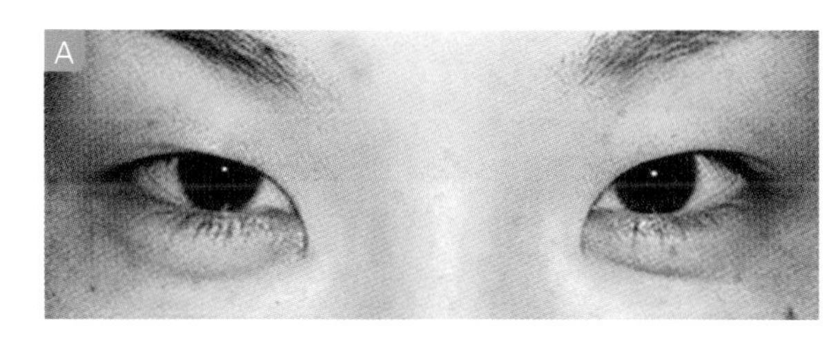
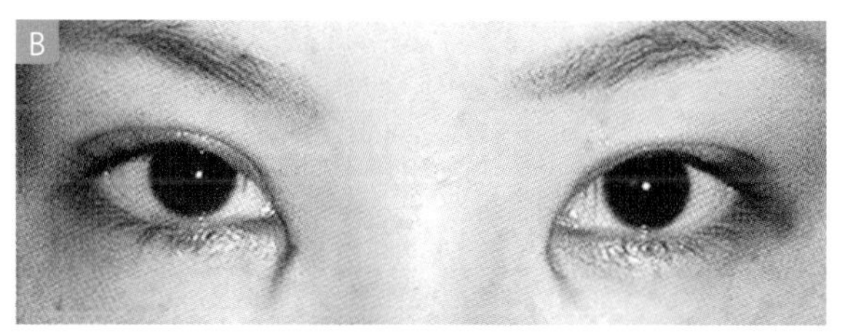

FIGURE 4-9 다른 방법으로 앞트임 수술 후와 쌍꺼풀 수술 후 눈 크기는 가로·세로가 더 길어졌으나 몽고 주름은 더 심해졌다.

측 부위에서 sclera show를 유발할 수 있다. 이런 현상은 안륜근 origin 부위가 단절되므로 안륜근의 강도(tonicity)가 약화되어 하안검이 떨어지는 것으로 해석된다.

하안검 쪽으로 누관을 상하지 않도록 유의해야 한다. 누관은 누공에서 출발하여 처음 2 mm 정도 아래로 수직으로 주행하다가 수평으로 주행한다. 처음 수직 주행 시에는 매우 표면적으로 주행하다가 수평 주행 시에는 피부에서 2 mm 정도로 깊게 주행하며 내안각건 뒷쪽으로 주행한다. 누관을 다치지 않기 위해선 얕게 주행하는 처음 수직 주행 시 주의하여야 한다(FIGURE 4-8).

### 본 수술방식의 응용

본 수술방법은 경우에 따라서 다음과 같이 응용될 수 있다.

#### *몽고주름은 있으나 누호의 노출양은 충분한 경우*

일반적으로 몽고 주름 제거술과 앞을 많이 터 누호를 많이 노출시키는 앞트임 수술은 동의

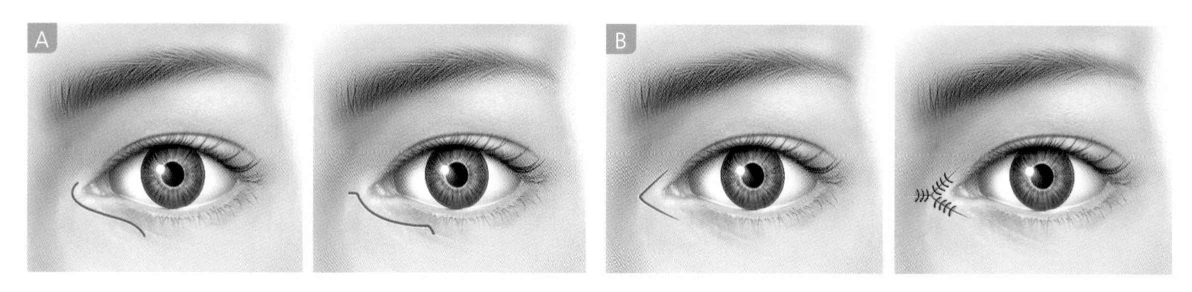


FIGURE 4-10 **앞트임이 없는 몽고주름 제거술의 도안.**
**A.** 내안각 안쪽의 선을 위로 연장하거나 짧게 한다. **B.** 앞트임 복원수술 디자인을 통해 몽고주름 없앤다(심한 몽고 주름).

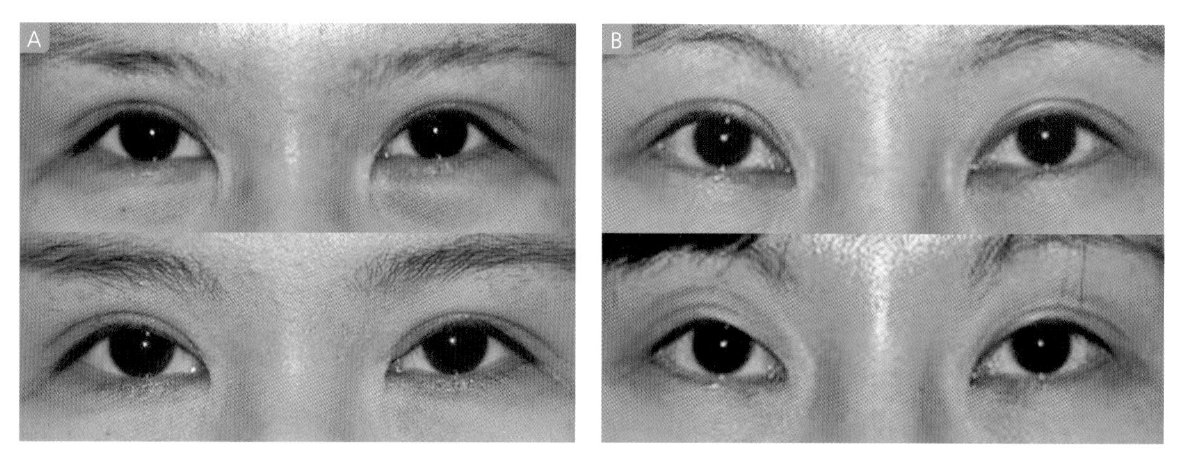


FIGURE 4-11 **수술 전후 사진.**
**A.** 앞트임은 없이 몽고주름만 없애는 경우. **B.** 몽고복원 디자인을 통해 몽고주름을 없애는 경우.

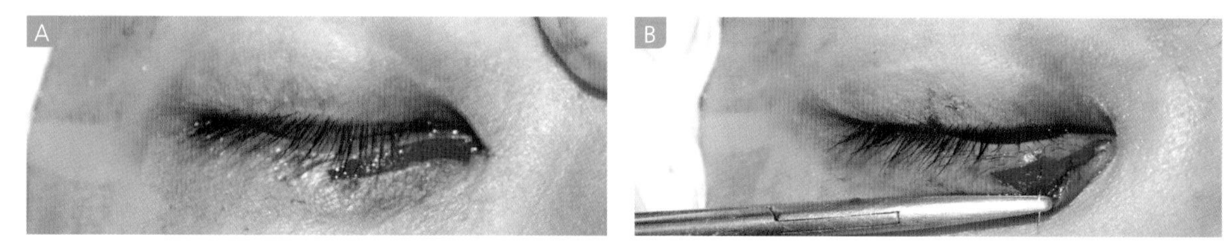


FIGURE 4-12 **몽고 주름과 하안검 내반증이 있는 경우.**
**A.** 피부절개는 내안각에서부터 내반증이 있는 곳까지 한다. **B.** 윗 피판의 안륜근을 검판에 고정.

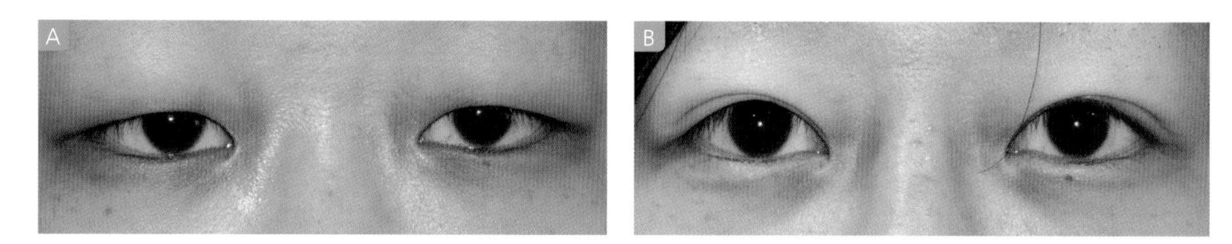


FIGURE 4-13 **내안각 성형술과 내반증의 수술 전후.**

어로 통한다. 하지만 드물게 누호의 노출양은 충분하면서 몽고주름만을 없애기를 원하는 경우가 있는데, 이런 경우는(FIGURE 4-9) 앞트임은 없는 몽고 주름 수술이다. 수술 방법은 기존 닥터 오 방식에서 앞트임에 해당하는 내안각 내측의 절개선이 없거나 아주 짧게 하고 내측의 섬유조직을 아래 부분 뿐만 아니라 코쪽으로도, 위쪽으로도 충분히 풀어주는(release) 것이 매우 중요하다(FIGURE 4-10, 11 A, B). 몽고주름이 심한 경우에는 앞트임 디자인보다 몽고복원 디자인을 통해 실제 닫지는 않고 주름만 제거하는 것이 더 효과적이다(FIGURE 4-10A, 4-11A). 또는 몽고복원 수술을 하면서 몽고주름을 제거한다(FIGURE 4-10B, 4-11B).

***몽고 주름과 함께 하안검 내반증이 있는 경우*** *(FIGURE 4-12, 4-13)*

몽고 주름과 함께 하안검 내반증이 동반되는 경우가 가끔 볼 수 있다. 내반증은 대개의 경우 안쪽으로 심하고 바깥쪽은 내반증이 없는 경우가 많다.

#### 수술방법(몽고 주름과 하안검 내반증(entropion)이 동반된 경우)

이때는 위의 닥터 오 방식 내안각교정술에서 subcilliary incision을 좀 더 바깥쪽으로 연장하면 되므로 수술이 매우 간편하다. 내반증의 교정 방식의 자세한 설명은 6장에서 다루고 있으므로 여기서는 간단히 설명한다.

- T내안각에서 lacrimal punctum까지는 속눈썹이 없으므로 내반증과 상관없이 위의 방식으로 내안각 교정을 하면 된다.
- 바깥쪽으로는 내반증이 있는 곳까지 피부절개를 속눈썹 2 mm 아래를 따라 가한다.
- 안륜근을 뚫고 검판이 노출되도록 박리한다.
- 쌍꺼풀 수술하듯이 윗 피판의 안륜근을 검판에 고정하여 윗 피판이 외반되게 한다.
- 피부를 봉합한다.

안륜근은 제거하지 않는다. 제거하면 pretarsal fullness가 사라진다(FIGURE 4-12, 13).

### Hiraga 방식의 내안각 성형술 (FIGURE 4-14, 4-15)

#### 적응증

1. 몽고주름이 없거나 적고, 내안각 앞트임을 약간만 하고자 할 경우
2. 내안각 수술 후에 부족하여 2차로 약간 더 트고자 할 경우

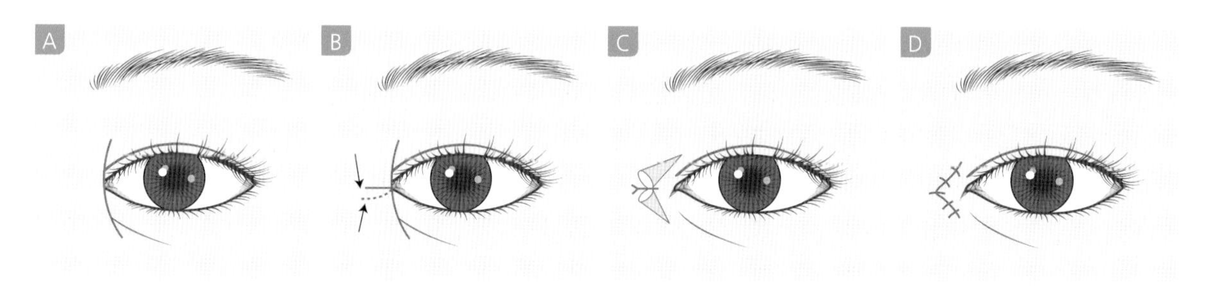


**FIGURE 4-14** Hiraga 방식.
**A.** 수술 전. **B.** 전진하고자 하는 만큼의 수평절개 선을 가한다. 수평절개 방식은 앞에서 설명한 바와 같다. **C.** 수평의 양 끝을 봉합한다. 상하의 dog ear를 절제한다. **D.** 수술 후

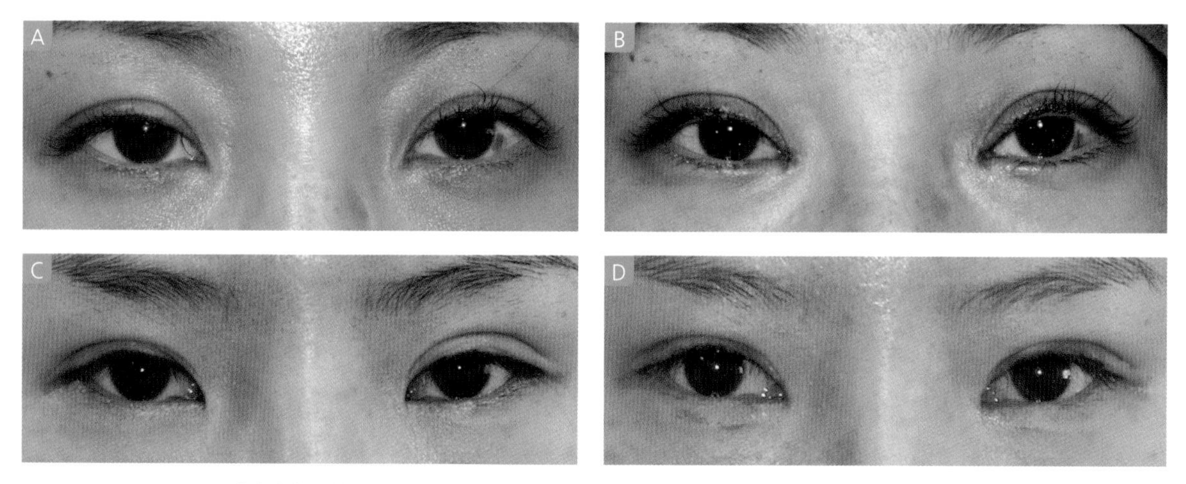


**FIGURE 4-15** Hiraga 방식 수술 전후.
몽고주름이 뚜렷하지 않고 아주 약간만 트는 경우엔 흉이 거의 없고 수술이 매우 간편하다.

일반적인 내안각 교정술에선 앞에서 소개한 오 방식이 흉이 적게 눈에 띄는 경향이 있지만 약간만 트고자 하는 경우엔 오히려 Hiraga 방식이 더 간편하고 흉이 덜 남는 경향이 있다. 몽고주름 교정은 부족한 경향이 있다. 수술방식은 내안각 췌피에 전진하고자 하는 만큼 수평 절개를 가하고 양끝을 당겨 봉합한 다음 위 아래로 생기는 dog ear를 잘라 처리하는 방식이다.

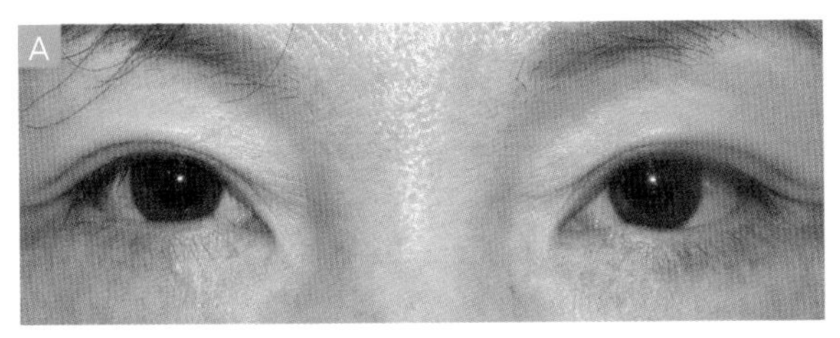


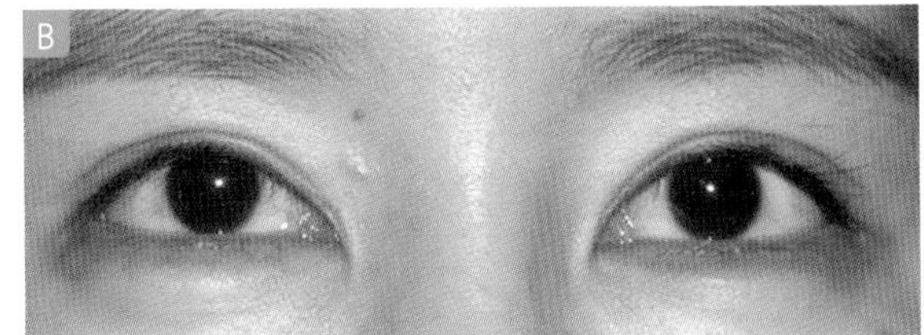


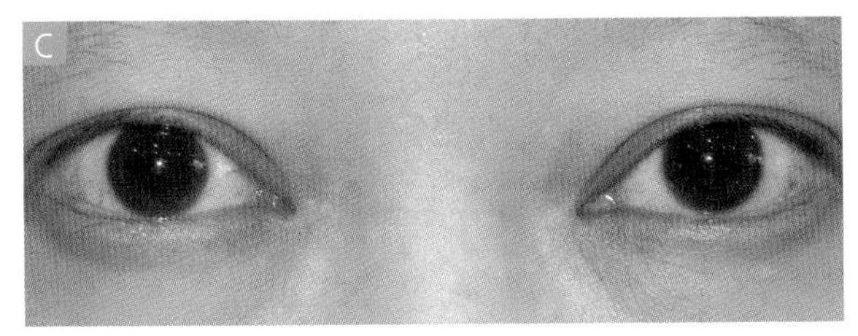


FIGURE 4-16 선천적인 누호 과다 노출.

## FREQUENTLY ASKED QUESTIONS

### Q 내안각 수술 후 안검열의 세로 폭은 길어지는가?

**A** 길어진다. 몽고주름 밴드의 수직 당김을 내안각 교정술이 풀어주기 때문에 그 당김 정도에 따라 수술 후 세로 폭이 길어지는 정도가 다르다. 이것을 수술 전 미리 알아보는 방법으로는 당기는 밴드를 위로 올려 당기는 힘을 풀어주고 눈을 뜨는 정도를 관찰한다. 주변을 철저히 풀어주면 아래 눈꺼풀도 내려가서 공막징(sclera show)을 일으킬 수 있으므로 주의하여야 한다.

## 내안각 복원술(REVISION EPICANTHOPLASTY)(FIGURE 4-18)

내안각 복원술은 누호가 지나치게 많이 보여 인상이 사나워 보이고 나이 들어 보인다고 호소하여 다시 복원하기를 원하는 경우의 수술로서 지나친 누호의 노출 원인은 주로 내안각 교정술로 인한 것이며 때로는 드물게 다른 안검 수술 후 혹은 외상에 의한 것일 수도 있고 선천적인 경우도 있다(FIGURE 4-16). 누호의 지나친 노출은 흔히 수평적 과다 노출만 고려하는 경우가 많으나 실제로는 수평적 과다 노출 외에도 수직 과다 노출 혹은 하안검 내측의 연조직 부족으로 인한 지나치게 평편함 혹은 함몰 또는 미끄럼틀(slope)처럼 오목해지는(concave) 것이 심각한 문제일 수 있다(FIGURE 4-6). 이런 경우 몽고 복원 시엔 하안검을 위로 끌어 올려서 부족한 연조직을 보완해 주어야한다.

### 수술방법 I) V-Y advancement (FIGURE 4-17A,B,C)

1. V-shaped incision along the previous scar line
2. The V-Y advancement is secured using subcutaneous suture.

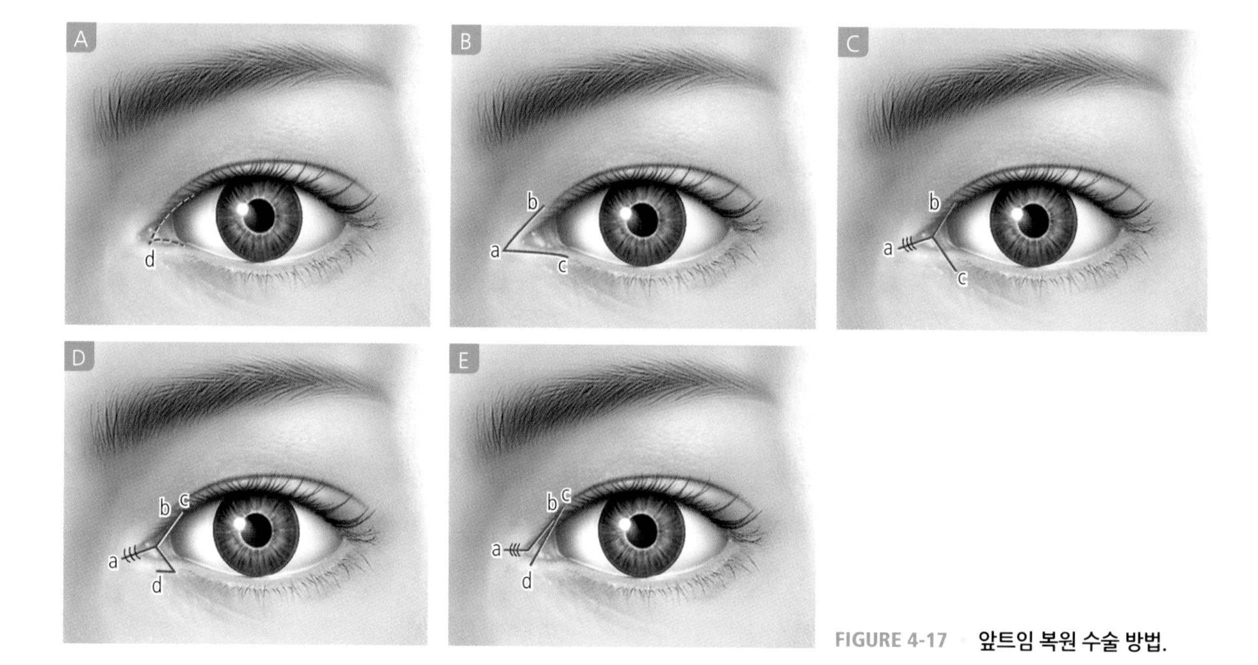


FIGURE 4-17 앞트임 복원 수술 방법.

3. The triangular flap is excised partially.
4. Skin is closed.

이 수술에서 중요한 점은 어느 정도 닫을지, 어떤 모양으로 닫을지를 결정하는 것이다. 어느 정도 닫을지는 V-Y advancement 때 봉합하면서 누호가 노출되는 양을 보면서 결정한다. 원하는 정도까지 봉합하면 멈추고 Y자에서 봉합한다. 삼각형 피판은 끝을 잘라 피판의 크기를 줄인다. 이때 Y의 꼭지점이 높아지지 않도록 하기 위하여 V 피판의 상단을 박리를 충분히 하고 아래는 박리를 하지 않는다. 그럼에도 불구하고 꼭지점이 높으면 back-cut를 가한다. 꼭지점이 높음에도 불구하고 back-cut을 가하지 않으면 내안각이 시간이 지날수록 둥글게 변한다(FIGURE 4-18). 또 한 가지는 수술 후 흉을 눈에 띄지 않도록 하는 데 가장 중요한 점은 V-Y suture를 하는 지점이 함몰 흉이 생기지 않도록 하는 것이다. 함몰 흉이 생기지 않는다면 흉이 눈에 뜨일 염려는 별로 없다고 할 수 있다. 함몰 흉을 예방하기 위해서는 V-Y suture에 SubQ 봉합하여 피부에 긴장(tension)을 줄이고 vertical mattress suture를 이용하여 과감하게 eversion suture를 하는 것이다.

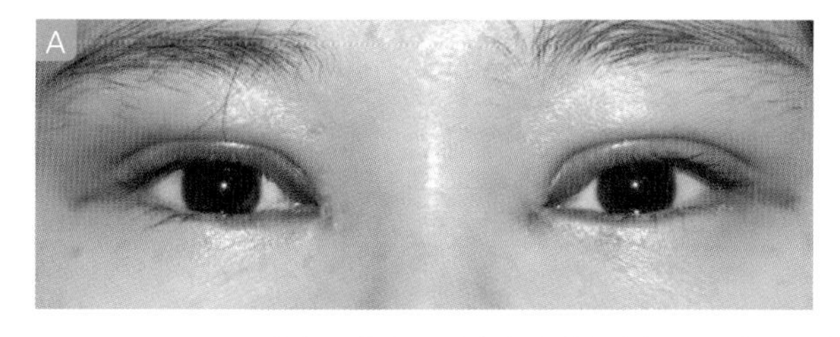


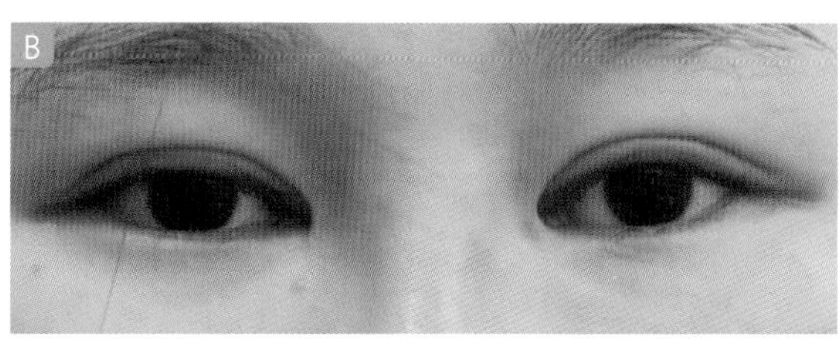


FIGURE 4-18 A. 수술 직후에는 내안각이 예각이나, B. 시간이 지날수록 둔각으로 변한다.

### 수술방법 II) V-Y advancement with back-cut (FIGURE 4-17)

1. 수술 후 목표를 설계한다. 수술 후 몽고 주름이 약간 생기게 되는데 그 몽고주름의 끝지점 d와 그림 D에서 back-cut의 끝지점 d가 같은 지점인 것을 기준점으로 삼고 도안하면 편리하다.
2. 먼저 췌피 부위에 V 혹은 W자 수평절개를 한다. 처음 도안은 V-Y advancement로 생각하면 이해하기 쉽다. V 절개가 코 쪽으로 흉이 길게 나가는 것을 줄이기 위해서 W자 절개를 하기도 한다. 일반적으로 안검열에 바짝 붙여서 절개를 하지만 흉이 심하면 흉을 따라 절개하여 흉을 감추도록 한다. V 절개선의 길이는 닫는 양이 클수록 길

어진다. 이 절개선이 짧으면 수술 후 눈구석이 예각이 되지 않고 ㄷ자 모양의 둔각이 되기 쉽다. 11번 메스로 절개한 다음 절개선 내측으로 박리를 한다. 박리는 안륜근이 약간 포함될 정도로 비교적 두껍게 하는 편이 좋다. V 절개선에서 윗피판을 충분히 박리하고 아래 피판은 거의 박리하지 않는다. 이때 형성된 삼각형 피판도 약간 박리를 하여 약간 turnover flap이 되도록 한다.

3. V-Y advancement 봉합한다. 어느 정도 닫을 것인가를 이 봉합을 통해서 결정한다. 닫고 싶은 정도까지 봉합한다. 이 때는 7-0 PDS로 피하봉합을 먼저 한다. 마지막 피하봉합은 7-0 Nylon으로 한다. 이 subcuticular suture 할 때 바닥과 함께 suture하여 dead space를 없애준다(V-Y advancement with out back-cut)(**FIGURE 4-17C**).
4. V-Y advancement 이후에 아래 피판이 많이 올라오게 되면 back-cut을 넣는다(V-Y

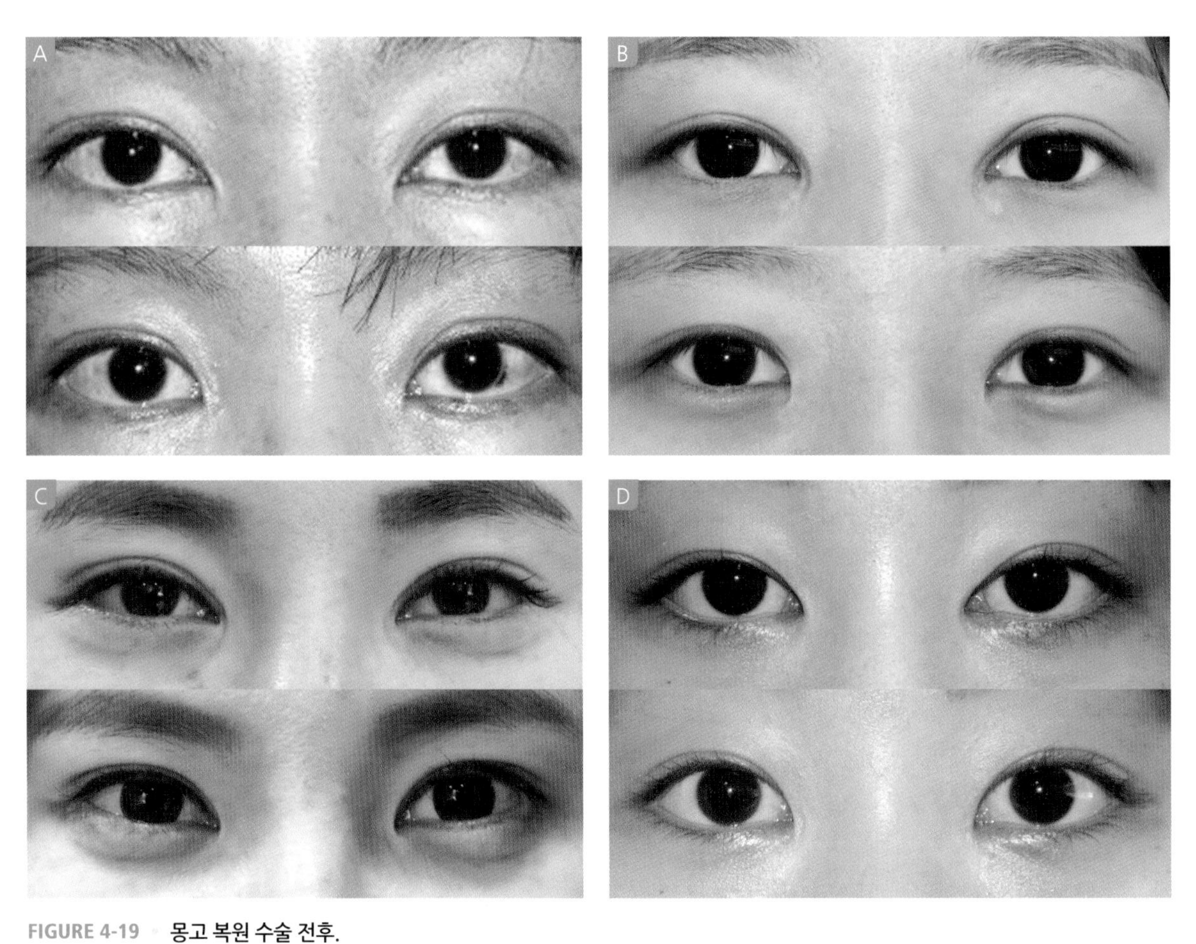


FIGURE 4-19 **몽고 복원 수술 전후.**
몽고 복원 후 누호의 노출양이 감소하고 눈 사이가 멀어지면서 인상이 부드러워졌다. 또한 하안검이 위로 올라가면서 하안검의 오목한 파임 현상(concave slope)도 해결되었다. A, C의 경우 앞트임 복원과 함께 몽고주름도 개선되었다.

advancement with back-cut). c 지점에서 처음 절개선 a-c에 맞추어 back-cut을 가한다. back-cut의 끝 지점 d는 몽고주름의 끝이되므로 도안의 아주 중요한 이정표 역할을 한다. Back cut의 길이는 V-Y 봉합 후의 V의 길이와 같게 한다. 이때 back-cut의 각도가 크면 상안검이 많이 내려오고 하안검이 적게 올라가고 몽고주름이 생기고 각도가 작으면 반대가 된다. 이로써 두 개의 피판이 형성되어 Z-plasty 할 준비가 된다(FIGURE 4-17B).

5. Z-plasty를 시행한다(FIGURE 4-17E).

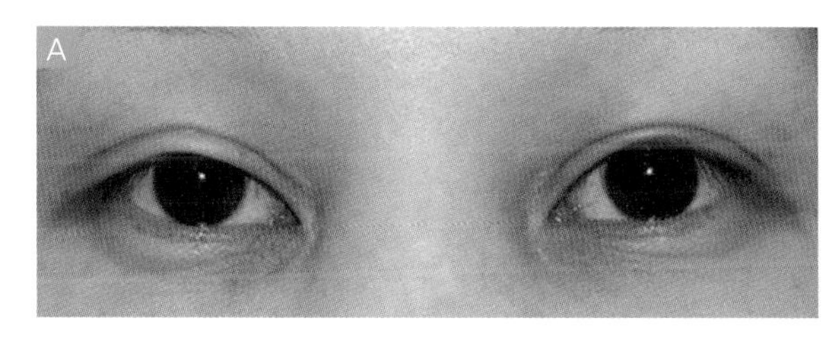
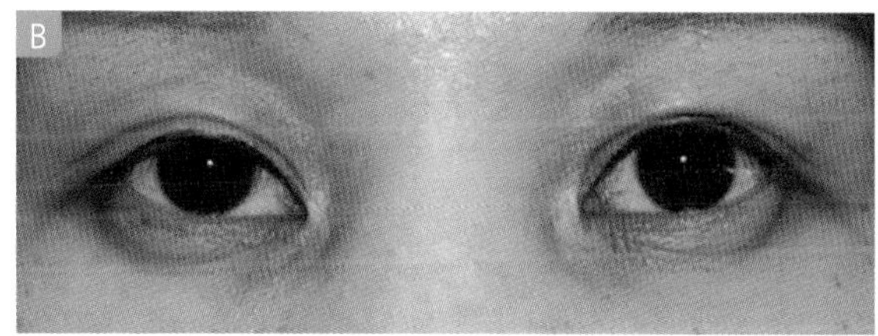

FIGURE 4-20 몽고주름 복원수술 후 out-fold가 in-fold와 비슷하게 되었다.

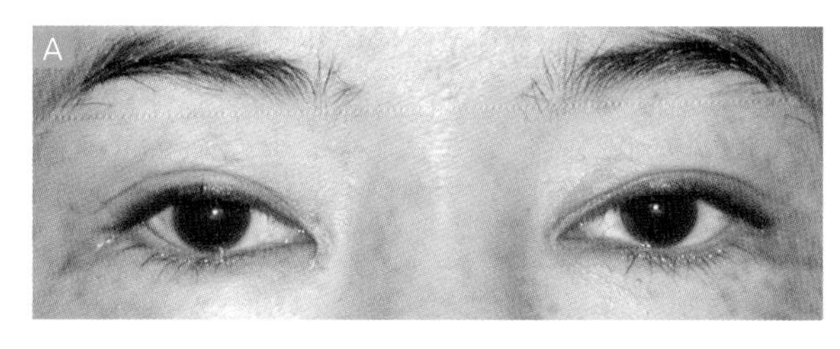
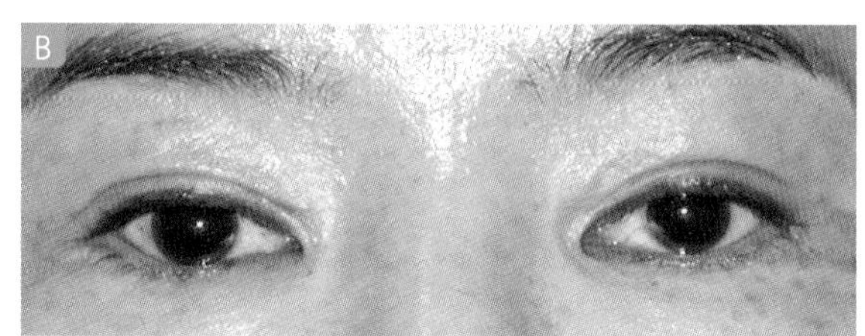

FIGURE 4-21 **증례.** 몽고 복원을 시행하면서 몽고 주름을 없애는 수술 전후.

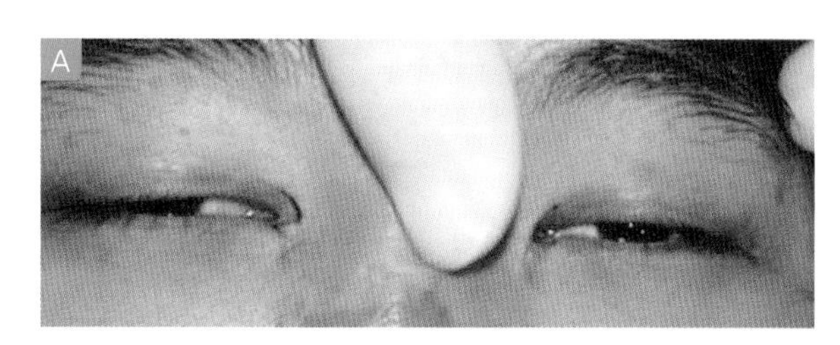
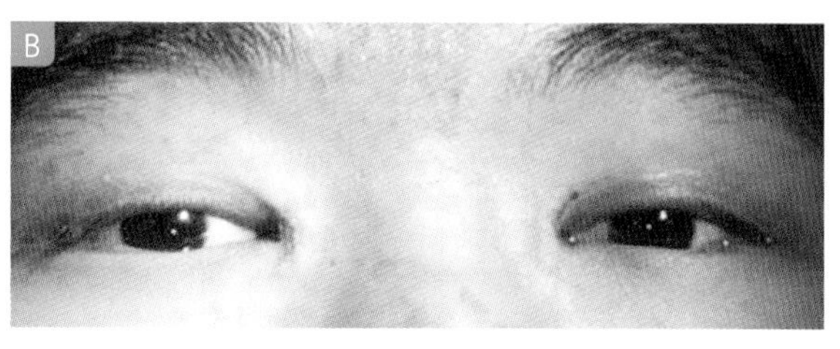
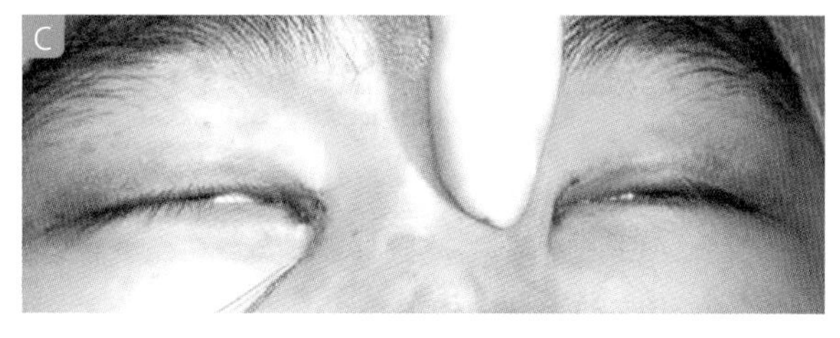

FIGURE 4-22 **앞트임의 함몰흉이 있을 경우의 도안.** V 절개선을 함몰흉에 따라서 도안한다.

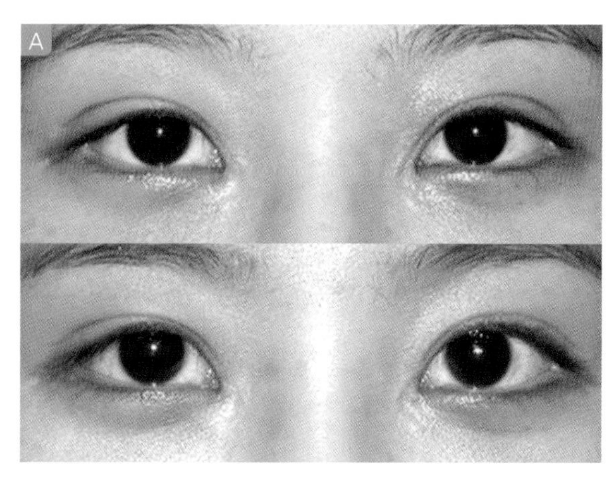


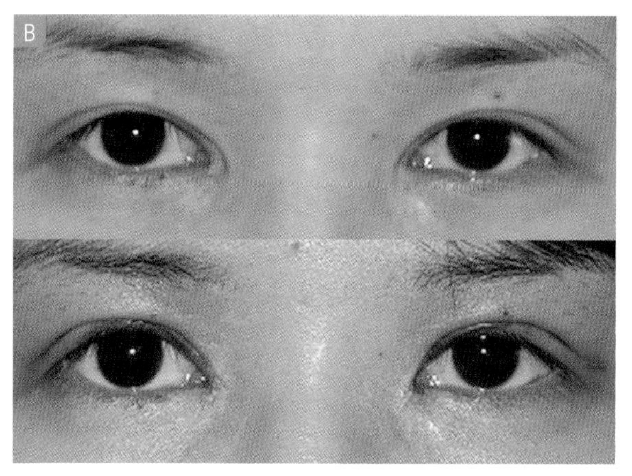


FIGURE 4-23 **수술증례.** 몽고 흉이 심하게 함몰되어 있다. 함몰 흉을 췌피 안쪽으로 들어가게 하여 감추어졌다. 심한 out fold가 개선되었다.

## 몽고복원의 특이한 증례

### 몽고 복원을 하면서 몽고 주름을 없애는 예

통상적으로 몽고 주름을 없애기 위해서는 누호를 보다 개방해야 하는 것으로 알려져 있지만 드물게는 누호가 과다 노출되어 있으면서 몽고 주름이 남아 있는 경우가 있다. 이런 경우에는 몽고 복원을 하면서 몽고 주름을 없앨 수 있다. 수술방법은 위에서 기술한 몽고 복원 방식에 따라 몽고 복원 수술을 시행하는데 다른 점은 피부절개선을 통해 피하박리를 하면서 몽고 주름을 이루는 섬유밴드를 release하여 몽고주름을 없애고 나머지는 복원 수술에 따른다(FIGURES 4-19 and 4-21).

### 앞트임 후 함몰 흉이 매우 심한 상태(FIGURE 4-20, 4-22, 4-23)

수술방법은 일반적인 몽고 주름 복원 수술은 안검열에 가깝게 도안하지만 함몰 흉이 심할 때는 함몰 흉에 따라서 수평 V 자를 도안하여 함몰 흉이 안쪽으로 들어가 감추어지게 한다. 이로써 out fold로 보이던 쌍꺼풀 선이 in fold로 보이게 된다(FIGURE 4-20).

### REFERENCES

1. Oh YH, Seul CH, Yoo WM : Medial epicanthoplasty using the skin redraping method. Plast Reconstr Surg 119;2:703, 2007.
2. Hwang K, Kim DJ, Hwang SH : Anatomy of lower lacrimal canaliculus relative to epicanthoplasty. J Craniofac Surg 16:949, 2005.

# 뒤트임(AESTHETIC LATERAL CANTHOPLASTY)(가쪽 눈구석 성형술)

신용호

## 서론

동양인에서 작은 눈으로 앞트임에 이어 뒤트임으로 눈이 커지고 싶은 환자가 많이 있으며 수요는 점차 늘어 나고 있는 추세이다. 용어로 Lateral canthoplasty라 하면 일반적으로 눈의 외안각부를 변형시키는 모든 수술을 말한다. 특히 여러 서양 문헌들에서 소개하는 lateral canthoplasty는 canthal laxity를 튼튼하게 하고, 하안검과 중안면의 노화를 완화시키는 수술로 흔히 소개되어 있다. 동양인에게 미용적 목적으로 시행되는 '뒤트임'수술도 lateral canthoplasty라는 용어로 혼용되고 있으나, 보다 정확히 표현하자면 외안각부의 확대, 즉 expansion of lateral canthal angle area라고 할 수 있다.

사람의 안구는 둥근 구의 형태이므로, 안검은 외측으로 갈수록 후방으로 돌아 외안와골을 향해 나가는 3차원적인 구조이다. 따라서 뒤트임 수술은 안검의 수평적인 길이연장 뿐만 아니라, 후방적인 연장(posterior deepening)도 적절히 이루어져야 안구와 안검 결막간의 석설한 접촉을 유지하면서 외안각부를 연장 할 수 있다. 평행하게 외안각부를 잡아 당긴다면 안구와 외안각의 접촉이 안되고 공중에 뜨는 현상이 나타난다. 외안와골의 외안각건방향으로 안와뼈의 구멍을 전면에서 3 mm보다 깊은 데 만들어 외안각부위가 안와골 속으로 들어가는 정도가 깊어지면 상하 안검을 당기는 힘이 과도하게 발생하여 눈이 졸립게 덜떠지는 경미한 안검하수도 발생하므로 주의 하여야 한다.

## 수술전 평가와 좋은 결과의 환자적응증(Preoperative evaluation & good Indication)

모든 수술이 그러하듯이 뒤트임 수술도 수술 받는 환자의 눈 상태를 미리 점검할 필요가 있다. 안구의 돌출정도와 안와골의 위치 및 속눈썹의 위치에 따라 수술받기 좋은 대상자가 있는 반면 그렇지 못한 대상자도 있어서 좋은 적응증을 선별하는 것도 중요하다. 일반적으로 함몰형 눈보다는 돌출형 눈을 가진 사람일수록 뒤트임 수술을 하여도 안구와 안검 결막간의 접촉이 좋으며, 외안각부의 정면에서 볼때 가시적인 연장효과가 더 뛰어나다. 외안각에서 lateral orbital rim이 너무 가까운 환자는 수평적 연장효과가 떨어지므로 환자의 만족도가 떨어진다. 뒤트임 수술 시 생기는 외측 후방, 특히 하방으로 강력한 연장으로 인한 힘의 벡터가 눈뜨는 힘을 약화시키는 경향이 있어서 안검하수가 심한 환자에게는 처음부터 뒤트임 수술 시 밑트임 수술을 권하지 않는 것이 좋다.

저자가 생각하는 뒤트임하기 좋은 적응증은 다음과 같다.

#### 좋은 적응증

- 안구가 돌출된 양상인 경우
- 안검의 외안각과 안와골 가쪽 테두리(lateral orbital rim)사이의 거리가 4 mm 이상인 경우
- lateral fornix의 깊이가 3 mm 이상인 경우

#### 나쁜 적응증

- 안구가 함몰된 경우
- 안검의 외안각과 안와골 가쪽 테두리(lateral orbital rim)사이의 거리가 4 mm 이하인 경우
- lateral fornix의 깊이가 3 mm 이하인 경우
- 외안각부에 기존 흉으로 하안검 회색선이 끊어진 경우
- 과도한 결과를 기대하는 환자

## 뒤트임 수술법

#### 문헌의 수술법

서양 문헌에서도 외안각 부의 확장 및 안검열의 수평 연장을 위한 수술들이 소개되어 왔다. 하지만 미용적인 목적이 아니라, blepharophimosis 환자의 치료 및 여러 재건술 개념으로 소개되었다. 동양인에게 미용적 목적으로만 사용하기에는 부적합한 수술법들도 있다.

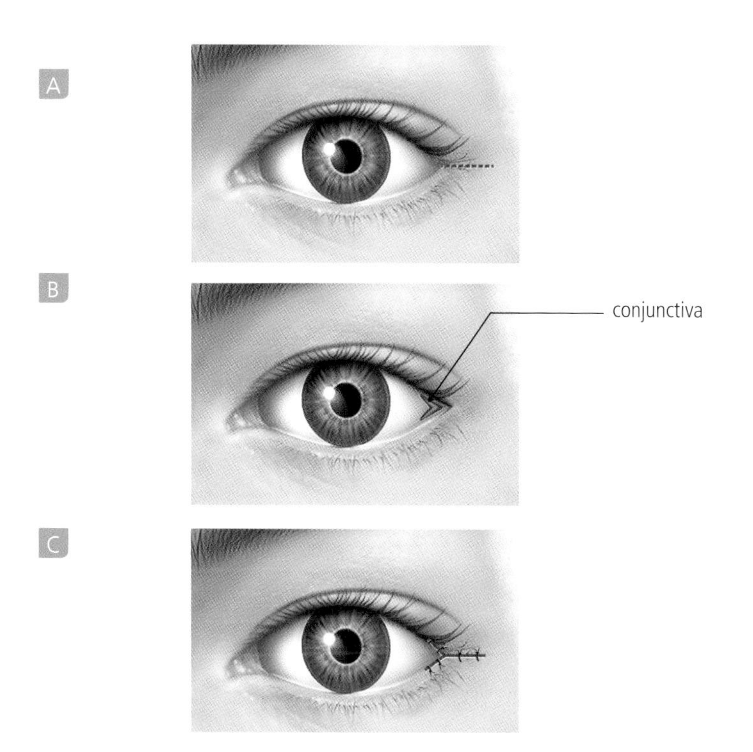


FIGURE 4-24 Von ammon 방법.
A. 외안각에 canthotomy를 한다. B. 결막을 박리하여 외방으로 잡아 당긴다. C. 결막을 피부에 봉합.

## *Von-ammon 방법*

외안각부 연장을 위한 술식으로는 가장 오래전에 소개되었으며 동양인의 뒤트임 수술로도 많이 사용되고 있다. 연장하고자 하는 길이만큼 외안각부 전층을 수평으로 절개(horizontal canthotomy)한다. 외측끝에서 내측방향으로 결막피판을 거상한다. 결막피판은 결막피판의 끝을 당겨 외측 구석에 위치한 피부에 봉합해 주고 위아래 피부와 결막을 서로 봉합해 준다. 새롭게 형성된 fornix가 편평해지는 것을 방지하고 새 외안각부를 깊어지게 하기 위하여, Double armed suture needle을 외안각부의 결막에 찔러 외안각 바깥 피부로 관통시키고, peg에 묶어 준다. 보편적으로 사용되는 수술방법이며 술식이 간단하다는 장점이 있으나, 결막을 무리하게 당기면 외안각부에 붉은 점막이 노출될 수 있고 하안검의 외측부에 흉터가 노출된다는 단점이 있다. 수평 canthotomy로 white sclera의 좌우가 넓어지고 상하의 넓어짐은 부족한 편이므로 이를 보완하려 oblique canthotomy를 시행

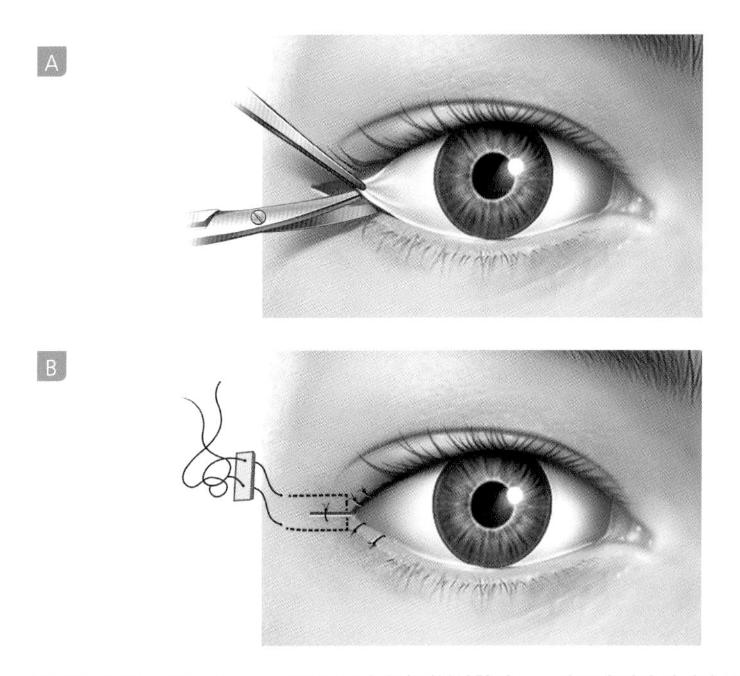

FIGURE 4-25 Von Ammon 방법 중 결막의 피부봉합에 peg 사용에 대한 자세한 그림설명.

하면 하방의 흰자위가 넓게 노출되는 효과를 보기 위한 Von-ammon 변형된 술식도 사용되고 있으며 후반부에 다시 설명될 부분이다.

### *Blaskovics 방법*

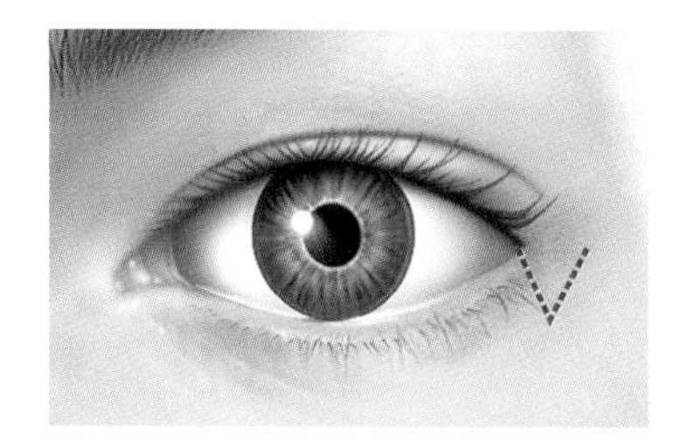

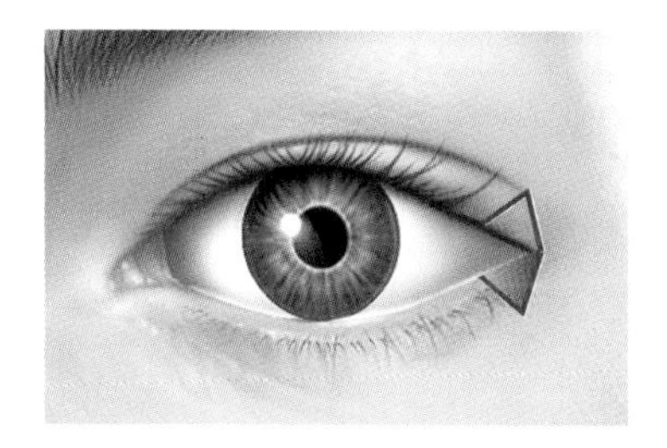

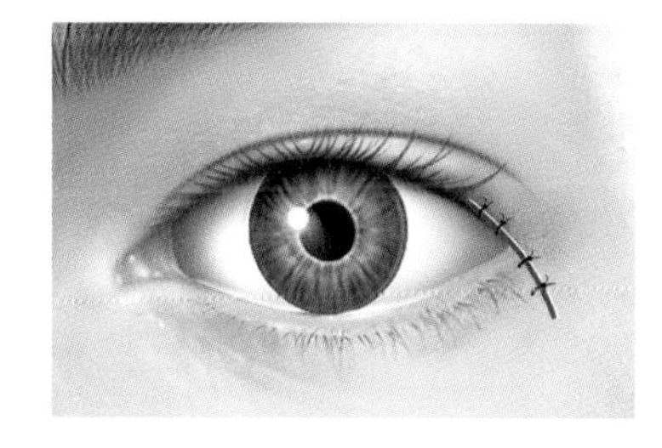

FIGURE 4-26 **Blaskovic 방법.**
**A.** 외안각 부위에 V자형 피부 절개를 가하여 피판으로 일으킨다. **B.** 피판을 상방으로 젖히고 외안각에 수평 절개를 가한다. **C.** 하안검 외측 쇄기모양 노출부를 봉합하고 상안검 외측 피판을 적당히 절단하고 봉합한다.

외안각부위에 V자로 피부절개를 하고 삼각피판을 상방으로 젖혀 놓는다. von ammon 방법과 같은 방식으로 수평으로 외안각 전층 절개를 가한다. 삼각피판 거상으로 인해 생긴 쐐기모양의 절개창은 피부끼리 봉합하여 닫아준다. 상방으로 젖혀 놓았던 삼각피부 피판은 절단하고 나타난 상안검 외측부의 절단연은 서로 봉합한다. 피부긴장만을 이용하는 뒤트임 수술이라 외안각부 연장의 효과는 크지 않은 편이다.

*Fox방법*

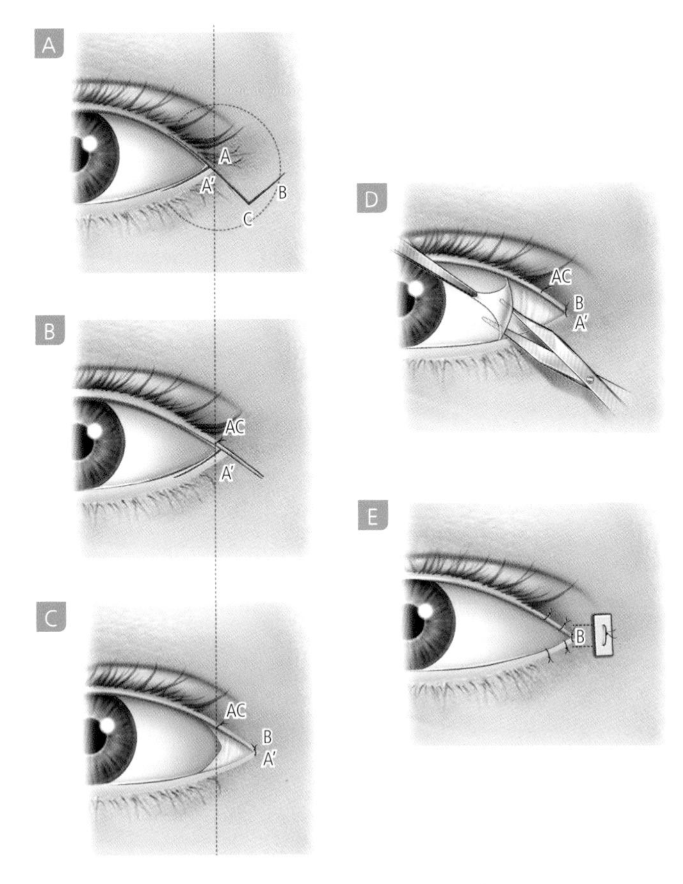


FIGURE 4-27 A. 연장하려는 지점을 B로 정하고 B. A점과 C를 봉합 C. A'점과 B를 봉합 D. 결막피판을 일으킨다. E. 결막피판의 봉합

고유의 외안각(AA')에서 연장하고자 하는 거리(약 4 mm)만큼 떨어진 곳에 원하는 외방점(B)을 정한다. 상안검과 하안검의 외측 1/4을 내층판과 외층판으로 쪼갠다. 상안검을 쪼개어 나타난 절개선을 상안검 가장자리의 연장선을 따라 4mm 더 연장(C)한다. ABC 세점을 이어 피판을 거상하고 C를 A로 당겨 봉합한다. A'를 정점으로 하는 하안검 피판을 일으켜 A'를 B에 당겨 봉합하여 외안각의 피부영역을 만든다. 결막의 외측 끝에서 내측 방향으로 적당한 크기의 결막피판을 거상하고 피판의 외측 끝을 B에 봉합한다. Peg를 이용하여 피부와 검연 내측 1/4 분리된 부위를 봉합하여준다. Von-ammon 방법에 비해 상,하안검의 외측연결점이 손상없이 그대로 유지되는 장점이 있으나 안검연을 외측으로 당기므로 눈을 뜰때 미세하게 졸려 보이는 경우도 있다.

*신 방식(Shin's method)*

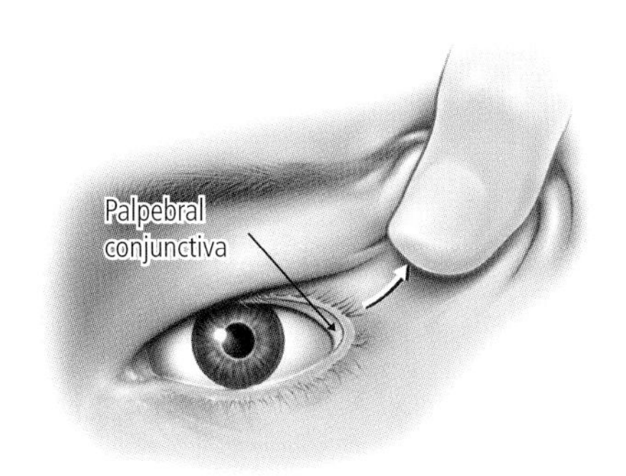


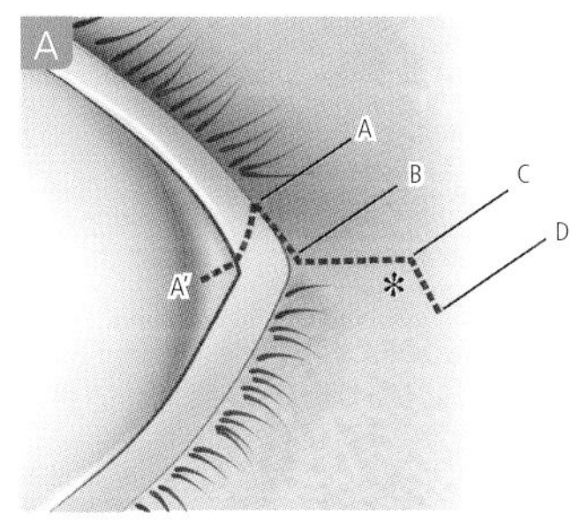


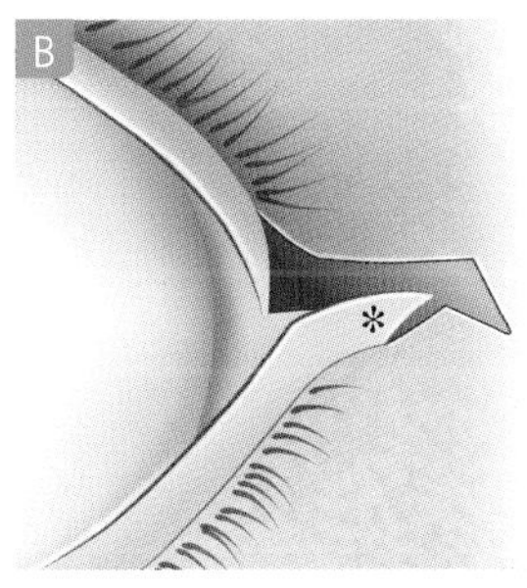


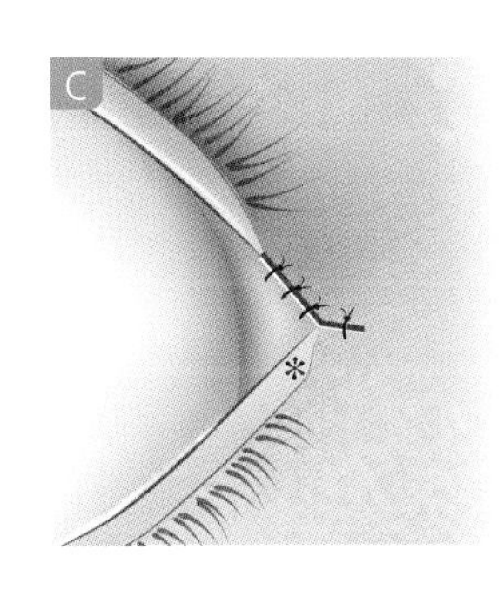


FIGURE 4-28 **Shin's 방법**
**A.** A'AB의 삼각피판을 만든다.
**B.** 피판을 회전시킨다.
**C.** 7-0 Black Silk로 봉합해준다.

## 수술 방법

먼저 외안각부 상방에 cilia line 내측으로 A 점을 잡고 2-3 미리 위치에 외안각과 평행하게 점 B를 잡는다. 이전의 수술로 흉이 잡혀 있거나 눈썹이 외안각 가까이 덥은 경우는 A점을 과감히 포기하여 삼각 피판을 만들지 않고 B지점에서 시작해야 하는 경우도 종종 있다. AA'지점의 삼각피판 하부에는 점막이 거의 없어야 하며 A' 근처로 가능한 점막을 조금 포함 시키도록 해야 점막의 외부 노출되어 보이는 것을 예방할 수 있다.

BC 지점은 외안각을 외측으로 길게 연장하고자 할 때 4미리 이하의 절개를 하게되며 이는 fornix 깊이를 확인하고 깊이의 절반정도를 대개 시행하게 된다. 이는 안구돌출의 경우 BC 거리가 길어지고 뒤트임 효과가 커지며 안구 함몰의 경우 BC 거리가 1-2미리이하로 짧아지거나 아예 BC 길이가 없어지고 심하게 안구함몰된 경우에는 CD의 방향마저 수직에 가깝게 시행해야 하므로 이를 종합하면 안구함몰에서 뒤트임의 효과가 줄어든다는 반증이다. mongolian slant 가 가파르면서 눈이 사납게 보이는 경우 BC 거리를 2 미리 이하로 짧게 하고 CD 거리를 4미리 정도 수직에 가깝게 시행하여 외안각이 하방에 위치하게 하면 외안각 연장의 효과와 하방의 흰자위가 좀더 보이는 효과를 얻기도 한다. 물론 이때 소위 밑트임을 동시에 하면 전면 시각적인 효과를 늘릴 수 있다.

상안검 외측 끝 속눈썹이 끝나는 부위에 비스듬히 삼각형 모양으로 피부와 결막을 포함하는 피판을 거상한다. 이때 점막은 최소한 포함되고 피부피판을 만들때 외측에서는 얇게 내측에서는 두껍게 피판을 만들어 준다. 거상한 피판을 외측으로 회전시켜 하안검의 연장부위가 되도록 유도하는 방식이다. 삼각 피판의 하방을 골막에 7-0 나일론 고정해 주어 피판의 위치가 후방으로 깊어지게 되고, 외안각부의 posterior deepening을 이루어야 하안검과 안구의 접촉이 좋아질 수 있다. 피판을 거상하여 발생하는 상안검의 절개창을 피부와 결막끼리 7-0 black silk 로 봉합해주고, 회전되어 고정된 피판은 주변의 피부와 봉합한다. 피판이 위치하면서 발생하는 주변 피부의 dog ear는 삼각형 모양으로 적절히 제거하여 주기도 하고 미미한 경우 전기소작으로 줄여주고 듀오덤을 5일간 붙여준다. 피부결막 피판 거상시 결막이 많이 포함되면 수술 후 점막이 과하게 노출될 위험성이 있으므로 피판에 포함되는 결막은 거의 미미하여 봉합시 전면 피부쪽으로 점막노출이 되지 않도록 봉합한다.

**술식의 장단점**

하안검 grey line에 흉터가 보이지 않고 외안각부의 적절한 깊어짐을 만들어 줄 수 있다는 장점이 있다. 하지만 외안각부 구석 끝까지 상안검 속눈썹이 나있는 경우에는 눈썹 찔림의 가능성으로 충분한 피판을 거상하지 못한다는 한계점이 있고 수술의 학습난이도가 높다.

이런 삼각 피판을 만들 여유가 없는 경우에 외안각 외측에 상안검의 곡선과 일치하는 절개를 가하고 일차 봉합하는 뒤트임을 시행하기도 한다. (Lateral oblique canthotomy 방법)

### Lateral oblique canthotomy 후 일차봉합 방법

삼각 피판을 만들기 여의치 않으면 간단히 비스듬한 외안각 절개를 가하고 새로 생길 외안각부위를 골막에 고정하고 일차 봉합을 통해 외안각 외측과 하방으로 확대시킬 수 있다.

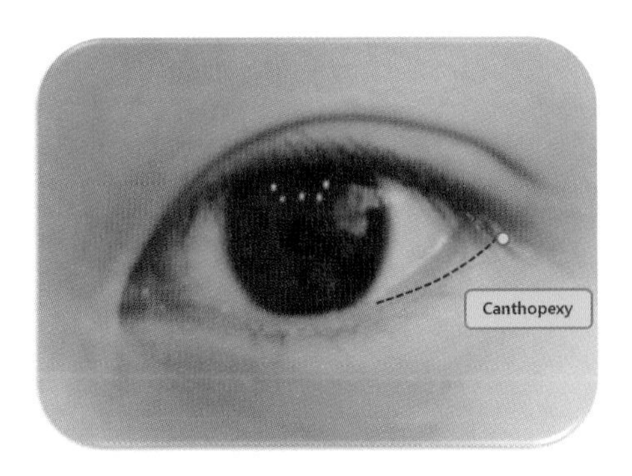

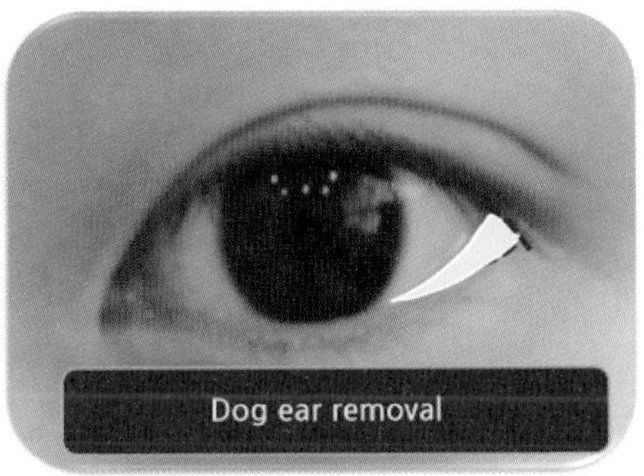


FIGURE 4-29 Lateral oblique canthotomy and primary clousure

#### *수술 방법*

외안각 외측의 절개선은 피부와 점막을 일차 봉합하고 하안검의 외측연을 골막에 7-0 나일론으로 고정해 주어 외안각이 외측과 하방으로 확대되게 된다.

#### *수술의 장단점*

이 수술은 모든 환자에서 외안각의 위치가 하방으로 내려가서 새로이 생긴다는 단점이 있으나 수술이 간단하고 부작용 발생 빈도도 낮은 장점이 있다.

### mongoloid slant 를 내려주면서 시행하는 뒤트임. (일명 밑트임과 뒤트임)

#### *몽고 기울기 교정과 뒤트임 동시 수술의 적응증?*

서양인에 비해 동양인은 눈꼬리가 올라간 경우가 많다. 이렇게 mongoloid slant가 가파르면 화난 인상으로 보이게 된다. 이러한 환자를 단독으로 뒤트임 수술만 시행하게 되면 외안각부가 연장된 느낌이 부족한 경우가 많고, 눈꼬리가 더욱 올라가 보이는 경향이 있어 환자의 만족도가 떨어질 수 있다. 눈꼬리가 올라간 환자에서 뒤트임을 시행할 때에는 뒤트임 뿐만 아니라, mongoloid slant를 평행하게 바꾸어 주면 눈이 순하게 보이면서 동시에 크게 보이는 효과가 있다. 뒤트임만 시행하는 경우보다 수술 후 외안각부의 면적 확대가 크므로 환자의 만족도를 높일 수 있지만 사납게 보이는 가파른 mongolian slant 환자에서만 시행하여야 한다.

*수술의 개요.*

외안각 연장이 주요 목표이면서 외안각 상외측에 삼각피판을 만들 여유가 있으면 삼각피판을 만들면서 올라간 눈꼬리를 내려주는 수술을 시행한다.

미용적 뒤트임의 재수술에서는 흉으로 인해 삼각 피판을 만들기 용이하지 않은 경우가 많다. 재수술이 아니고 일차 수술이라도 외안각 상외측 안검연과 속눈썹거리가 가까

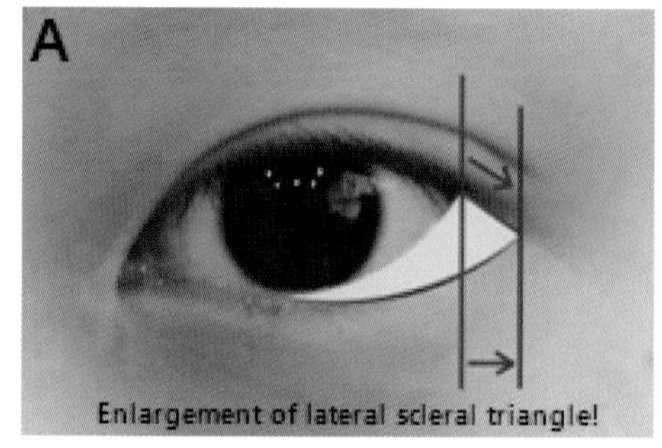


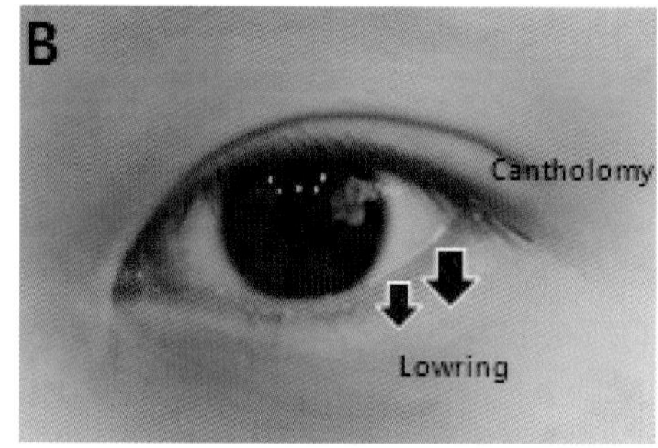


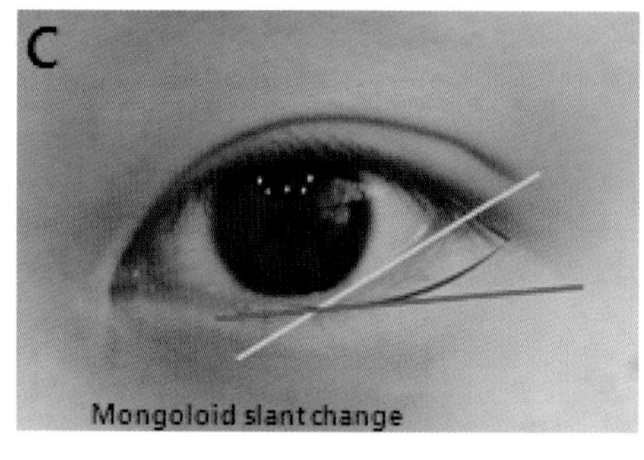


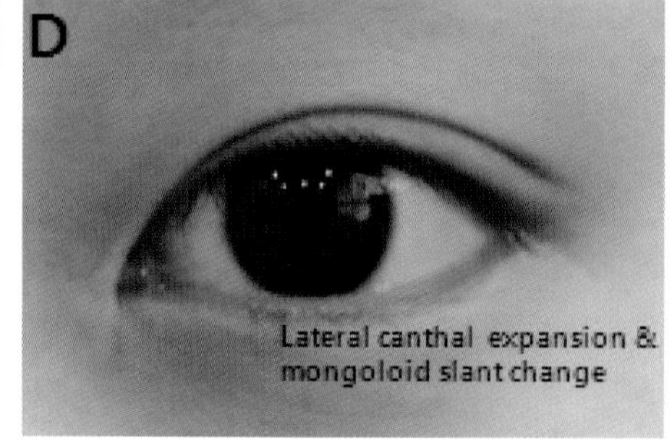


FIGURE 4-30

A. 상안검의 기울기를 따라 lateral oblique canthotomy를 시행하고 결막을 통해 preseptal dissection을 시행한다.
B. 외측 하안검의 검판을 CPF(capsulopalpebral facia)에 7-0나일론으로 두 군데를 고정하여 하안검 외측 기울기를 완만하게 해준다.
C. 만들고자 하는 외안각 점 아래에 있는 골막에 Nylon6-0로 하안검끝을 고정한다.(canthopexy) 수술 전보다 노란색 삼각형 만큼 lateral sclera가 확장된다. 수술 전(노란색)에 비해 수술 후(분홍색) 안검열 경사도가 낮아진다.
D. 외안각이 외측과 하방으로 확장되었다.

운 경우 그리고 이 부위에 속눈썹이 자리잡고 있는 경우 삼각피판을 일으키기 어렵다.

간단한 술식으로 외안각 하방확대가 주요 목표이면 lateral oblique canthotomy를 시행하여 하안검의 유동성을 확보한 후, 결막을 통해 하안와지방 격막 앞으로 (preseptal dissection) 박리를 진행한 후 하안검 외측 검판(lateral tarsus)을 하방의 CPF(capsulopapebral fascia)에 연결시킴으로써 하안검의 외측부분이 하방으로 내려가면서 mongoloid slant의 기울기를 완만하게 만들어준다. 2미리 이상 안검하수가 있는 환자에서는 시행하지 않는 것이 좋은데 안검하수가 악화될 가능성이 있기 때문이나 2미리 이하의 안검하수에서 arcuate expansion of Clifford ligament를 사용하면 안검하수 악화 빈도가 줄어드는 느낌이다.

추가로 lateral oblique canthotomy로 노출된 하안검의 끝을 외측으로 당겨 만들고자 하는 외안각부 아래의 골막에 7-0 나일론 고정(lateral canthopexy)하여 새로운 외안각 위치를 조절할 수도 있다, 삼각피판을 일으킨 경우는 삼각 피판의 베이스를 외측으로 당겨서 골막에 7-0 나일론 고정하여 준다.

*lateral oblique canthotomy와 mongoloid slant 교정수술의 상세 과정*

**lateral oblique canthotomy**

상안검 외측이 외안각부로 이행되는 부위의 기울기를 따라 비스듬하게 외안각부에서 하방으로 전층으로 절개(oblique canthotomy)한다. 통상적으로 4~5 mm 길이로 절개하며, 절개하는 길이는 목표로 하는 연장크기에 따라 길어지거나 짧아질 수 있다.

**가파른 mongolian slant 완만하게 바꾸기**

하안검의 안검판 1-2미리 하방에서 결막을 좌우로 1 cm 미만의 길이로 절개한다. 보비를 이용해서 보이는 혈관을 미리 지혈하면서 수술한다. 안륜근과 후방과 lateral orbital septum 전면 사이를 박리하여 하방으로 시야를 확보한후 orbital fat septum을 최소로 절개하여 lateral orbital fat을 노출시킨다. 보조자에게 노출된 orbital fat을 하방으로 견인하게 하고, 노출된 orbital fat의 후방에서 CPF(capsulopalpebral facia)를 확인하고 포셉으로 잡는다. Nylon 7-0를 사용하여 CPF를 먼저 관통시킨 후, 내리고자하는 위치의 하안검 tarsus의 lower border를 좌우로 관통시켜 서로 봉합하여 준다. 확실한 고정과 재발을 방지하기 위해 매몰 쌍거풀하듯이 tarsus를 관통하여 고정하는 경우도 있다. 내리고자 하는 양에 따라 안검판의 상하 고정 위치를 변경할 수 있다. 대개 두 군데 정도의 CPF(capsulopalpebral facia)를 안검판에 고정하게 된다.

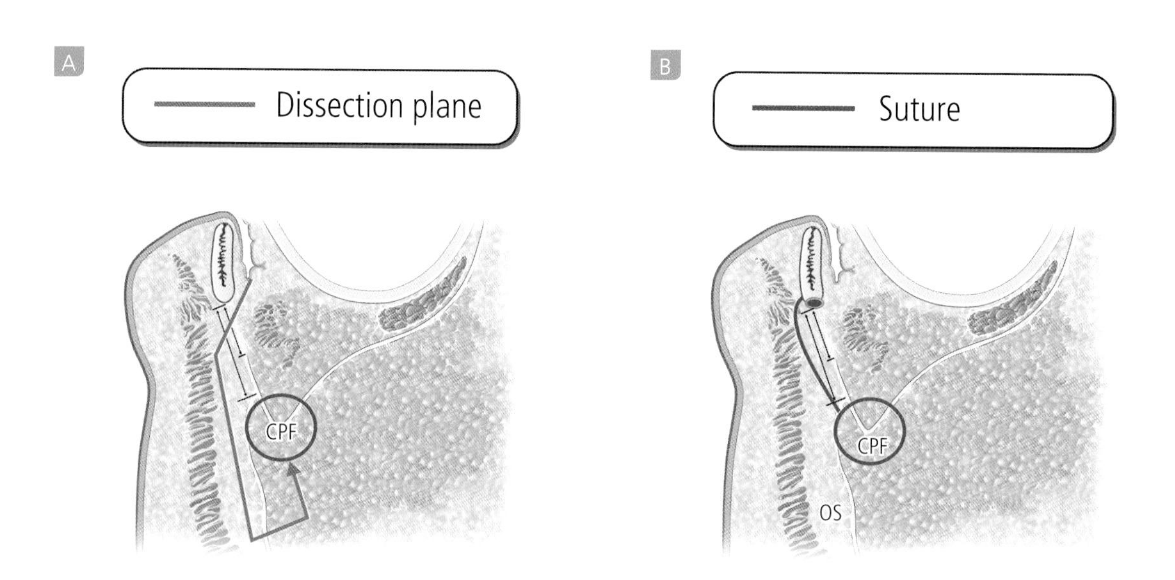


FIGURE 4-31 **하안검 내리기.**

**A.** transconjunctival prespetal approach 방법으로 접근하여 lateral orbital septum을 열고 CPF에 접근한다.

**B.** CPF와 tarsus의 lower border를 Nyon 7-0로 연결시켜 하안검을 하방전위 시킨다.

### 뒤트임 및 canthopexy

canthotomy로 노출된 상안검의 변연부의 절개창은 봉합하여 닫아주고, 하안검 외측 끝은 lateral orbital rim의 골막에 Nylon 6-0로 고정(canthopexy)하여 준다. 수술 전 목표로 하였던 위치에 새로운 외안각이 형성되었는지 확인한다.

**외안각부에 주변에 발생하는 피부 dog ear를 제거하기 위하여** 하안검 속눈썹 아래를 따라 최소한의 피부에 절개를 가하여 남은 피부를 적당히 절제한 다음 피부를 봉합하여 준다.

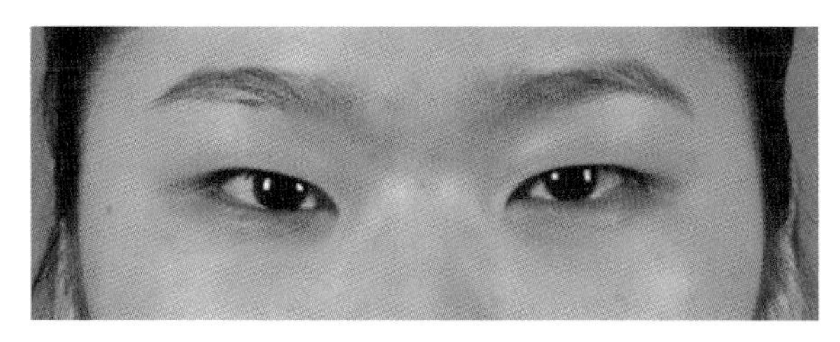
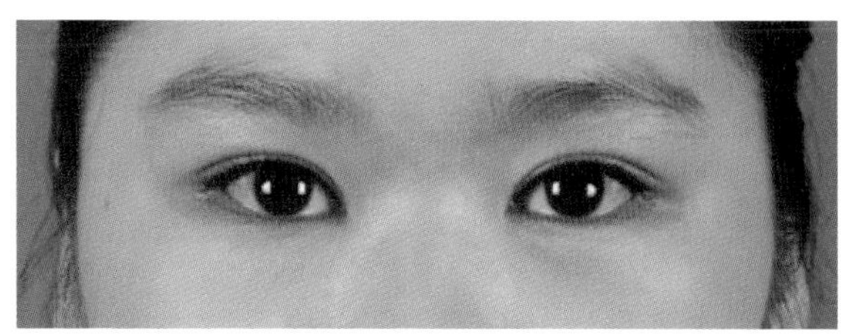

FIGURE 4-32 뒤트임과 몽고경사를 완만하게 하면서 쌍거풀을 시행한 케이스.

## 수술 후 관리

뒤트임은 수술 부위의 특성상 드레싱이 까다로울 뿐 아니라, 드레싱을 유지하기도 어렵다. 수술부위에 봉합사 외 특이사항이 없다면, 연고만 발라주어도 대부분 큰 문제는 생기지 않는다. 실밥제거는 수술 후 7일-8일에 시행한다.

### REFERENCES


1. Shin YH, Hwang K Cosmetic lateral canthoplasty. Aesthetic Plast surg 2004; 28: 317-320,
2. 백봉수, 박대환 : 안성형외과학, 3rd Ed, pp300-300 군자출판사. 2007
3. Hwang K, Choi HK, Nam YS, Kim DJ Anatomy of Arcuate Expansion of CapsulopalpebralFascia. J of Craniofacial Surgery 2010; 21: 239-242
4. Fox S.A. Ophthalmic Plastic Surgery, 5th Ed, New York : Grune&Stratton, 1976:. 223-225,
5. Von Ammon FA: Klinishe darstellungen der angehorenen Krankheiten und Bildlungsfhler des Menschlichen der auges und der augenlider. G. Reimer. Berlin, p 6. 1841
6. Knize DM. The Superficial Lateral Canthal Tendon: Anatomic Study and Clinical Application to Lateral Canthopexy. PLASTIC AND RECONSTRUCTIVE SURGERY 2002; 109: 1149-1157
7. Hwang K, Kim DJ, Hwang SH, Chung IH. The Relationship of Capsulopalpebral Fascia With Orbital Septum of the Lower Eyelid: An Anatomic Study Under Magnification. J OF CRANIOFACIAL SURGERY 2006; 17: 1118-1120
8. Park DH. Anthropometric analysis of the slant of palpebral fissures. Plast Reconstr Surg 2007; 119: 1624
9. Hirohi T, Yoshimura K. Vertical enlargement of the palpebral aperture by static shortening of the anterior and posterior lamellae of the lower eyelid: a cosmetic option for asian eyelids. Plast Reconstr Surg 2011; 127: 396

CHAPTER

# 05

# 안검하수

## BLEPHAROPTOSIS

정상인의 눈높이는 제일 안위(primary gaze)에서 위 눈꺼풀의 가장자리(upper eyelid margin)가 각막상연을 1-2 mm 가리고 있다. 안검하수란 상안검연(upper eyelid margin)이 각막상연(corneal upper limbus)을 2 mm 이상 가리거나 MRD1 (marginal reflex distance)이 4 mm 이하인 경우에 해당한다. 이는 선천적이거나 후천적으로 눈뜨는 근육인 상안검거근(levator palpebrae superioris muscle) 또는 Müller근의 운동장애에 의해 일어난다.

하지만 비록 정상 크기 범위 내의 안검열을 가지고 있는 경우에도 보다 시원한 눈을 가지고자 하는 경우에는 안검하수 수술을 시행하는 경우가 있다. 일반적으로 아름답고 시원한 눈은 젊은 사람에서는 각막 상연에서 1 mm 정도를 가리고 나이든 사람에서는 2 mm 정도를 가리는 것을 선호하는 경향이 있다.

## 안검하수의 분류

여러 가지 분류법이 있지만 여기서는 Beard의 분류법을 소개한다.

### *1. 선천성 안검하수(Congenital ptosis)*

a. 상직근 기능이 정상인 안검하수 - 단순형(simple ptosis)
b. 상직근 기능이 저하된 안검하수
c. 검열 축소증(blepharophimosis syndrome)
d. 공동 운동성 안검하수(synkinetic ptosis), Marcus-Gunn jaw winking ptosis
제3뇌신경 방향 잘못의 안검하수(misdirected third cranial nerve ptosis)

### *2. 후천성 안검하수*

a. 신경성(neurogenic)
b. 근성(myogenic)
c. 외상성(traumatic)
d. 기계적(mechanical)

### 3. 가성안검하수(Pseudoptosis)

a. 무안구증(anophthalmia), 소안구증(microphthalmia), 안구로(phthisis bulbi)

b. 하사시(hypotropia)

c. 피부이완증(dermochalasis)

## 수술 전 검사

- 안검하수 정도
- 상안검거근 기능
- 동안근기능과 Bell 현상(Bell's phenomenon)
- 안구건조증, 각막지각능력(corneal sensitivity)
- 공동근육운동(synkinetic movement)
- 중증 근무력증(myasthenia gravis) 검사
- 시력검사
- Hering's law test 등

#### 상안검열의 수직 길이 측정 (FIGURE 5-1)

눈을 수평으로 뜬 상태에서 눈꺼풀 가장자리와 아래 눈꺼풀 가장자리를 측정하는 것이다. 정상인에서 한국인의 상안검열의 길이는 8-8.5 mm(박동만 등, 박대환 등)이고 백인은

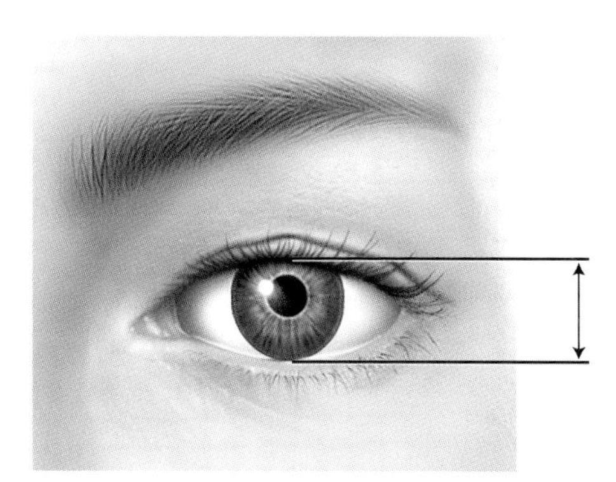

**FIGURE 5-1** 상안검의 수직 길이.
(Palpebral fissure height)

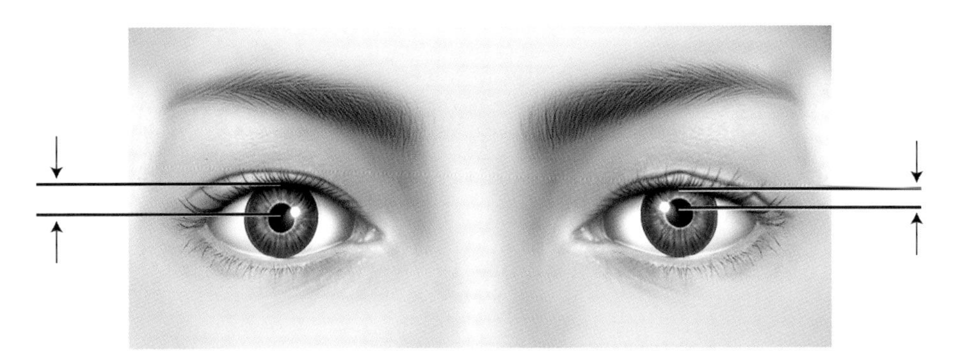

FIGURE 5-2 · MRD1 정상치는 3~5 mm이다. 정상 눈과 안검하수 눈.

10 mm이다(Fox, 1966). 한국인의 정상수직 각막 직경은 약 10.5 mm이며 위 눈꺼풀이 각막의 위 가장자리를 약 2 mm 정도 덮고 있으므로 2 mm 이상 덮는 정도가 안검하수 정도이다. 여기서 오류를 범하기 쉬운 점은 쌍꺼풀이 없는 사람에 있어서 눈 가장자리가 윗 눈꺼풀의 처진 피부에 의해 가려져 있으면 이 처진 피부를 위로 올린 후 측정해야 정확하다. 처진 피부를 올리기 위해서 눈썹을 위로 당기든가 쌍꺼풀을 만들어 본다. 그런데 눈썹을 올리는 것은 때로는 눈꺼풀을 위로 당겨 안검열을 크게 만드는 오류를 범할 수 있다.

이 측정 방법은 하안검의 위치에 따라 길이가 달라진다는 점이 다른 방법과 다르다.

### *MRD1 (marginal reflex distance 1) 방법* (FIGURE 5-2)

각막의 빛 반사점(corneal light reflex)으로부터 윗 눈꺼풀의 가장자리의 중심부까지의 거리를 표시한 것이다. 만일 윗 눈꺼풀이 빛 반사점보다 아래로 내려와 있으면 (-)로 길이를 표시한다. 정상치는 3-5 mm로 40대 이후 점점 작아지며, 3 mm 이하를 안검하수로 본다. 서양인은 4.5 mm (Putterman, 1980)로 보고된 바 있다. 이중에서도 각막의 직경이 큰 사람은 3 mm 정도에서도 졸려 보이는 느낌이 있다. 일반적으로 윗 눈꺼풀이 각막 상부와 동공중앙 사이에 위치하면 각막 수직 길이를 10 mm로 가정할 때 MRD1은 2.5 mm가 된다.

## 상안검거근 기능 측정

상안검거근의 기능을 측정하는 방법으로 가장 많이 사용되는 방법은 Berke 법과 MLD (marginal limbal distance) 측정법이 있다.

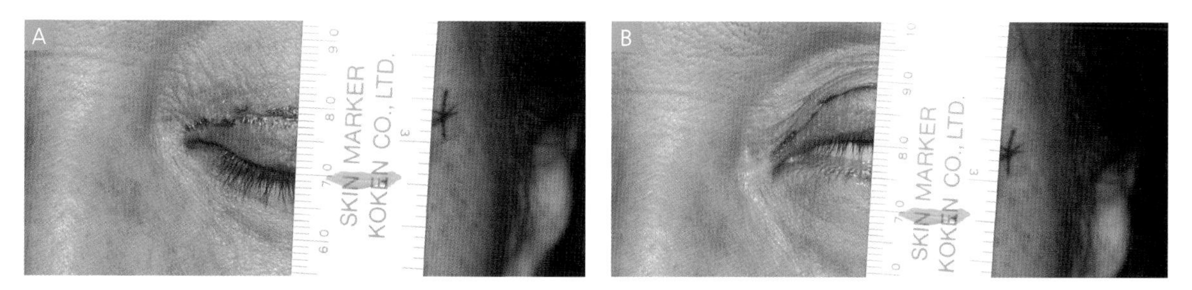


FIGURE 5-3 **거근 기능(levator function) 측정 방법.**
가장 아래를 볼 때(A)와 가장 위를 볼 때(B)와의 거리. 이 환자는 거근 기능이 10 mm 정도 된다..

### *Berke 방법 (FIGURE 5-3)*

전두근의 눈꺼풀 올림을 방지하기 위하여 눈썹을 손으로 고정시킨 상태에서 환자가 최대로 위로 볼 때와 최대 아래를 볼 때의 위 눈꺼풀의 상하 이동거리를 측정하여 눈꺼풀의 운동범위(range of motion, excursion)를 알아보는 것이다. 이때 쌍꺼풀이 있는 사람은 상안검연의 위치를 측정하기가 용이하지만 쌍꺼풀이 없는 사람은 위로 볼 때 상안검연이 눈꺼풀에 가려지기 때문에 조수가 상안검연이 노출되도록 핀으로 임시 쌍꺼풀을 만들어 눈꺼풀 피부가 상안검연을 가리지 않고 눈썹이 올라가지 않도록 이중으로 고정한 상태에서 측정해야 정확히 측정할 수 있는 어려움이 있다. 저자는 혼자서 측정할 때 정확성을 기하기 위해 눈썹을 고정시키고 최대 아래위를 보게 하여 길이를 잰 다음 최대로 위를 볼 때 피부가 안검열을 가리는 길이만큼을 더하여 계산한다.

가끔 상안거근의 기능을 측정할 때 눈을 감을 때와 최대 위로 볼 때를 계산하는 경우를 본적이 있는 데 이것은 잘못된 방법이다. 아래로 볼 때의 눈꺼풀 위치는 눈을 감았을 때보다 더 낮기 때문이다. 한국인의 평균 거근 기능은 14-16 mm(박동만 등, 1990)이고 12 mm 이하에서 안검하수 증세를 보이는 편이며 백인은 15-18 mm (Putterman, 1980)이다.

### *MLD (marginal limbal distance) 방법*

역시 이마근의 운동을 차단시킨 상태에서 환자가 최대한 위로 봤을 때 안검열의 수직 길이를 측정하는 것이다. 이는 안검하수 수술 중에 양쪽의 대칭을 알아볼 때도 유용한 방법이다. 백인의 평균 MLD는 9 mm (Putterman, 1980)이다.

### 수술금기

- 제3뇌신경마비: 상직근 마비, Bell 현상이 없는 경우
- 각막굴절 수술환자(예: 라식수술)
- 안구 건조증 환자
- 각막지각능력(corneal sensitivity) 저하
- 눈 감는 기능 저하 등

이상의 경우는 안검하수 수술 후 노출성 각막염이 심해질 위험성이 있으므로 수술을 금하거나, 수술을 하더라도 목표를 낮게하여 제한적인 부족교정을 하여야 한다.

노출성 각막염은 안검하수 수술 후에 발생하기 쉬운 매우 심각한 질환으로 때로는 안검하수 교정을 환자가 만족할 정도로 충분히 교정하는 데 제한을 줄 수밖에 없는 안타까운 요소이다. 임상적으로 매우 중요한 사실은 비슷한 정도의 안검하수 환자에서 같은 양의 교정을 해도 환자 개개인이나 수술방법에 따라 토안(lagophthalmos) 정도가 다르다는 사실과, 같은 토안의 정도에 대해서도 견디어 내는 적응 정도가 매우 다르다는 것이다. 실제로 안검거근 기능이 전혀 없는 어떤 환자의 경우에서 수술 직후부터 눈을 완전히 감게 되어 눈 크기가 정상인과 같게 충분히 교정한 적도 있는 반면, 경미한 안검하수에서 눈 크기를 약간만 키운 상태에서도 각막 노출이 발생하였으며 경미한 각막노출에도 불구하고 노출성 각막염으로 매우 고생하면서 시력마저 저하되는 경우를 본 적도 있다. 대개 젊은 사람이 나이 많은 사람보다 각막의 노출에 대해 적응력이 강하다.

또한 안검하수 환자에서 거근의 조직학적 특징은 근육섬유가 적고 섬유화가 심하기 때문에 탄력성이 떨어져 아래로 볼 때 안검지연(lid lag)이 나타나는 경우를 볼 수 있는데 안검지연 현상이 있는 환자는 수술 후 토안(lagophthalmos)의 가능성이 높다. 눈을 잘 감는 능력 또한 안검하수 수술에서는 매우 중요하다. 어떤 안검하수 환자에게서 선천적으로 안륜근의 눈감는 기능도 약하여 수술 전부터 눈을 약간 뜨고 자는 사람을 볼 수 있다. 쌍꺼풀수술을 여러 번 받은 환자에게서도 눈을 약간 뜨고 자는 사람을 볼 수 있다. 눈꺼풀 피부를 과하게 잘라 내거나 안륜근 전검판을 절제한 것이 원인이 된다. 이렇게 눈 감는 기능이 약한 사람은 수술 전에 수술 후 눈을 뜨고 잘 수 있는 문제점에 대해서 미리 잘 설명해야 한다.

눈을 잘 감는 능력에서는 전검판 안륜근(pretarsal oculi muscle)의 기능이 중요하므로 각종 상안검 수술 시 이를 절제하지 말고 잘 보호해야 한다.

### 안구운동 장애

안검하수 환자의 대부분은 외안근(extraocular muscle)의 장애를 동반하지 않지만 발생학적으로 거근(levator muscle)과 상직근(superior rectus muscle)은 같은 중배엽(mesodermal bud)에서 형성되기 때문에 5-6%에서 동측 상직근의 이상을 동반한다. 이런 경우는 잠을 잘 때 Bell 현상이 나타나지 않기 때문에 안검하수 수술에 고려해야 할 중요한 사항이다.

## 안검하수와 시력과의 관계

선천성 안검하수 환자의 경우 시력이 저하된 경우가 많으며 사시, 굴절 이상, 난시, 약시가 선천성 안검하수와 관련이 있다.

### *약시(Amblyopia)*

일반인의 약시의 빈도가 3.2%인 데 비해 심한 선천성 안검하수 환자의 약 20-30%에서 약시를 가지고 있다(Anderson 20%, Merriam 29%, Bennish 32%). 안검하수가 심할수록 약시 빈도가 높으며 원인으로는 부동시(Anisometropia)가 13-15%로 정상인의 7-8%보다 높다. 그리고 사시, 난시, 폐쇄성이다. 약시 중에서 사시와 부동시를 동반하지 않는 경우를 isolated ptosis라고 하는데 이 중 16.7%에서 약시가 나타났다.

### *사시(Strabismus)*

약시의 가장 많은 원인 중 하나로 12-36%(16% Lin, 36% Anderson, 34% 윤, 26% Berke)를 차지한다. 이 중 외사시가 가장 많은 빈도를 차지하고 16%에서 상직근 마비가 있다.

### *난시(Astigmatism)*

1.0 디옵터 이상의 난시가 환자의 45%에서 발생하며 정상인보다 2배 정도로 발생빈도가 높다. 각막에 접촉력이 늘어나 각막에 대한 압력이 높은 것이 원인이 될 수 있다. 직난시가 대부분을 차지한다. 안검하수 수술 후 각막에 대한 접촉력의 변화로 인해 난시 정도가 변할 수 있다.

### *근시(Myopia)*

빈도가 정상인과 유사하다.

### 선천성 안검하수의 수술시기와 안검하수 수술 후의 시력변화

심한 선천성 안검하수의 적절한 수술시기에 대해서는 이견이 많은 편이다. 수술시기의 전제조건으로 들 수 있는 것으로 우선 환자로부터 정확한 정보를 파악할 수 있어야 하고 어느 정도의 협조를 얻어낼 수 있기 위해서는 2-3세 또는 4-5세 이후에 가능하다는 것이 일반적인 의견이다.

Duke-Elder는 3세 경, Scheie는 3-4세, Stallard는 환자가 머리를 제끼지(head tilt) 않고 잘 보면 5세, 단측성이며 시선을 막는 경우는 2세, fax는 2세 이후 어느 때고 가능하다고 하였으며 어릴 때는 근막(fascia) 발달이 잘 안되어 임시적으로 외부 물질(예: 나일론, 실리콘실)로 걸기(sling)를 하고 나중에 다른 수술을 권하기도 한다.

선천성 안검하수의 조기 교정 후 시력변화에 대해서는 이견이 있다. Merriam 등은 교정 수술 후 15%의 환자에서 주로 난시가 원인이 되는 약시가 발생하였으며 수술을 받은 평균 나이가 1.6세로 보고하면서 이를 피하기 위해선 수술시기를 5세 이후로 연기할 것을 주장하였다. 한편 Hornblass 등과 Lin 등은 심한 선천성 안검하수에서 초기에 수술로 교정하는 것은 약시의 교정에 매우 효과적이며 수술 후 약시가 발생하지 않았으며 반대로 수술 없이 그대로두면 약시가 악화될 수 있다고 보고하였다. Lin 등은 심한 선천성 안검하수에서 생후 2개월에서 8세 이전에 수술하여 약시의 빈도가 37.5%에서 5%로 감소되었다고 보고하였다.

일반적으로 어린이의 시력은 1세에 0.3에 이르고 5-6세에 1.0의 발달과정을 거치는데 이때 시야가 확보되지 않으면 발달과정에 장애를 초래하므로 시야가 제한을 받는지 여부가 수술 시기를 결정하는 데 중요한 요인이 된다.

한편 임상에서 상거근 기능이 거의 없는 매우 심한 성인 안검하수 환자에서 시력이 정상인 경우를 흔히 볼 수 있다. 이는 환자가 어린 시절부터 이마근 등 다른 근육으로 시력확보를 적절히 대처하여 시력 발달과정이 정상적이었음을 보여준다. 그러므로 어린아이가 평소 사물을 바라보는 태도를 잘 관찰하여 시야가 가리지 않도록 잘 대처하고 있고 약시가 없다면 굳이 수술을 서두를 필요가 없다고 할 수 있다.

양측 안검하수에서 대처 능력이 좋은 편이다. 성인의 상안검 수술이나 안검하수 수술 후에 난시로 인한 시력변화가 나타나는 수가 있다. 이는 각막에 대한 눈꺼풀 압력 변화에 의해 각막 표면이 변하기 때문에 생기는 것으로 단순 상안검 수술보다 안검하수 수술에서 보다 많이 나타난다. 일반적인 경우 대개 수술 직후부터 2-3개월까지는 많은 숫자에서 미약하나마 주로 난시로 인한 시력변화가 나타나지만 1년이 지나면 0.3 diopter 이상의 난시가 나타나는 경우는 10% 미만이다. 또한 심한 안검하수 수술 후 노출성 각막염에 의한 시력 저하는 매우 신중하게 취급하여야 할 문제이다. 일반적으로 안검하수 교정량이 많을수록 노출 정도가 심하고 노출 정도가 심할수록 각막염 또한 심한 걸로 생각하지만 반드시 그렇지는 않다. 같은 정도의 안검하수 환자라 하더라도 환자마다 수술 후 노출 정도가 다르고 노출 정도에 따른 각막의 내성도 다르므로 여러 가지를 고려하여 안검하수 교정량을 결정하여야 한다. 수술 후 노출성 각막염을 예방하기 위하여 잠들기 전에 인공 누액 연고와 점안액을 사용하고 심한 경우에는 안대를 착용한다.

## 안검하수 환자에서 상거근의 조직학적 소견

### *뮬러근(Müller's muscle)*

- **선천성**: 안검하수에서는 fatty infiltration이 가장 현저하다. 대체적으로 근육세포의 이상이나 atrophy가 없다는 보고가 있으며 Berke, 정화선 등은 ⅔에서 atropy가 없고 ⅓에서 atrophy가 경하게 나타난다고 보고하였다.
- **후천성**: 안검하수에서는 비교적 근육량이 풍부하나(Berke) 근육이 얇아지고 퇴행성 변화가 나타난다.

### *상거근(Levator muscle)*

선천성 안검하수는 주로 거근(levator muscle)의 dystropy 때문이다. atropy와 fibrosis가 나타난다(atropy 70-95%, fibrosis 42%(Hueck)). Atropy의 양상으로 창백하고 늘어진(pale, flabby), 근육섬유의 hyaline degeneration, vacuolization, 크기가 불규칙하며, 심한 안검하수의 경우 근육세포가 없는 경우를 많이 볼 수 있다. 지방침윤(fatty infiltration)은 25%에서 나타난다는 보고가 있다. 거근의 횡문근(striated muscle)의 이상정도와 거근기능저하 정도는 일치한다. 즉 후천성 안검하수와 경한 선천성 안검하수에서는 횡문근을 모두 볼 수 있는 반면 거근기능이 "0"에 가깝다면 횡문근 섬유(striated muscle fiber)가 없이 loose areolar tissue로 구성이 되어 있다. 그러므로 이런 조직으로 많이 전진하는 것은 심하게 재발하고 많은 토안을 일으키기 때문에 좋은 방법이라고 하기 어렵다.

노인성 안검하수(senile ptosis)는 건막의 피열(disinsertion) 때문이기도 하지만 근육의

degeneration이 많은 수에서 동반된다.

후천성 안검하수에서는 거근 횡문근 세포가 정상적으로 나타난다(Berke et al).

### *상안검거근 건막(Levator aponeurosis)*

평균 두께는 0.2 mm 정도로 정상인과 뚜렷한 차이가 없다.

### *안검하수 환자 수술기록지*

| 등록번호: | 성명: | 나이/성별: |
|---|---|---|
| 진단명: | | |
| C.C | 눈꺼풀의 각종 불만사항, 쌍꺼풀의 불만사항 | |
| PH | 과거질환, 수술, 눈 수술 | |
| PI | 눈의 불편한 점, 복용 약, 건조증, 켈로이드 체질 | |
| PEx | | |
| 안검하수 상태 | | |
| | 우측 | 좌측 |
| MRD1 | | |
| 안검하수 정도 | | |
| 안검열(palpebral fissue) | | |
| 거긴기능(levator function) | | |
| 안검열 모양 | | |
| 우성 눈 | | |
| 시력 | | |
| 동앙근 상태 | | |
| 안검지연(lid lag) | | |
| 안구 건조증 | | |
| 기타 특이사항: | | |
| 수술 후 예상되는 문제점 | 토안, 상하방 주시 시 비대칭, 비대칭 | |

*수술지*

| | |
|---|---|
| 수술명 | aponeurosis, levator complex, CFS, plication, advancement, frontalis sling 등 |
| 안검하수 정도 | |
| 마취 방법 | 수면 마취, 국소 마취 위치, 용량, epinephrine 희석 여부 |
| 국소마취 이후의 눈 크기 변화 | 유무, 변화 정도, 변화에 대한 대처 방법 |
| 박리 위치와 범위 | preaponeurotic layer, Muller와 결막 사이 |
| 전진조직, 전진량, 전진 위치, 실 종류, 검판 고정 방법 | aponeurosis, Muller, levator complex 등 |
| 전진 후 변화, 과교정 여부(과교정 양) | |
| 쌍꺼풀 수술 | 고정 방식 |
| 수술 후 눈 크기의 변화 추이 | |

## 안검하수의 분류 - 수술기법상

안검하수의 분류를 저자는 수술 기법상 생물학적 안검하수와 기계적 안검하수로 나눈다. 생물학적인 안검하수는 눈 뜨는 근육의 조직학적인 이상에 의한 것이며 기계적 안검하수는 조직학적인 변화보다 외향적인 변화가 주된 것을 말한다. 이 둘은 교정수술 시 전진양이 매우 차이가 있기 때문에 그 기전을 이해하는 것이 중요하다.

### *생물학적 안검하수(biological ptosis)*

- 선천성 안검하수(congenital ptosis)
- 외상성 안검하수

상안검거근 복합체(levator complex)의 dystrophy로 대변할 수 있는 생물학적, 조직학적(fiborosis, hypotrophy, dystrophy, fatty infiltration 등)으로 이상이 있는 안검하수를 말한다. 이와 같이 상거근복합체의 조직학적인 변화가 주된 원인이 되는 안검하수로는 선천성 안검하수와 상거근의 외상에 의하여 fibrosis가 심한 안검하수-외상성 안검하수를 들 수 있다.

선천성 안검하수는 퇴행성 안검하수(senile ptosis)에 비해 상거근 복합체의 조직학적인 이상이 뚜렷하므로 생물학적인 안검하수로 분류한다. 또한 상안검 수술 후 상거근 복합체 즉 건막, 뮬러근, 거근 등의 직접적인 외상으로 인한 안검하수의 경우에는 상거근의 fibrosis 혹은 scarring으로 대변되는 근육조직병변(myopathic problem)이 거근 기능(levator function)을 저하시키는 주된 원인이 된 경우에는 대부분에서 조직학적 소견과 수술방법, 수술 후 후유증을 고려하였을 때 선천성 안검하수와 유사한 점이 많아 생물학적인 안검하수로 분류하였다. 하지만 scarring이 별로 없고 단순히 외상으로 인해 상거근이 검판으로부터 떨어져(disinsertion)있는 경우는 기계적인 안검하수라고 할 수 있다.

*기계적 안검하수(Mechanical ptosis)*

상거근을 이루고 있는 조직(levator complex)의 조직학적 변화 또는 질적인 변화보다는 건막의 파열(disinsertion), 피열(dehiscence) 등 기계적인 변화가 주된 병변을 이루는 안검하수를 말한다.

건막성 안검하수(aponeurotic ptosis)와 건막의 파열(disinsertion)이 주된 외상성 안검하수가 이에 속한다.

순수하게 100% 기계적인 안검하수는 없다. 퇴행성 안검하수에서도 실제 건막의 피열 못지않게 거근 자체의 퇴행성 변화가 주된 원인인 경우가 많으며 건막의 피열이 주된 원인인 경우에도 건막이 장기간에 걸쳐 파열되어 있으면 뮬러근이 얇아지거나 퇴화과정, 섬유화, 지방침윤(thinning, attenuation, rarefaction, fibrosis, fatty infiltration) 등의 질적인 변화가 동반되기 때문이다.

교정 수술에 있어서 선천적인 안검하수와 다른 점은 질적인 변화가 적어서 파열된 양을 회복시켜 주는 것이 주된 수술이기 때문에 선천적인 안검하수에 비해 적은 전진양이 필요하다.

## 건막성 안검하수(Aponeurotic ptosis)

후천성 안검하수로서 퇴화성 안검하수(involutional ptosis)가 이에 속한다.

건막성 안검하수는 상안검거근의 건막이 늘어지거나(stretching) 얇아지거나(thinning) 검판으로부터 벌어져 있거나(dehiscence) 검판 부착부가 파열(disinsertion)이 있는 경우 이로 인해 거근의 힘이 검판에 충분히 전달되지 않거나 거근이나 뮬러근의 강도가 저하된 것이 원인이다.

건막성 안검하수는 거근의 말단부위(terminal)와 검판의 연결 부위에 결함이 있기 때문에 매우 심한 안검하수에서도 거근 기능은 비교적 좋은 편이다(FIGURE 5-5).

수술 중 상거근의 전진양을 결정할 때 주로 안검하수 정도와 상거근 복합체의 기능(levator function)을 고려하는데 상거근 기능은 상거근의 운동범위(range of motion)를 가리키는 것으로 탄력성, 근육의 fibrosis, atropy, fatty infiltration 등의 질적(quality)인 이상 정도를 암시하는 것이다. 그러므로 상거근 기능이 많이 저하됐다는 것은 질적 변화가 심한 것으로 교정 시에는 안검하수 정도에 비해 많은 양의 교정을 필요로 하고 반대로 안검하수 정도는 심하더라도 거근의 기능이 좋으면 전진량을 적게 필요로 한다.

건막성 안검하수는 상안검거근 복합체의 질적인 변화(biological change)보다는 파열(dis-insertion), 피열(dehiscence) 등의 기계적 변화(mechanical change)가 주된 원인이며 질적인 변화는 부수적인 경우로 기계적인 안검하수에 속한다. 이런 경우에는 안검하수가 심하여도 거근기능이 비교적 양호하여(FIGURE 5-5) 교정 시에는 선천성 안검하수에서 보다 적은 양의 전진이 필요하다(FIGURE 5-8). 하지만 노인성 안검하수라고 모두가 건막성 안검하수는 아니며 거근자체의 퇴행성, 즉 질적인 변화가 주된 원인인 경우도 많다는 점을 염두에 두어야 한다. 또한 노인성 안검하수가 선천성으로 거근 기능이 약한 사람에서 복합적(combination)으로 일어나는 경우도 많다. 따라서 노인성이라 하더라도 의외로 많은 전진을 필요로 하는 경우도 많다. 그러므로 거근의 예상 전진량은 안검하수 정도와 거근기능을 함께 고려해야 한다.

## 원인

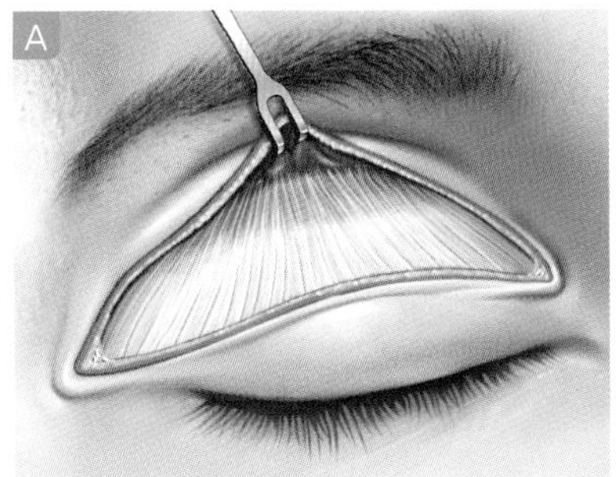

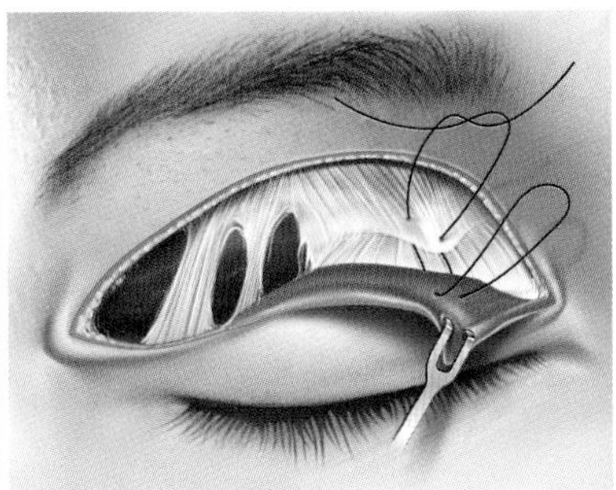
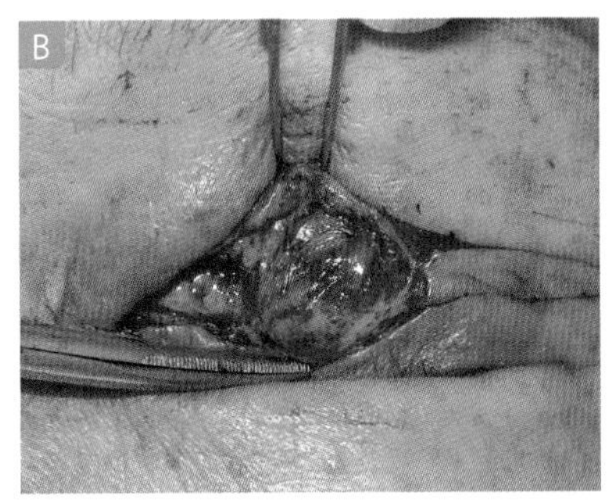


FIGURE 5-4 A . 상거근의 피열 상태와 전진 봉합. B. 건막과 뮬러근이 벌어져 있는 상태의 임상사진

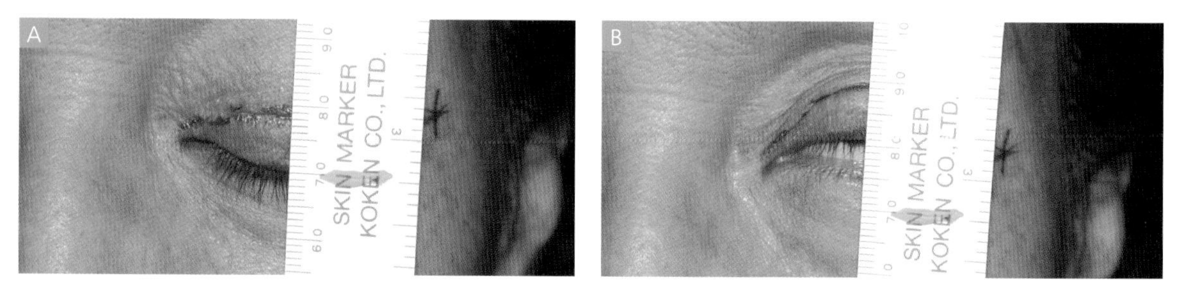


FIGURE 5-5 **노인성 안검하수에서 상안거근 기능.**
그림 5-3에서와 같은 환자이다. **A.** 최하방 주시 시 눈꺼풀 높이 **B.** 최상방 주시 시 눈꺼풀 높이. 상안거근 기능 10 mm이다. 안검하수가 심한 정도에 비해서 상안거근의 기능이 선천성 안검하수와 비교하여 매우 좋은 편이다.

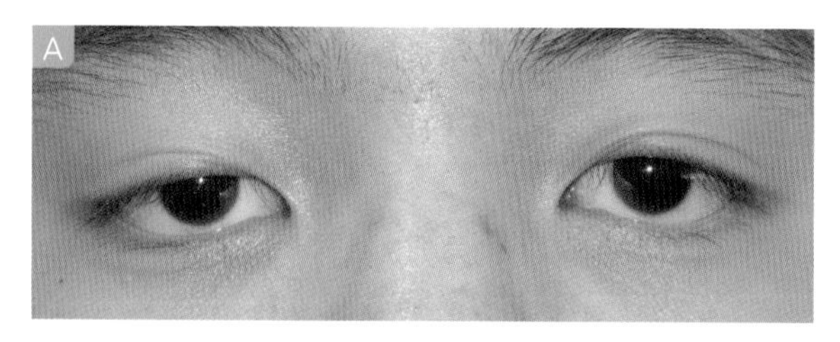


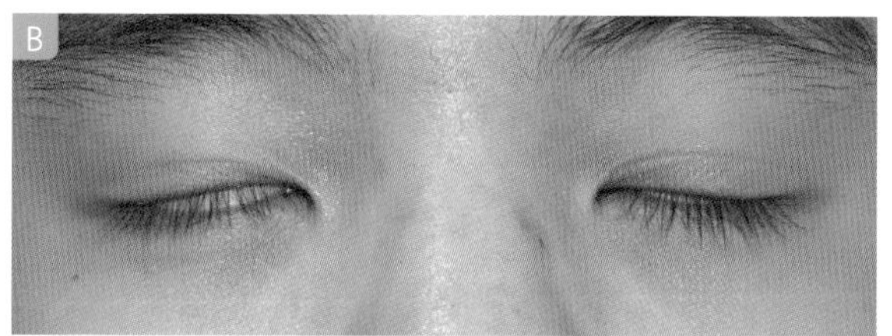


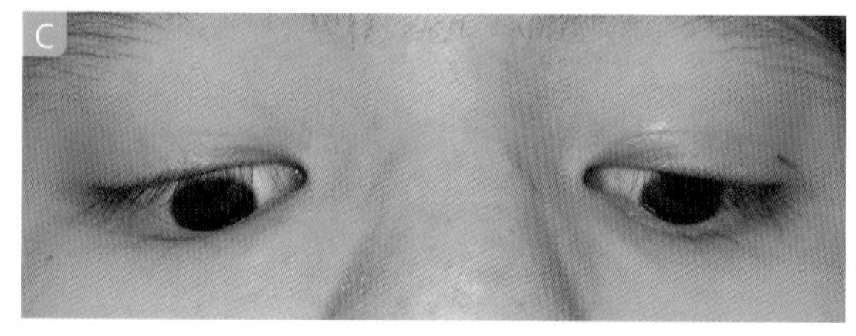


FIGURE 5-6 **선천성 우측 안검하수에서 lid lag(수술 받기 전).**
아래로 볼 때 안검하수 쪽이 눈이 더 크다.

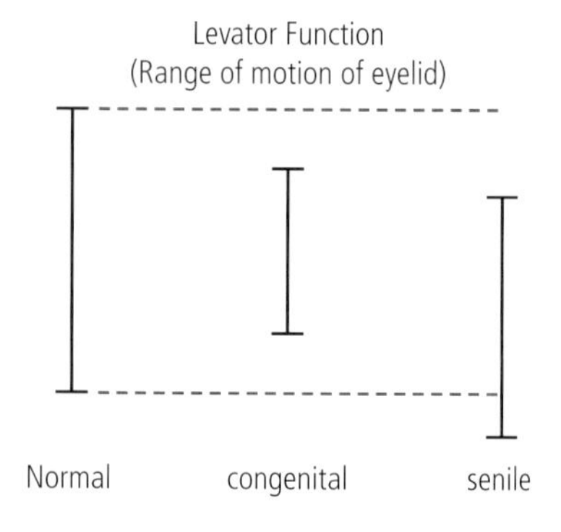


FIGURE 5-7 **상거근 기능(levator function) 비교, 상방주시 때와 하방 주시 때의 눈꺼풀 위치.**
선천성인 경우는 하방 주시 시 정상만큼 눈꺼풀이 내려가지 않지만(lid lag), 건막성인 경우는 정상보다 더 내려간다.

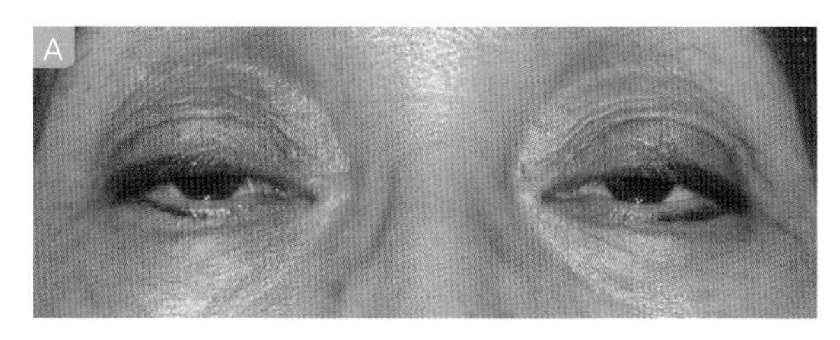
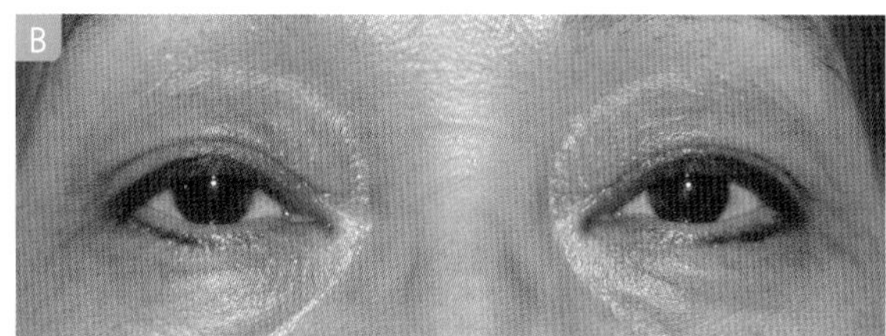

FIGURE 5-8 **노인성 안검하수(senile ptosis, involutional ptosis) 수술 전후.**

**A.** 수술 전에 눈꺼풀이 함돌되어 있고 쌍꺼풀이 희미하면서 높다. 수술 후 높은 쌍꺼풀과 안검 함몰이 교정되었다.

**B.** 5 mm 안검하수로 거근을 6 mm 전진하여 선천성 안검하수에 비해 적은 양의 전진으로 교정되었다. 비교적 심한 안검하수였으나 수술 후 토안은 없다.

TABLE 5-1 **선천성 안검하수와 건막성 안검하수의 비교** (FIGURE 5-8, 5-9)

| | 선천성 | 건막성 |
|---|---|---|
| 거근기능 | 심한 저하 | 약한 저하 |
| 안검하수 정도에 따른 거근 전진량 | 많다 | 적다 |
| 하방주시시 | lid lag (+, -) | 하수증상 |
| 시력저하(약시, 난시, 사시 등 동반) | 정상보다 많다 | 정상과 같다 |
| 복합 안검하수 가능성<br>(동안근육이상, synkinetic 운동) | + | - |
| 쌍꺼풀 | +, - | 원래 있었을 경우 high fold<br>혹은 loss of fold |
| 진행성 | - | + |
| 병리학적 소견 | 거근퇴행위축(levator muscle dystrophy) | 거근건막, 뮬러근의 벌어짐. 탈부착<br>(dehiscence, disinsertion) |
| 기타 | | sunken, thin eyelid<br>tarsus lateral shifting |

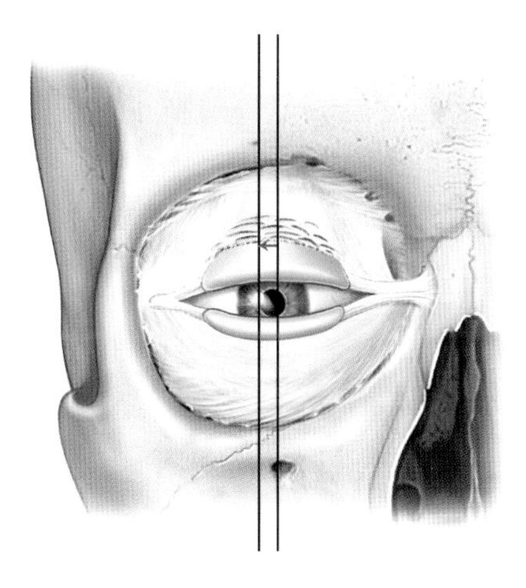

FIGURE 5-9 **노인성 안검하수(senile ptosis)에서 내측 건막의 disinsertion으로 인한 tarsus lateral shifting.**

- 노인성(involutional ptosis)
- 상안검 수술 후
- 안검이완증(blepharochalasis)
- 안검 경련증(blepharospasm)
- 콘택트렌즈 장기 사용
- 아토피 피부염 등의 피부염, 습관적으로 눈을 부빔(rubbing)
- 내안 수술(백내장, 녹내장 수술) 후
- 임신
- 심한 부종
- 갑상선 항진
- 건막의 파열이 주된 외상성 안검하수

건막성 안검하수는 주로 노인성에서 많이 나타나며 그 외 장기간 콘택트렌즈 사용자에게서 흔히 볼 수 있고 아토피 등 피부질환에 의해 일어나는 가려움 때문에 눈꺼풀을 습관적으로 심하게 부비는 사람에게서 건막이 파열되거나 퇴화되거나 길어져서 나타나는 것을 볼 수 있다. 또한 외상이나 상안검 수술이 원인일 수 있고 직접적인 열상에 의해 나타날 수도 있다(FIGURE 5-4).

그 외에도 교통사고나 암 치료 이후 혹은 출산증으로 눈꺼풀이 심하게 붓게 된 경우도 원인이 될 수 있다. 그러나 상안검 수술 시 건막이 검판으로부터 파열이 되더라도 초기엔 뮬러근이 이상이 없기 때문에 당장은 안검하수가 발생하지 않는다. 하지만 오랜 시간을 두고 뮬러근이 얇아지고 퇴화(thinning or attenuation)되므로 수년 후에 발생할 수도 있다. 그러므로 건막의 두께가 선천성 안검하수에서는 뚜렷하게 얇지 않지만 건막성 안검하수에서는 의미있게 얇은 것을 볼 수 있다. 그리고 백내장 또는 녹내장 등 내안 수술 후 3~13%에서 상안검 거근의 건막파열(aponeurosis dehiscence)에 의해 발생하는 경우가 있으며 이는 수술 침습과 수술 후 염증이 원인이 될 수도 있고 수술 중에 사용하는 상직근의 고삐실 걸기(bridle suture)와 그 외에도 상안검에 영향을 주는 여러 요인에 원인이 있을 수 있다. 그 외 반복된 심한 부종이나 갑상선 항진, 임신이 원인이 되는 수도 있다.

건막성 안검하수는 과거력상 선천성 안검하수와 구별이 되지만 때로는 과거력이 모호할 때도 있고 가벼운 선천성 안검하수일 경우 젊은 시절에는 전두근의 보상작용으로 안검하수 증상이 나타나지 않다가 나이가 많아져 전두근을 사용하지 않게 되어 나타나는 수가 있고 선천성 안검하수가 있다가 노인성 안검하수가 동반되는 혼합형도 있다.

노인성 안검하수의 임상적 특징은 양안의 안검하수의 발생시기가 차이가 있는 경우가 많다는 것과 진행성이라는 것, 안구운동의 장애나 사시가 흔히 동반되지 않는다는 것이다. 노인성 안검하수는 때로는 중증 근무력증과 Tensilon 약물검사 등을 통한 감별진단이 필요하고 Horner's 증후군과도 감별이 필요하다.

### 검진상 특징

선천성 안검하수에 비해 건막성 안검하수의 특징은 안검하수 정도에 비해 거근의 기능이 비교적 좋다는 점과(FIGURE 5-5) 선천성 안검하수는 거근의 섬유화에 의해 탄력성이 적어 상방 주시나 하방 주시 때에 모두 제한을 받아 하방 주시 때 정상보다 오히려 눈꺼풀이 들려있는 경우가 많은 데 비해(lid lag)(FIGURE 5-6) 건막성 안검하수는 하방주시 때도 하수가 심하므로 책을 보기가 힘들고 쉽게 피곤하거나 하방을 오래 주시하면 두통을 느끼고 계단을 내려가기가 힘들다고 호소한다(FIGURE 5-7). 또한 안검 함몰(sunken eyelid)이 나타나는데 이는 건막이 파열되어 검판으로부터 떨어져 위로 올라가면 건막에 붙어 있는 안와 지방이 위로 올라가 안와 쪽으로 들어가는 원인과 안검하수 때에 눈썹이 올라가므로 일어나는 현상이다. 또한 높은 쌍꺼풀 혹은 쌍꺼풀 소실(high fold or loss of fold)이 나타나고 얇은 눈꺼풀, 특히 검판 바로 윗부분이 얇은 것을 볼 수 있다(FIGURE 5-8). 노인성 안검하수에서의 또 다른 특징은 특히 안각(medial horn)이 벌어져서 검판이 외측으로 이탈(tarsus lateral shifting)되어 있다는 것이다(FIGURE 5-9). 그러므로 노인성 안검하수를 교정하면 위에서 열거된 증상, 눈의 피로, 두통, 안검함몰, 높은 쌍꺼풀, 쌍꺼풀 소실, 검판 이탈 등도 함께 해결될 수 있다.

### 건막성 안검하수에서의 수술방법

- 건막전진술
- 뮬러근 주름술 및 건막전진술
- 거근 복합체 주름술(levator complex plication)

## 선천성 안검하수(congenital blepharoptosis)

선천성 안검하수는 상안검 거근복합체(levator complex)의 형성부전에 의한 것으로 조직병

리상 뮬러근과 거근의 특징적인 이상(atrophy, dystrophy, fibrosis, rarefaction, fatty infiltration)을 볼 수 있다. 심한 선천성 안검하수에서는 거근의 근육섬유(muscle fider)가 불규칙하거나 많은 경우에는 근섬유(muscle fider)가 발견되지 않는다. 10%에서 부통 염색체 우성 유전(autosomal dominant inheritance)한다. 선천성 안검하수의 대부분은 외안근(extraocular msucle) 마비를 동반하지 않지만 발생학적으로 거근과 상직근(superior rectus muscle)은 같은 중배엽(mesodermal bud)에서 형성되기 때문에 상직근 마비를 동반한다.

외상성 안검하수 혹은 상안검 수술의 합병증으로 생긴 안검하수는 건막성 안검하수와는 달리 외상에 의한 섬유화(선천성 안검하수에서 거근의 특징적인 이상)가 안검하수의 원인이 되는 경우가 흔하기 때문에 임상적으로 조직의 fibrosis가 심한 환자에서는 안검하수 정도에 비해 levator function이 많이 저하되어 있는 양상이 건막성보다는 선천성 안검하수에 가까운 경우가 많다. 따라서 수술과정에서는 전진량 정도를 결정하는 것과 수술 후 lid lag과 같은 후유증의 발생 정도에서 선천성 안검하수와 유사한 결과를 보이는 경향이 있다.

#### 적응되는 수술방법 종류

- 뮬러근 전진술
- 거근 복합체 주름술
- 상안검거근 축소술
- CFS 전진술 혹은 상거근 축소술과 복합 수술
- 이마근 전이술

일부에서는 경한 선천성 안검하수의 경우에서는 건막 수술(aponeurosis surgery)도 효과가 있다고 주장하는 이도 있지만 선천성일 때는 비록 경한 경우일지라도 건막 수술은 재발 정도가 많으므로 사용하지 않고 건막성 안검하수(노인성 안검하수, 콘택트 렌즈에 의한 안검하수 등)에 사용할 수 있다. 참고로 여기서 Fasanella-sevat 수술 방법은 정상적인 검판의 구조를 손상시켜 토안, meibomian 선의 이상, 눈꺼풀 형태의 이상 등의 부작용 때문에 언급하지 않는다.

안검하수 수술 방법은 다음과 같이 대별할 수 있다.

## 안검하수 수술방법

### 거근 복합체 수술 (FIGURE 5-10)

- 거근건막 수술(aponeurosis surgery)
- 뮬러근 주름술과 거근건막 수술(Müller tuck and aponeurosis surgery)
- 거근복합체 주름술(levator plication or levetor complex plication)
- 거근 단축술(levator shortening surgery)

### 체크인대(공통근막) 및 거근단축술

- Check ligament (CFS) + or - levator shortening surgery

### 전두근 수술(frontalis surgery)

- 전두근 전이술(frontalis transfer)
- 전두근 현수법(frontalis sling)

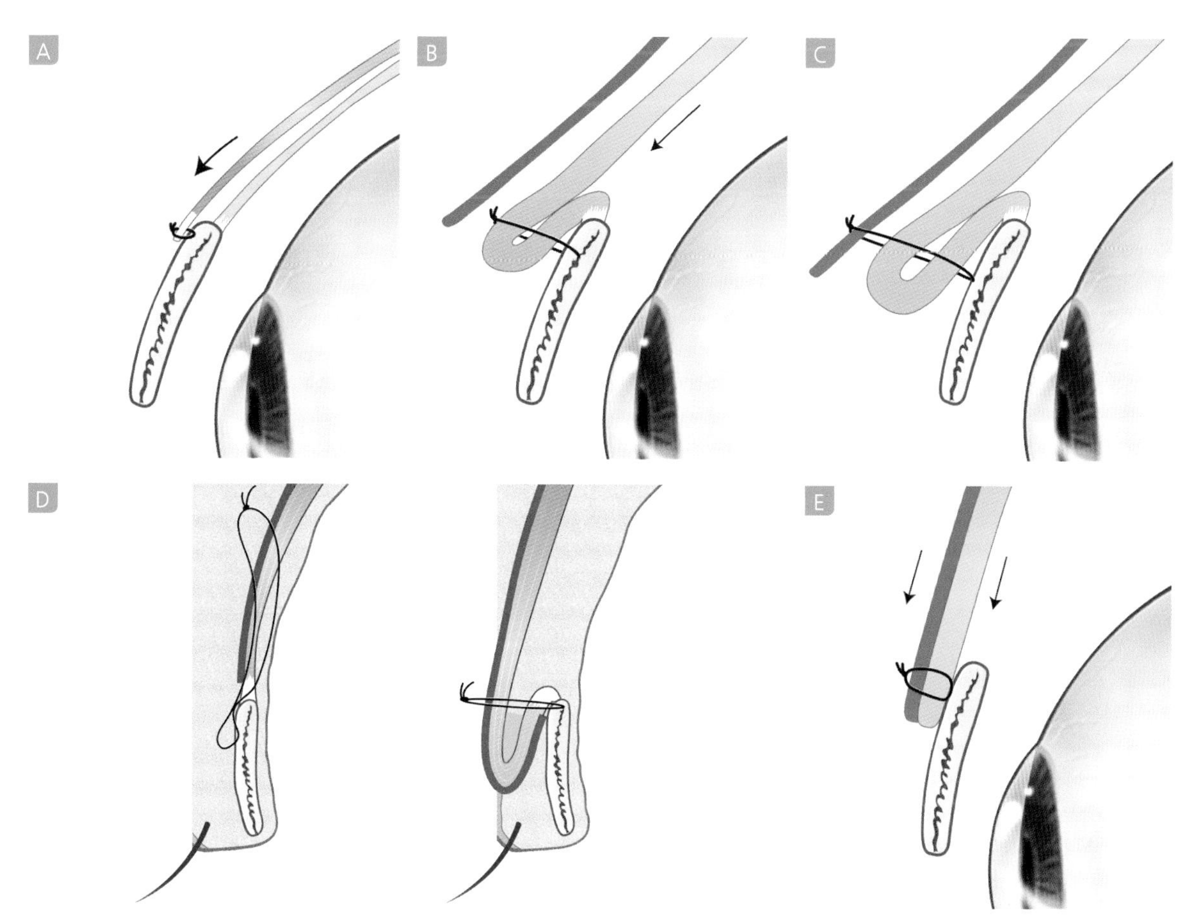


FIGURE 5-10 **각종 거근수술의 그림 비교.**
**A.** 건막전진술. **B.** 뮬러 tuck. **C.** 뮬러 tuck 및 건막전진술.
**D.** 거근 복합체 주름술(Under through technique of levator plication technique) **E.** 상거근 축소술
A,B,C : 건막과 뮬러근 사이 박리, **D.** 거근복합체 박리없음. **E.**뮬러근+거근과 결막사이 박리

## 수술방법

### 건막 전진술(Levator aponeurosis advancement)

건막 전진술은 건막성 안검하수에서 효과적인 수술이다. 건막성 안검하수는 선천성 안검하수와 여러 가지 면에서 서로 다르므로 수술방법 또한 다르게 접근해야 한다.
건막성 안검하수(aponeurotic ptosis)의 주된 발병기전은 거근 건막이 검판으로부터 늘어지거나 또는 벌어지거나(dehiscence) 파열(disinsertion)되는 경우와 그로 인해 건막 아래 위치해 있는 뮬러근이 늘어져 얇아지거나 퇴화되어 있는 것이 특징이다. 즉 선천성 안검하수가 생물학적인 근육의 질적인(biological muscle quality) 이상이라면 건막성 안검하수는 주로 기계적인 이상(mechanical abnormality)에 속한다.

건막성 안검하수에서 건막 수술 방법은 그 기전을 이해하는 것이 중요하다. 전진하는 정도는 건막이 파열되거나 늘어져 있는 만큼의 건막을 검판 위로 당겨서 고정해 주는데 이 때 아래에 있는 뮬러근이 얇아지거나 퇴화되어 있으므로 그 만큼을 고려하여 좀 더 당겨 준다고 생각하면 된다.

그러므로 수술방법도 선천성 안검하수와 비교하면 안검하수 정도에 비해 보존적이면서 전진하는 양도 적은 것이 특징이다. 즉 일반적인 선천성 안검하수에서 거근을 전진하는 양이 교정하고자 하는 안검하수량의 3~4배가 보편적인 것에 비하여 건막성 안검하수는 수술방법도 보다 보존적일 뿐만 아니라 보다 적은 양의 전진이 필요하다는 것을 염두에 두어야 한다. 즉 퇴행성 안검하수에서 변화가 건막이 늘어지거나 피열이 주원인이면 전진량이 많이 필요하지 않고 건막 파열이나 피열은 없이 근육의 위축과 같은 질적인 변화이면 전진량이 많이 필요할 수 있다.

마취는 가능한 한 국소 마취를 시행하는 것이 수술 중에 눈의 높이와 모양을 확인하기에 유리하고 특히 편측성 안검하수일 경우 양쪽을 맞추는 데 도움을 준다. 국소 마취약으로는 1~2% 리도케인에 1:100,000 에피네프린을 섞어 사용한다. 국소 마취제가 뮬러근과 거근을 무력화 할 수 있으며 반대로 안륜근에 작용하여 눈을 크게 뜨게 하고 감는 기능이 저하시킬 수 있으며 에피네프린이 뮬러근에 작용하여 안검 퇴축(lid retraction)을 일으킬 수 있으므로 마취제로 인한 눈꺼풀의 변화를 최소화하는 것이 매우 중요하다.

#### 수술과정

쌍꺼풀을 도안하고 마취를 한다. 가벼운 수면 마취 상태에서 국소 마취제를 사용한다. 마

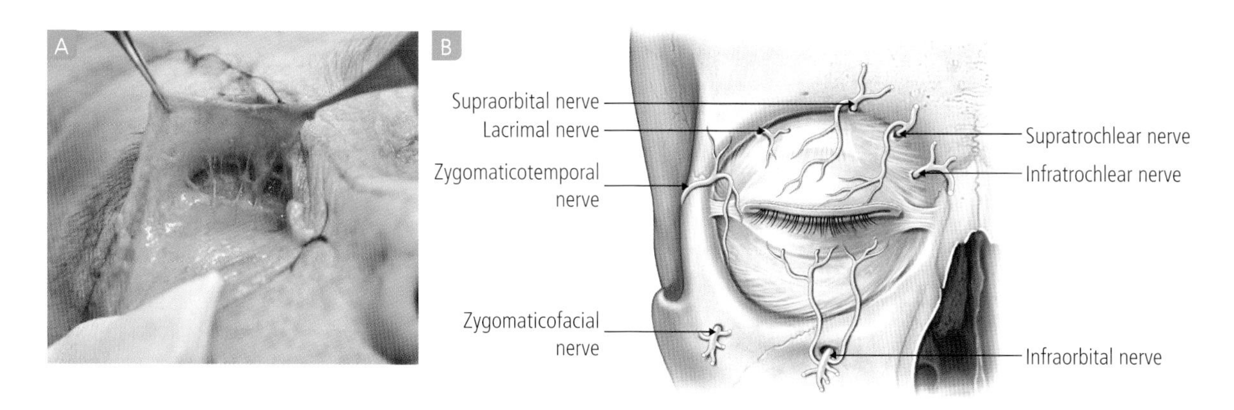


FIGURE 5-11 **감각신경들이 위에서 격막 위로 내려오는 모습, 안와 주위 신경들.**
상 안와 신경, 상 활차 신경, 하 활차 신경, 눈물 신경.

취방법은 뒤에서 자세히 소개한다.

마취 후 원하는 쌍꺼풀 선에 따라서 피부에 절개를 가하고 안륜근을 열고 격막을 찾은 뒤격막을 거근 건막으로부터 분리한다. 수술 중에 통증을 호소하면 에피네프린이 없는 리도케인만을 전진시킬 중앙부분만 검판과 격막에 소량씩 첨가한다. 감각신경이 격막을 따라서 위에서 아래로 내려오기 때문이다(FIGURE 5-11).

또한 테트라케인과 같은 점안액을 열린 수술부위나 결막부위에 첨가하는 것도 통증을 줄이는 데 도움이 된다. 조심스럽게 사용해도 양쪽 눈의 크기가 차이가 나는 경우엔 큰 쪽의 눈에 에피네프린 없는 리도케인을 적절히 첨가하여 눈크기가 같게 조절한다. 작은 눈 크기의 변화는 그 변하는 정도를 거근을 전진할 때 고려하여 가감한다.

그 외 수술 중에 눈꺼풀의 위치와 모양이 변하는 원인으로 혈종형성이나 수술로 인한 과다한 외상, 부종을 들 수 있는데 이에 대해 각별한 주의를 요하며 수술이 지연되면 부종에 의해 눈뜨는 기능이 감소하므로 가능한 한 조기에 수술을 끝내는 것이 유리하다. 건막이 노출되면 건막이 늘어지거나 파열되어 있는 정도와 아래 뮬러근의 늘어진 정도와 안검하수 정도를 고려하여 상부의 건막을 당겨 검판의 상단 2 mm 하방에 7-0 nylon이나 6-0 nylon으로 세 번의 석상봉합(mattress suture)으로 고정한다.

**WAIT A MINUTE!**

### 검판상단의 2~3 mm 하방에 고정하는 이유

검판의 상단이나 1 mm 하방까지는 peripheral arterial arcade의 가지들 때문에 봉합 시 출혈을 일으킬 수가 있고 검판의 너무 아래로 고정하면 외반증을 일으킬 수가 있다. 또한 앞에서 얘기했듯이 검판 상단은 봉합사가 눈동자를 자극할 수 있다. 저자는 검판 상단에서 2~3 mm 하방을 선호한다.

검판에 고정할 때는 검판 앞에 있는 지방을 제거하여 거근이 유착이 잘 되게 한다. 특히 안쪽으로는 검판전 지방(pretarsal fat)이 많다. 실이 검판을 부분적인 두께(partial thickness)로 뚫고 고정하여 전진 고정한 건막이 위로 밀려 올라가 안검하수가 재발되는 일이 일어나지 않도록 하는 것이 중요하다. 실제로 저자가 경험한 바로는 안검하수가 재발된 경우 열어 보면 전진 봉합사가 검판에 있지 않고 검판 상단보다 위로 올라가 떠 있는 경우가 많다. 즉 수술 후 재발의 가장 흔한 원인은 검판을 견고하게 뚫고 봉합하지 않은 것으로 생각된다.

이때 전진하는 정도는 눈꺼풀 상연이 각막상연(upper limbus)을 약간 덮는 정도로 약간 상향 조정(overcorrection)한다. 눈꺼풀의 높이는 누운 상태뿐만 아니라 앉은 상태에서도 확인을 해야 하는데 이때 눈썹의 위치가 양쪽이 다르지 않도록 유의하여 관찰하여야 한다.

최종적으로 눈꺼풀이 각막상연을 1-1.5 mm 정도를 덮는 것을 일반화하고 있지만 수술 후 일정 기간 동안 눈꺼풀이 약간 내려오는 것을 감안하여 어느 정도 과교정 하는 것이 좋다. 심한 안검하수에서는 보다 긴장이 많아 과교정이 더 필요할 수도 있다. 고령이거나 안구건조증이나 눈부심이 있는 환자에서는 목표치를 약간 낮게 하는 것이 미용적으로 적응하기도 쉽고 기능적으로도 편안하다.

일반적으로 재발의 정도는 술자의 수술 방식과 몇 번을 봉합하느냐 등으로 다르지만 일반적으로 건막만을 당기는 건막전진법은 뮬러근수술이나 거근 절제법 등 다른 수술방법에 비해 재발이 좀 더 있는 것으로 간주된다.

실제로 건막은 Whitnall's ligament에서 시작하고 수직 길이는 12 mm 정도이며 두께는 평균 0.2 mm 정도인데 어떤 경우는 매우 얇고 거근과 건막의 연결부위 (Musculo-aponeurosis junction)은 검판의 5-7 mm 상방에 있는데 그 위로는 건막이 매우 얇아 그 이상 박리하고 전진하는 것은 효과가 없다. 그리고 건막성 안검하수는 일종의 노화현상으로 계속 일어나는 진행성으로 간주되어 약간의 과교정을 요한다. 만일 전진 고정한 자리가 정확하게 올라가지 않고 비스듬히 올라가면 고정 방향이 바르게 됐는지 확인해야 한다.

***안검하수 수술에 있어서 마취 방법이 성공여부에 지대한 영향을 미친다.***

안검하수 수술 중 마취 후에 일어나는 눈 크기에 변화가 없다면 수술의 정확성은 훨씬 높아질 것이다. 저자의 마취 방법을 다시 요약한다.

### 국소 마취제에 의해 눈 크기가 변화했을 때

국소마취제에 의해 눈 크기의 변화가 발생했을 때는 그 변화는 일시적인 것으로 간주하여 그 변화를 수술 끝날 때까지 유지한다. 예를 들면 수술 중 리도케인의 작용에 의하여 눈 크기가 1 mm 정도 작아졌다면 수술 후 목표치보다 1 mm 작게 유지 하도록 한다. 부종이나 혈종에 의한 변화도 마찬가지로 취급한다. 또한 에피네프린 때문에 눈 크기가 커지는 경우에도 마찬가지 방법을 적용하기도 하고 커진 눈에 리도케인 마취를 하여 눈 크기를 원래 크기대로 만든 다음 수술을 진행하기도 한다(FIGURE 5-12).

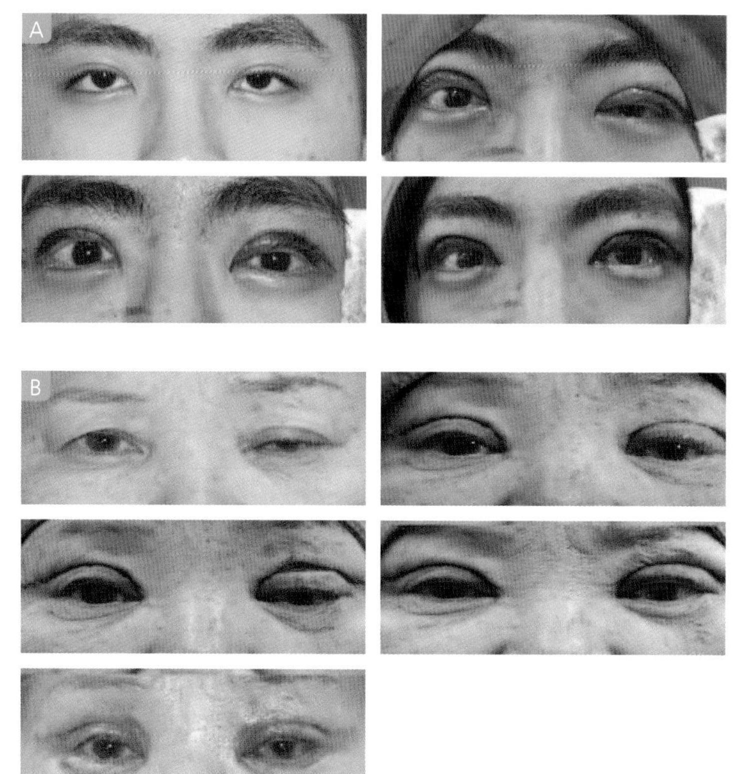


FIGURE 5-12

**A.** 국소마취 후 왼쪽 눈 크기가 작아진 것을 안검하수 수술 후에도 그대로 유지하고 난 후 술 후 눈 크기가 같아진 모습

**B.** 왼쪽 눈의 혈관종이 결막까지 침투해 있다. 국소마취 후 왼쪽 눈 크기가 커졌다. 왼쪽 눈꺼풀에 리도케인 주사하여 눈 크기가 원래대로 돌아온 다음 안검하수 수술을 시행하였다.

하지만 쌍꺼풀 수술 후 눈 크기의 변화가 생겼다면 이것은 영구적인 것으로 간주하고 조정하여야 한다. Hering's law에 의한 눈 크기의 변화도 그대로 인정하고 수술해야 한다. 양측 쌍꺼풀 모양이 비슷한 상태이면 안검하수 수술을 먼저 하고 쌍꺼풀 수술을 하는 것이 편리하지만 양측 쌍꺼풀 모양이 다르면 쌍꺼풀 수술을 먼저 하고 안검하수 수술을 하는 것이 쌍꺼풀 수술로 인한 눈크기의 변화에 적응하는 데 용이하다. 또한 우성 눈은 열성 눈에 비해 거근전진량을 적게하는 경우가 종종 있으므로 이를 참조하는 것이 좋다. 환자의 정신적인 문제나 수면 마취나 눈 부심 등으로 인해 수술 중 눈 크기가 달라질 수 있으므로 수술 전에 평상시의 눈 크기를 확실히 파악해야 한다.

### 국부마취(Regional block)

윗 눈꺼풀의 감각은 상안와신경(supraorbital nerve), 상활차신경(supratrochlear nerve). 하활차신경(infratrochlear nerve), 눈물신경(lacrimal nerve)에 의해 분포된다. 부위별로 나누어 보면 하활차 신경은 내측 하방, 상활차신경은 내측상방과 중앙 일부, 상안와신경은 중앙 일부와 외측, 눈물신경은 외측 하방을 지배한다(FIGURE 5-11) 국부마취는 1% lidocaine에 1:100,000 에피네프린을 섞은 것으로 상안와신경(supraorbital nerve), 상활차신경(supratrochlear nerve), 하활차신경(infratrochlear nerve), 눈물신경(lacrimal nerve)을 차단한다. 눈물 신경은 외안각건의 직상방의 안와연 상방에 0.5-1 ㎖ 정도를 주사한다. 또는 눈물신경 차단 대신에 눈꼬리 부분에 충분히 국소마취제를 주사한다. 이곳은 국소마취에 의한 눈꺼풀의 변화가 적은 곳이기 때문이다. 감각신경이 격막층(septal layer)을 따라 내려가기 때문에 깊이는 안륜근 아래 층에 주사한다. 왼쪽 손가락으로 안와연(orbital rim)을 누르고 안와연보다 10 mm 정도 위쪽에 주사하여 infiltration된 마취액이 상안와신과 상활차신경의 출구에 닿게 하고 levator complex에 영향을 최소화 한다(FIGURE 5-13).

### 국소마취(Local anesthesia)

에피네프린 섞이지 않는 리도케인을 쌍꺼풀 선 위를 따라, 에피네프린이 섞인 리도케인을 쌍꺼풀 선 아래를 따라 피하로 최소 한도 얕게 주사한다. 절개선 부위, 즉 검판상단 부위는 국소마취제가 가장 민감한 부위이기 때문에 이 곳은 주사를 피한다(FIGURE 5-14). 특히 2차 수술일 경우에는 안륜근 결손이 있기 때문에 마취액에 취약하다. 출혈성이 있는 경우엔 에피네프린이 1:100,000로 섞인 마취액을 사용하기도 한다.

그리고 수술 중 검판은 통증에 민감하므로 전검판 조직(pretarsal tissue)과 전건막

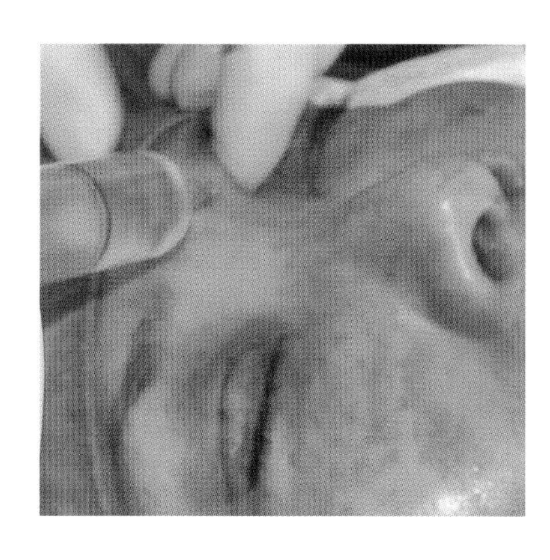

FIGURE 5-13 Regional block 주사
왼손으로 안와연을 누르고 안와연 위쪽에 주사하여 마취액이 거근 쪽에 영향을 최소화한다.

(preaponeurotic tissue)에 에피네프린이 없는 리도케인을 소량 추가한다. 때때로 국소점안액을 결막 쪽으로 떨어뜨려 통증을 완화한다.

### 거근건막 수술(levator aponeurosis operation)의 적응증

건막성 안검하수에 주로 이용되고 상거근의 기능이 8 mm 이상인 경우에 효과적이며 또한 경한 선천성 안검하수에도 좋은 결과가 보고되어 있기도 하나, 다른 한편으로 건막수술은 견고하지 못하여 건막성 안검하수에서조차 사용하기를 꺼려하는 술자도 있으며 특히 변성된(degenerative) 건막을 사용하는 것은 재발되기 쉽다는 이론도 있다. 저자는 선천성 안검하수 수술에서는 경한 경우일지라도 잘 사용하지 않는다(**FIGURE 5-15**).

### 건막주름술(levator aponeurosis plication)과 건막 전진술(levator aponeurosis)

참고로 건막을 전진할 때 건막을 뮬러근으로부터 박리하지 않는 수술을 건막주름술(aponeurosis plication)이라고 하고, 박리하는 수술은 건막 전진술이라고 하는데 주름술과 전진술은 유착정도의 차이가 있으며 건막주름술은 결과예측이 어려운 문제(unpredictable)가 있다. 그 이유는 건막이 일종의 gliding membrane으로 유착성이 약하기 때문이다. 그러므로 건막이 상처가 없고 gliding이 잘 되는 상태이면 유착이 적어 재발이 많고, trauma가 많아 유착이 잘 되면 재발이 없기 때문에 결과에 변화가 많아 unpredictable한 것으로 판단된다. 건막을 plication 할 때 건막층만 plicate하거나 좀 더 두껍게 뮬러근 층이나 거근층까지 plicate해도 결과는 비슷하다. 문헌을 보면 Everbusch(1883), Jhonson(1954), Harris(1995), Dortzbach(1975), Fox(1979) 등 많은 이들이 건막주름술( levator aponeurosis

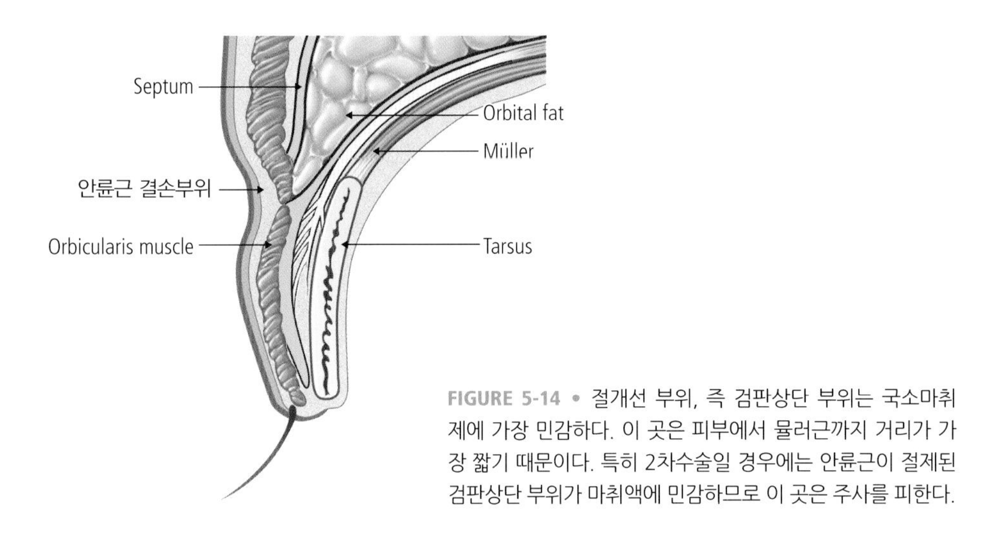


FIGURE 5-14 • 절개선 부위, 즉 검판상단 부위는 국소마취제에 가장 민감하다. 이 곳은 피부에서 뮬러근까지 거리가 가장 짧기 때문이다. 특히 2차수술일 경우에는 안륜근이 절제된 검판상단 부위가 마취액에 민감하므로 이 곳은 주사를 피한다.

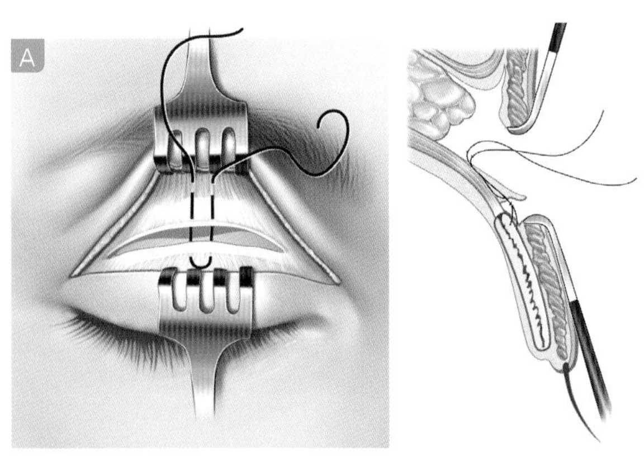


FIGURE 5-15 •
A. 건막성 안검하수에 건막전진술
B. 건막전진술 수술 전후

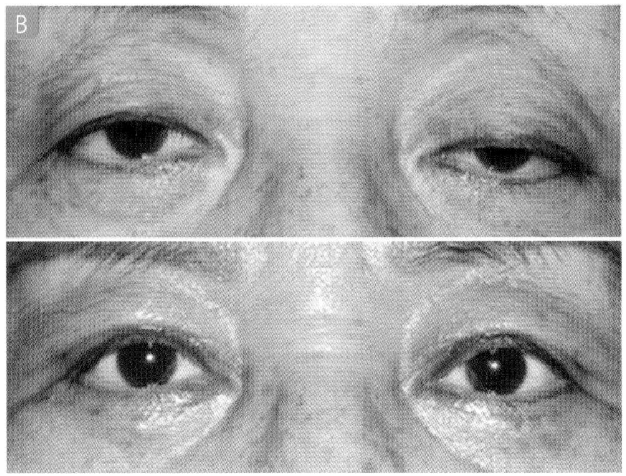


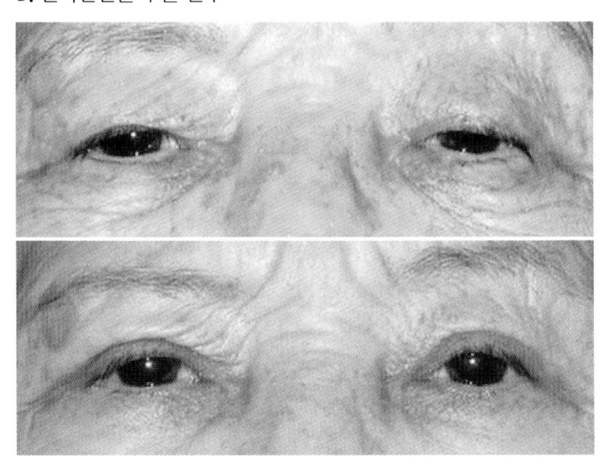

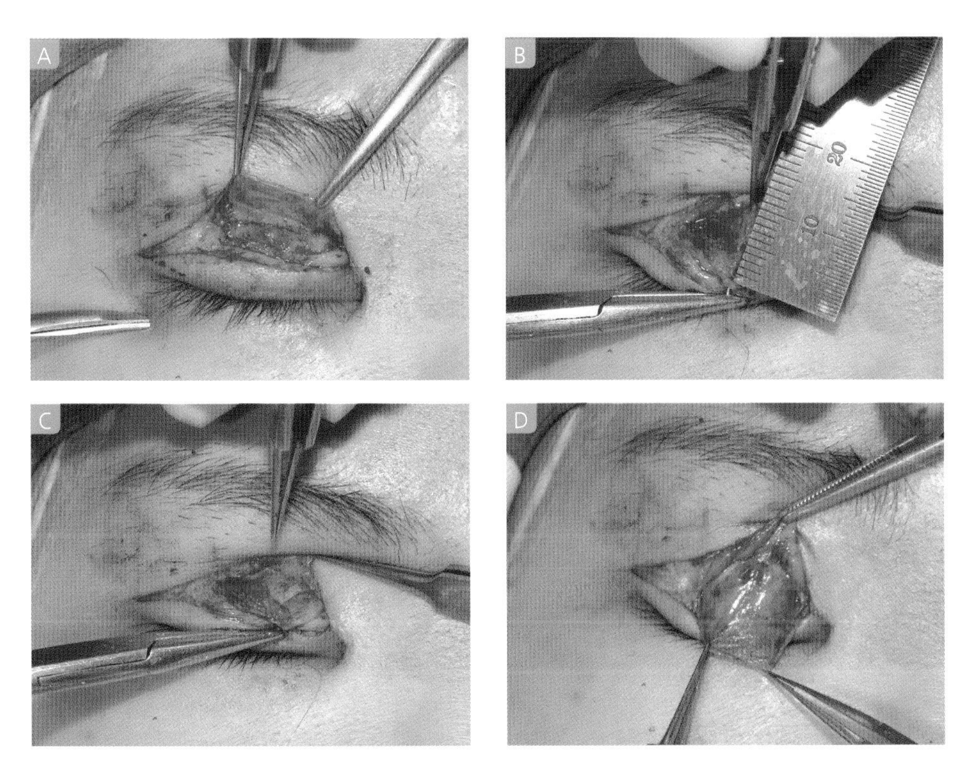


FIGURE 5-16 Müller tuck and aponeurosis advancement 수술 중 사진.
A. aponeurosis와 müller 사이 박리된 모습 B. 검판에서 전진할 müller muscle까지의 길이를 잰다.
C. müller plication suture하고 D. aponeurosis advancement suture한다.

plication)을 효과면에서 부정적으로 기술하였으며 johns, liu는 선천성에는 효과가 적고 노인성 안검하수에는 효과가 있다고 기술하였으며 McCord, Cordner도 같은 의견을 피력하였으며 한편 Buman, Hussain은 선천성일 때도 효과가 있다고 기술한 적이 있다. 저자는 선천성인 안검하수는 물론이고 노인성에서도 건막을 이용한 방법 대신 보다 견고하면서도 간편한 거근복합체 주름술(levator complex plication-Under through technique)을 선호한다.

## 뮬러근 주름술 및 건막 전진술
## (Müller muscle plication and levator aponeurosis advancement)

뮬러근 주름술은 일본의 사이조 선생에 의해 소개되었다. 저자는 단순한 뮬러근 주름술

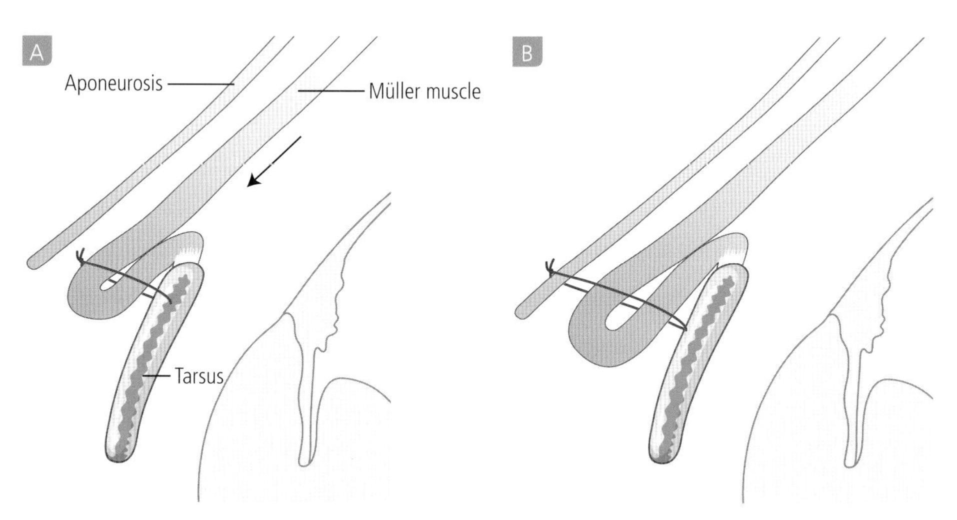


FIGURE 5-17 A. Müller plication. B. Müller plication and aponeurosis advancement.

이 재발이 많은 경향이 있어 재발을 줄이기 위해 거근 전진을 첨가하여 사용한다.

건막전진술을 첨가하면 단순히 건막만 전진하는 것이나 뮬러근만을 전진하는 것에 비해 건막과 뮬러근의 힘이 합쳐지기 때문에 보다 견고하다. 건막이 뮬러근의 늘어짐이나 얇아짐(thining), 피열 등을 방지해 주기 때문이다. 따라서 건막 전진술에 비해 결과가 비교적 predictable하다.

### 적응증

- 건막성 안검하수: 심한 정도에 상관없이 효과적
- 경증 또는 중등도(mild to moderate) 선천성 안검하수
- 외상성 안검하수

건막성 안검하수에는 하수의 심한 정도에 상관없이 효과적이고 대개 2 mm 이하의 경하거나 중등도 선천성 안검하수(mild to moderate congenital ptosis)에도 적용되고 각종 상안검수술에 발생한 안검하수나 기타 외상성 안검하수에도 광범하게 사용되고 있는 수술 방법이다(FIGURE 5-16). 하지만 3 mm 이상의 선천성 안검하수에는 거근 축소술(levator shortening) 등의 다른 방법을 사용하는 것이 좋다.

### 수술방법

피부절개에서부터 안륜근 절개, 건막을 뮬러근에서부터 분리하는 과정은 건막 전진술과 같다. 이때 상부 말초동맥궁(peripheral arterial arcade)을 다치지 않도록 조심한다. 이것은 검판상단 1 mm 상방에 위치해 있고 뮬러근 앞에 있으므로 건막을 뮬러근에서 분리할 때 외상을 입기 쉽다. 건막에서 분리된 뮬러근을 주름봉합(plication)하면서 동시에 건막을 전진시켜 검판에 고정해 준다. 이때 뮬러근과 건막의 전진량을 같게 할 수도 있고 다르게 할 수도 있다. 저자는 건막의 전진량을 뮬러근과 같게 해야 뮬러근의 늘어짐에 의한 수술 초기의 재발량이 적다고 생각한다. 반면 건막은 탄력성이 없는 조직이므로 건막의 전진량을 적게 하는 것이 눈꺼풀의 움직임이 부드럽고 눈꺼풀 내림 지체(lid lag)나 토안(lagophthalmos)이 적을 수 있다는 의견이 있다.

안검하수 정도에 따라 적당량의 뮬러근을 주름술로 중앙 즉 동공의 위치와 내·외측에서 아래로 전진하여 검판 상단의 2 mm 하방에 7-0 혹은 6-0 nylon으로 고정 봉합한다.

수술과정에서 하나씩 봉합할 때마다 뮬러근을 plication하면서 동시에 건막을 전진하는 방법을 할 수도 있지만 저자는 뮬러근의 주름술을 모두 끝내고(3-5개 정도의 봉합) 따로 건막을 전진하여 봉합하는 방법을 사용한다. 뮬러근과 건막을 동시에 봉합하면 수술시야가 가려져서 다음 봉합이 불편하기 때문이다(FIGURE 5-18, 19, 20).

뮬러근은 불수의근(involuntary muscle)이다. 우리가 눈을 뜨고 감고 하는 것도 의식적일 때도 있지만 무의식적인 요소가 강하다. 그러므로 뮬러근의 기능이 어느 정도 있다면 그것을 완전 잘라내어(예: levator resection) 그 기능을 희생시키는 것은 신중히 해야 할 것으로 생각된다. 뮬러근은 길이가 10-14 mm 정도이며(황건 13.7 mm, Beard28 10-12 mm) 두께는 0.7±0.5 mm 정도 되는데 뮬러근을 모두 전진하면 2 mm 정도 눈높이가 올라가며, 안검퇴축에서 뮬러근을 전부 절제(total müllectomy)하면 또한 2 mm 정도 눈꺼풀이 내려온다(FIGURE 5-21).

건막 수술법과 건막 및 뮬러근 주름 수술법이 거근 절제수술에 비해 가장 큰 장점은 국소마취가 적게 필요하기 때문에 수술 중에 마취로 인해 일어날 수 있는 안검의 위치나 모양의 변동이 적어서 수술 중 눈 크기를 정확히 결정하는 데 유리하다는 점과 수술 중에 거근이나 뮬러근, 결막 등의 손상이 적고 안검의 구조가 잘 유지된다는 점이다. 예를 들면 수술 중에 국소마취제에 의한 변화가 의심되면 주름 수술에서는 전진 고정한 실을 풀어보고 원래의 눈꺼풀 위치와 비교해 보면 국소마취제의 영향을 알 수 있는 데 비해 거근 절

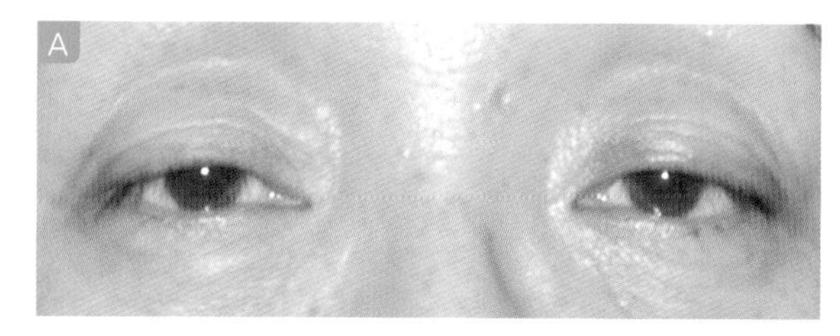


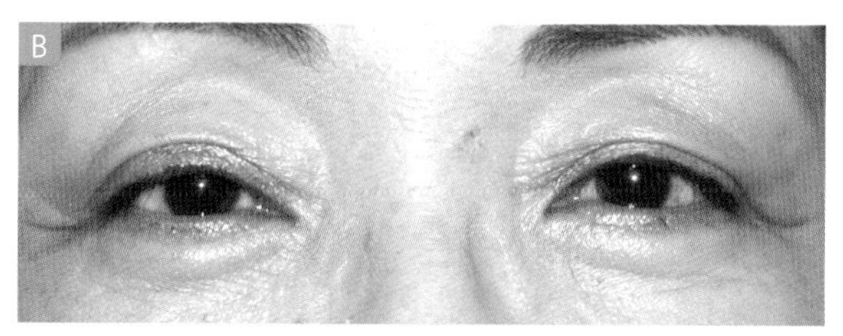


FIGURE 5-18 노인성 안검하수에서 뮬러근 주름술 및 건막 전진술 수술 전후.

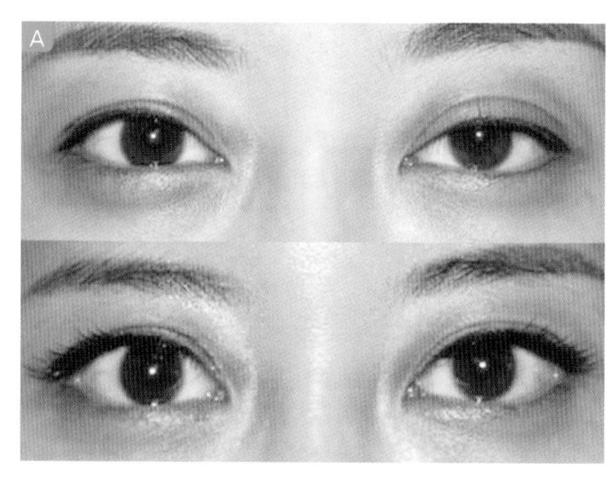


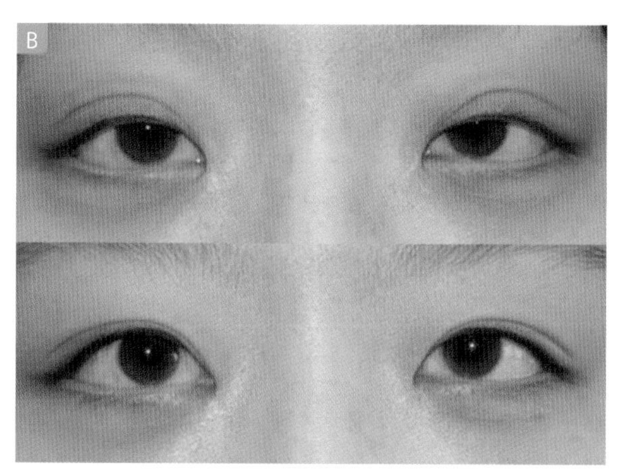


FIGURE 5-19 선천성 안검하수에서 뮬러근 주름술 및 건막전진술 수술 전후.

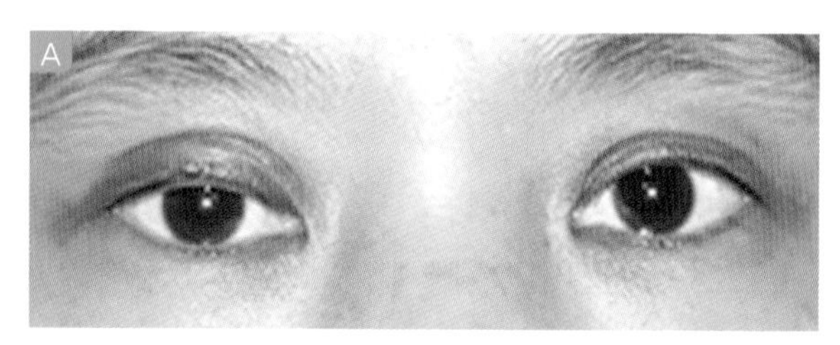


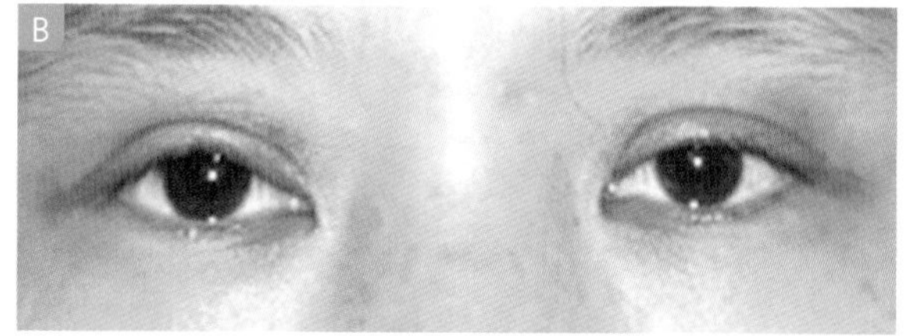


FIGURE 5-20 수술성 외상성 안검하수에서 뮬러근 주름술 및 건막 전진술 수술 전후.

제수술은 수술 도중에 국소마취액에 의한 눈크기의 변화를 알아볼 수가 없다는 점이 수술적으로 차이가 있다.

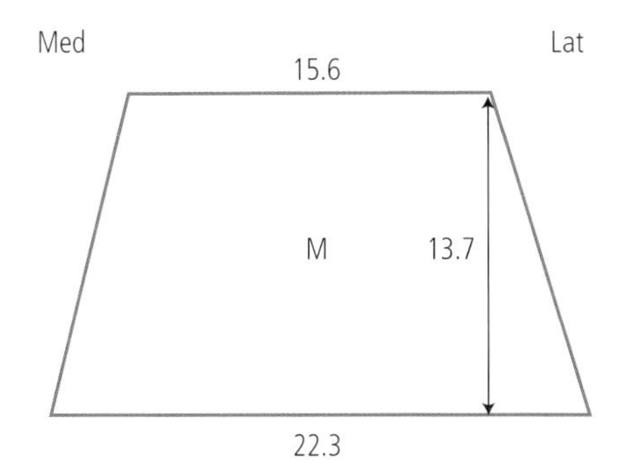


FIGURE 5-21 **뮬러근(황건).**

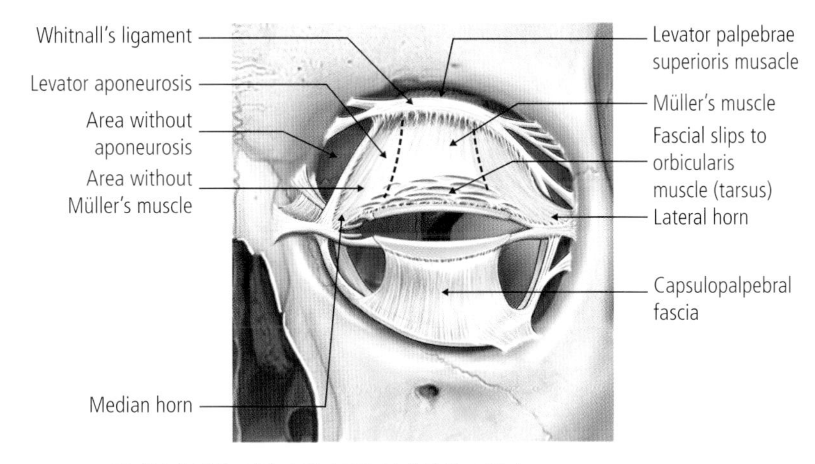


FIGURE 5-22 **뮬러근과 건막.** 건막이 뮬러근을 넓게 감싸고 있다.

**WAIT A MINUTE!**

### 건막주름술과 뮬러근 주름술(APONEUROSIS PLICATION VS MÜLLER PLICATION)

주름술이란 아래 조직과의 박리가 없이 조직을 이불 접듯이 하여 당기는 것을 말한다. 뮬러근 주름술은 보편적으로 통용되고 있지만 왜 건막주름술은 잘 사용되지 않는가? 이것은 조직의 질적인 차이로 인한 유착 정도의 차이로 생각된다. 건막은 fascia 성분으로 되어 있고 sheath로 덮여 있기 때문에 gliding이 잘되는 조직으로 유착되기가 어렵다. 그리고 뮬러근은 상대적으로 유착이 잘되는 조직이다. 이 조직의 질적 차이가 수술 결과에 많은 영향을 미친다. 건막주름술을 Anderson이 지적한 대로 lack of raw surface 때문에 고정 후 전진된 조직의 유착 형성이 불규칙적이다. 그러나 만일 건막이 많은 외상을 받았다면 혹은 건막이 매우 얇다면 의외로 효과적일 수가 있다. 그러므로 건막주름술은 편차가 많아 예측이 어려운 수술로 기피되고 있다.

## 거근 복합체 주름술(Levator complex plication)

### 건막 위 주름법(전통적인 거근 주름법)과 건막과 뮬러근 아래 주름법 (저자 방식, Underthrough technique of levator complex plication)

거근 복합체, 즉 뮬러근과 거근건막(levator aponeurosis)을 서로 분리하지도 않고 결막으로부터도 분리하지 않고 실을 이용하여 아코디온처럼 주름지게 하여 전진하는 방법을 거근복합체주름수술이라고 한다. 이 전통적인 건막주름법은 일반적으로 재발되는 양이 편차가 많아서 예측이 어려워(unpredictable) 기피되어 왔다(방법 1, **FIGURE 5-23**). 그러나 저자는 경한 안검하수에서 결과가 믿을만한(predictable) 다음과 같은 방법을 매우 선호한다. 저자의 이 방식을 뮬러근 아래로 실이 통과한다고 하여 Under through technique of levator complex plication이라 명한다(**FIGURE 5-24**). 여기서 levator complex plication이라고 함은

*거근 복합체 주름술 방법 1*

*- 건막 위 주름법*

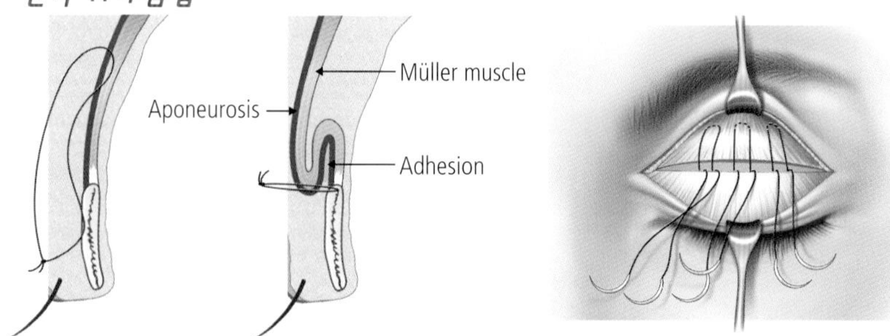

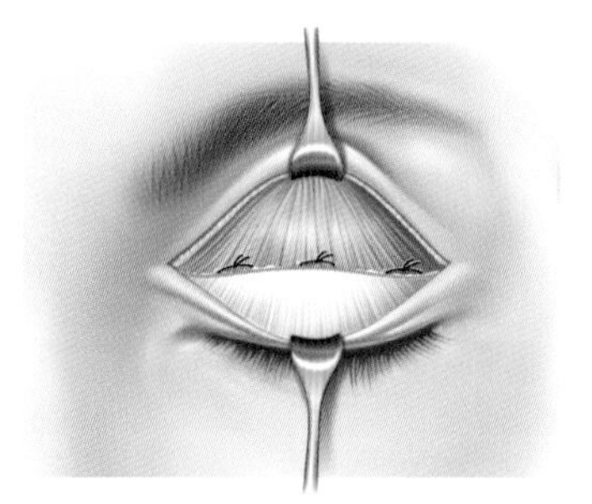

**FIGURE 5-23** 건막 위로 전진시켜 건막끼리 유착되어 유착정도가 일정치 않아 예측이 어렵다.

*거근복합체 주름법 방법 2 - 건막 아래 주름법(Under through technique)*

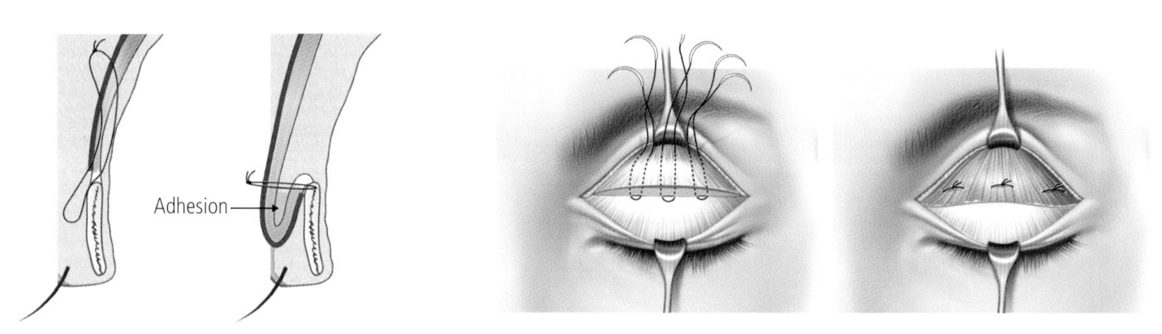


**FIGURE 5-24** 건막 아래로 전진시켜 뮬러근끼리 유착되어 유착 정도가 비교적 일정하여 예측 가능하다.

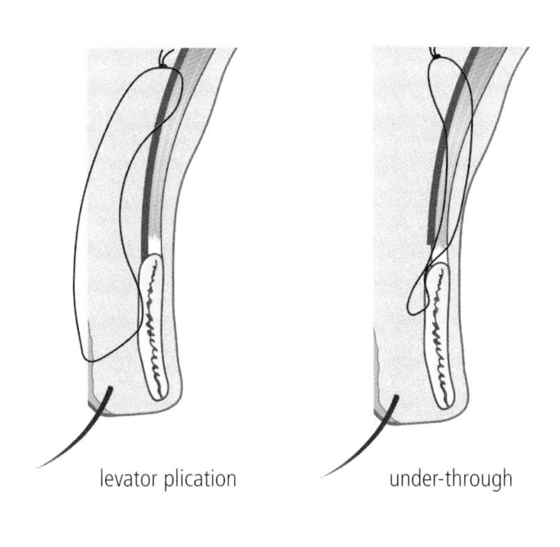


FIGURE 5-25 전통적인 levator plication과 under-through levator plication technique 비교

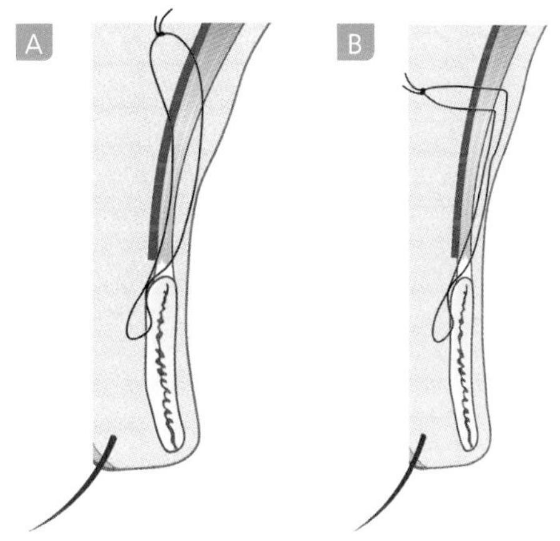


FIGURE 5-26 Under-through levator plication technique에서는 A.거근보다 뮬러근을 적게 당기기 쉽다. B. 거근과 뮬러근의 당김이 같다.

levator aponeurosis만 plicate하는 것과 달리 aponeurosis, müller근, 심지어 때로는 levator muscle의 일부까지 plicate됨을 구별하여 명명하는 것이다.

두 가지 수술방법의 차이를 간단하게 요약하면 ① 건막이 서로 유착되는 방법과 ② 뮬러근이 서로 유착되는 방법의 차이로 대변된다(FIGURE 5-25).

### 거근복합체 주름술-건막과 뮬러근 아래 주름법(Under through plication) (FIGURE 5-24)

Under through technique of levator complex plication의 특징은 건막과 뮬러근 사이나 뮬러근과 결막사이에 박리가 없으므로 국소마취제가 적게 필요하고 비교적 atraumatic 수술방법이며 따라서 hematoma의 우려가 적고 수술시간이 짧게 소요된다는 점이다. 안검하수 수술에서는 수술시간 단축이 부종으로 인한 눈꺼풀의 변화를 줄이는 의미에서 매우 중요하다. 또한 건막과 뮬러근 또는 거근을 하나의 조직(en bloc)으로 전진함으로써 다른 수술에 비해 비교적 견고하다. 그러나 뒤에서 설명하는 거근 단축술(levator shortening)보다는 덜 견고한 수술이지만 거근단축술에 가까운 수술방식이다.

거근 단축술과 술기상의 다른 차이점으로는 검판 상단에서 건막과 뮬러근을 절개하여 검판부터 분리하지 않는다는 점이다. 건막과 뮬러근을 절개하지 않고 검판에 붙은 채로 수술한다는 것은 마취나 부종으로 인한 눈꺼풀의 변화를 언제든지 쉽게 감지할 수 있으므로 편리하다. 거근 축소술에 비해서 단점으로는 뮬러근 전진이 단축술은 전층(full thickness)이지만 이것은 전층에 가깝다고 할 수 있다는 점과 주름술이 가진 일반적인 특징인 mass effect (volume effect) 때문에 단축술에 비해 몇 mm 정도의 더 많은 전진이 필요하다는 점이다.

### 건막위 주름법(traditional plication technique)과 건막과 뮬러근 아래 주름법(under through plication technique)의 기전 차이는?

조직의 질적 차이이다. 건막은 미끄러운 조직(smooth gliding tissue)이므로 수술 후 섬유화(fibrosis)가 안되고 건막과 검판 사이 또는 건막 자체의 유착이 일어나는 것이 불규칙적이므로 수술 후 재발 정도가 일정치 않다. 또한 건막 자체가 약화(rarefied aponeurosis)되어 있는 경우에도 효과가 줄어들 수 있다. 그러므로 Fox(1979), Harris and Dorzback (1975)와 Berlin and Vestal(1989)이 건막 주름술이 실망스럽다(disappointing)고 기술하였다. 하지만 건막이 떨어져 있는(disinserted) 노인성 등 건막성 안검하수의 경우에는 효과가 좋은 편이다(Johns 등, Liu).

선천성일 경우에도 경한 경우에는 건막 주름술이 효과가 있다고 보고한 경우도 있지만(Burman, Ibrar Hussain) 저자의 경험으로는 실망스러운 결과를 나타내었다.

건막과 뮬러근 아래 주름법(under-through levator plication technique)은 이와 달리 뮬러근의 주름법을 이용한 수술방법이란 점이 건막 위 주름법과 다르다. 어떤 조직이 주름을 이루느냐에 따라 결과가 다르다. 건막과 뮬러근 아래 주름법은 뮬러근이 주름진다는 면에서 결과도 뮬러 주름법과 유사하다.

## 상안검거근 단축술(Levator shortening)

상안검거근 단축술에서 말하는 상안검거근은 상안검거근 복합체(levator complex)를 말하

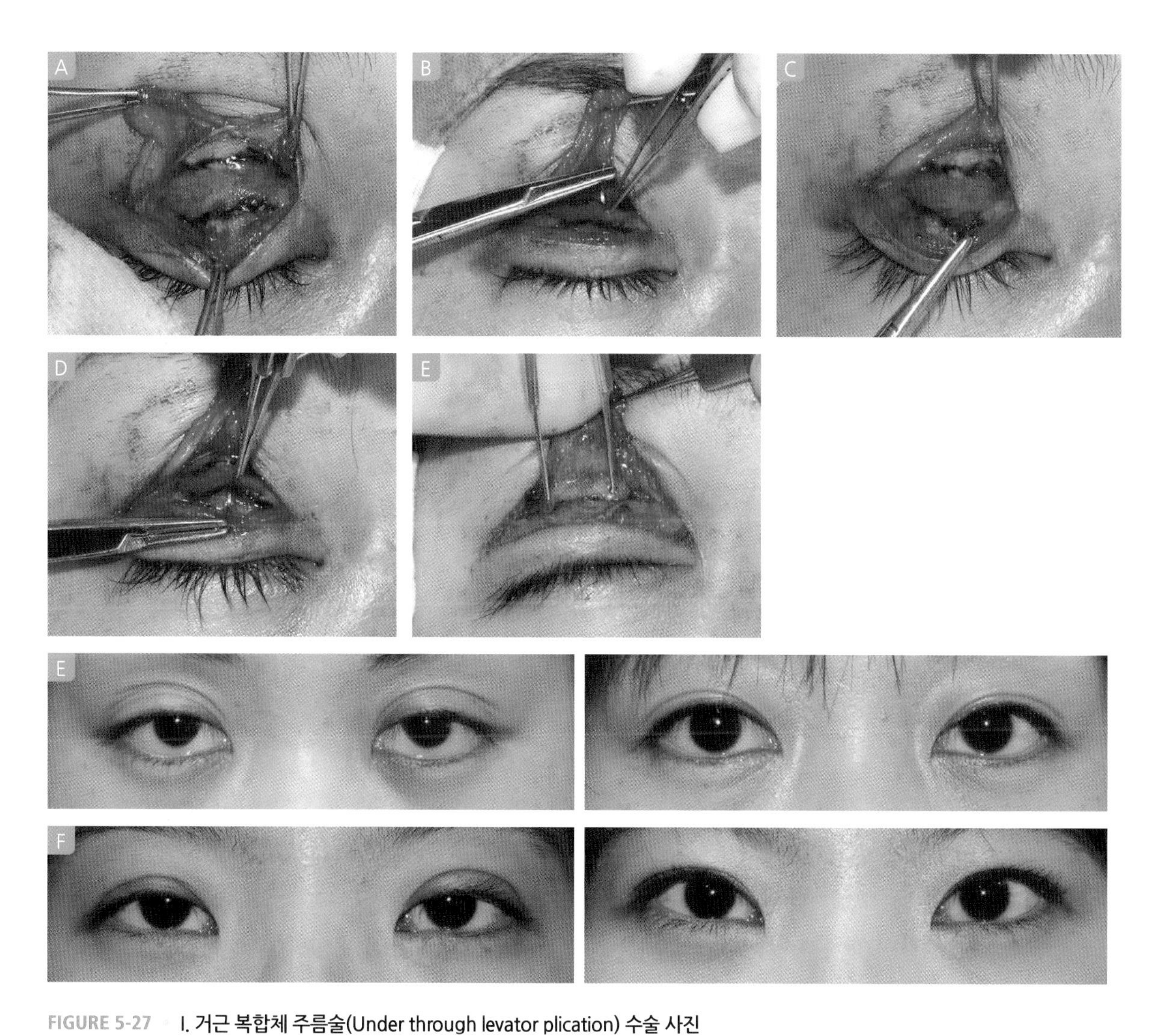


FIGURE 5-27 I. 거근 복합체 주름술(Under through levator plication) 수술 사진
9 mm를 전진하고자 한다. A. 아래선-검판상단에서 2 mm 하방, 윗선-검판 상단에서 7 mm 상방. B. 바늘이 건막에서 시작하여 뮬러근과 결막 사이로 아래로 통과. C. 아래선을 따라 바늘이 수평으로 검판을 부분 두께로 통과한다. D. 바늘이 검판상단에서 뮬러근 밑으로 윗선까지 통과하여 건막을 뚫고 나온다. E. 결찰 후.
II. 거근복합체주름술(Under-through levator complex plication technique) 수술 전후

는 것으로 건막, 뮬러근, 거근을 말한다. 그러므로 심한 안검하수에서 많이 단축하는 경우엔 상거근까지 단축하게 되지만 작게 단축하는 경우는 비록 뮬러근만 단축할지라도 상안검거근 단축술이라 명할 수 있기 때문에(FIGURE 5-25) 가끔 명칭에 혼돈이 있기 쉬운 요소가 있다. 어떤 이들은 거근까지 단축하지 않는 경우엔 '뮬러근 및 건막단축술'이라고 분

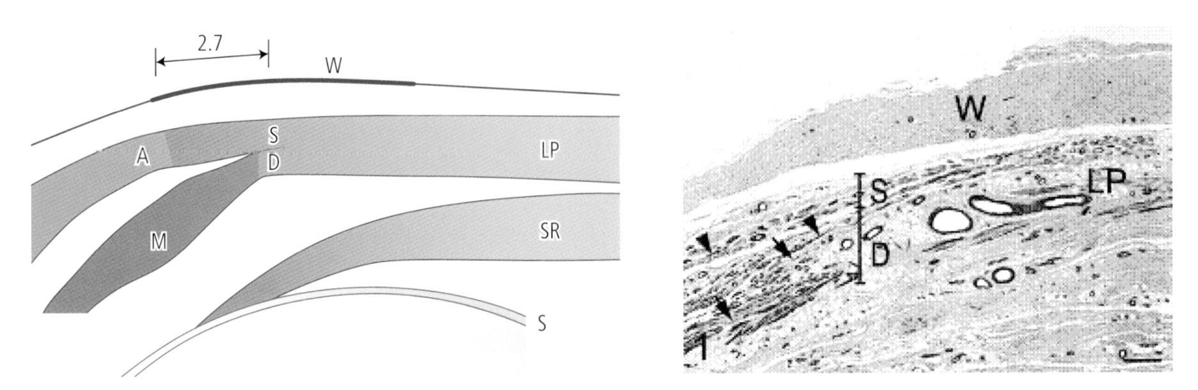


FIGURE 5-28 **거근과 뮬러근이 만나는 경계 부위는 smooth muscle cell(화살모양)과 striated muscle cell(화살 촉 모양)이 섞여 있다.** LP: levator aponeurosis, S: superficial, D: deep, M: Müller's muscle, SR: superior rectus. (Histology reprinted with permission from Hwang)

리하여 명명하자고 주장하는데 일리가 있다. 하지만 뮬러근과 거근은 분명하게 수평선에 의해 경계가 지어지지 않고 깍지 낀 듯(interdigitating) 되어 있기 때문에 때로는 뮬러근만 단축하였는지 거근도 포함됐는지 애매할 경우도 있다. 단축 길이만 차이가 있지 수술 방법은 차이가 없으므로 통틀어 거근단축술이라고 한다. 이런 경우는 거근을 거근 복합체로 이해하고 있다는 것을 생각하면 혼돈을 피할 수 있을 것이다.

## 수술방법

### *도안*

원하는 쌍꺼풀 높이에 따라서 절개선의 높이를 정한다. 안검하수 수술 후 눈 크기가 커지면 쌍꺼풀의 폭이 좁아진다. 중앙은 많이 좁아지고 외측은 적게 좁아지는 것을 고려하여 도안해야 한다. 안검하수 수술 후의 쌍꺼풀 모양을 알아보기 위해서는 눈썹을 못 움직이게 고정시킨 상태에서 눈을 크게 떠 보라고 하면서 부지로 쌍꺼풀 모양을 만들어 보는데 눈을 크게 뜨기가 어려운 면이 있다.

### *국소마취*

1% lidocaine과 1/100,000 에피네프린이 있는 국소마취를 시행한다. 이 수술은 거근 기능이 심하게 저하된 눈꺼풀을 대상으로 하기 때문에 거근이 국소마취제에 덜 민감하므로 마취액의 사용양은 일반적인 눈꺼풀 수술에서처럼 충분히 한다.

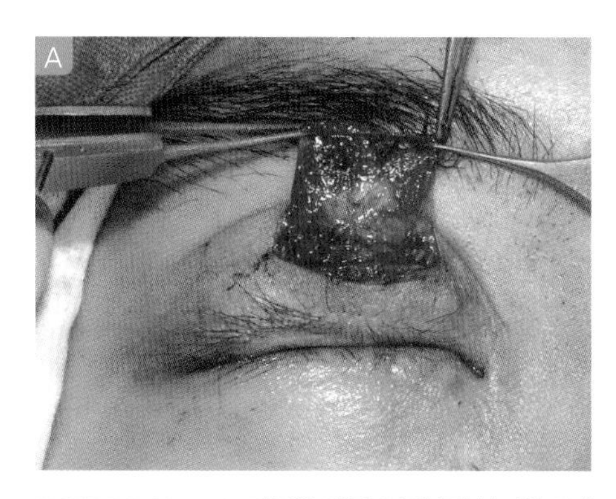


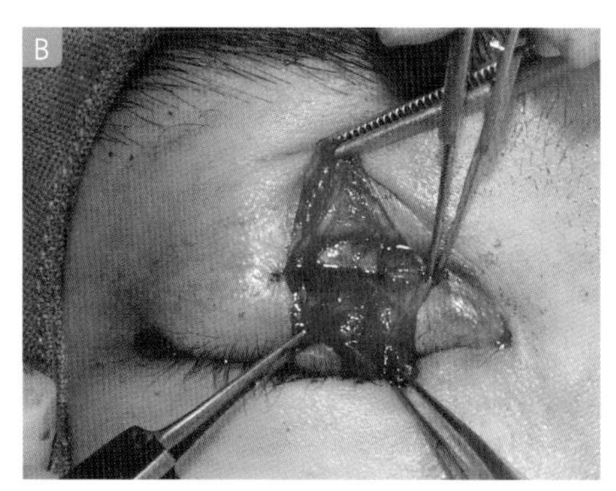


FIGURE 5-29 **A.** 거근을 결막으로부터 분리한 모습. **B.** 분리된 거근을 전진하여 검판에 고정.

### *피부절개 및 박리*

피부설개 후 안륜근을 열고 격막을 건막으로부터 분리하여 건막을 노출시킨다. 건막을 노출시키는 과정까지는 앞에서 설명한 방법과 같다. 이후 뮬러근과 결막 사이에 식염수에 3배 정도로 희석된 국소마취제를 주입하여 결막을 뮬러근으로부터 부풀린다. 때로는 결막에 국소마취 점안액을 떨어뜨리고 식염수만으로 결막을 부풀리기도 한다. Peripheral arterial arcade를 조심하면서 검판으로부터 거근복합체(건막과 뮬러근)를 절개하여 분리시킨 후 결막으로부터 박리한다. 결막박리 시 결막이 찢어지지 않도록 조심해서 해야 하는데 혹시 찢어지면 거근 전진 시에 동시에 결막의 양 가장자리를 봉합하면서 결막에 실의 매듭(knot)을 남기지 말아야 한다. 결막의 가장자리가 정확히 만나지 않으면 결막의 점막 낭종(mucoid cyst)이 생길 수 있다. 거근을 많이 전진해야 하는 경우엔 양쪽 horn을 자르기도 하지만 대부분은 보존하고 때로는 lateral horn만 자른다. Medial horn은 비교적 탄력성이 있기 때문이다. 위로는 안검하수 정도에 따라 높게 박리한다. horn을 자르게 되면 거근의 전진량은 더욱 많이 필요하게 되는 단점이 있지만 탄력성이 더 좋아져서 lid lag을 줄일 수 있는 장점이 있다(**FIGURE 5-29A**). 개인적으로는 horn을 가능한 한 자르지 않는다.

### *거근단축*

이 수술은 앞서 설명한 수술보다는 보다 심한 안검하수에 사용하는 수술이므로 검판에 유착을 보다 확고하게 하기 위하여 검판전 조직들을 확실히 제거한 후에 눈꺼풀의 위치가 각막상연에 오게끔 거근을 전진하는 양을 조절하여 먼저 검판에 3곳, 즉 각막의 정중앙, 코쪽, 바깥쪽에 6-0 나일론으로 고정 봉합한다. 검판의 고정 위치는 앞에서 설명한대

## WAIT A MINUTE!

1. 여러 번 수술로 인해 거근과 결막을 분리 박리하기가 너무 힘든 경우가 있다. 이런 경우에는 굳이 박리하지 않고 거근과 결막을 하나의 층으로 한꺼번에 절제하는 것도 하나의 방법으로 고려할 수 있다. 이 경우 결막의 prolapse는 일어나지 않는다.
2. 여기서 잠깐, 뮬러근을 검판에서 분리할 때 바로 검판 상단에서 분리하기도 하고 상단 보다 몇 mm 위에서 박리하기도 한다. 여기서 고려해 두어야 할 것은 뮬러근의 구조이다. 뮬러근은 proximal에서 0.7±0.5 mm 정도의 두께로 내려오다가 검판 상단부근으로 올수록 두께가 가늘어지고 검판 상단 2 mm 정도에서 단단한 결체 섬유조직으로 검판과 연결된다. 것을 뮬러근의 tendon으로 지칭하기도 한다. Müller tendon의 길이는 평균 2.56 mm (1.40-5.64 mm) 두께는 0.27 mm(0.08-0.88 mm)로 보고되어 있다. 그러므로 검판 상단 1 mm 정도에서 절개하고 박리하면 절단 조직이 깔끔하게 보이나 상단 몇 mm 위에서 절개하면 절단면이 불규칙적이므로 전진할 때 길이를 측량하는 데 어려운 점이 있다(FIGURE 5-27).

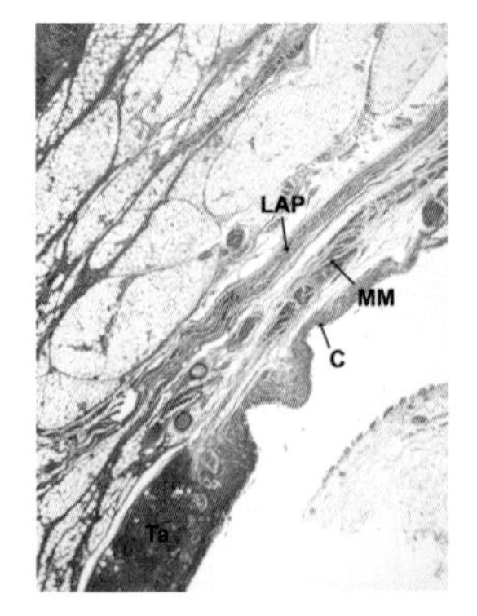


FIGURE 5-30 **뮬러근(MM)의 현미경적 소견**(출처 동아대 안과)
뮬러근(MM)은 여러 가닥의 smooth muscle bundle로 되어있고 거근건막(LAP)과 결막(C) 사이에 있다. 검판과 연결 부위는 1 mm 정도 길이의 섬유성 조직(fibrous connective tissue)으로 단단하게 연결되어 있다. 상부에는 건막과 뮬러근 사이에 빈 공간(postaponeurotic space)이 보이지만 아래로는 안 보이고 섬유성 조직이 있다. 그러므로 아래에는 둘 사이 박리가 어렵지만 위로는 박리가 쉽다. 뮬러근이 proximal에서는 두껍지만 검판쪽으로 갈수록 가늘어진다. Ta: tarsus MT: müller tendon

로 검판 상연에서 2 mm 하방에 깊게 봉합한다. 검판 고정은 부분적으로 검판을 뚫을 정도로 견고하게 하여야 수술 후 느슨함(loosening)으로 인한 재발을 방지할 수 있다. 검판이 얇고 약한 경우에는 검판을 두번 뚫고 봉합하여 견고하게 하는 수도 있다. 전진 봉합 후 남은 거근이 적으면 그대로 두고 많으면 전검판 비후(pretarsal fullness)를 방지하기 위하여 일부 trim한다(FIGURE 5-29B).

maximum levator resection은 25 mm 정도, super maximum은 30 mm 정도 전진하는 것을 말한다. 근육의 탄력성은 어느 정도까지는 당기는 정도와 비례하지만 어느 정도를 넘어가면 당기는 정도에 비해 훨씬 탄력성이 줄어들며 이로 인해 lagophthalmos, 눈의 당김 정도도 급격히 증가한다. 근육의 늘어남에 비해 stress가 급격히 증가하기 때문이다(FIGURE 5-31). 그러므로 심한 안검하수로 거근의 기능이 4 mm 이하에서는 통상 전두근을 이용한 수술이 적응된다. 그러나 이와는 다르게 심한 안검하수에서도 거근 단축술을 주장하는 의견도 있다. Berke 등은 거근의 기능이 거의 없는 경우에도 거근단축술이 전두근 수술보다 생리적이고 미용적으로도 기능적으로도 더 나은 수술이라고 주장한다.

Mauriello는 거근기능 2 mm 이하, 안검하수 4 mm 이상의 심한 안검하수에서 25 mm 정도의 거근을 절제하여 대부분(32명 중 28명)에서 좋은 결과를 얻었다고 보고하였다. 하지만 거근기능이 2 mm 이하에서는 거근에 근육성분은 적고 loosed areolar tissue 성분이 많아 조직이 약하고 쉽게 늘어나는 경향이 있다. 또한 거근을 20 mm 이상 높게 분리할 때는 뒷쪽의 상직근과 상사근이 손상되지 않도록 조심하여야 하고 거근과 상직근은 공통근막으로 연결되어 있기 때문에 거근을 지나치게 당기면 상직근이 아래로 당겨져 하사시가 발생할 수 있으므로 이것을 방지하기 위하여 두 근육 사이의 근막을 잘 분리하여야 한다. 그러므로 저자는 심한 안검하수에서 거근을 지나치게 당기기보다는 최대 15 mm 이하로 당기고 나머지는 공통근막이나 Whitnall 인대를 당기는 것으로 보완하는 것이 보다 나은 결과를 얻을 수 있다고 생각한다(FIGURE 5-32)

**WAIT A MINUTE!**

### 재발과 토안(RELAPSE & LAGOPHTHALMOS)

심한 안검하수에서 궁극적으로 가장 고민스러운 문제는 첫째, 재발이 많다는 것과 재발량이 일정하지 않다는 것 그러므로 요구되는 과교정량이 일정하지 않다는 것과, 두번째는 눈을 뜨고 잔다는 것, 그러므로 노출성 각막염(exposure keratitis) 등 많은 안질환이 발생할 수 있다는 것을 지적할 수 있다. 그러므로 심한 안검하수에 적용되는 여러가지 수술인 Levator shortening operation, Check ligament operation, Frontalis sling or transfer operation 등에서 어느 수술이 상기한 두 가지 문제점을 가장 적게 일으키는가 하는 점에서 진지한 고민이 있어야 할 것으로 본다. 또한 심한 정도가 같은 안검하수에서 수술 후 같은 눈 크기가 되었다 할지라도 눈을 뜨고 자는 정도가 다르다. 임상에서 자주 접하게 되는 일은 토안이 발생하지 않을 수 있을 정도의 경한 안검하수에서 토안을 발생시키는 경우는 참으로 안타까운 일이 아닐 수 없다. 또한 심한 안검하수에서는 어쩔 수 없이 토안이 발생하지만 최소한의 토안을 만들 수 있도록 최선을 다해야 할 것이다.

**똑같은 상황인데 보다 눈을 많이 뜨고 자는 원인으로는**

1. 안륜근의 눈감는 힘이 약하다. 안검하수증에서 선천적으로 안륜근의 기능이 저하되어있어 심지어 안검하수 수술을 받은 적이 없으나 눈을 뜨고 자는 환자가 있다. 이는 거근의 섬유화(fibrosis)로 인해 탄력성이 저하되어 있기 때문이다. 또한 지난번 수술에서 검판전 안륜근을 제거하여 안륜근이 약한 경우도 자주 볼 수 있다. 그러므로 안륜근 중에서도 전검판안륜근(pretarsal orbicularis muscle)은 일체 제거하지 않아야 한다.
2. 안검하수 수술 중 비교적 탄력성이 좋은 müller근보다 탄력성이 약한 거근건막(aponeurosis)을 많이 전진시킨 경우. 그러므로 müller plication 수술방법을 할 때 뮬러근 보다 많은 건막 전진에 의존하지 않는 것이 좋다.
3. 거근이 격막 등의 탄력성이 약한 주변 조직과 같이 맞물려 전진된 경우 : 거근이 주변조직으로부터 자유로운 것이 좋다.
4. 수술 중 거근이 손상을 받아 근육 섬유화에 의해 탄력이 줄어든 경우. 가능한 atraumatic surgery를 하도록 해야 한다.
5. 거근축소술 시 거근 전층(full layer)을 사용하여야 토안을 줄일 수 있다. 거근이 부분적으로(partial layer) 사용되어 안검하수도 저교정되고 토안도 심해진 경우를 임상에서 자주 접하게 된다.
6. 하나의 조직을 과도하게 전진하는 것보다 하나 이상의 조직을 이용하여 부드럽게 당길 수 있으면 좋다. 예를 들면 거근단축술을 단독으로 하는 것보다 거근단축술과 공통근막(check ligament)을 함께 사용하는 것이 토안을 줄이는 데 용이하다.
7. 안과 밖으로 넓게 전진한다.

**WAIT A MINUTE!**

### UNDERTHROUGH LEVATOR PLICATION 방법이 심한안검하수에서 피하는 이유?

**정체효과(jam effect)와 유착의 견고함 문제**

정체효과(mass effect)때문이다. levator resection 방법은 전진된 근육의 정체현상이 거의 없지만 plication 방법은 근육의 정체현상이 많이 당길수록 많이 나타나며, 또한 유착의 견고함이 거근 단축술에 비해 떨어지기 때문이다.

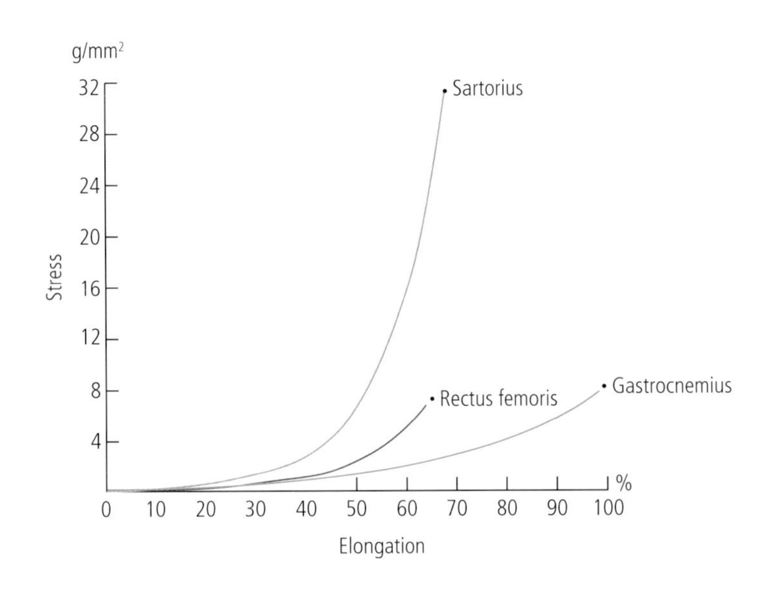


FIGURE 5-31

Relation of muscle elongation and stress

근육이 길어질수록 스트레스가 많아진다. 특징은 어느 정도까지는 스트레스가 완만한 증가를 보이지만 어느 정도 이상에서는 급격한 증가를 보인다.

### 쌍꺼풀 만들기

- 안륜근을 검판에 고정한다. 안쪽과 가운데 부분은 쌍꺼풀이 쉽게 만들어지나 거근을 전진하지 않은 아주 바깥쪽은 쌍꺼풀이 풀어지거나 희미해지기가 쉽다. 또한 바깥쪽은 넓은 폭이 되기 쉽다. 바깥쪽은 안검하수 수술이 통상 생략된 곳이기 때문이다. 또렷한 쌍꺼풀을 만들기 위해서 안륜근을 검판에만 고정하지 않고 위쪽의 건막에도 함께 고정하여 건막을 안검하수 수술하듯이 충분히 아래로 전진시켜 고정하여 쌍꺼풀이 풀어지지 않도록 한다(art of fixation). 만일 가운데만 안검하수 수술을 시행하고 안쪽으로는 안검하수 수술을 생략했다면 안쪽도 검판과 높은 곳의 건막을 함께 고정해야 한다.
- 피부를 봉합한다.
- 각막 노출이 심한 경우엔 하안검을 Frost suture하여 각막을 덮어준다. 각막을 보호하

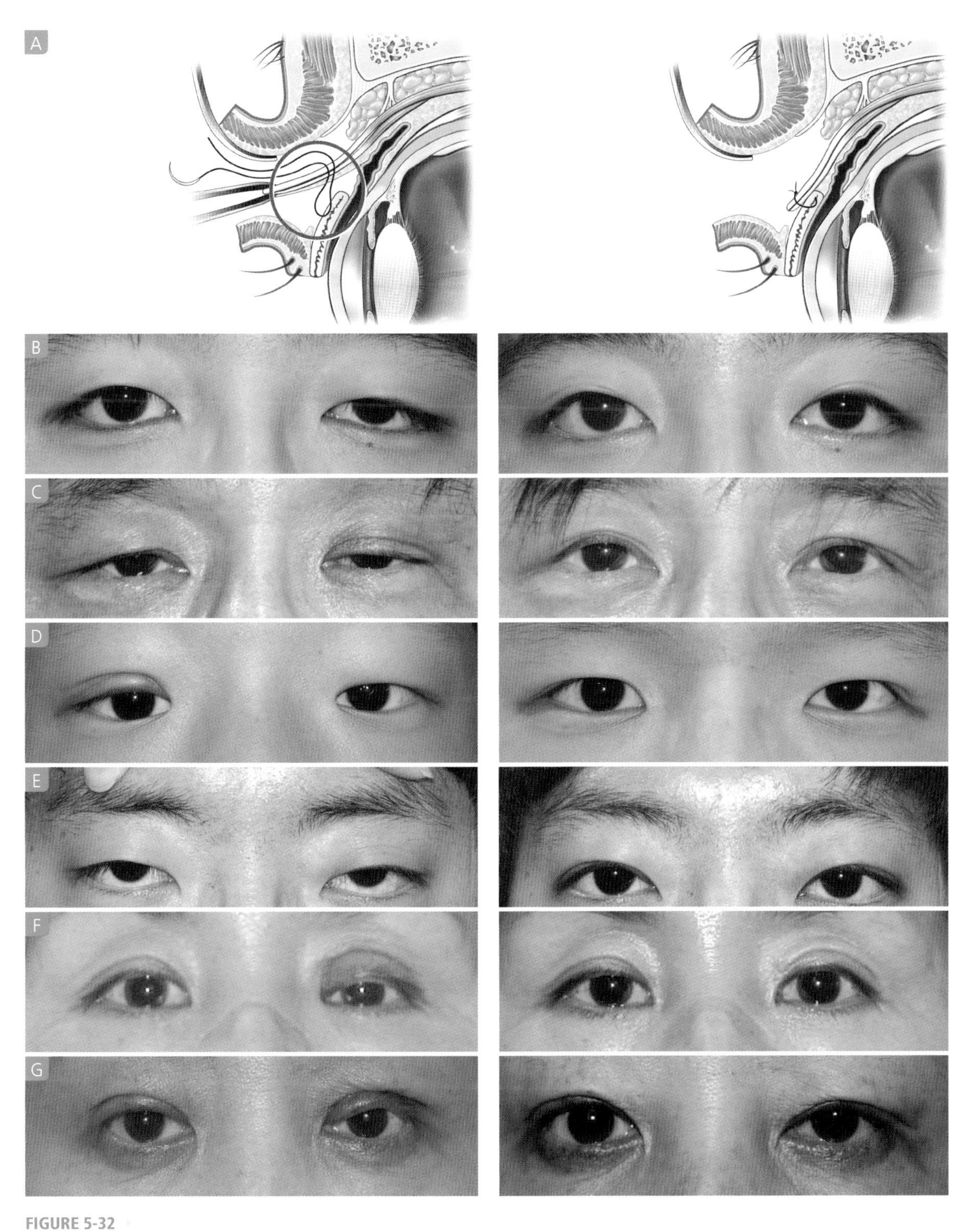

FIGURE 5-32

**A-E.** 중증 선천성 안검하수에서 상안 검거근 절제술 수술 전후 사진

**F, G.** 외상성 중증 안검하수에서 상안 검거근 절제 수술 전후 사진술

는 목적도 있고 눈을 억지로 감으려는 힘 때문에 조직이 늘어지는 것을 예방하는 효과도 있다.

이 수술은 거근을 절개하는 수술이므로 단점으로는 뮬러근 주름술에 비하여 조직외상이 심하며 거근이 검판에서 분리되어 기능이 유지되지 않는 상태에서 수술이 진행된다는 점, 결막과 분리하기 위해서 국소액을 많이 사용하므로 근육의 기능변화가 당분간 심하다는 점과 장점으로는 보다 견고한(secure) 수술이므로 재발량이 적다는 점과 뮬러근 뿐만 아니라 거근까지 전진하므로 보다 심한 안검하수까지 교정 가능하다는 점이다. 저자는 주로 2-3 mm 이상의 안검하수를 교정할 때 이 수술을 사용한다. 2 mm 이하의 경한 안검하수에도 사용할 수는 있지만 비교적 복잡한 수술이므로 경한 안검하수에는 거근복합체 주름술(Under through technique of levator complex plication)을 선호한다. 하지만 경한 안검하수일지라도 재수술일 경우에는 주변조직의 반흔으로 인해 재발 가능성이 높으므로 보다 견고한 방법이 필요하므로 검판 상단 1-2 mm 정도까지 결막에서 뮬러근을 분리하는 약식 단축술을 응용하여 사용한다.

*적응증*

- 중등정도 또는 중증 안검하수(moderate to severe ptosis)
- 경한 안검하수일지라도 흉 조직이 많은 재수술의 경우

*각종 거근 수술 비교*

A. 건막전진술 : 주로 후천성 혹은 건막성 안검하수에 이용되는 수술이며 선천성일 경우에는 경한 안검하수에 사용될 수 있다고 하나 재발률이 높아 부적절하다고 생각한다.
B. 뮬러 주름 및 건막전진술 : A방법에 비해 재발률이 낮다. 선천성과 후천성에서 다양하게 적용된다. 하지만 흉조직이 많은 재수술의 경우 재발률이 높다.
C. 거근 복합체 주름술 : A방법에 비해 재발률이 낮다. B방법과 mass effect가 비슷하다. 선천성·후천성에서 다양하게 적용되고 B방법보다 atraumatic 수술 방법이다. 흉조직이 많은 2차 수술에서는 약간의 박리를 첨가함으로써 유용하게 응용할 수 있다.
D. 상거근 축소술 : 네 가지 방법 중 가장 재발이 적다. 심한 안검하수에 적용된다.

상거근을 이용한 안검하수 수술 중에서 상거근 축소술의 가장 큰 차이는 다른 방법은

상거근의 기능이 유지되고 있는 상태에서 수술이 진행되지만 이 방법은 상거근이 일단 절단되어 기능이 줄거나 소실된 상태에서 수술이 진행된다는 점이다. 이 차이가 중요한 의미를 가지고 있는 것은 수술 도중에 마취액이나 부종 등에 의해 근육의 기능이 변하는 수가 있는데 이때 변하는 정도를 확인하기 위해서 주름법에서는 전진한 실을 풀어서 원상회복시켜 놓고 수술 전과 얼마나 변했는지 확인이 가능하지만 거근 단축술에서는 이미 뮬러근을 검판에서 분리하였기 때문에 분리 전으로 다시 봉합해보지 않으면 수술 중 일어난 변화에 대한 확인이 어렵다.

### 거근절제술(Levator shortening)과 거근 복합체수술(under through plication technique)의 혼합(fusion)방식

안검하수가 심하지 않지만 검판 주변에 과거수술로 인한 흉조직이 심한경우, 이때는 단순 주름수술(plication technique)로는 재발 가능성이 있다. 그렇다고 굳이 단축술(levator shortening)을 할 만큼 심각하지 않은 경우에는 검판상단 2-3 mm 정도만 뮬러근을 격막으로부터 분리하고 나머지는 주름법 방식으로 수술하면 보다 견고한(secure) 수술이 된다.

### 결막 prolapse

거근을 결막으로부터 넓게 분리한 후 거근을 10 mm 이상 단축하면 결막이 상대적으로 남아서 아래로 처져 내려오는 경우가 있다. 증상이 가벼운 경우에는 부종이 빠지고 결막의 수축에 의해서 저절로 치유되는 경우가 많다. 하지만 오래 가는 경우에는 미관상으로도 좋지 않고 때로는 이것이 각막을 압박하여 각막에 궤양이 생길 수도 있으므로 조심하여 관찰하여야 한다.

이것을 방지하는 방법으로 가볍게는 fornix 근처에서 결막을 집고 이를 피부 바깥으로 pull out bolster suture한다(FIGURE 5-33). 이때 결찰은 상거근의 움직임이 방해받지 않게 느슨하게 한다. 또한 hyaluronidase를 삐져나온 결막에 직접 주사하는 것도 도움이 될 수 있다. 그러나 거근을 보다 많이 전진한 경우에는 결막의 일부를 절제한다. 절제 후 절개된 결막 edge를 잘 맞추어 봉합해야 결막이 속으로 말림에 의한 점액성 낭종을 피할 수 있다. 실제적으로 결막 prolapse가 의심되면 저자는 결막절제는 하지 않고 일단 위에서 서술한 pull-out suture를 하고 이후 만일 prolapse가 나타나면 그때 가서 바깥으로 보이는 부분을 잘라내는 것이 결막의 edge가 저절로 잘 맞으므로 성가신 결막 봉합이 필요 없어 권장할 만하다. 그리고 만일 수술 후 며칠 지난 다음에 결막 prolapse를 발견했을 때에는 이미 생긴 결막의 유착 때문에 피부 밖으로 빼내는 것만으로는 해결하기 힘들 수도 있으며 이런 경우는 바깥에 보이는 부분만 점안마취 후 단순 절제로 결막 봉합 없이 해결될 수 있다. 피부바깥으로 pull-out suture 하는 방법 외에 결막의 fornix를 건막까지만 통과하여 건막에 결찰하는 방법이 있다. pull-out suture 방법보다 더 확실하다(FIGURE 5-34).

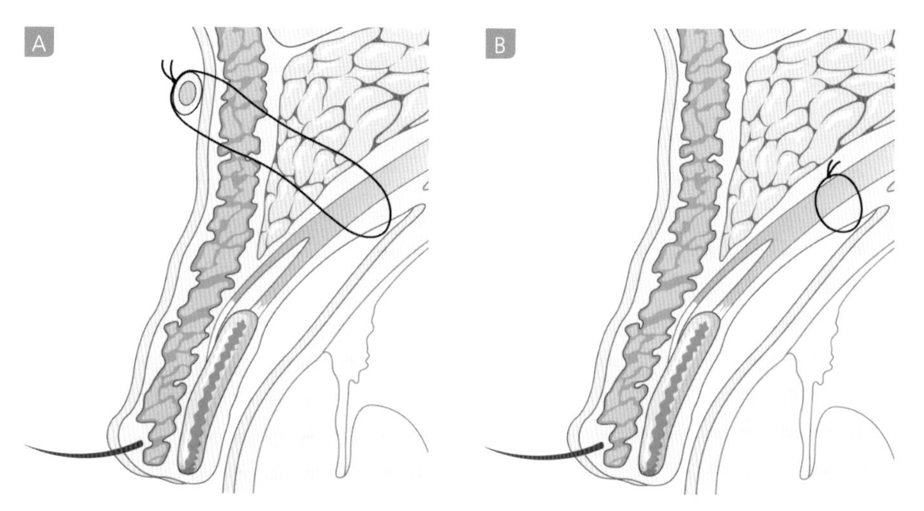


FIGURE 5-33 결막 prolapse 처치법.
A. pull-out suture of conjunctiva. B. 거근을 통과한 후 건막 위에 고정하는 방법

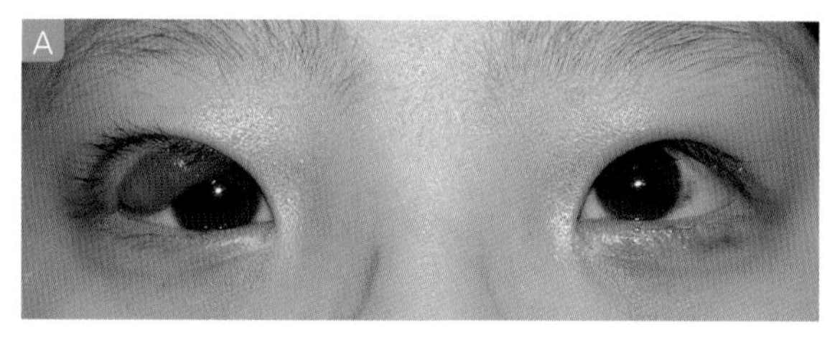

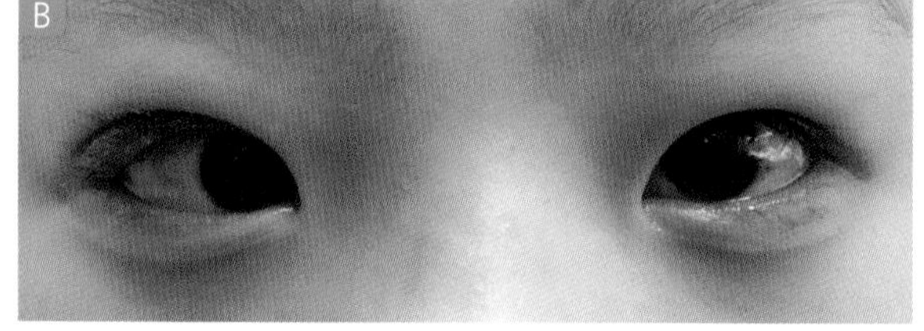


FIGURE 5-34 결막 prolapse 상태와 결막 절제 후.

TABLE 5-2 거근 복합체 주름술(Under through technique of levator complex plication)과 거근 절제술(Levator shortening)의 차이

| | 거근 복합체 주름술 | 거근 복합체 주름술 |
|---|---|---|
| 적응되는 하수 정도 | 경하거나 중간 정도 | 중간 혹은 심한 정도의 안검하수 |
| 외상 정도 | atraumatic | 보다 traumatic |
| 수술과정 차이 | 거근기능이 유지된 상태에서 | 거근기능이 유지 안된 상태에서 |
| 국소 마취제에 민감 정도 | 민감하다 | 민감하지 않다 |
| 결막 prolapse 문제 | 없다 | 때로 있다 |
| 재수술에서 재발 정도(security) | 덜 secure한 수술이므로 재발량이 약간 있다 | 재발량이 매우 적다 |

The difference between levator complex plication and levator shortening. *거근 복합체 주름술은 거근 절제술과는 달리 뮬러근을 그대로 검판에 붙여둔 채로 시행하는 수술이다.

 WAIT A MINUTE!

**거근 복합체의 UNDER THROUGH TECHNIQUE를 포함한 각종 PLICATION TECHNIQUE는 거근 단축술과 달리 심한 안검하수에서 사용되지 못하는 이유?**

jam 현상 혹은 mass effect 때문이다. Jam 현상이란 plication 방법에서 거근 복합체가 당겨져 내려오다가 검판상단위에서 정체되는 현상을 말한다. 이는 전진량이 10 mm 이하에서는 별반 문제가 되지 않지만 그 이상일 때는 정체된 양이 심해져서 더 이상 전진해도 별 차이가 나타나지 않는 현상을 말한다.

## 공통근막 Check ligament, conjoined fascial sheath (CFS) 수술

이 수술방법은 안검하수 수술의 역사를 볼 때 오랜 기간 동안 큰 변화가 없다가 하나의 획을 긋는 새로운 수술방법이다. 이 방법은 2002년 스위든의 Dr. Holmström이 처음으로 check ligament of the superior fornix of conjunctival sac을 검판에 고정하는 것으로 발표한 안검하수 교정술이다. 이 조직은 여러 가지 이름으로 불리고 있지만 여기서는 수술 창시자를 존중하는 의미에서 check ligament를, 조직의 특징을 잘 나타낸 명칭으로 CFS를 병용하여 사용한다. 황건, 신용호 등이 이 CFS를 해부학적으로 자세히 기술하고 수술방법을 기술하였다. 저자는 심한 안검하수에서 CFS suspension과 거근을 함께 전진함으

로써, CFS를 단독으로 전진할 경우 한 곳에만 집중 부과되는 하중을 거근에 분산함으로써 탄력성을 높여 심한 안검하수에서 발생하는 lagophthalmos로 인한 여러 가지 문제점을 줄여보고자 하였다. Ligament 조직과 거근의 탄력성은 많이 당길수록 줄어들기 때문이다(FIGURE 5-35).

### Check ligament (CFS)란

① 거근의 sheath ② 상직근(superior rectus muscle)의 sheath와 ③ Tenon's capsule 3곳의 탄력성 있는 조직으로부터 나오는 연체조직의 판(plate of connective tissue)을 지칭하는 것으로 이는 superior fornix를 안정(stabilize)시키는 기능을 갖고 있다(FIGURE 5-36).

위치는 fornix 부근에서는 안구결막(bulbar conjunctiva)과 눈꺼풀 결막(palpebral conjunctiva)에서 2 mm 정도 걸쳐져 있으며 이것을 bulbal and palpebral conjunctival extension이라고 하며 proximal 쪽으로는 거근(levator muscle)과 상직근(superior rectus muscle) 사이에 앞뒤 길이 15-16 mm 정도, 가로 길이는 아래가 34-35 mm 정도로 넓고 위가 좁은 사다리꼴 모양으로 두께는 1.3-1.4 mm로 펼쳐져 있는 매우 탄력성이 있는 섬유조직이다(FIGURE 5-38). 이것은 상직근에 연결되어 있으므로 안검하수 수술에서 검판에 전진시켜 두면 상방 주시 시 상직근의 힘을 받아 눈꺼풀이 올라가고 하방 주시 시에는 이완되어 눈꺼풀이 잘 내려가는 특징이 있다. 또한 높은 탄력성으로 인하여 다른 수술 방법보다 토안이 적게 나타날 것을 기대할 수 있다. 안검하수의 정도에 따라서 가장 distal 부분인 결막 연장 부분(conjunctival extension)에서부터 가장 proximal 부분까지 다양하게 전진량을 조절할 수 있다(FIGURE 5-37)

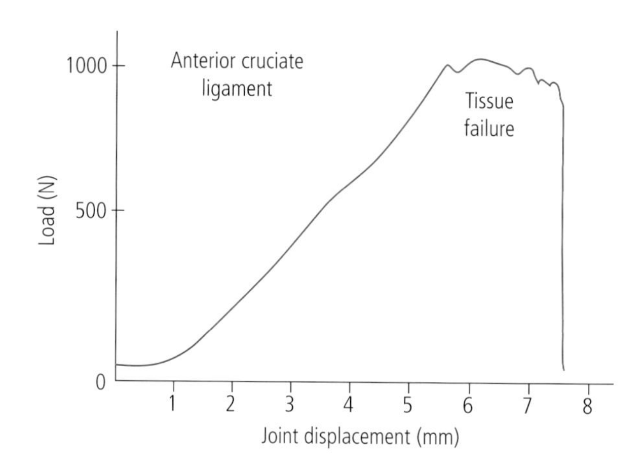


FIGURE 5-35

**인대의 연장과 스트레스의 관계.**

Strain과 stress는 비례하여 증가한다.

### Check ligament의 조직학적 소견

많은 collagen 섬유와 풍부한 elastic 섬유로 구성되어 있다. 많은 elastic 섬유로 인하여 check ligament는 상당히 탄력성이 좋은 조직이다. 근육세포는 없다(FIGURE 5-35).

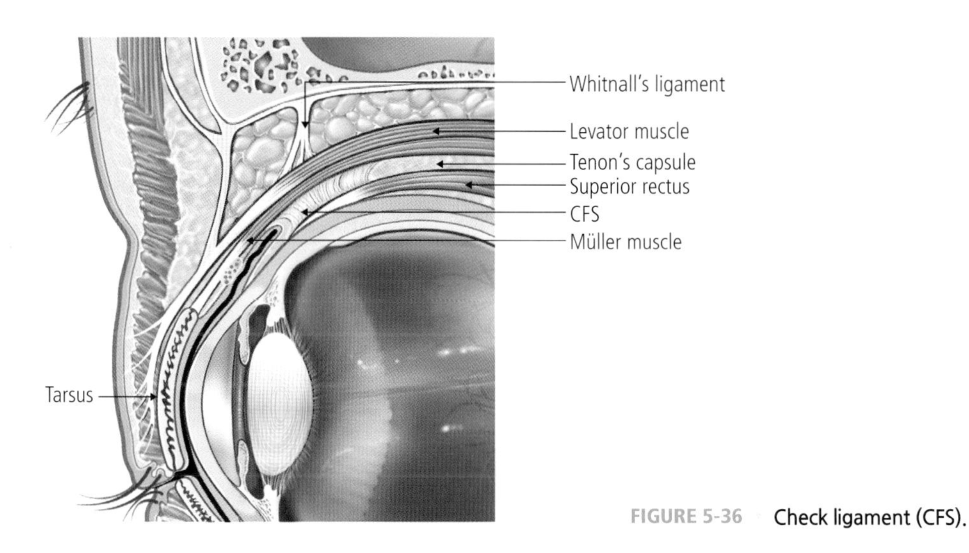


FIGURE 5-36 Check ligament (CFS).

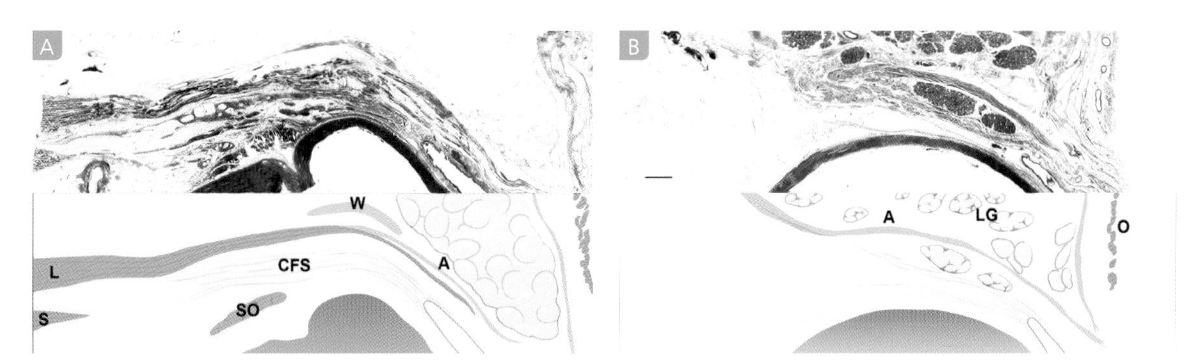


FIGURE 5-37 **CFS의 ANATOMY(황건).** Microscopic findings and illustrations

**A.** sagittal cross-section through midpupillary line. **B.** cross-section through lateral limbus line.

Conjoined fascial sheath (CFS) is located in the intermuscular space between the anterior one third of superior rectus muscle (S) and segment of levator muscle (L). Posteriorly, it was extended from the fascia of the levator and superior rectus. Anteriorly, superficial and deep extensions (arrows) of CFS are continued about 2 mm to the superior conjunctival fornix, then 2-3 mm distally (arrow heads) along and beneath the palpebral and bulbar conjunctiva. W: Whitnall's superior transverse ligament, A: levator aponeurosis, SO: superior oblique muscle, F: preaponeurotic fat, OS: orbital septum, O: orbicularis oculi muscle, LG: lacrimal gland. (Histology reprinted with permission from Hwang)

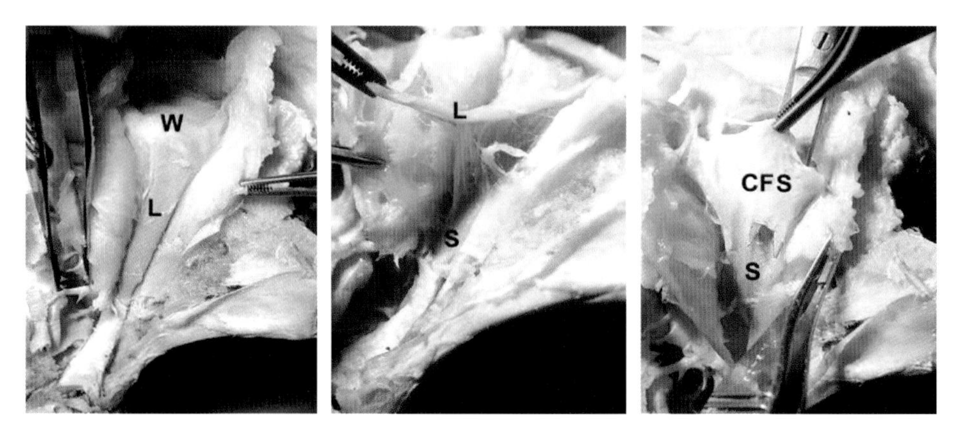


FIGURE 5-38 CFS가 levator muscle 밑에 아래가 넓은 사다리꼴로 보인다(출처 신용호).
W: Whitnall's ligament L: levator muscle S: superior rectus muscle

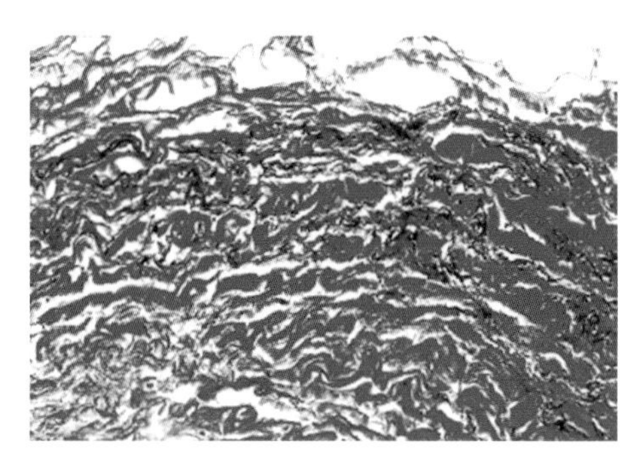

FIGURE 5-39 **check ligament의 조직학적 소견.**
Red: collagen fiber. Blue: elastic fiber. (출처 : ref 15)

## 저자의 수술방법

***공통 근막과 거근의 복합 수술(check ligament, CFS) suspension combined with levator shortening)***

### 국소마취

주로 심한 안검하수에 적용하는 수술이므로 거근기능(levator function)이 약하기 때문에 국소 마취액에 대한 눈꺼풀의 높이의 변화가 적은 편이므로 에피네프린이 섞인 마취액을 비교적 충분히 사용한다.

## 피부절개 및 박리

쌍꺼풀을 만들 위치에 피부 절개를 가하고 안륜근과 격막을 제쳐서 거근건막을 노출시킨 후 아래로 전검판 조직(pretarsal tissue)을 제거하여 검판을 노출시킨다. 이때 전검판 조직을 많이 남겨두면 유착의 힘이 약해 수술 후에 재발의 원인이 될 수 있다.

결막과 뮬러근 사이를 2% lidocaine과 1:100,000 epinephrine 국소마취액에 3배의 생리식염수에 희석된 국소마취제로 ballooning시킨다. 이 과정을 hydrodissection이라고 한다.

검판의 상단 위에서 peripheral arterial arcade를 다치지 않게 조심하면서 절개를 가하고 뮬러근과 결막사이를 박리한다. 이 박리는 거근 단축술에서의 박리와 같다. Blunt dissection해 나가면 fornix 부근에서 smooth, whitish glistening thick membrane이 나오는데 이것이 CFS (check ligament)이다(FIGURE 5-40). 이 CFS를 전진하여 나일론 6-0로 고정하는데

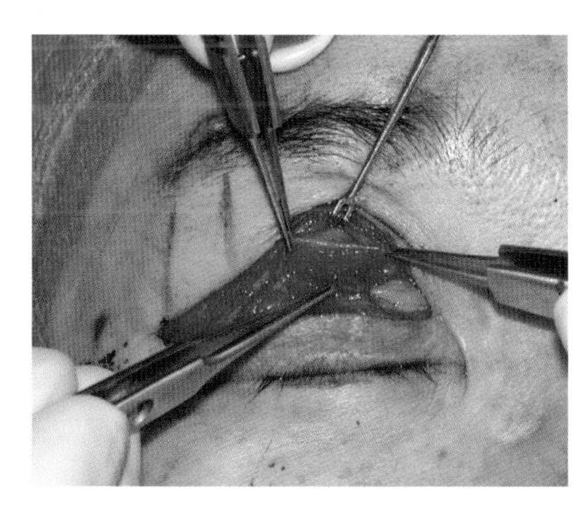

FIGURE 5-40 위에 forcep이 잡고 있는 것이 levator, 아래 것이 CFS이다.

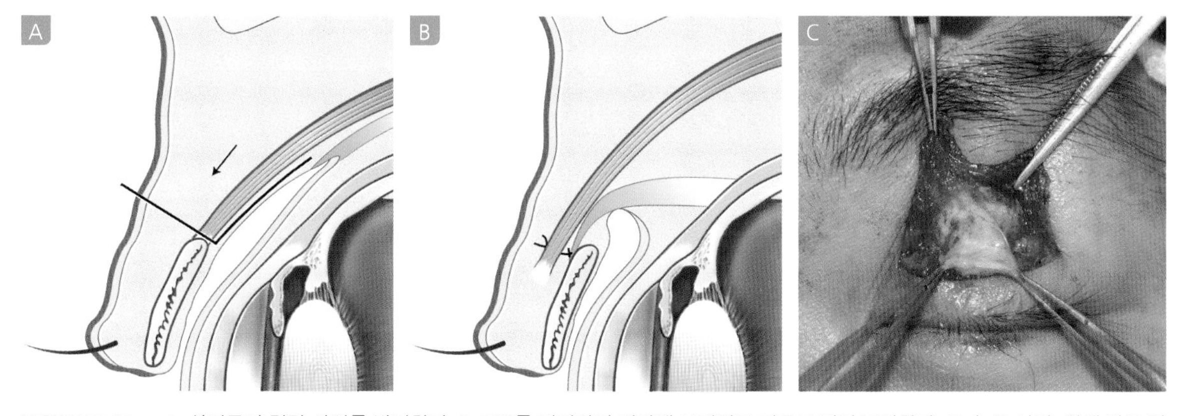


FIGURE 5-41 A. 상거근과 결막 사이를 박리한다. B. CFS를 전진하여 검판에 고정하고 거근도 전진 고정한다. C. 술 중 사진. 위에 잡고 있는 것이 거근이며 아래 것은 CFS이다.

눈높이를 조정하는 것은 전진하는 check ligament의 상하 위치에 따라서 또는 고정하는 검판의 상하 위치에 따라 결정한다.

이 check ligament는 fornix 부근, 즉 distal portion에서는 매우 탄력성이 좋지만 위쪽으로 갈수록 proximal portion에서는 탄력성이 약해지는 경향이 있다. 그러므로 탄력성이 어느 정도 좋은 위치까지만 전진하면 토안이 적지만 그 이상 위로 가면 급격히 탄력성이 저하되어 토안이 심해지는 것을 볼 수 있다. 하지만 탄력성이 좋은 위치까지만 전진하면 심한 안검하수에서는 저교정이 문제된다. 저자는 check ligament를 탄력성이 좋은 위치까지만 당겨 고정하고 나머지 부족분은 이미 박리되어 있는 거근을 이용한다. 거근도 마찬가지로 비록 거근의 섬유화가 심하고 거근 기능이 거의 없는 경우에도 어느 정도 전진할 때까지는 탄력성이 좋으나 보다 더 윗쪽으로 가면 탄력성이 떨어지므로(FIGURE 5-31) check ligament의 전진량과 거근의 전진량을 그 둘의 탄력성을 고려하여 사용하면 토안 정도를 매우 감소시킬 수 있다는 기전이다(FIGURE 5-41). 저자는 대개 올리고자 하는 눈높이의 대부분을 check ligament 전진으로 올리고 나머지 부분을 거근을 전진하여 원하는 높이까지 올리느냐 하는 것을 각 조직의 탄력성에 따라 변화를 주어 결정한다. 양측 심한 안검하수일 경우에는 일단 check ligament로 양측의 눈 크기를 같게 전진한 다음 거근을 전진하여 최종 눈 크기를 결정한다.

눈 크기는 앉은 상태에서 결정하는 것이 좋다. 이 수술은 대부분 심한 안검하수에 적용하는 수술이므로 대개 2 mm 정도 재발할 것으로 보고 과교정한다.

#### 쌍꺼풀 수술(double eyelid operation)

눈꺼풀 올림을 끝내고 7-0 PDS로 안륜근을 검판에 고정함으로 쌍꺼풀을 만든다.

이때 완전 외측은 통상 안검하수 수술을 생략하므로 이 부위는 쌍꺼풀 폭이 넓어지고 또한 쉽게 풀어지는 경향이 강하므로 이를 피하기 위해 피부 절개선에 가까운 안륜근을

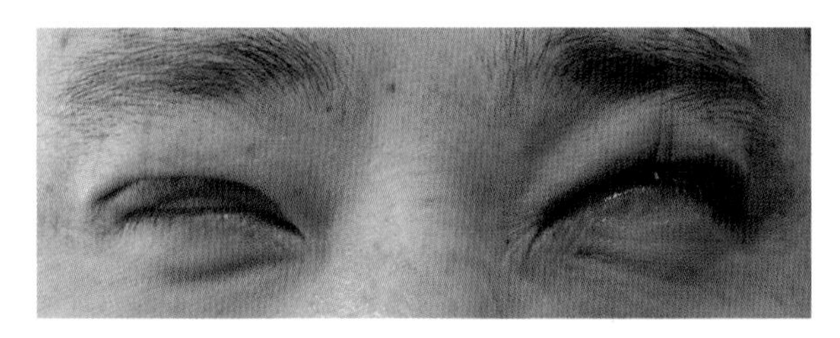

FIGURE 5-42 Frost suture on left lower lid.

검판에 고정하고 검판보다 5 mm 정도의 상부에 있는 건막에 또 한 번 고정한다(3-point fixation). 피부 봉합한다. 심한 안검하수일 경우에는 쌍꺼풀이 심하게 함몰되는 것을 방지하기 위해 eversion suture 한다.

잠잘 때 각막노출증을 대비하여 frost suture를 한다(FIGURE 5-42).

이 수술의 또 하나의 장점은 check ligament를 전진할 때 결막의 fornix가 같이 당겨져 오므로 결막 prolapse의 문제가 적다는 것이다(FIGURE 5-43).

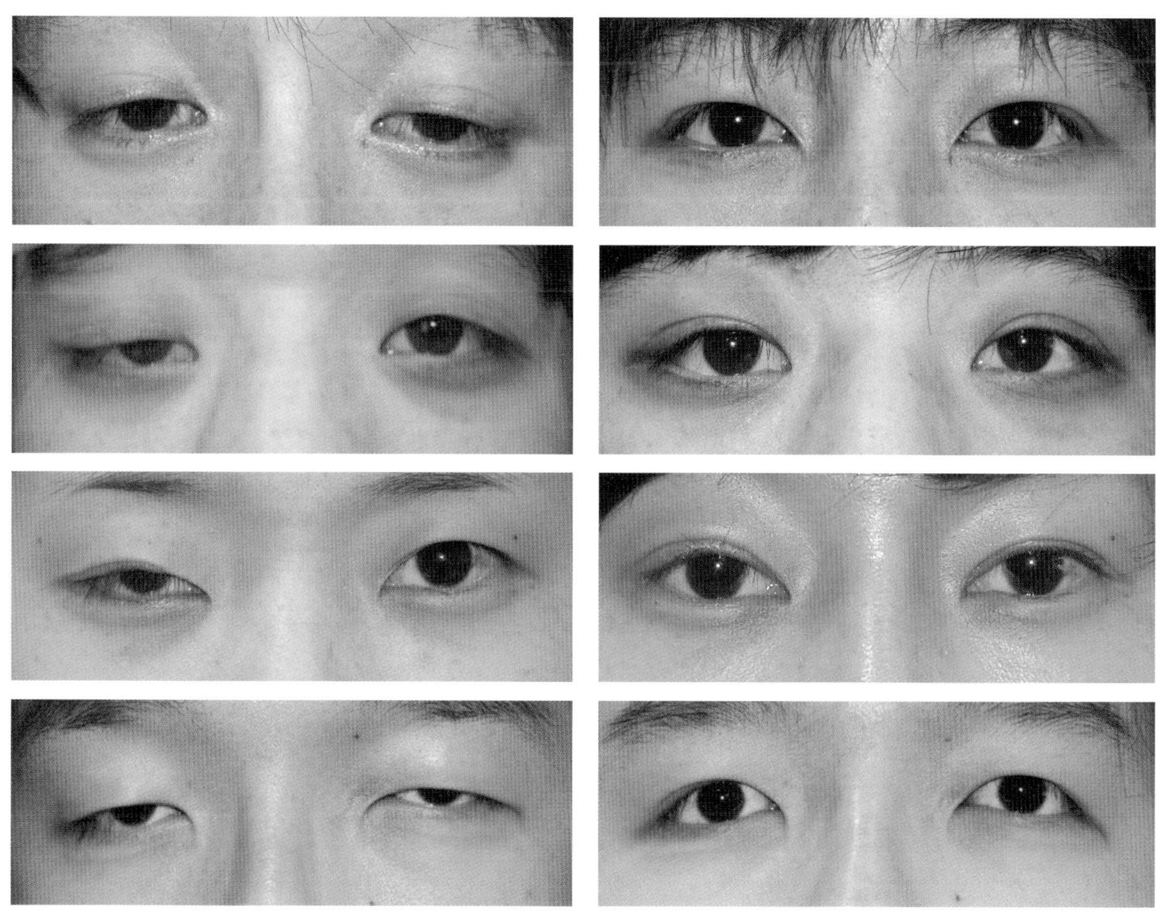

FIGURE 5-43 공통근막과 거근의 복합수술 전후 사진.

## 이마근을 이용한 수술

- 이마근 현수법(frontalis sling operation)
- 이마근피판 전이술(frontalis muscle flap transfer)
- 이마근-근막피판 전이술(frontalis myofascial flap transfer)

이 수술은 거근의 기능이 거의 없는(4 mm 이하, 안검하수 4 mm 이상) 환자에게서 이마근의 운동을 이용한 수술방법이다. 이 수술은 이마근의 운동량이 많은 경우에 효과적이다. 대개 양안 심한 안검하수에는 이마근의 운동량이 많아 효과적이나 단안 안검하수가 있는 환자에서 정상적인 눈을 사용하여 보기 때문에 안검하수가 있는 눈은 이마근을 사용하지 않는 경우가 대부분으로 수술 후 부족 교정이 되기 쉽다.

### 이마근 현수법(Frontalis sling operation)

이마근을 검판에 연결하여 이마근의 움직임으로 눈꺼풀을 올리는 수술이다. 또한 여러 번 거근절제술이나 공통근막을 이용한 수술로 부족 교정이 되었을 때 이를 보완하는 방법으로 토안이 적은 이마근 현수법을 복합적으로 사용할 수도 있다. 이마근을 검판에 연결하는 데 사용되는 물질로는 자가 대퇴근막, 보존 대퇴근막, 실리콘 실, supramid 등 여러 가지가 있다. 이 중에서 자가 대퇴근막이 가장 좋다고 알려져 있다. 자가근막은 주로 대퇴근을 싸고 있는 근막(tensor fascia lata)을 이용하는 것으로 다리에 3 cm 정도의 절개를 해야 하는 부담이 있으며 어느 정도 강한 대퇴근막을 얻기 위해서는 3세 이상에서 가능하다. 자가 대퇴근막은 효과적이긴 하지만 대퇴근막을 얻는 과정이 부담스러운 점 때문에 보존 대퇴근막을 사용하는 경우도 있다. 보존 대퇴근막은 자가 대퇴근막처럼 살아 있는 조직이 아니기 때문에 염증 등의 문제가 나타나기 쉬우며 장기적으로 볼 때 40-50%의 재발률을 보인다. 이는 주변 조직과 강한 유착을 일으키지 않는 것이 원인이다.

실리콘 로드를 이용한 이마근 현수법은 탄력이 좋기 때문에 토안이 적다는 장점이 크지만 3년 안에 약 20%에서 재발이 나타나며 시간이 지남에 따라 재발이 증가하는 문제가 있다.

### 이마근-근막피판 전이술(Frontalis myofascial flap transfer)

거근의 기능이 거의 없는 심한 안검하수이면서 이마에 깊은 주름을 만들 정도의 이마근(frontalis muscle)의 근력이 좋은 환자에게서 이마근을 검판으로 당겨 내려서 부착시키는 수술 방법이다. 이것은 1901년 Fergus가 이마근 전이술을 처음 발표한 이래 1982년 Song & Song이 발전시킨 수술 방식이다. 이후 이마근의 길이를 연장하기 위해서 1988년 Zhou and Chang이 이마근-근막 전이술을 응용하여 발표하였다. 이마근 전이술에 비해 이마근-근막 전이술이 길이가 더 길기에 back-cut이 덜 필요하고 보다 견고하다는 장점 때문에 이마근-근막피판 전이술을 선호한다. 이 수술의 문제점으로는 단안의 안검하수에서 양안의 대칭적인 안검열을 유지하기가 어렵다는 것과 자가근막을 이용하는 경우 대퇴부와 이마에 반흔이 생기며 안검하수가 재발되는 것 등이 있다.

#### *수술방법*

#### **도안**

쌍꺼풀 선을 도안하고 안와상절흔(supraorbital notch)을 표시한 후 눈썹 아래에 상안와신경다발(supraorbital nerve bundle)이 다치지 않도록 안와상절흔의 약간 외측에서 약 1.5 cm의 수평절개선을 도안한다.

#### **이마근-근막피판 거상**

국소마취 후 눈꺼풀 피부 절개 후 안륜근 박리하고 검판을 노출시킨다. 눈썹 아래 1.5 cm의 수평절개를 가한 후 피하 박리하여 이마근을 노출시킨다. 이마근 상안와연에서 이마근막을 최하방에서 2-2.5 ㎝ 수평절개하여 가능한 많은 근막을 포함시켜서 이마근-근막피판(frontalis myofascial flap)을 위로는 이마근과 피하층, 아래로는 이마골 골막과 모상층(galea layer)사이를 박리하여 분리한다. 이때 상안와신경의 깊은 가지(deep branch)를 다치지 않도록 한다. 때로는 아래층 박리를 생략하기도 한다. 또한 안면신경의 관자 가지(temporal branch of facial nerve)를 다치지 않도록 조심한다. 안와상신경의 깊은 가지(deep branch of supraorbital nerve)는 안와상절흔(supraorbital notch)을 나와 외상방으로 골막과 모상층(galea) 사이를 지난 다음 상안와 절흔 3 cm 상방에서 모상층을 뚫는다. 얕은 가지는 상와상 절흔에서 위로 주행하며 이마근보다 얇게 주행한다(FIGURE 5-44).

상안와신경 바로 외측에서 이마근에 약 1 cm 가량의 수직 절개로 back-cut을 가하고 피판을 거상한다(FIGURE 5-45).

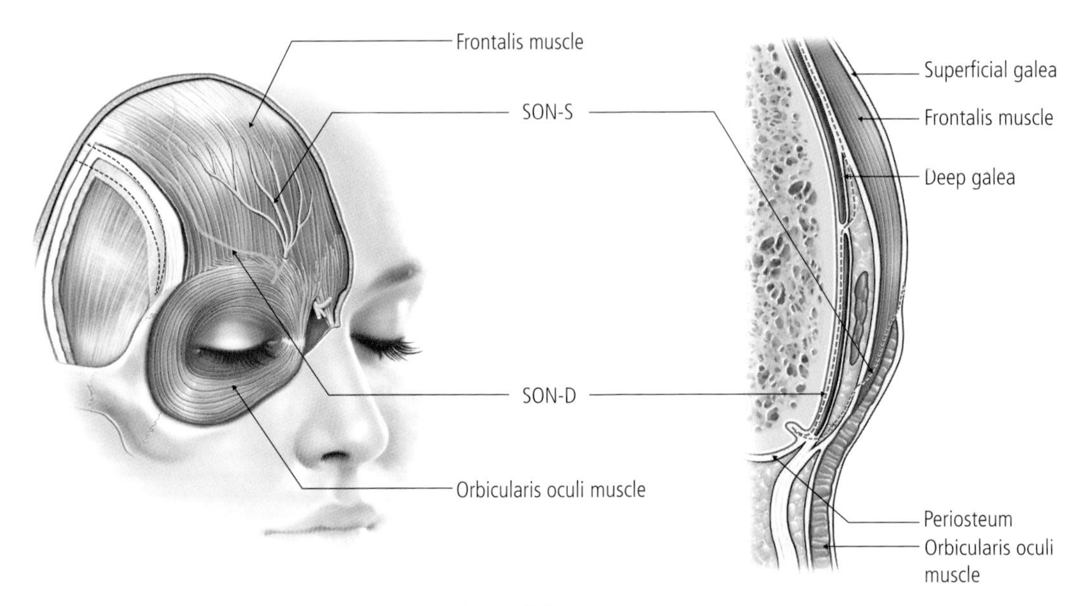


FIGURE 5-44 **안와상 신경(SON, supraorbital nerve) 주행방향.**
SON-S - superficial branches of the nerve. SON-D - deep branches.

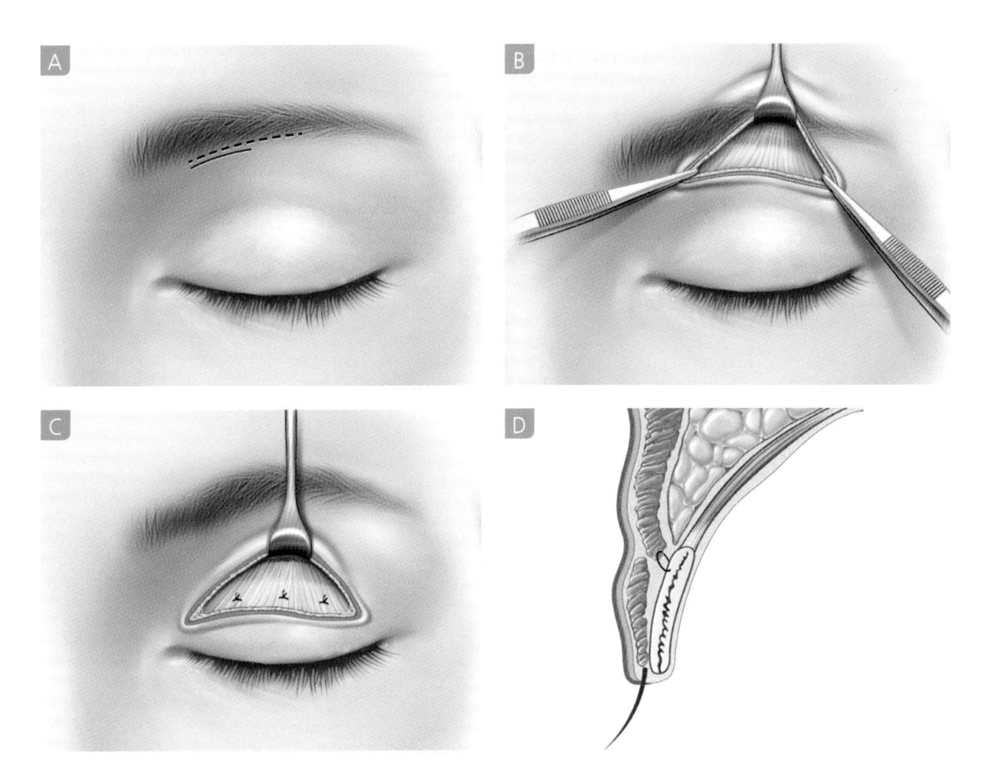


FIGURE 5-45 **이마근 근막 전진술.**
**A.** 눈썹 아래 1.5 cm 절개선과 쌍꺼풀 절개선. **B.** 눈썹 아래 이마근 노출. C, **D.** 눈꺼풀 절개. 이마근-근막피판을 검판에 전진한 모습.

### 이마근-근막피판 전이

안륜근과 격막 사이로 터널을 만드는데 근피판에 비해 넓지 않게 한다. 이 터널을 통해 이마근-근막 피판을 검판위에 눈꺼풀이 각막 상연(upper corneal limbus)에 오도록 전진 고정한다. 이것은 2 mm 정도의 과교정을 요한다.

### 쌍꺼풀 수술

쌍꺼풀을 만들기 위해 안륜근을 전진된 이마근-근막에 고정한다. 바깥은 쌍꺼풀이 형성이 잘 되지 않으므로 검판과 높은 거근근막과 안륜근을 한꺼번에 고정한다(3-point fixation). 피부절개선을 봉합한다. 이마에 압박 붕대를 감는다.

**WAIT A MINUTE!**

실제 이마근 근막을 검판에 전이 고정하는 데는 일반적인 생각보다 많은 전이가 필요하지 않다. 눈을 뜬 상태에서 검판의 상연 가까이 고정하기 때문에 아래 눈꺼풀에서부터 높이를 보면 눈을 뜬 높이 7-8 mm와 검판 상연의 2 mm 하방에 고정하므로 아래 눈꺼풀에서 거의 15 mm 상방에 고정하는 것이기 때문에 대개 1 cm 이하의 전이만으로 충분하므로(FIGURE 5-46의 ×지점) 이마근을 많이 박리할 필요도 없고 따라서 긴 back-cut이 필요하지 않다. 따라서 당연히 이마근에 근막외 다른 연장(예) 안륜근피판 연장, frontalis-orbicuralis flap)은 필요치 않다(FIGURE 5-46, 5-47).

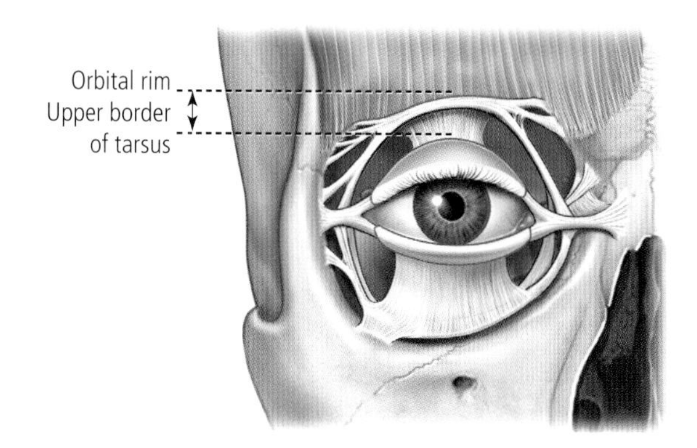


FIGURE 5-46 T검판과 이마근-근막의 거리.
눈을 뜬 상태에서 검판상연과 안와연과의 거리가 5 mm를 넘지 않는다.

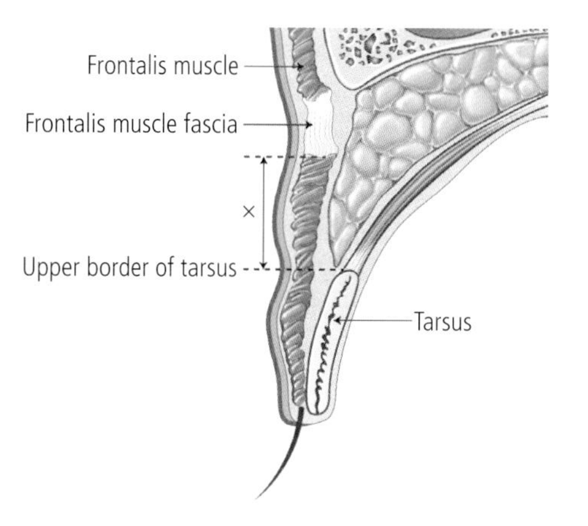


FIGURE 5-47 이마근-근막과 검판의 위치.
이마근의 근막은 안와연에 연결되어 있다. 이마근을 전진할 때는 눈을 뜬 상태에서 검판 상연 가까이 고정하게 된다. 그러므로 이마근-근막을 내리는 거리(× 표시). 즉, 눈을 떴을 때 검판상연과 안와연의 거리는 불과 10 mm 이하이다.

이마근을 이용한 수술방법이 거근 전진술과 다른 점은 심한 안검하수에서 거근 전진술에서는 비록 부족교정이라 할지라도 토안이 염려되지만 이마근을 이용한 수술에서는 부족교정에서는 토안이 발생하지 않을 수 있다. 그러므로 심한 안검하수에서 토안에 대한 내성이 아주 약한 환자의 경우(예: 동안근 마비, bell's phenomenon 이상, 각막 굴절 수술 등)에서는 이마근의 운동이 왕성할 때 이마근을 이용하여 의도적으로 부족 교정을 선택할 수 있다. 이 수술 방법은 일측성일 경우에는 눈썹의 높이가 다르고 이마의 주름이 사라져서 양쪽이 비대칭이 될 수 있다(FIGURE 5-48).

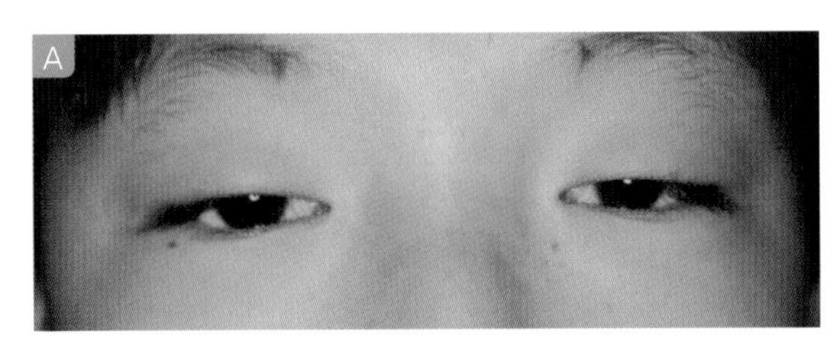

FIGURE 5-48 이마근 전이술 수술 전후 사진.

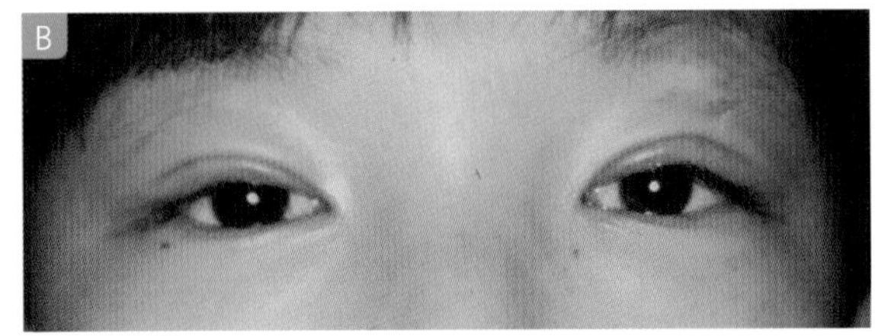

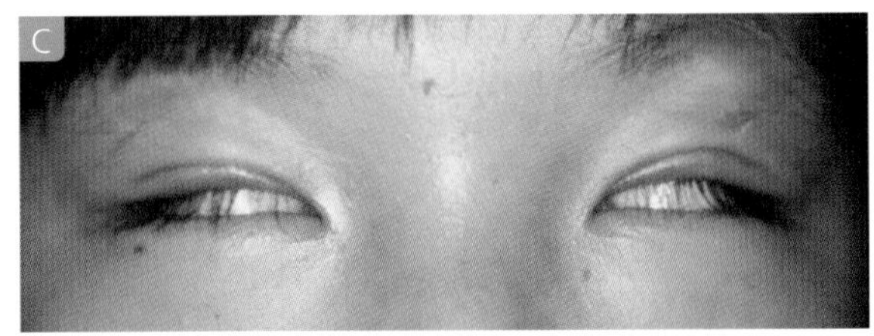

**WAIT A MINUTE!**

이마근 전이술로 안검하수 수술을 할 때 교정 정도에 대해서는 여러 가지를 고려해야 한다. 약간의 재발은 항상 있기 마련이다. 어느 정도 재발하는가 하는 것은 조직의 견고한 상태에 따라서도 다르고 봉합할 때의 견고함에 따라서도 다르다. 다음으로 이마의 활동성을 고려하여 많이 움직이는 사람은 눈꺼풀을 적게 올려서 토안을 적게 한다. 다음으로 각막이 노출에 대해서 어느 정도 내성이 있는가에 따라서도 눈 크기를 조절해야 한다.

## 기타 안검하수

### Jaw-winking ptosis (Marcus-Gunn syndrome)

이것은 반대측 아래턱 운동 시 환측 눈꺼풀이 순간적으로 커지는 현상을 나타내는 안검하수로서 씹는 동작을 하거나 젖을 빨 때 눈꺼풀이 상승과 하강을 하는 것이 특징인 안검하수이다. 입을 벌리고 다물거나 턱을 옆으로 움직일 때 처진 눈꺼풀이 올라가는 것을 볼 수 있다. 선천성 안검하수의 4-6%를 차지하며 주로 단안성으로 나타나며 좌측이 빈도가 높다. 이런 현상은 제5뇌신경이 거근 움직임을 관할하는 제3뇌신경의 가지로 잘못 인도되어 나타나는 현상이다. 동반되는 질환으로 수평사시, 상직근 마비, 약시 등이 있다.

#### *수술방법*

안검하수 정도와 입을 움직일 때 눈꺼풀의 움직임 정도를 고려하여 결정한다.

안검하수 정도가 경하거나 저작운동에 의한 눈의 운동이 약한 경우엔 비교적 기능이 양호한 거근의 기능을 살리는 수술을 시행하고, 저작운동에 의한 눈꺼풀 움직임이 참기 힘들 정도로 심하고 거근의 기능이 매우 불량하면 거근을 검판으로부터 단절하고 위로 박리한 다음 완전히 절제하여 거근의 기능을 없애고 거근이 아닌 다른 조직 – 전두근 혹은 체크 리가먼트(conjoined fascial sheath, CFS)을 이용한 수술방법으로 대체한다. 이러한 공동운동 이상증세(synkinetic movement)는 자연 감소된다는 보고도 있으나 환자가 조절하는 능력을 터득하기 때문이라고 보는 시각도 있다.

### Horner 증후군

선천성 혹은 후천성으로 교감신경 병변이나 교감신경 경로의 병변으로 뮬러근의 마비에 의한 안검하수가 원인이다.

#### *주요 증상*

- 뮬러근의 운동 범위인 2-3 mm 정도의 안검하수가 일어나고 동측(ipsilateral)의 하안검의 경미한 상승
- 동축의 축동(miosis)
- 안구함몰
- 홍채 탈색(depigmentation of the iris) **(FIGURE 5-49A)**
- 동축의 안면과 경부의 무한증(anhydrosis)

Horner 증후군의 발생기전은 교감신경고리(symphathetic chain)의 경로에 있어서 여러 가지 병변에 의해 나타나며 주된 원인으로 종양, 염증, 동맥류(aneurysm), 경부외상, 경부수술 등이 있다. 치료방법으로 원인자체를 규명하여 이를 치료하는 방법과 일반적인 안검하수 수술과 같이 안검하수를 교정하는 방법이 있다. Horner 증후군은 뮬러근의 마비

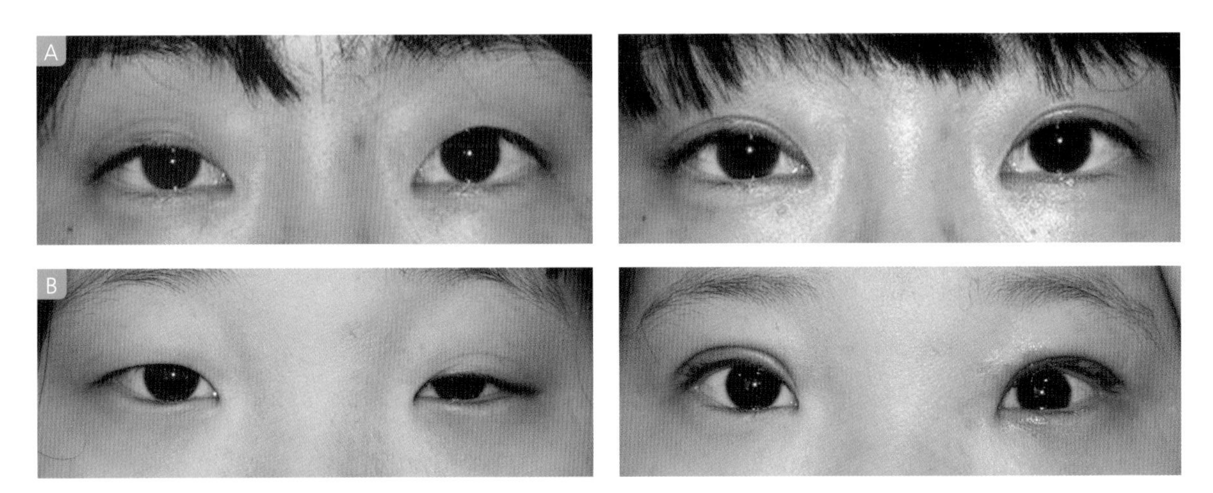

FIGURE 5-49 **Horner 증후군 수술 전후.**
**A.** Rt. ptosis, Rt. miosis와 Rt. iris depigmentation을 볼 수 있다. **B.** Lt. ptosis와 함께 하안검이 반대편에 비해 올라가 있다.

에 의한 안검하수이지만 병변부위가 preganglionic lesion이므로 postganglionic lesion과 달리 근-신경 접합부(myoneural junction)의 기능이 정상이기 때문에 뮬러근의 마비에도 불구하고 epinephrine이나 phenylephrine을 떨어뜨렸을 때 이에 반응하여 눈꺼풀이 올라가고 동공이 커진다.

특징적인 점은 Horner 증후군에서는 평상시에는 뮬러근의 기능이 전혀 없기 때문에 epinephrine에 강하게 반응한다는 것이다. ① 적은 양의 epinephrine에도 눈이 3 mm까지 커질 수도 있다. 이를 간과하면 저교정이 되기 쉽다. ② 또한 동공이 정상측에 비해 작기 때문에 눈꺼풀이 동공에서의 위치로 비교하면 실제 크기는 반대편에 비해 작아질 우려가 있다. ③ 또한 하안검이 올라가므로 전체적인 안검열의 크기도 정상측에 비해 작아질 수 있다(FIGURE 5-49B). ④ 그리고 원인은 불확실하지만 수술 후 눈이 작아지는 경향이 있으므로 위의 4가지 이유를 고려하여 Honor 증후군에서는 확실하게 과교정이 필요하다. 그리고 수술 시 다른 안검하수 수술보다 더욱 더 뮬러근이 epinephrine에 민감하므로 최소량의 epinephrine을 사용하는 것이 좋다. 또한 수술방법도 2 mm 정도의 안검하수이므로 일반적인 경증-중등도의 안검하수 수술과 같이 거근 단축술(under through 거근 plication 방법 포함)을 시행한다.

## 안검열 축소 증후군(Blepharophimosis)

선천성 안검하수와 함께 안검열 축소, epicanthus inversus, 눈 사이의 멀어짐(trlrcanthus)이 나타나는 것을 말한다. 동반되는 안과질환으로는 사시 약시, 난시 등이 있으며 난소기능 부전을 동반할 수 있다. 이는 상염색체 우성 유전으로 발생할 수 있으며 정상부모에서 발생하는 경우도 반은 차지한다. 약시의 발생 빈도가 높기 때문에 시력, 굴절검사, 안검운동 검사, 사시 진단 등 안과적인 진단과 치료가 중요하다.

수술방법은 앞트임, 안검하수 수술이 필요하다.

## 안검하수의 재발정도(RECURRENCE)

재발정도는 안검하수 정도, 수술방법에 따라 다르지만 환자에 따라 다르며 술자의 테크닉에 따라서도 다르다. 같은 수술방법이더라도 안검하수가 심할수록 재발되는 양이 많고, 견고한 수술 방법일수록 재발량이 적다.

예를 들면 재발 정도를 저자의 경우 Levator complex 수술에서 비교해 보면

건막수술(aponeurotic surgery) 〉건막전진술 및 거근 봉양술(müller tuck and aponeurosis advancement), 거근 복합체 주름술 〉거근 절제술(levator resection) 순으로 재발량이 점차 적어지고 CFS 전진술(CFS advancement)보다는 CFS 전진술 및 거근절제술(CFS advancement and levator resection)을 함께 하는 것이 더 secure하여 재발량이 적을 것으로 예측한다. 즉 단축하고자 하는 곳까지 결막 위로 충분히 박리할수록 재발량이 적고 충첩수술(plication)일수록 재발량이 많다. 그리고 안검하수가 심할수록, 거근 기능이 약할수록 재발량이 많아진다. 그 이유는 안검하수가 심하면 전진하는 양이 많기 때문에 장력(tension)이 더 심하여 조직이 더 늘어나기 때문이기도 하고 또한 거근기능이 약할수록 근육조직보다 loose areolar tissuer가 많고 지방침윤(fat infilteration)이 많아 조직이 더 쉽게 늘어나기 때문이다. 예를 들면 Berke는 거근의 변화가 안검하수가 4 mm 이상인 심한 선천성 안검하수인 경우엔 근육세포는 전혀 없고 loose areolar tissue로 구성되어 있고, 거근 안검하수가 3 mm인 경우는 54%에서, 안검하수가 2 mm 이하인 경증인 경우에는 100%에서 근육세포를 볼 수 있다고 하였다.

또한 같은 수술방법이라도 재발량은 세부적인 술기에서 차이가 있을 수 있다.

예를 들면 거근 전진봉합수의 숫자가 많을수록 재발이 적기 때문에 저자는 경한 안검하수에는 3개의 봉합, 중등도 이상에서는 5개 정도의 고정 봉합을 한다. 또한 전진 봉합 시에 전검판의 조직(pretarsal soft tissue)을 검판으로부터 절제하여 유착이 잘 되게 하면 재발 양이 적고 검판을 깊게 통과하면 재발이 적은 것을 예상할 수 있다.

실제로 안검하수가 재발되는 경우는 실이 검판을 깊게 통과하지 못한것이 가장 큰 원인으로 생각된다. 검판의 두께는 1 mm에 불과하므로 저자는 정확하게(secure) 통과하기 위해 6-0 nylon을 선호한다.

또한 안검하수의 원인에 따라서도 재발 정도가 다르다. 선천성 안검하수에 비해 건막성 안검하수는 재발량이 적다. 저자는 건막전진술(levator aponeurosis advancement)은 선천성 안검하수에서는 재발량이 많아 사용하지 않고 거근건막성 안검하수에서 사용한다.

거근건막 파열의 경우 건막전진술은 1-1.5 mm 과교정이 필요하다(Anderson). 그러므로 건막 파열의 경우에 건막 만을 전진하지 않고 뮬러근을 포함해서 당겨주는 것이 재발량이 적다.

요약하면

안검하수 수술 후 재발량은

- 안검하수가 심할수록 재발량이 많다.
- 선천성보다 건막성(노인성 등) 안검하수가 재발이 적다.
- 단축 범위까지 박리할수록 중첩수술보다 재발이 적다.
- 검판에 깊게 고정해야 재발이 적다.
- 전진봉합숫자가 많을수록 재발량이 적다.

## 토안

안검하수 수술 후유증으로 토안은 각막염, 안구건조증, 불편함을 야기시킬 수 있는 심각한 증상이다. 심한 안검수술에서 눈 뜨는 근육을 많이 당기므로 주로 나타나지만 경한 안검하수에서도 일어날 수 있다.

눈을 감는 기능이 약한 경우, 안검하수 수술을 여러 차례 하여 거근, 뮬러근의 탄력성이 약해진 경우, 안검지연(lid lag)이 있는 경우에 심하게 발생하며 수술 중 눈 감는 근육인 안륜근을 절제한 경우에도 토안이 발생할 수 있으므로 특히 검판 전 안륜근을 잘 보호해야 한다. 또한 같은 정도의 토안의 경우에도 나타나는 증상의 정도도 다르다. 특히 어린 나이에 수술한 경우에 비교적 견디는 수술 전 토안으로 인한 노출성 각막염이 발생한 가능성에 대비해 각막 보호 기능에 대한 사전 힘이 강하며 안륜근이 약한 경우나 Bell 현상이 없는 경우 노출성 각막염이 위험하다. 조사가 필요하고 환자에게도 충분히 설명해야 한다. 토안에는 눈물 안약과 눈물 연고, 안대를 사용한다.

## 단안성 안검하수 혹은 안검하수 정도가 매우 차이가 나는 양안 안검하수의 경우

단안성 안검하수일 경우는 마취 후 전진수술을 하기 전에 마취효과나 부종 등으로 눈 크기가 변하지 않도록 하는 것이 중요하나, 변하는 경우에는 얼마나 변하는지를 정확히 관찰하고 그 변화하는 양을 계산하여 양쪽 눈 크기를 잘 맞춰 주어야 한다.

예를 들면 마취 후 눈 크기가 1 mm 작아졌으면 마취가 풀린 후 1 mm가 커질 것을 예상하여 눈 크기를 맞추어야 한다. 단안성 안검하수 수술 중 양측의 눈 크기를 비교할 때는 정상적인 쪽의 눈이 평상시의 눈 크기로 뜨고 있는지를 확인하면서 해야 한다. 안검하수 수술은 눈을 정상으로 뜨고 있을 경우에 양측의 눈크기가 같도록 하는 수술이며 작게 뜰 경우엔 안검하수 쪽이 크고, 크게 떴을 땐 정상 쪽이 크게 될 수밖에 없기 때문이다. 수술 중에 눈을 뜨는 정도가 환자의 기분에 따라 다르다. 단안성에서 한쪽만 수술하게 될 경우 정상 쪽의 눈 크기가 Hering's law에 의해 얼마나 작아질지를 수술 전 여러 가지 테스트를 통해 미리 예측해야 한다. 수술 중에는 환자가 수면 마취 등 여러 가지 환경적인 변화에 의해 정상적인 눈을 뜨는 것이 일정치 않을 수가 있기 때문이다. 만일 수술 중 정상적인 눈이 평소보다 작게 뜬 상태에서 눈 크기를 맞추면 수술 후 안검하수 쪽이 저교정이 된다. 안검하수가 있는 쪽이 dominant eye이면 아닌 경우보다 반대편이 Hering 법칙의 영향을 더 받는 경향이 있다.

양측이 매우 차이가 나는 안검하수일 경우에는 심한 쪽이 재발량이 많으므로 예를 들어 경한 쪽은 0.5-1 mm 과교정하고 매우 심한 쪽은 2 mm 과교정한다면 결국 심한 안검하수쪽이 약한 안검하수 쪽보다 1-1.5 mm 정도 차이가 나게 과교정하게 된다(**FIGURES 5-50, 5-51, 5-52**).

## 안구의 변동에 의한 MRD1의 변화

국소마취제의 영향으로 상직근 일부가 마비되어 안구가 아래로 회전하게 되면 MRD1이 증가하게 된다. 그러므로 이런 상태에서 MRDS을 측정하면 저교정이 되는 오류를 범할 수 있다. 이때는 안검열의 수직 또는 MLD가 도움이 된다.

## 양쪽 안검하수 정도가 다른 경우

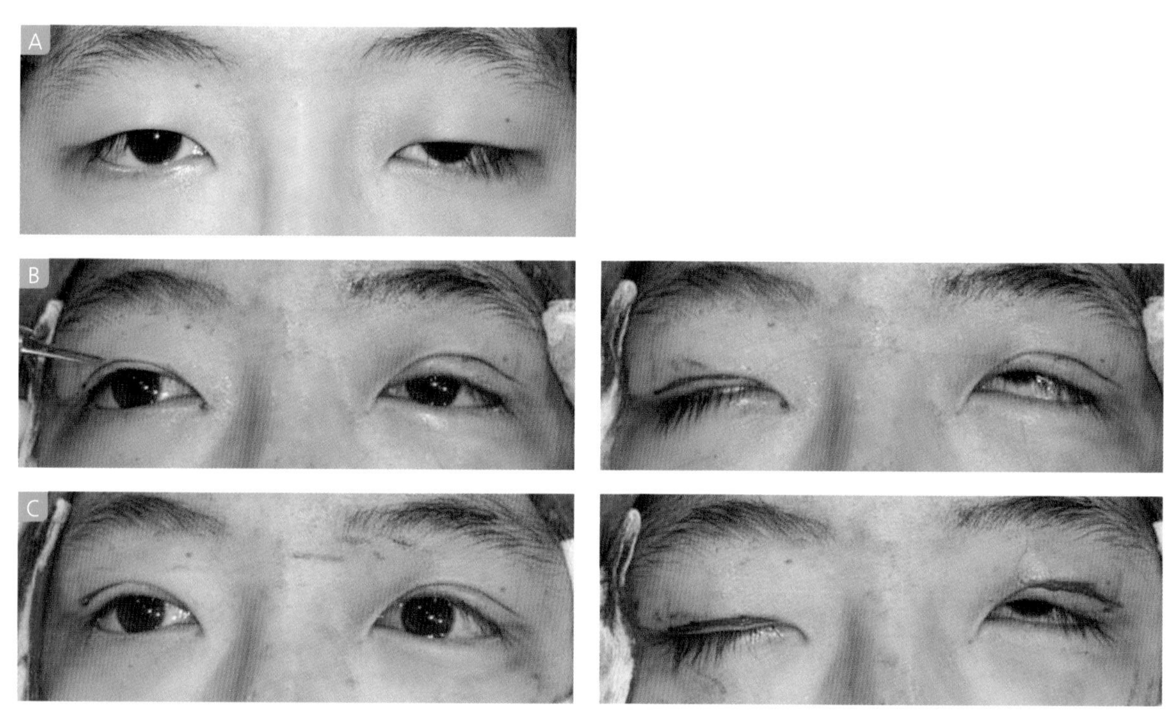

FIGURE 5-50 **A.** 오른쪽은 경한 안검하수, 왼쪽은 심한 안검하수. 선천성 안검하수로 거근기능이 Rt. 10 mm, Lt. 5~6 mm 정도인 환자에서, Rt.은 müller tucking+aponeurosis advancement, Lt. CFS + levator shortening 수술할 계획. **B.** Rt. 뮬러와 건막 수술, Lt. check ligament만 시행 후, 앉은 자세에서 양쪽 눈 크기와 눈 감았을 때 lagophthalmos의 모습. 아직은 오른쪽 눈이 더 크다. lagophthalmos는 왼쪽이 심하다. **C.** Lt. check ligament+levator shortening combine한 후, sitting position에서 눈크기와 lagophthalmos의 모습. check ligament + levator shortening을 6:4 정도로 combine하였다. 왼쪽 눈이 오른쪽보다 크다.

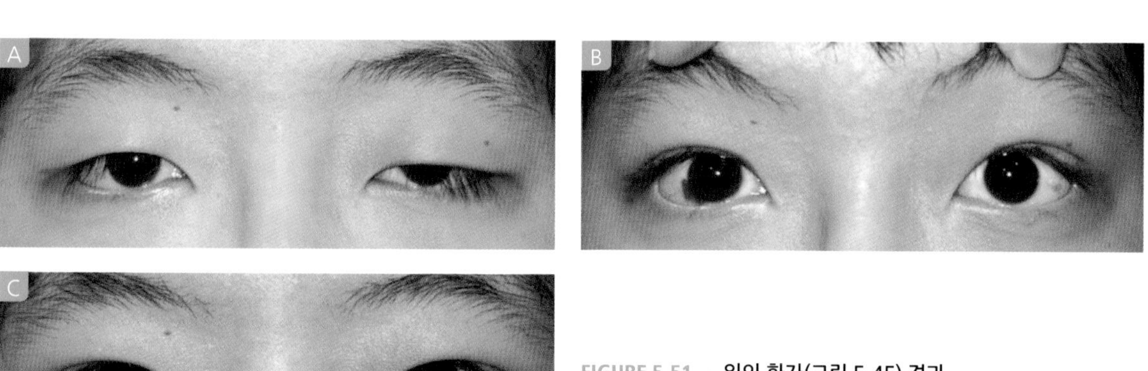

FIGURE 5-51 **위의 환자(그림 5-45) 경과.**
술중에서는 안검하수가 심한 왼쪽을 1.5 mm 더 크게 교정하였다.
**A.** 수술 전. **B.** 수술 2주 후 왼쪽이 약간 크다. **C.** 수술 15개월 후, 양쪽 크기가 같다.

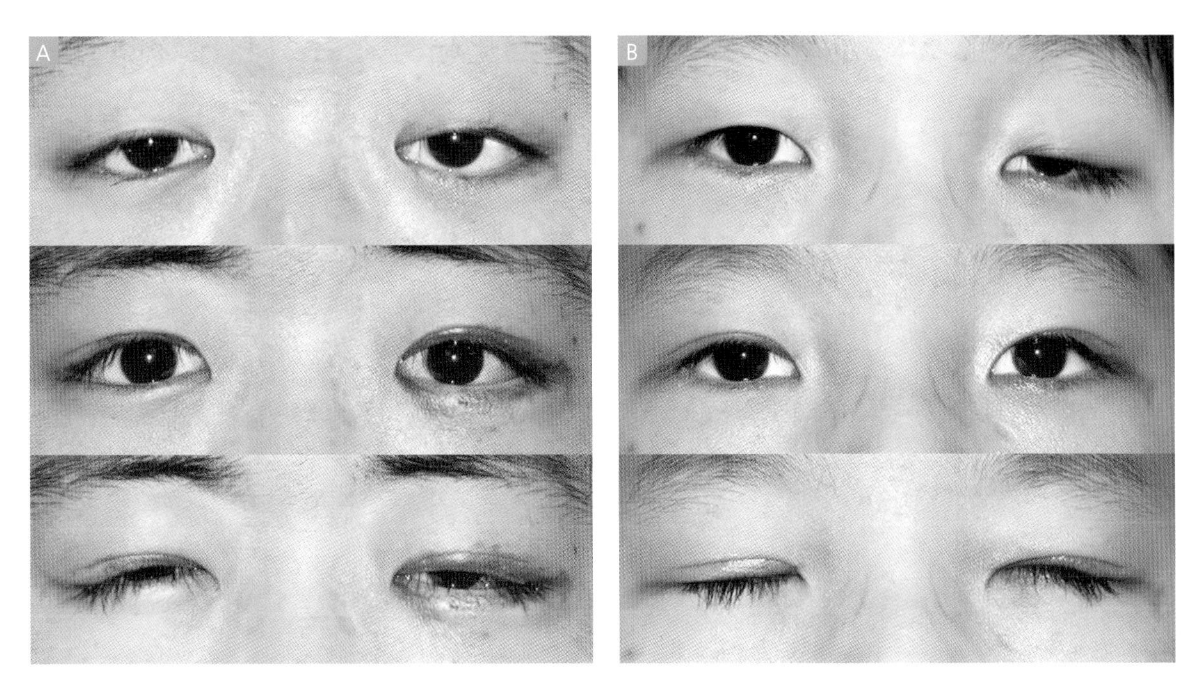


FIGURE 5-52 **수술 증례.** **A.** 양안 안검하수. **B.** 단안 안검하수
위에서 아래로 : 수술 전, 수술 후 눈뜨고 있는 상태. 수술 후 눈감고 있는 상태
왼쪽이 보다 심한 안검하수로 수술 후 왼쪽의 토안이 더 심하다.

## 부분적으로 심한 안검하수

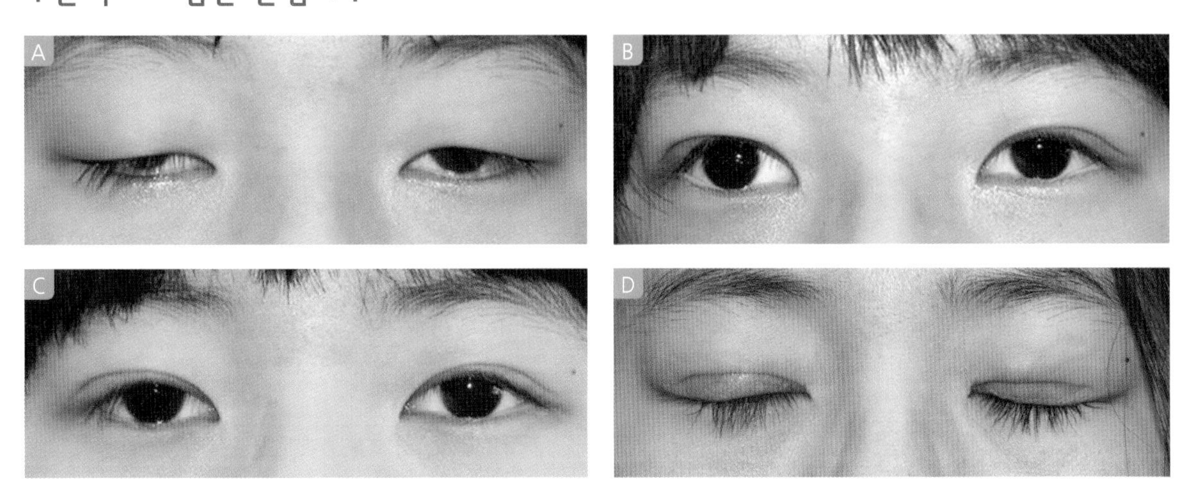


FIGURE 5-53 **양쪽이 차이 나는 심한 안검하수 수술에서.**
**A.** 수술 전, 오른쪽이 더 심하다. **B.** 수술 2주 후, 오른쪽이 더 크다. **C.** 수술 15개월 후 모습, 양쪽이 같다. **D.** 보다 심한 오른쪽이 약간의 토안을 보인다.

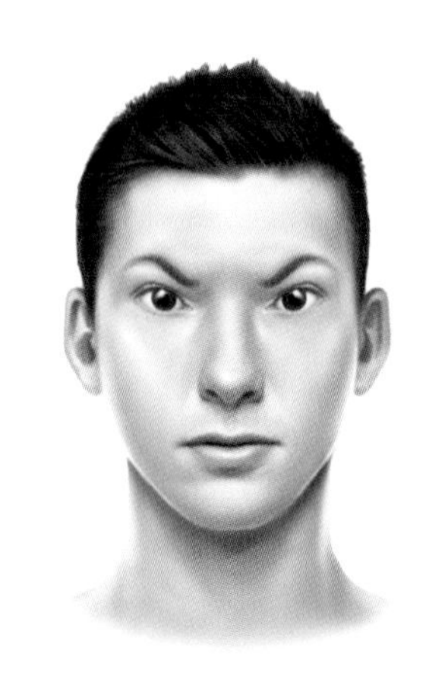

FIGURE 5-54 medial ptosis는 간교한 인물로 묘사된다.

## 내측 안검하수(MEDIAL PTOSIS) 혹은 외측 안검하수(LATERAL PTOSIS)

내측 혹은 외측이 부분적으로 심한 경우가 있다. 내측으로 심하여 내측으로 눈이 기울어 있으면 인상이 간교하게 보이기 때문에 애니메이션에서도 자주 묘사되고(FIGURE 5-49) 외측으로 심하면 눈이 처져 보이면서 무기력하게 보인다.

이런 경우에는 심한 부위를 중심으로 하여 거근을 당겨주는 수술이므로 이론적으로 간단하지만 조심해야 할 점이 있다. 만약 내측으로만 당겨 주는 경우에는 나중에 내려올 것을 고려하여 약간 내측을 과교정하여야 한다. 그러므로 수술 직후에는 내측이 약간 지나치게 올라가서 오히려 바깥이 약간 기울어 보이게 한다. 또한 중요한 것은 거근은 넓게 연계되어 작동하는 것이기 때문에 내측이나 외측만 거상하지 않고 중앙과 같은 주변 거근도 약간씩은 거상해야 재발을 방지할 수 있다.

그리고 특히 medial ptosis에서 수술 후에 재발이 잘 되는 원인은 해부학적으로 구조적인 특징 때문이다. 즉 내측에서는 거근이 비어 있는 면적이 외측에 비해서 훨씬 넓다. 내측의 비어있는 곳은 bare area로 명명되고 있다. 그러므로 거근건막 및 뮬러근이 없는 부위에서 단순결체조직을 검판에 고정하면 수술초기에 잠시 동안 눈이 커지지만 곧 다시 내려오게 된다(FIGURE 5-55B).

## 안검하수 수술의 정확성이 어려운 이유- 눈 크기에 영향을 미치는 요소들

일정한 근육의 전진 양에도 불구하고 결과가 일정치 않고 전신 마취의 경우 마취깊이에 따라 눈크기가 변하는 문제도 있다(Brown). 또한 국소 마취 하에서 눈의 크기를 보면서 수술할 경우 수술 중 눈 크기가 변한다는 것을 알 수 있다. 수술 중 눈 크기가 변하는 요인은 여러 가지이다. 잘못된 쌍꺼풀의 유착이 눈 뜨는 움직임을 방해하여 안검하수를 발생시킬 수도 있지만 안와(orbit) 속으로 들어간 지방이 거근과 유착을 일으켜 눈꺼풀의 움직임을 방해할 수도 있다. 이때는 안와지방을 안와바깥으로 끄집어내는 것으로 안검하수를 교정할 수 있다(FIGURE 5-57)

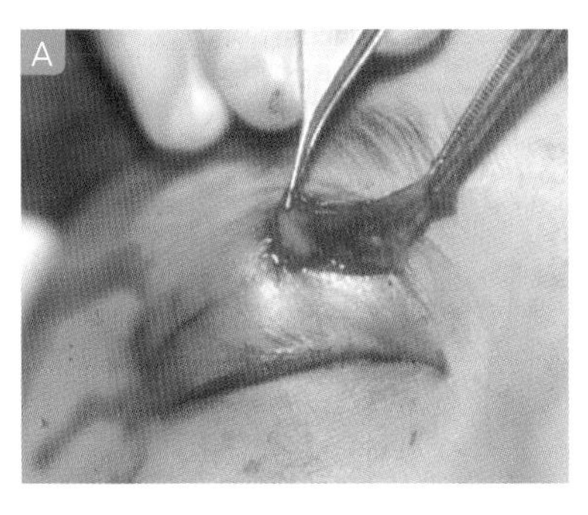
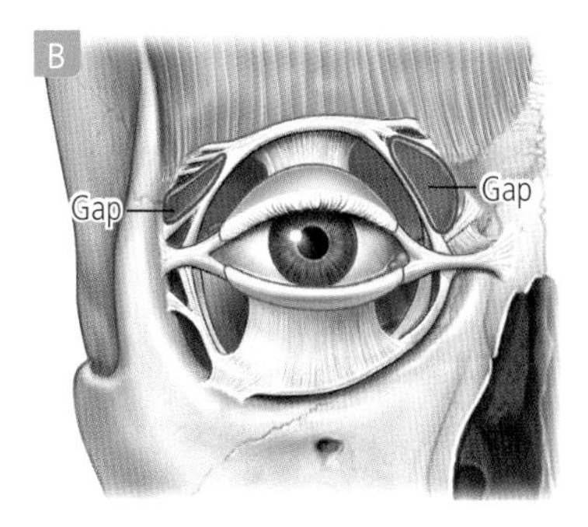

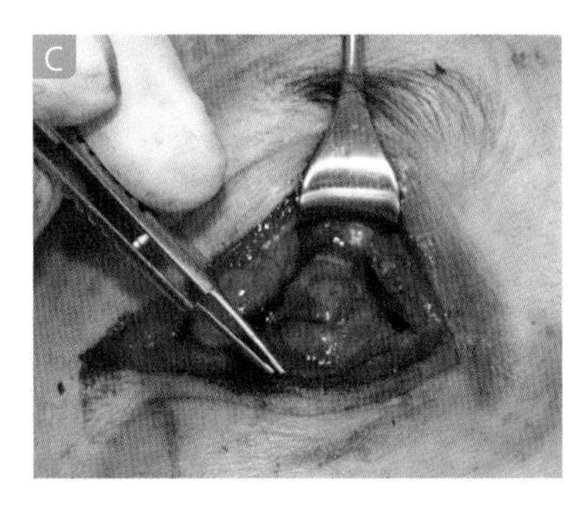

FIGURE 5-55 A . 거근의 내측 전진 과정. B. 만일 내측 부위에 거상하면 gap 부위에 거상하게 되어 전진 효과가 없이 곧 내려오게 된다. 그러나외측 부위는 gap 부위가 적어 효과가 있다. C. 뮬러근의 medial margin 안쪽으로 gap이 크다(FIGURE 5-15 참조). 뮬러근 내측 경계선이 잉크로 표시 되어 있다.

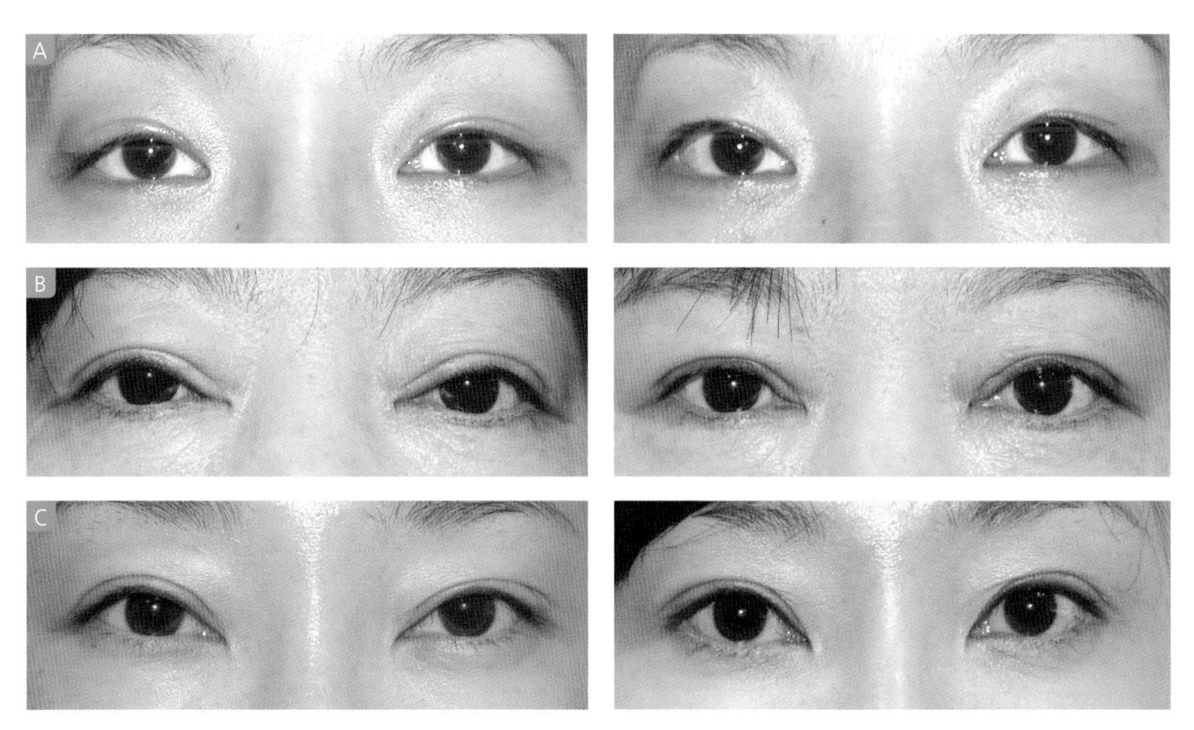

FIGURE 5-56 **Medial ptosis의 교정 전후.**

A. Medial ptosis of right eye only. B, C. Medial ptosis in both eyes.

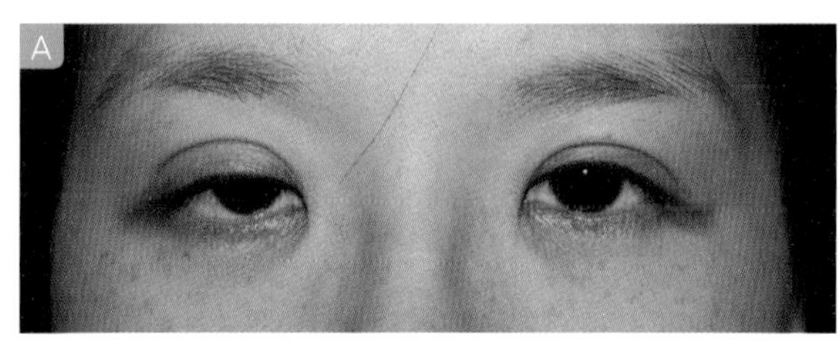

FIGURE 5-57 · A. 술 전, B. 수술 직후, C. 술 후 1주일, 오른쪽 안검하수를 안와지방을 바깥으로 꺼내는 것만으로 안검하수도 교정되고 꺼진 눈도 개선되었다.

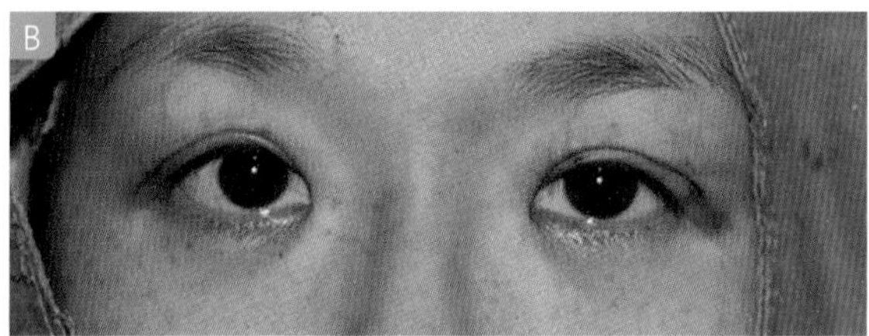

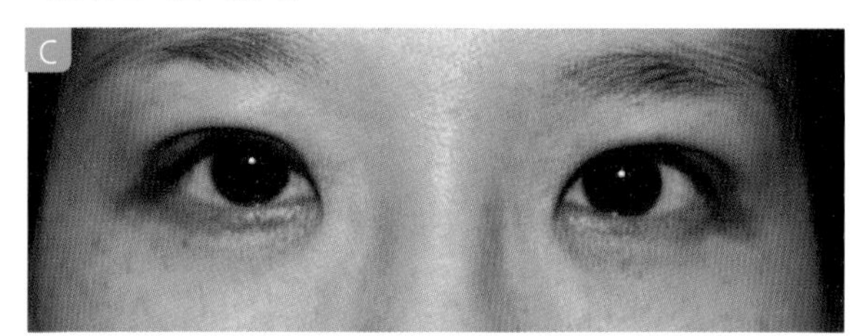

**수술 중 눈 크기가 달라지는 요소**

- 국소마취제, 수면 마취제 혹은 진정제에 의한 진정 정도
- 부종, 혈종
- 자세 : 누운 자세, 앉은 자세
- Hering's law : 한쪽만을 전진시켰을 때 전진시킨 쪽의 과민반응과 다른 한 쪽의 변화
- 눈썹의 위치
- hyaluronidase
- tarsal shift
- 상사시(vertical strabismus)
- 눈부심, 긴장상태
- 시력, dominant eye
- 안구건조증
- 쌍꺼풀고정

**수술 후**

- 부종, 혈종
- Cheese wiring effect
- 재발 정도

## 헤링 법칙(Hering's law)

일측성 안검하수로 생각된 환자에서 환측을 교정하였을 때 정상으로 보였던 눈에 안검하수가 나타나고 수술 받은 눈은 과교정 되는 수가 있는데 이를 Hering's law라고 한다. 이것은 1977년 Hering이 주장한 것으로 양쪽 눈은 같은 신경 지배를 받기 때문에 안검하수가 심한 쪽의 증가된 신경자극이 반대편의 눈꺼풀을 들어올리고 있다가 심한 측의 눈이 수술 후 커지게 되면 전두근 및 거근의 강한 수축작용이 사라져 경한 측의 안검하수가

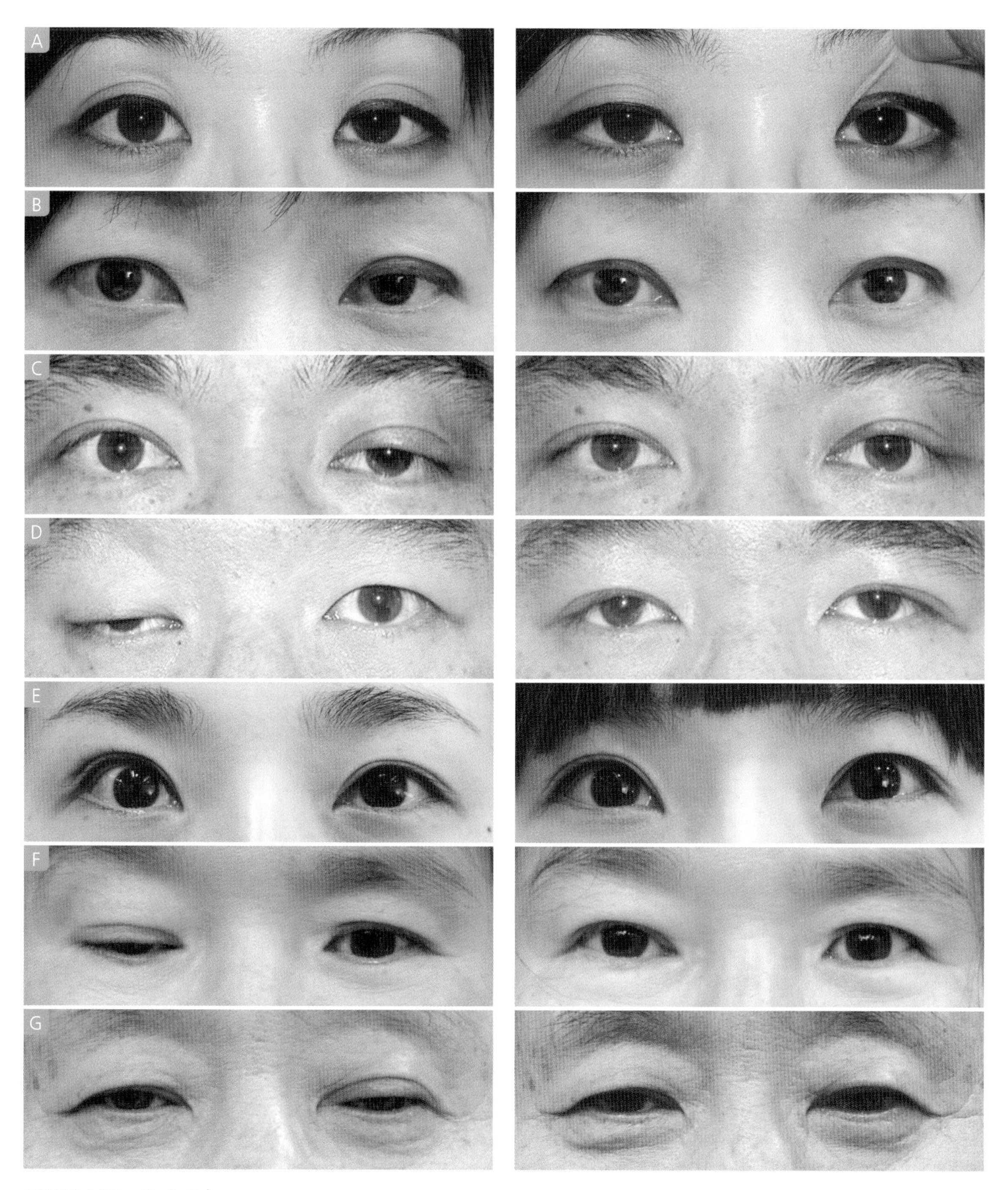


FIGURE 5-58 **Hering's law**

Hering's law postive **A.** Manual elevation tetst. 안검하수가 있는 왼쪽의 눈꺼풀을 위로 당긴 후 반대편의 눈 크기가 작아졌다. **B.** Pheny lephrine test. 전후 왼쪽 눈에 phenylephrine 안약을 떨어뜨린 후 왼쪽 눈이 커지고 오른쪽이 작아졌다. **C.** 왼쪽 안검하수 수술 후, Hering's law로 인한 오른쪽 눈의 크기가 작아짐을 볼 수 있다. **D.** 오른쪽 안검하수 수술 후 왼쪽이 작아졌다. Hering's law로 인한 왼쪽 눈의 크기가 작아짐을 볼 수 있다. 퇴축수술 후 나타난 Hering's law negative **E.** 오른쪽 퇴축수술 후 왼쪽 눈이 저절로 커졌다.

Hering's law negative **F.** 왼쪽 눈이 dominant 상태. 오른쪽 안검하수 수술 후 반대편의 눈 크기가 줄지 않았다. **G.** 오른쪽 눈이 dominant 상태. 왼쪽 안검하수 수술 후 반대편의 눈 크기가 줄지 않았다.

두드러지게 나타나고 수술받은 눈은 과교정되는 현상이 나타날 수 있다. 그러므로 일측성 안검하수로 반대편이 정상적으로 보일 경우에 약한 안검하수가 있지 않은지 주의 깊게 살펴야 한다.

또한 일측성 안검하수에서 양안의 안검열의 세로 크기의 차이에 비해 실제 교정량은 그보다 작은 경우가 많다. 예를 들어 양안의 눈 크기의 차이가 3 mm 정도 난다면 편측 안검하수 수술 후 정상적인 눈이 약간 내려오는 것을 감안하면 실제 안검하수가 있는 눈은 2-2.5 mm 정도 교정하면 양안이 같은 크기가 되는 경우가 많다. 특히 안검하수가 있는 눈이 dominant일 경우 그 현상이 심하게 나타나는 경향이 있다(**FIGURE 5-58F, G**).

이러한 현상은 양안의 안검하수를 교정하는 경우에도 염두에 두어야 한다. 먼저 한쪽을 교정할 때 눈이 지나치게 크다고 생각하게 되지만 다른 쪽을 교정하면 먼저 교정한 쪽의 눈이 작아지는 것을 볼 수 있다. 실제 안검하수 수술 시에 먼저 수술한 쪽의 눈을 각막상연 가까이 올라가더라도 너무 높다고 곧바로 내리지 말고 반대편을 manual elevation 한다든가 해보고 결정해야 한다. 반대편을 올리면 지나치게 높아 보이던 것이 적당한 위치가 되는 경우가 많다.

또한 이것을 확대하여 해석해 보면 양안의 안검하수 수술 후에서도 같은 현상을 볼 수 있다. 즉 안검하수 환자에게는 눈뜨는 근육에 자신도 모르게 힘이 들어가지만 교정 후에는 이마근 및 거근의 강한 수축작용이 사라져 교정하는 정도에 비해서 실제 교정량은 적게 나타나는 것을 볼 수 있다. 저자는 안검하수 수술 후에는 눈을 뜨려는 노력이 게을러진다고 표현한다. 테스트 상에서 반대편 눈꺼풀이 1 mm 이상 떨어지는 것을 Hering's law가 positive라고 하는데 대개 후천성에서 선천성보다 더 많이 나타나고 dominant eye가 ptosis일 때 더욱 잘 나타나는 것으로 알려져 있다.

보고에 따르면 Bodian은 manual elevation test는 10%, 많게는 Tucker는 29%에서 positive라고 하였으며 Meyer는 manual elevation test는 20%, occlusion test에서는 4%로 보고하였다. 하지만 저자는 안검하수 수술 후 정상적인 눈이 내려오는 것을 미세한 정도까지 계산한다면 Hering's test가 positive한 것은 더욱 많다고 생각한다.

안검하수와는 반대로 안검퇴축이 있으면 눈을 감으려는 힘이 반대편에 전달되어 반대편의 눈이 작아지다가 퇴축이 교정되면 반대편 눈이 커지는 현상도 관찰할 수 있다. 그러므로 한쪽 눈은 경미한 안검하수로 보이고 반대편은 퇴축으로 보일 경우는 양쪽을 모두 교정한다고 쉽게 결정하지 말고 안검하수를 교정한다든지 퇴축 쪽을 교정하는 것으로 반대편도 저절로 해결되는 수가 있으므로 신중히 수술방법을 선택하여야 한다.

**헤링 법칙(Hering's law)에 관한 테스트**

1. Manual elevation test: 안검하수가 있는 눈꺼풀을 손으로 위로 당겨 눈을 크게 한 다음 반대편 눈이 내려오는지를 보는 것
2. Visual block test, eye occlusion test: 안검하수가 있는 쪽 눈을 손으로 가려 보고 반대편을 관찰한다.
3. Sympathomimetic test: 안검하수가 있는 쪽에 phenylephrine 용액을 넣고 반대편을 관찰한다.

## 안검하수와 안검퇴축이 함께 있을 때 수술 시 고려해야 할 점

- 안검하수 쪽만 교정을 하면 반대편 퇴축은 저절로 조정될 수 있을지
- 퇴축 쪽만 교정하면 안검하수 쪽은 만족스러운 높이까지 저절로 갈 수 있을지
- 양쪽을 모두 교정해야 할 것인지를 선택한다.

## 국소마취제의 영향

안검하수 수술에는 국소마취를 시행하는 것이 수술 중에 눈의 높이와 모양을 확인하기에 유리하다. 특히 편측성 안검하수일 경우 양측을 맞추는 데 결정적이다.

국소마취제의 성분 중 리도케인, 부피바케인 등은

1. 뮬러 및 거상근을 마비시켜 상안검의 기능을 떨어뜨리는 역할을 하며
2. 안륜근을 마비시켜 눈감는 기능이 저하되고 상안검이 약간 올라가게 하는 기능이 있고
3. 액체 때문에 부종으로 인하여 눈 뜨는 기능이 저하된다.
4. 에피네프린은 뮬러근에 기능항진을 시켜 눈이 커지게 한다. Bartley(1995)에 의하면 에피네프린의 작용으로 마취 후 10분에 평균 1.0 mm, Brown은 평균 1-1.5 mm 눈꺼풀이 상승한다고 보고하였다.
5. 국소마취제가 상직근으르 마비시켜 안구가 아래로 회전하게 되는 수가 있다. 이때는 아래 흰자가 보이고 MRD1이 증가되는 현상으로 인해 혼돈을 가져올 수 있다.

국소마취제에 의해 눈 크기의 변화가 발생했을 때는 그 변화는 일시적인 것으로 간주하여 그 변화를 수술 끝날 때까지 유지한다. 예를 들면 수술 중 리도케인의 작용에 의하여 눈 크기가 1 mm가 작아졌다면 수술 후 목표치 보다 1 mm 작게 유지하도록 한다. 부종이나 혈종에 의한 변화도 마찬가지로 취급한다(FIGURE 5-59).

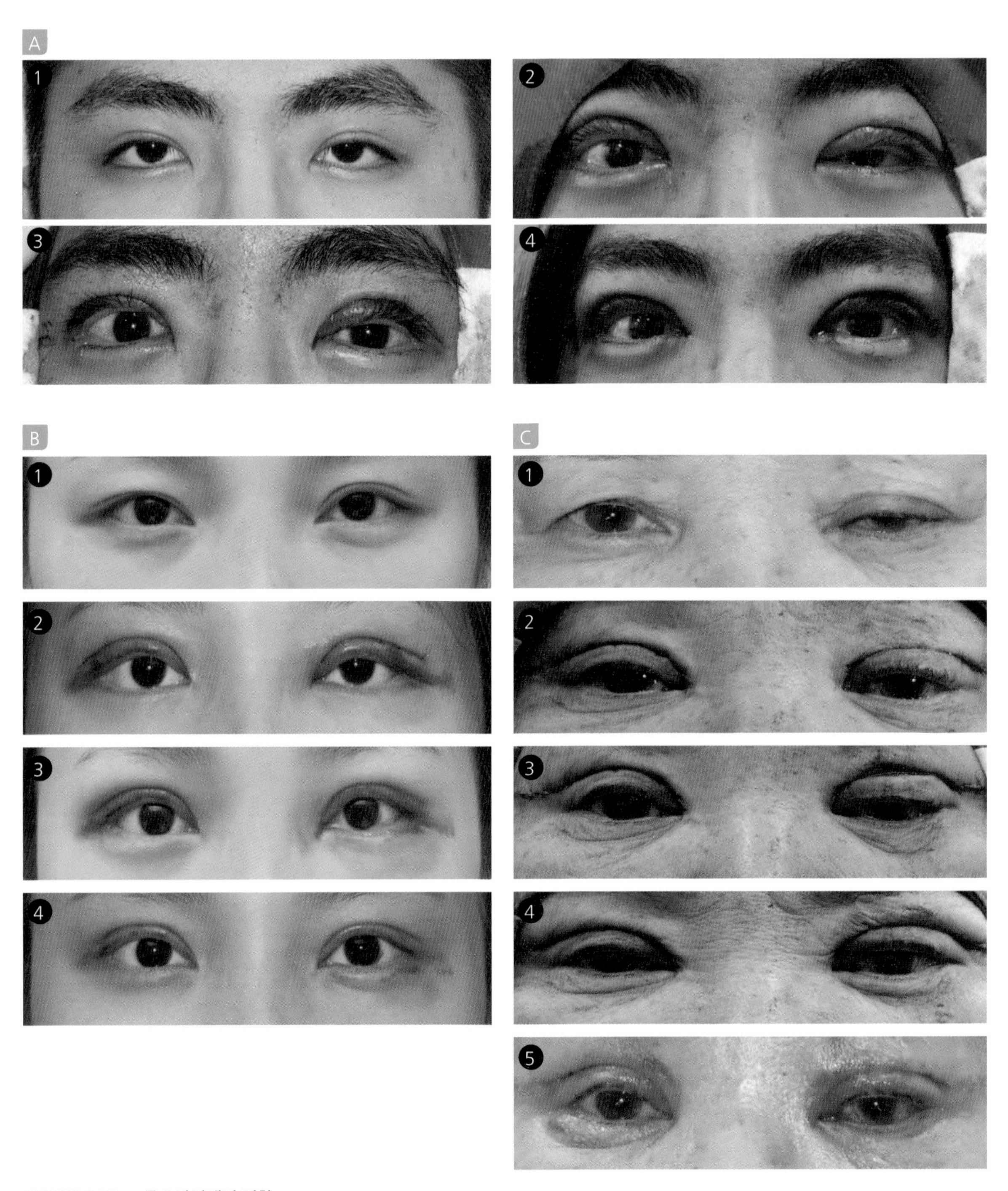


FIGURE 5-59 **국소마취제의 영향**

A. ① 수술 전 양측 안검하수 ② 국소 마취 후 좌측 눈크기가 작아졌다. ③ 거근전진수술 후 양측 눈 크기 차이가 그대로 유지되어있다. 양측 눈 크기가 다르다. ④ 피부봉합 시 양측 크기가 같게 되었다.

B. 1. 수술 전 2. 수술 후 1일, 마취와 부종으로 인해 눈 크기의 차이를 그대로 유지하였다. 3. 수술 후 3일, 7일 양측 눈 크기가 같아졌다.

C. 1. 좌측 혈관종(hemangioma)을 동반한 안검하수 2. 마취 후 좌측 눈 크기가 커졌다. 3. 좌측 뮬러근에 리도케인을 주사하여 좌측 눈 크기가 수술 전과 같게 만들었다. 4. 좌측 안검하수 수술 직후 5. 수술 후 7일째

하지만 쌍꺼풀 수술 후 눈 크기의 변화가 생겼다면 이것은 영구적인 것으로 간주하고 조정하여야 한다. 양측 쌍꺼풀 모양이 비슷한 상태이면 안검하수 수술을 먼저하고 쌍꺼풀 수술을 하는 것이 편리하지만 양측 쌍꺼풀 모양이 다르면 쌍꺼풀 수술을 먼저하고 안검하수 수술을 하는 것이 쌍꺼풀 수술로 인한 눈 크기의 변화에 적응하는 데 용이하다. 또한 우성 눈은 열성 눈에 비해 거근전진량을 적게 하는 경우가 종종 있으므로 이를 참조하는 것이 좋다. 환자의 정신적인 문제나 수면 마취나 눈부심 등으로 인해 수술 중 눈 크기가 달라질 수 있으므로 수술 전에 평상시의 눈 크기를 확실히 파악해야 한다.

### 쌍꺼풀 고정에 따른 눈 크기의 변화

쌍꺼풀을 만들기 위해 안륜근을 검판이나 건막에 고정하면 눈크기(palpebral fissure)가 0 ~ 1.5 mm 줄어들 수 있다. 거근의 부담이 증가되기 때문이다(P_3 쌍꺼풀 수술로 눈 크기의 변화 참조). 이와는 반대 현상도 볼 수 있다(FIGURE 5-60).

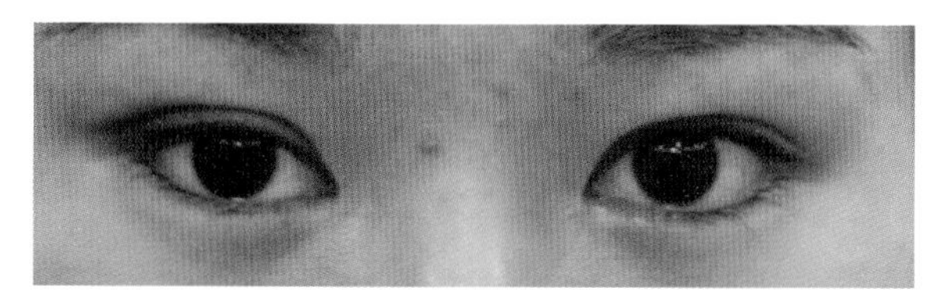

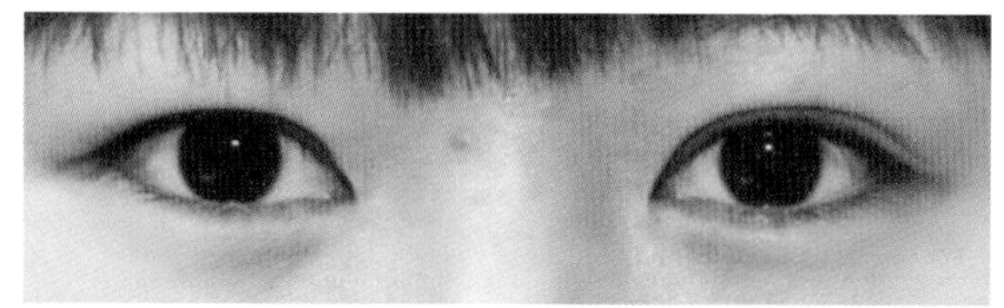

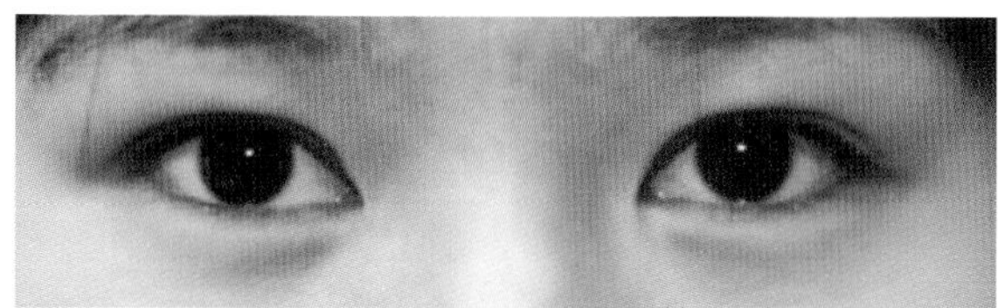

FIGURE 5-60 안검하수 수술 후 쌍꺼풀 고정 후 눈 크기의 변화. A. 수술 전 오른쪽 눈 크기가 큰 것을 호소했다. 오른쪽 쌍꺼풀을 왼쪽과 같은 폭으로 만들기로 했다. B. 오른쪽 쌍꺼풀 수술 3일 후, 오른쪽 눈 크기가 작아졌다. C. 수술 2주 후 양측 눈 크기가 같아졌다.

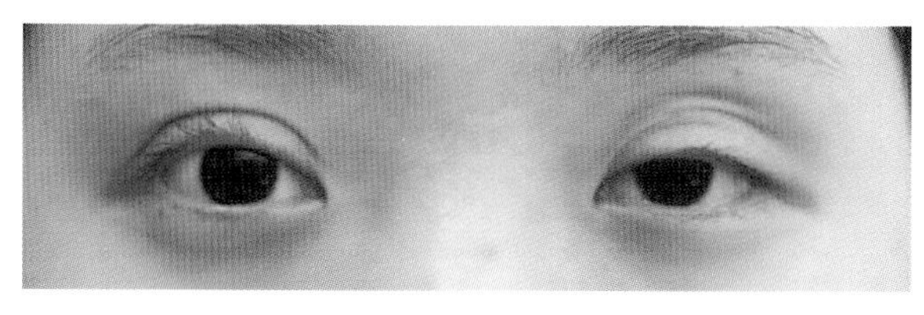

FIGURE 5-61 왼쪽 눈 삼꺼풀을 풀어주고 나서 눈 크기가 커진 모습.

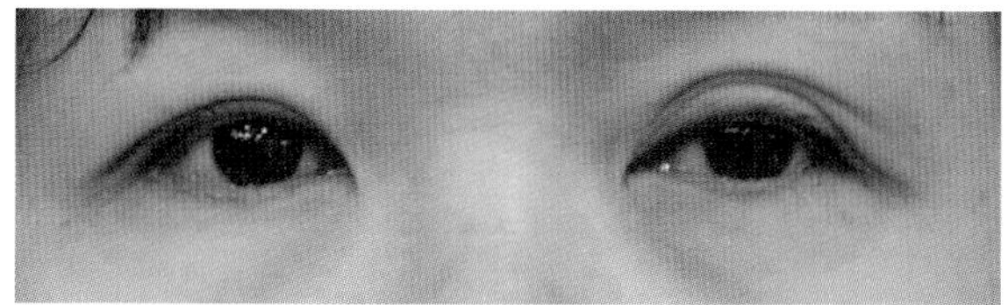

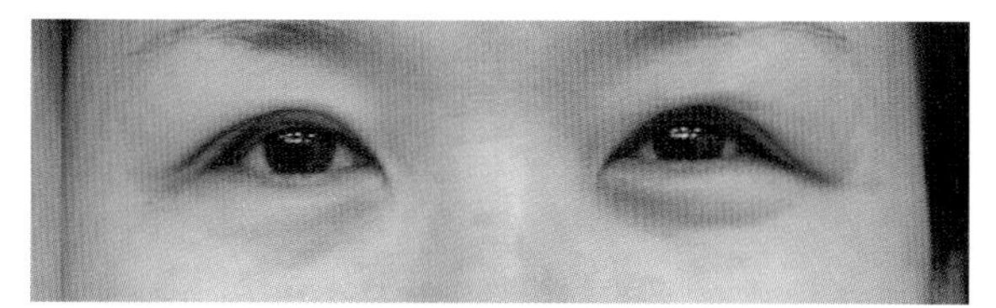

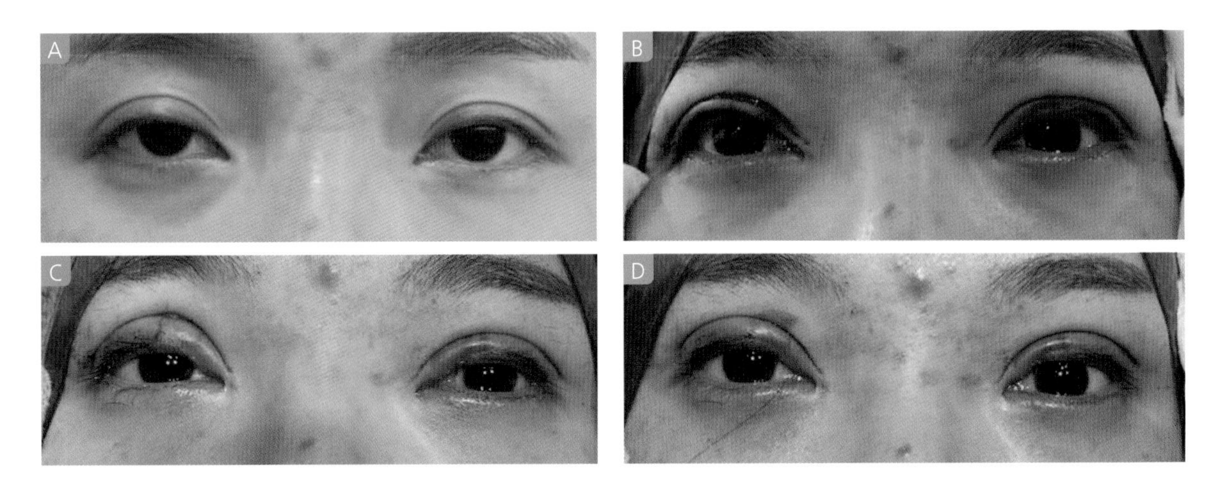

FIGURE 5-62 **안검하수 수술 후 쌍꺼풀 고정 후 눈 크기의 변화.**
**A.** 수술 전 **B.** 양측 안검하수 수술 후 눈 크기가 동일하게 커진 다음 좌측만 쌍꺼풀 고정 후 좌측 눈이 작아졌다. **C.** 우측 눈 쌍꺼풀 고정 후 우측 눈도 작아졌다. **D.** 피부봉합 후 양측 눈 크기가 같다.

안검하수 수술 전에 쌍꺼풀 고정을 1-2개 정도 미리 하는 것이 안전한 방법이 될 수 있다. 쌍꺼풀 고정을 전체를 하게 되면 안검하수 고정 시에 방해가 될 수도 있고 눈 크기가 작아지는 영향이 실제보다 지나치게 클 수도 있다. 특히 양측 쌍꺼풀 상태가 높이나 깊이 면에서 서로 다를 경우에는 안검하수 쌍꺼풀 수술을 먼저 하는 것이 좋다(FIGURE 5-62).

## 안검하수 재발 정도(RECURRENCE)에 의한 눈 크기의 변화

재발 정도는 안검하수 정도, 수술 방법에 따라 다르지만 환자에 따라 다르며 술자의 테크닉에 따라서도 다르다. 같은 수술 방법이더라도 안검하수가 심할수록 재발되는 양이 많고, 견고한 수술 방법일수록 재발량이 적다.

예를 들면, 재발 정도를 저자의 경우 Levator complex 수술에서 비교해보면 건막수술(aponeurotic surgery) > 건막전진술 및 거근 봉양술(müller tuck and aponeurosis advancement), 거근 복합체 주름술 > 거근 절제술(levator resection) 순으로 재발량이 점차 적어지고 CFS 전진술(CFS advancement)보다는 CFS 전진술 및 거근절제술(CFS advancement and levator resection)을 함께 하는 것이 더 secure하여 재발량이 적을 것으로 예측한다. 그리고 안검하수가 심할수록, 거근 기능이 약할수록 재발량이 많아진다.

또한 같은 수술 방법이라도 재발량은 세부적인 술기에서 차이가 있을 수 있다.

예를 들면 거근 전진봉합수의 숫자가 많을수록 재발이 적기 때문에 저자는 경한 안검하수에는 3개의 봉합, 중등도 이상에서는 5개 정도의 고정 봉합을 한다. 또한 전진 봉합 시에 전검판의 조직(pretarsal soft tissue)을 검판으로부터 절제하여 유착이 잘 되게 하면 재발량이 적고 검판을 깊게 통과하면 재발이 적은 것을 예상할 수 있다.

실제로 안검하수가 재발되는 경우는 실이 검판을 깊게 통과하지 못한 것이 가장 큰 원인으로 생각된다. 검판의 두께는 1 mm에 불과하므로 저자는 정확하게(secure) 통과하기 위해 6-0 nylon을 선호한다. 통과한 실이 결막쪽에 노출되지 않도록 확인하는 것은 중요하다.

또한 안검하수의 원인에 따라서도 재발 정도가 다르다. 선천성 안검하수에 비해 건막성 안검하수는 재발량이 적다. 저자는 건막전진술(levator aponeurosis advancement)은 선천성 안검하수에서는 재발량이 많아 사용하지 않고 거근건막성 안검하수에서 사용한다.

거근건막 파열의 경우 건막전진술은 1-1.5 mm 과교정이 필요하다(Anderson). 그러므로 건막 파열의 경우에 건막만을 전진하지 않고 뮬러근을 포함해서 당겨주는 것이 재발량이 적다.

## 단안성 안검하수 혹은 안검하수 정도가 매우 차이가 나는 양안 안검하수의 경우

단안성 안검하수일 경우는 마취 후 전진수술을 하기 전에 마취효과나 부종 등으로 눈 크기가 변하지 않도록 하는 것이 중요하나, 변하는 경우에는 얼마나 변하는지를 정확히 관찰하고 그 변화하는 양을 계산하여 양쪽 눈 크기를 잘 맞춰 주어야 한다.

예를 들면 마취 후 눈 크기가 1 mm 작아졌으면 마취가 풀린 후 1 mm가 커질 것을 예상하여 눈 크기를 맞추어야 한다. 단안성 안검하수 수술 중 양측의 눈 크기를 비교할 때는 정상적인 쪽이 눈이 평상시의 눈 크기로 뜨고 있는지를 확인하면서 해야 한다. 안검하수 수술은 눈을 정상으로 뜨고 있을 경우에 양측의 눈 크기가 같도록 하는 수술이며 작게 뜰 경우에는 안검하수 쪽이 크고, 크게 떴을 땐 정상쪽이 크게 될 수밖에 없기 때문이다.

수술 중에 눈을 뜨는 정도가 환자의 기분에 따라 다르다. 단안성에서 한쪽만 수술하게 될 경우 정상쪽의 눈 크기가 Hering's law에 의해 얼마나 작아질지를 수술 전 여러 가지 테스트를 통해 미리 예측해야 한다. 수술 중에는 환자가 수면 마취 등 여러 가지 환경적인 변화에 의해 정상적인 눈을 뜨는 것이 일정치 않을 수 있기 때문이다. 만일 수술 중 정상적인 눈이 평소보다 작게 뜬 상태에서 눈 크기를 맞추면 수술 후 안검하수쪽이 저교정이 된다. 안검하수가 있는 쪽이 dominant eye이면 아닌 경우보다 반대편이 Hering 법칙의 영향을 더 받는 경향이 있다.

양측이 매우 차이가 나는 안검하수일 경우에는 심한 쪽이 재발량이 많으므로 예를 들어 강한 쪽은 0.5-1 mm 과교정하고 매우 심한 쪽은 2 mm 과교정한다면 결국 심한 안검하수쪽이 약한 안검하수쪽보다 1-1.5 mm 정도 차이가 나게 과교정하게 된다(FIGURE 5-50, 5-51).

### 우성 눈, 열성 눈

우성 눈을 안검하수 교정을 하면 열성 눈에 비해 적게 전진하게 되는 경우가 있다.
또한 수술대에서 환자의 눈크기가 환경적인 변화에 의해 평소와 다를 수도 있으므로 평상시의 눈 크기를 확실히 인식하여야 한다. 예를 들면 단안 안검하수일 경우 환자가 평소보다 눈을 적게 뜨고 있는 상태에서 안검하수 수술을 하여 반대편에 크기를 맞춘다면 재교정이 될 수 있다.

## 전신 마취 시 눈높이 조정

전신 마취 시에는 국소마취에서처럼 의식적으로 눈을 뜬 상태에서 눈높이를 조정할 수 없기 때문에 ① 안검하수 정도와 거근의 기능을 참조하여 전진할 양을 미리 결정하고 수술하는 방법과 ② 전신마취 상태에서의 눈높이로 조정하는 방법이 있다.

### 수술 전 미리 전진량을 결정하는 방법

1. Berke 법처럼 선천성 안검하수에서 안검하수 정도의 4배의 거근을 전진하거나 혹은

2배 +2 mm를 전진하는 방법

2. 건막성 안검하수에서 tarso-aponeurectomy 방법을 적용할 때 전진량을 안검하수량 +3 mm (McCord), 또는 안검하수량+2 mm (Chen) 또는 건막성에서 aponeuromuscular junction까지 전진(McCord)하는 방법

### 전신 마취하에서 눈높이를 조절하는 방법(Chen)

#### *거근 절제법(Levator resection method)*

| 거근기능 | 수술 중 눈 높이 |
|---|---|
| 5-6 mm | 원하는 높이보다 1-1.5 mm 높게 |
| 7-8 mm | 원하는 높이대로 |
| 9-10 mm | 원하는 높이보다 1 mm 낮게 |

#### *이마근 현수법(Frontalis suspension)*

| 거근기능 | 수술 중 눈 높이 |
|---|---|
| 0-2 mm | 원하는 높이보다 1 mm 높게 |
| 3-4 mm | 원하는 높이대로 |
| 5 mm | 원하는 높이보다 1 mm 낮게 |

**WAIT A MINUTE!**

거근 절제법과 이마근 현수법에서 거근기능이 5 mm가 중복이 되는데 거근절제법에서는 원하는 높이보다 1-1.5 mm 높게 하는데 비해 이마근 현수법에서는 원하는 높이보다 1 mm 낮게 고정한다. 왜 같은 거근 기능인데 방식에 따라 2-2.5 mm의 차이를 둘까? 두 가지 수술방법 모두 수술 후 재발하기 때문에 과교정이 필요하지만 이마근 수술방법에서는 마취 상태에서는 이마근이 relax되어 있지만 평상시에는 이마근의 작동으로 더 올라가므로 저교정한다.

## 수술 후 경과 및 처치

안검하수 수술은 마취약이나 진정제, 수술 중 부종, 눈부심, 긴장상태, 안구건조증 등에 따라서 눈크기가 달라지기도 하고 회복 과정에서 부종 정도나 전진한 조직이 늘어나는 등에 의해 변화가 생길 수 있으므로 환자에게 확신을 주지 말고 차후에 조정할 수 있다는 것을 이해시키도록 하는 것이 중요하다.

수술 후 눈 크기의 변화는 수술 후 부종이 심해짐에 따라 눈의 크기가 작아지고 대개 수술 후 2일부터 눈 크기가 커지는 데 Tucker에 의하면 반 정도는 수술 후 1주에 최종 위치에 도달하고 나머지는 그 후에 1.1 mm 정도 올라가고 대개 6주까지는 상승하지만 그 이후로는 소수(18%)에서 약간 떨어지고 대부분은 변화가 없는 것으로 보고되어 있는 편이다. 차후 조정이 필요하다고 생각되면 어느 시기에 조정하는 것이 좋은가 하는 것은 술자마다 다양한 의견이 있지만 저자는 주로 부기에 따라서 조정시기를 결정한다. 부기가 적으면 술 후 3-5일에, 많으면 7-12일에 조정한다. 하지만 부기가 지나치게 많거나 혈종이 심한 경우에는 좀 더 오랜 시간까지 눈이 커질 수 있으므로 기다려 봐야 한다. 그리고 수술 도중에 거근이 많이 손상된 경우에는 부기와는 다르게 근육이 회복되면서 기능을 회복할 수 있기에 6개월까지는 눈이 더 커질 수 있다는 것을 염두에 두어야 한다. 그리고 수술방식에 따라서도 다르다. 뮬러 주름 수술방식은 거근 단축술에 비해 빨리 결과를 나타내고 거근 단축술은 늦게까지 눈이 커지는 경향이 있다. 또한 거근이 많이 상한 경우에는 levator function도 1년 동안 서서히 증가되어 상처조직이 remodeling되면 lagophthalmos도 줄어드는 것을 볼 수 있다.

눈꺼풀이 과교정되었을 경우 경한 과교정일 경우에는 마사지로 아래로 신전(forced stretching)하여 조정을 시도하는 것을 수술 후 2주까지 고려하고 경하지 않은 경우엔 조기에 수술로 조정한다. 마사지는 눈을 최대한 크게 뜨도록 하면서 절개선이 벌어지지 않도록 쌍꺼풀 선위의 눈꺼풀을 아래로 세게 눌러 준다. 또는 속 눈썹을 아래로 당기기도 하는 데 이때도 절개선이 벌어지지 않도록 눈꺼풀을 아래로 눌러준다. 아래로 마사지 하는 것은 전진 봉합사의 숫자가 적은 경우에는 효과가 좋다. 하지만 봉합사의 숫자가 많은 경우에는 잘 통하지 않는다.

조기교정이 만기교정보다 나은 점은 우선 수술이 간편하고 전진되어 있는 정도를 파악하기가 쉽고, 따로 박리가 필요하지 않고, 환자의 회복기간을 줄임으로써 환자와의 좋은 관계를 유지할 수 있다는 점이다. 특히 과교정되었을 경우 늦게 교정하면 안질환이 생

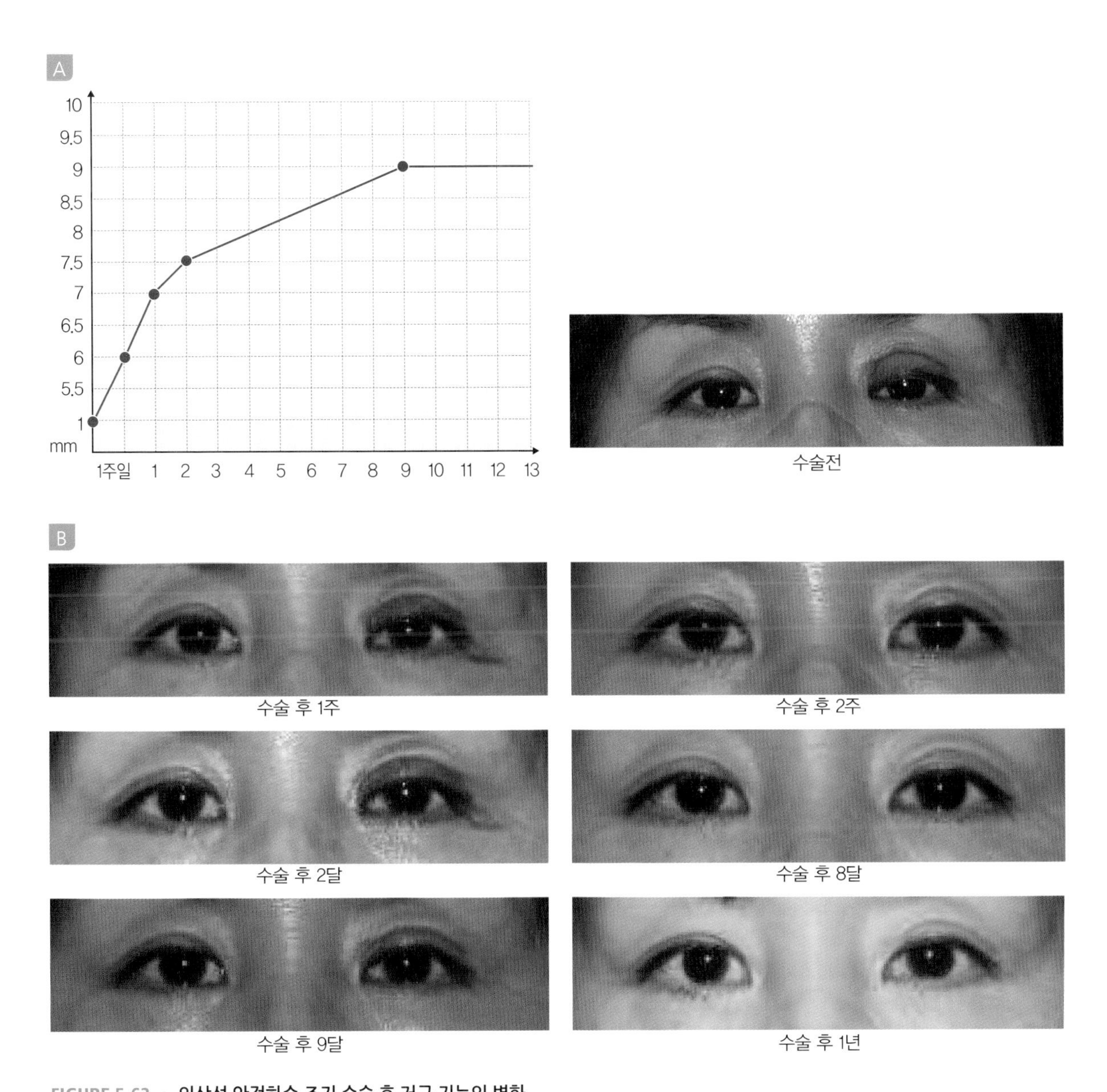


**FIGURE 5-63 외상성 안검하수 조기 수술 후 거근 기능의 변화.**
**A.** 수술 후 거근 기능이 9개월 동안 점차 증가되어 수술 전 5 mm에서 9 mm가 되었다. **B.** 안검하수 수술 후 눈 크기가 9개월 동안안 점차 커지는 모습. 술 전, 술 후 15일, 1달 22일, 8개월, 9개월 반, 1년

길 수 있는 것도 문제이며 또한 거근이 축소되어 안검지체(lid lag)가 영구적으로 나타날 수 있다. 과교정 즉 안검퇴축의 경우 수개월 이후에 교정하면(late correction) 거근 연장술이 필요하지만 조기 교정은 연장술이 필요치 않고 봉합사를 풀고 전진량만 조절하면 되

므로 절대적으로 유리하다.

과교정의 조기 수술방법은 전진한 실을 풀고 조직을 느슨하게 당겨주어 안검하수 상태를 만든 다음, 안검하수 수술로 전환하여 다시 전진하여 원하는 위치까지 올리는 것이 보다 확실하고 안전한 방법이다. 이때도 눈 크기가 마취액 영향으로 변하지 않은 상태에서 눈의 위치를 조정하는 술기가 매우 중요하다.

### 수술 후 시력 변화

상안검 수술이나 특히 안검하수 수술 후에 시력이 나빠졌다고 호소하는 경우가 있다.

눈꺼풀의 전체적인 부종 때문에 눈물분포 시스템의 일시적인 기능 저하에 의하여 또한 초기의 외반증에 의해 meibomian선의 작용이 원활하지 않아 안구건조증이 올 수 있고 이로 인해 눈의 불편함 및 일시적인 시력 저하를 호소할 수 있다. 결막의 부종(chemosis) 등 안구의 부종도 시력저하의 원인이 될 수 있다.

그리고 임상에서 자주 접하는 문제로 난시가 발생할 수 있다. 눈꺼풀이 각막에 대한 접착면이 줄어들기 때문에 생기는 문제로 대부분 3개월 이후엔 사라지고 1년이 지난 후에도 생기는 가능성은 적은 것으로 보고되어 있다. 그러므로 난시에 의한 시력저하가 나타나더라도 안경을 다시 맞출 필요는 없고 기다려 보라고 설명한다.

## 안검하수 수술과 쌍꺼풀 수술

안검하수 수술과 동시에 쌍꺼풀 수술을 할 때 일반적인 쌍꺼풀 수술과는 다르게 고려해야 할 점은 쌍꺼풀의 높이와 깊이로 인한 문제를 들 수 있다.

### 안검하수에 있어서 쌍꺼풀선 도안

안검하수 상태에서 쌍꺼풀을 도안하면 안검하수 수술 후에는 안쪽과 중앙부위의 쌍꺼풀 폭이 좁아지고 바깥쪽의 쌍꺼풀 폭은 변화가 적어 상대적으로 바깥쪽이 넓은 쌍꺼풀이 되기 쉽다. 이러한 점을 고려하여 쌍꺼풀을 도안해야 한다. 또한 쌍꺼풀을 만들면 눈꺼풀이 약간 내려올 수 있는 것을 염두에 두어야 한다.

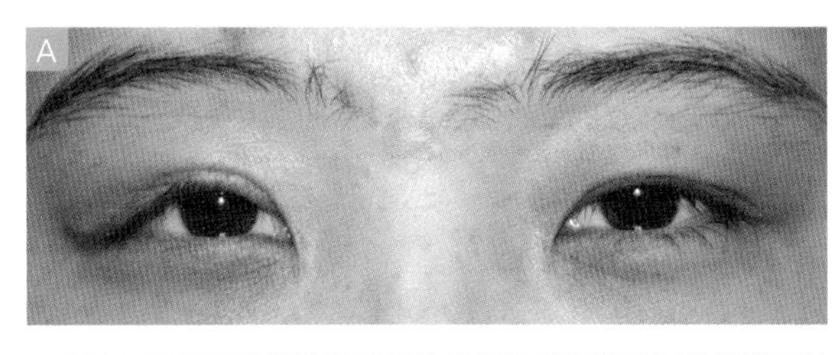


FIGURE 5-64 A. 우측 안검하수. B. 좌측 안검하수. 전형적인 모습으로 안쪽과 중앙에 외반증이 나타나고 바깥쪽에 쌍꺼풀이 풀어져 있다. C. 양측 안검하수, 중앙에 외반증이 나타나고 바깥쪽은 쌍꺼풀이 희미하다.

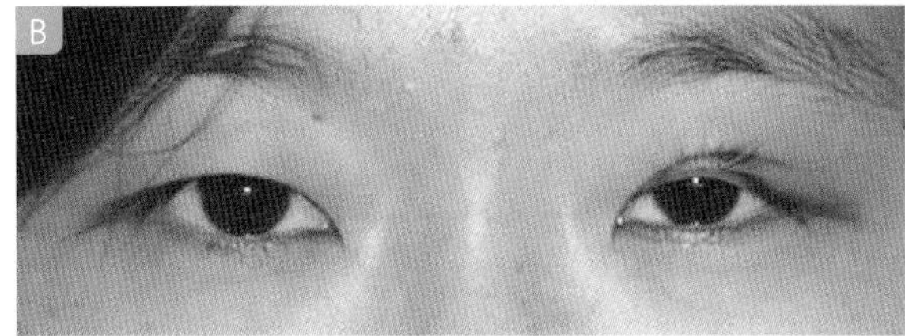


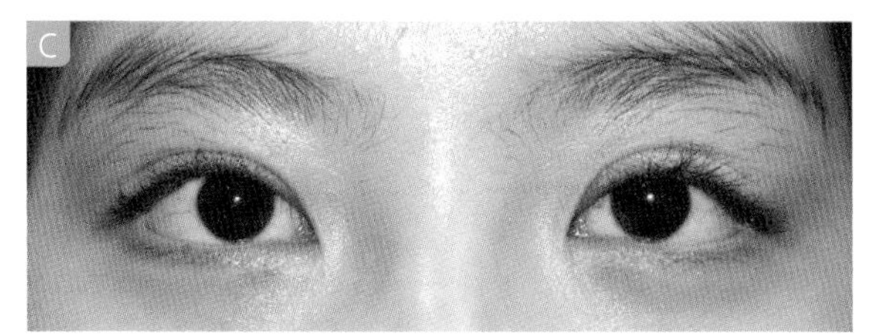


쌍꺼풀의 높이를 결정할 때 일반적인 쌍꺼풀에서는 부지로 만들어 본 후 그 모양에 따라 원하는 쌍꺼풀 선을 선택하면 되지만 안검하수 수술을 할 경우엔 안검하수 상태에 비해서 안검하수가 교정된 후 쌍꺼풀의 폭이 좁아진다. 그러므로 원하는 높이의 쌍꺼풀 선을 찾기 위해선 조수로 하여금 눈썹을 못 올리게 한 상태에서 환자의 눈을 크게 뜨게 한 다음 쌍꺼풀을 만들어 보고 결정하면 된다.

그러나 환자가 억지로라도 눈을 크게 뜰 수가 없는 상황이면 바깥 끝 쪽은 눈을 크게 뜰 때와 적게 뜰 때의 쌍꺼풀의 높이가 큰 차이가 없으므로 쉽게 원하는 높이의 바깥지점을 결정하고 그곳을 중심으로 항상 술자가 그리는 일반적인 곡선을 그리면서 가운데 쌍꺼풀 폭을 결정하면 된다.

안검하수 수술을 하고 나면 흔히 가운데는 폭이 좁고 바깥은 폭이 넓은 쌍꺼풀이 만들어지기 쉬우므로 유의하여야 한다.

안검하수 환자에서의 쌍꺼풀은 외반증과 풀어짐이 흔하다. 즉 내측과 중앙에서는 깊은 쌍꺼풀(혹은 외반증), 외측에서는 얕은 쌍꺼풀(풀어진 쌍꺼풀)이 잘 나타난다(FIGURE 5-64).

외반이 생기는 원인은

1. 거근막이 전진되어 내려옴으로 쌍꺼풀을 고정할 때 같은 위치에 고정하더라도 그 위치가 저절로 높이 고정한 꼴이 되기 때문이다. 희미한 쌍꺼풀이 눈을 크게 뜨면 또렷해지는 것을 보면 원리를 알 수 있다. 또 다른 원인으로
2. 거근을 전진하여 검판에 봉합할 때 안륜근 등 아래 피판조직의 일부가 간접적으로 함

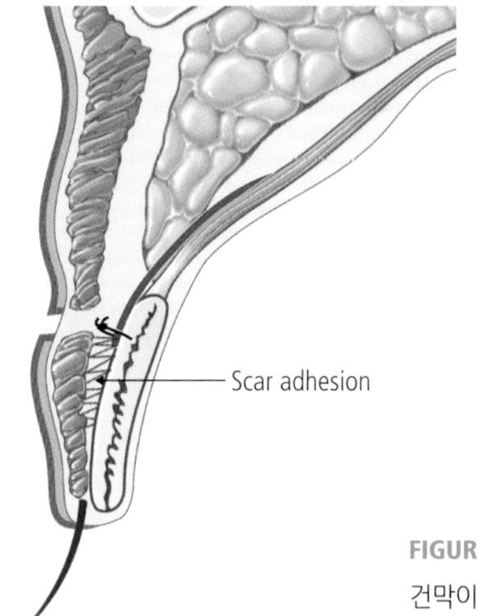


**FIGURE 5-65** **안검하수 환자에서 쌍꺼풀이 외반증이 잘 생기는 기전.**
건막이 아래로 전진하면 건막이 반흔조직에 의해 피부와 간접적으로 연결된다.

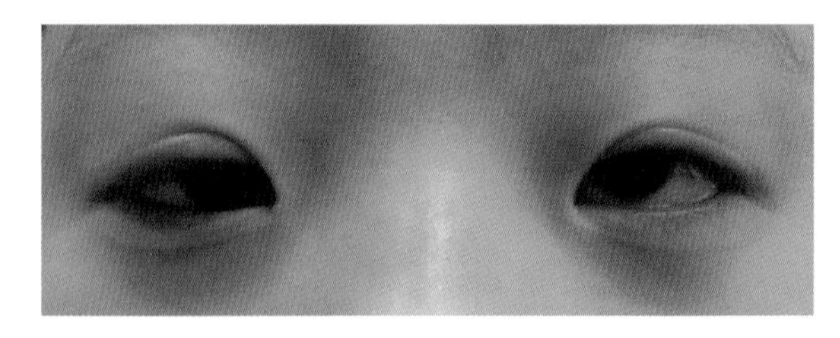

**FIGURE 5-66** 안검하수 수술에서 쌍꺼풀이 잘 풀어진다.

께 걸리는 경우가 있다. 이런 경우는 안검하수 수술 시에 거근을 검판에 고정할 때 검판앞 조직이 함께 물려서 미처 쌍꺼풀을 만들기도 전에 마치 쌍꺼풀 고정을 한 것과 같이 이미 외반증이 생기는 것을 볼 수 있다. 즉 쌍꺼풀 고정을 하지 않았지만 이미 간접적으로 posterior lamella가 anterior lamella와 연결되어 있는 상태이다. 이런 때는 거근을 전진 봉합한 실이 안륜근 등 검판 앞 조직을 물고있는 곳을 찾아서 유착을 풀어 주어 피부 쪽을 자유롭게 해 주어야 해결된다(**FIGURE 5-65**).

하부 피판에 피부 쪽(anterior lamella)과 검판 쪽(posterior lamella)에 유착 등으로 연결이 있는 상태에서 거근을 내려 검판에 봉합하면 거근이 유착된 반흔을 통해서 간접적으로 피부와 연결되어 쌍꺼풀 수술하기도 전에 외반증이 생긴다.

또한 외반증과는 반대로 안검하수에서는 쌍꺼풀이 풀어지는 수가 흔한데(**FIGURE 5-66**) 이는 안검하수 환자의 눈꺼풀이 dynamic하지 않고 static하기 때문이다. 즉 정상적인 쌍꺼풀은 하방 주시 때엔 풀어지고 정방 주시 때는 또렷해지는 데 비해서 심한 안검하수의 쌍꺼풀은 항상 또렷한 채로 고정되어 있는 것이 다르다. 그러므로 고정하는 높이를 경우에 따라 잘 조절하여야 알맞은 깊이를 가질 수 있다.

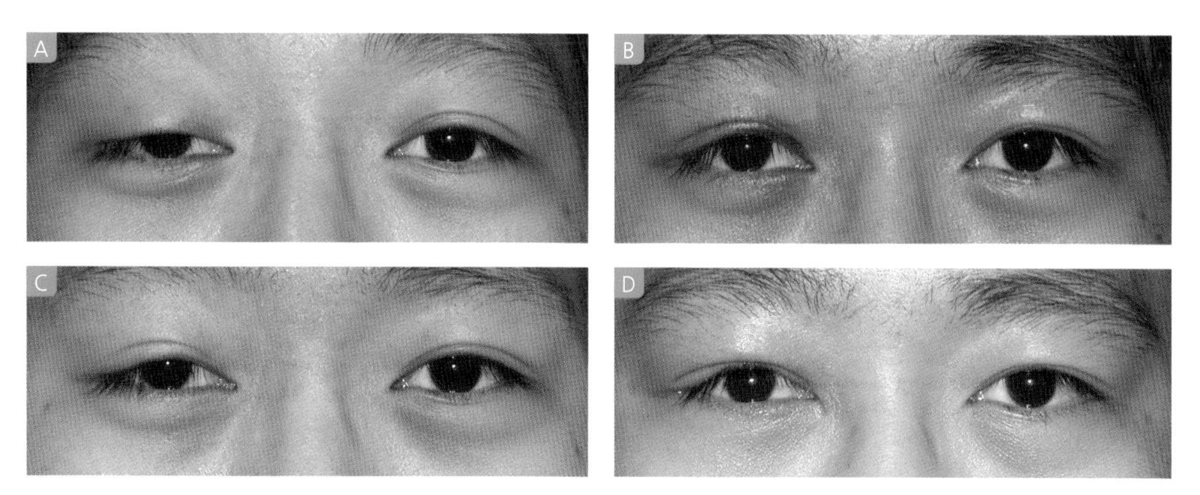


FIGURE 5-67 **우측 안검하수 수술 예.** 우측 안검하수와 쌍꺼풀 수술 후, 쌍꺼풀이 잘 풀어지고 바깥쪽이 높은 쌍꺼풀이 되기 쉽다. **A.** 수술 전. **B.** 우측 안검하수 및 쌍꺼풀 수술 후. **C.** 안검하수와 쌍꺼풀이 풀어져 있고 쌍꺼풀이 바깥쪽이 넓다. **D.** 다시 교정 수술 후.

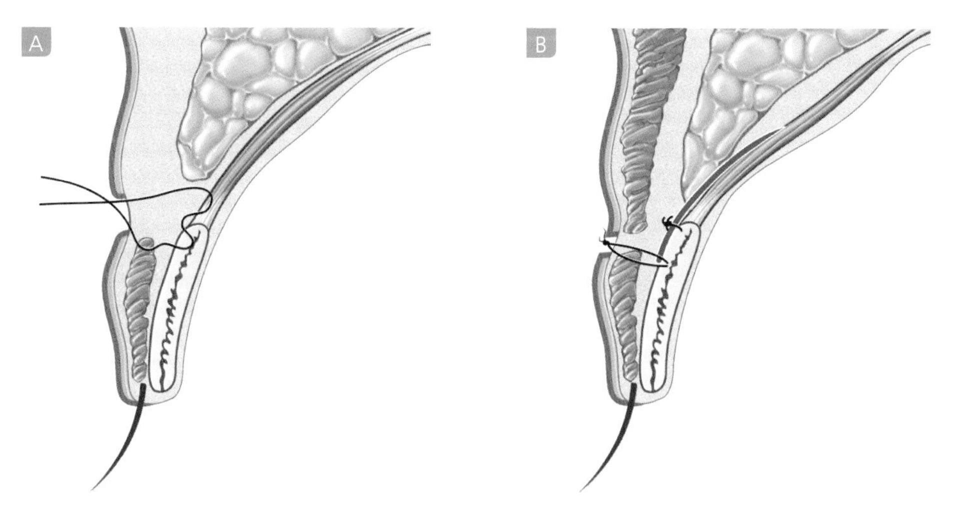


FIGURE 5-68 **A . 안검하수 환자에서 외측의 쌍꺼풀 고정방법.** 검판과 안륜근과 건막을 함께 고정할 때 aponeurosis plication 때 처럼 높은 부위의 건막을 같이 고정한다(3-point fixation). **B. 내측, 중앙부위의 쌍꺼풀 고정방법.** 낮은 검판에 고정한 후 이미 전진되어 있는 거근 건막의 아래 부위에 고정한다.

## 안검하수 수술 시 특히 바깥 쪽에서 쌍꺼풀이 넓고 잘 풀어지는 이유와 해결방안

안검하수 수술 시에 거근을 각막을 중심으로 가운데 부분만 전진하고 외측으로는 대게 전진하지 않게 되는데 전진하지 않는 외측 부위에서 특히 쌍꺼풀이 잘 풀어지거나 또는 높은 쌍꺼풀이 되는 경우가 흔하다(FIGURE 5-67). 외측에는 거근전진이 생략되었기 때문이다. 이런 부위에서는 아래 피판을 고정할 때 피판을 검판에 고정한 후 마치 건막봉양술(aponeurosis plication)을 하듯이 높은 곳의 건막을 당겨 고정하는 것으로(TAO fixation) 쌍꺼풀이 풀어지는 것을 예방할 수 있다(FIGURE 5-68).

외측에 안검하수 수술을 생략하였기 때문에 건막만이라도 마치 안검하수 수술을 시행한 것과 같은 기전(mechanism)으로 생각하면 된다.

또 안검하수 수술과 쌍꺼풀 수술을 할 때 간과하지 말아야 하는 중요한 문제는 쌍꺼풀을 만드는 과정이 거근의 하중에 부담을 주어 안검열을 작게 만드는 경향이 있다는 것이다. 실제 수술 중에 쌍꺼풀을 만들기 위해 피판을 검판에 고정하면 안검열의 세로폭이 0-1.5 mm 정도 감소하는 것을 볼 수 있다. 쌍꺼풀이 없는 환자의 안검하수 수술시 대부분 쌍꺼풀을 만들어주므로 쌍꺼풀이 있는 사람에 비해 거근의 전진량이 약간 추가되어야 할 것이다.

그런데 한쪽 눈만 쌍꺼풀이 있고 반대편은 쌍꺼풀이 없는 경우에는 쌍꺼풀이 없는 쪽의 쌍꺼풀을 먼저 만들어 놓고 같은 조건에서 안검하수 수술을 하는 편이 낫다. 안검하수 수술을 하여 양 눈을 맞추고 나서 한쪽만 쌍꺼풀을 만드는 순간 눈크기가 약간 작아져서 서로 달라질 수 있기 때문이다. 안검하수 수술에서 쌍꺼풀을 만들기 전까지는 눈 크기 조정 과정이 끝난 것은 아니다.

### 안검하수 수술 후에는 세금을 내야 한다

(안검하수 수술 후 눈크기가 감소한다)

안검하수 환자들은 시야가 답답하기 때문에 자신도 모르게 눈썹을 올리고 눈뜨는 근육에 힘을 주어 눈을 크게 뜨기 위해 노력을 기울인다. 그러나 수술 후 답답함이 어느 정도 해결되면 눈썹은 내려오고 눈뜨는 근육에 힘을 주려는 노력이 게을러져 수술 후 눈뜨는 효과가 감소한다. 그래서 어떤 경우는 눈을 제법 키웠다고 생각했는데 결과적으로 보면 눈이 별반 커지지 않아 보이는 수가 있다. 재발이 원인일 수도 있지만 이런 현상 때문일 수도 있다. 안검하수 수술에는 이러한 현상을 감안해야 한다. 거근을 전진하고 나면 잠시 동안 눈이 커져 있다가 곧 작아지는 현상이 나타나는 것을 이러한 것으로 해석하면 된다. 그러나 나중에 눈크기가 작아지는 것은 부종 때문일 가능성이 높다. 이렇게 눈을 키워도 키운 효과가 감소하는 현상을 얻은 이익에서 일부를 감하는 것으로 소득세를 내는 것으로 비유할 수 있다.

또한 안검하수 수술은 눈꺼풀을 두툼하게 하는 효과가 있다. 거근과 건막이 아래로 전진되면 건막에 붙어 있는 안와지방도 함께 내려오게 됨으로 두툼하게 된다. 그러므로 안검하수 수술 후 많이 꺼진 눈은 덜 꺼지게 되고 보통 눈은 두툼하게 되고 약간 두툼한 눈은 많이 두툼해져 수술 전에는 안와지방을 제거할 필요를 못 느끼더라도 안검하수 수술 후 지방을 제거하게 되는 경우가 있다. 또한 안검하수 수술 후 눈썹이 많이 내려오는 것도 하나의 두툼해지는 원인이 된다. 반대로 눈이 지나치게 큰 퇴축 수술 후에는 건막과 함께 안와지방이 위로 밀려 올라가면서 눈두덩이가 꺼지는 현상이 나타나며 삼겹풀이 발생할 가능성이 높다.

## 상안검 퇴축(UPPER EYELID RETRACTION)

상안검 퇴축은 상안검이 지나치게 위로 올라간 것을 말하는 것으로 정상적인 윗 눈꺼풀의 위치가 MRD1이 4 mm 또는 각막의 상단(upper limbus of cornea)을 1-2 mm 정도 가리는 것으로 간주할 때 각막이 그 이상 노출되거나 공막(sclera)이 노출되는 현상이 나타나는

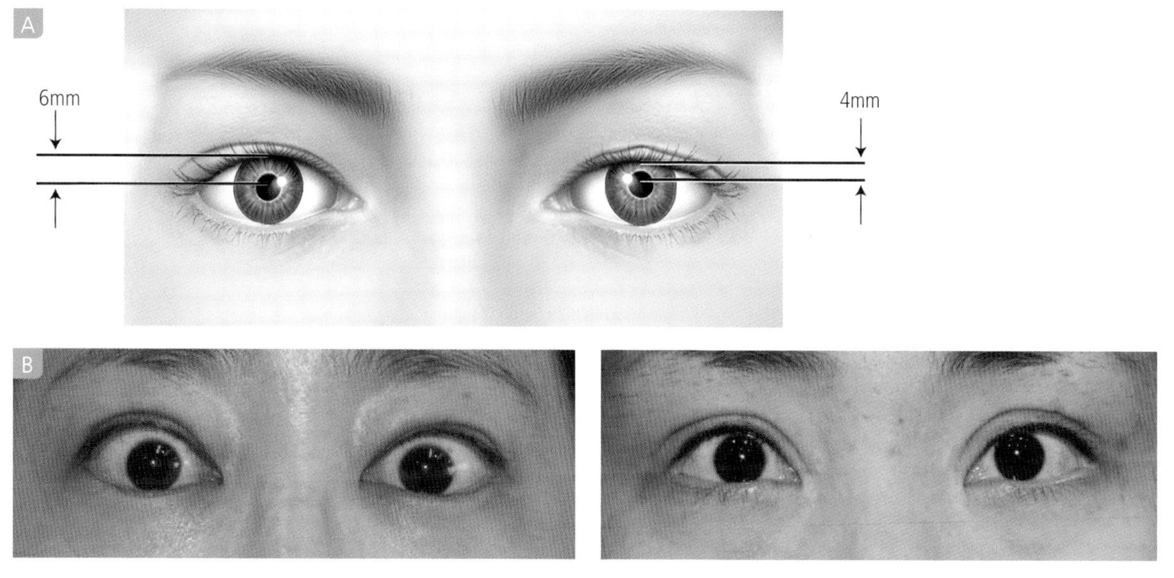


FIGURE 5-69 **A.** 오른쪽 MRD1 4 mm, 왼쪽 6 mm **B.** 갑상선 항진증에 의한 퇴축과 안검하수 수술 후 발생한 퇴축

것을 말한다(FIGURE 5-69). 때로는 나이 많은 분에서 안검열이 지나치게 넓지 않아도 줄이길 원하는 경우도 있다.

*증상*

- 놀란 모습, 노려보는 것 같은 표정
- 안구 건조증
- 타는 느낌(burning sensation)
- 이물감
- 흐릿한 시야(blurred vision)
- 눈부심(photophobia)
- 외반증 혹은 내반증

*원인*

- 갑상선 항진증(Grave's orbitopathy)
- 안면마비
- 외상
- 안검하수 수술 후

상안검 퇴축은 그 기전에 따라 안검하수와 같이 상거근 기능의 과다증가에 의한 생물학적인(biological) 원인과 상거근의 기계적인(mechanical) 전진에 의한 것으로 나눌 수 있다.

생물학적인 퇴축은 갑상선 항진증이나 원인 불명의 일차적인 퇴축이 이에 속하는데 거근이나 뮬러근의 질적인 변화에 의한 것이며 기계적인 퇴축으로는 안검하수 수술 후 유증으로 거근을 지나치게 당긴 경우가 가장 흔한 원인이다. 또는 외상으로 인한 퇴축이 이에 속한다.

이 분류는 수술 시에 상거근의 연장 폭을 결정하는 데 중요한 참고 사항이 된다.

*안검퇴축의 여러 가지 수술방법*

경미하면서 발생 초기의 퇴축의 경우는 비수술적 치료로, 눈을 세게 감는 동작이나 눈꺼풀을 아래로 당기는 방법이 효과적일 수도 있으나 퇴축 발생 한 달 이후에는 효과가 떨어진다.

수술적 방법은

- 뮬러근 절제법(müllerectomy)
- 거근 후퇴법(levator recession), 거근 연장법(levator lengthening)
- 건막 후퇴법(aponeurosis recession with or without müllerectomy)
- 공간 이식법(spacer graft)

## 저자의 수술방법;검판전 조직을 이용한 거근 연장술(Levator lengthening with pretarsal tissue)

심하지 않는 퇴축에서 저자가 주로 사용하는 방법이다. 국소마취는 안검하수 수술 때와 마찬가지로 1% lidocaine과 1;100,000 epinephrine이 포함된 국소마취제로 소량 피하에 얕게 주사하고 regional block으로 상안와신경, 상활차신경 부위에 1.5-2.0 ml 주사하고, 눈물신경에 1-1.5 ml 주사하며 수술 도중 부족한 마취는 epinephrine이 없는 lidocaine으로 소량씩 눈크기의 변화를 최소화하면서 첨가 주사한다.

피부절개 후 안륜근을 분리하고 검판을 노출시킨다. 거근건막(aponeurosis)을 격막(septum)으로부터 분리하여 노출시킨다. 다음 단계로 상거근을 연장하는데 상거근의 길이를 연장시키기 위한 방안으로 여러 가지 방법이 있다. 비교적 간단하고 편리한 방법으로 저자의 검판전 조직(pretarsal soft tissue)을 이용한 거근 연장술을 소개한다.

쌍꺼풀 선을 따라 피부 절개 후 검판앞을 노출시킨다. Epinephrine이 없는 국소마취제를 검판전 조직에 소량 주사한 후 검판의 중간 지점 즉 검판의 상연에서 4-5 mm 아래에서부터 검판전 조직을 검판으로부터 윗쪽으로 분리한다. 눈 속에 점안 마취액을 떨어뜨린 후 검판상연 부위에서 뮬러근과 결막 사이를 식염수를 주사하여 hydrodissection 한 다음 뮬러근을 검판으로부터 박리하고 위로는 결막으로부터 박리하여 검판전 조직이 뮬러근의 연장이 되게 한다. 뮬러근을 결막으로부터 분리하기 직전에 다시 한 번 마취제와 부종으로 인한 눈크기의 변화를 확인한다. 안쪽과 바깥쪽으로 박리하고 위로 박리해가면서 중간 중간 눈꺼풀이 아래로 내려가는 것을 관찰하여 눈꺼풀이 원하는 위치보다 아래로 내려가 일단 안검하수 상태가 되면 박리를 중단한다.

일단 안검하수 상태를 만든 뒤로는 안검하수 수술을 시행한다. 전검판조직을 검판에 전진 봉합하여 조직의 견고성(security)에 따라서 검판 전 조직이 얇고 약할 때는 눈 크기가 수술 후 작아질 경향이 있으므로 원하는 높이보다 약간 높게 눈 크기를 조정한다(**FIGURE 5-69**). 지난번 안검하수 수술이 거근 단축술인 경우에는 거근이 검판앞에 남아 있는 것을

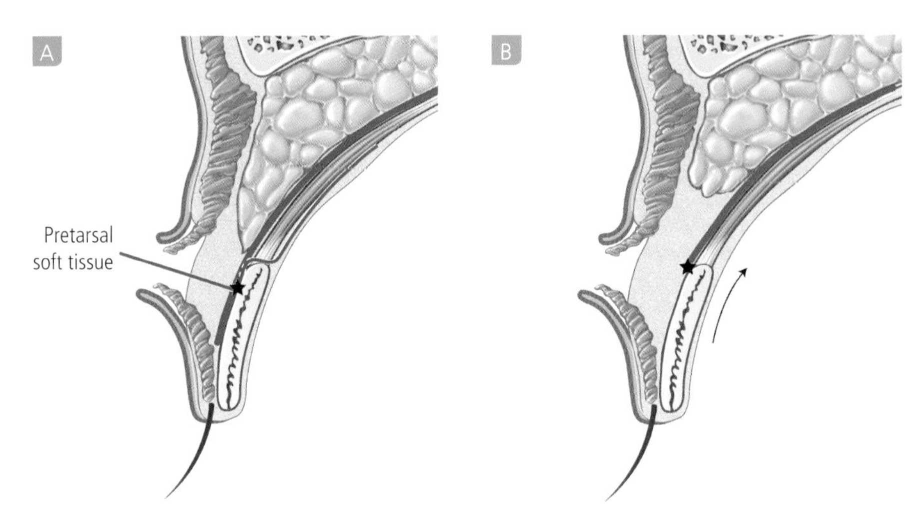


FIGURE 5-70 **Pretarsal soft tissue를 이용한 거근 연장술.**
검판전 조직이 위로 후퇴하면서 거근이 연장된다.

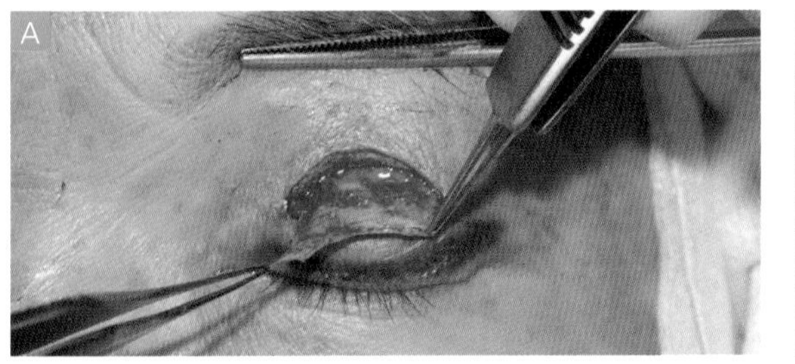


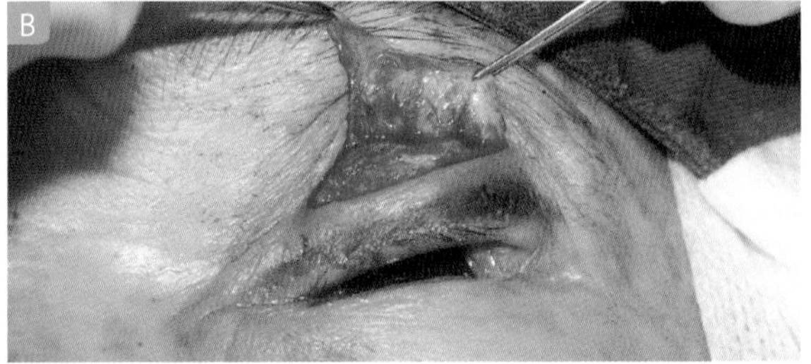


FIGURE 5-71 지난번 안검하수 수술이 거근단축술일 경우 검판전 조직은 거근이므로 견고하다.

볼 수 있는데(FIGURE 5-70) 이것은 일반적인 전검판 조직보다는 견고하다. 조직이 견고한 경우는 향후 눈 크기가 줄어들 가능성이 적기 때문에 눈 크기를 거의 원하는 그대로 한다. 그리고 조기 퇴축 수술에서 매우 중요한 것은 교정시기로, 퇴축 발생 한 달에서 두 달 사이에 교정 수술을 하는 경우는 조직의 수축현상이 매우 강력한 시기이므로 수술 후 눈이 커지기 때문에 눈을 목표하는 크기보다 1 mm 이상 작게 해야 한다는 것이다.

*검판전 조직 연장술의 key point*

- 국소마취로 인해서 눈 크기가 변하지 않도록 유의한다.
- 검판상단 4-5 mm 아래 검판전 조직을 검판으로부터 분리하여 거근 연장을 위한 조직으로 사용

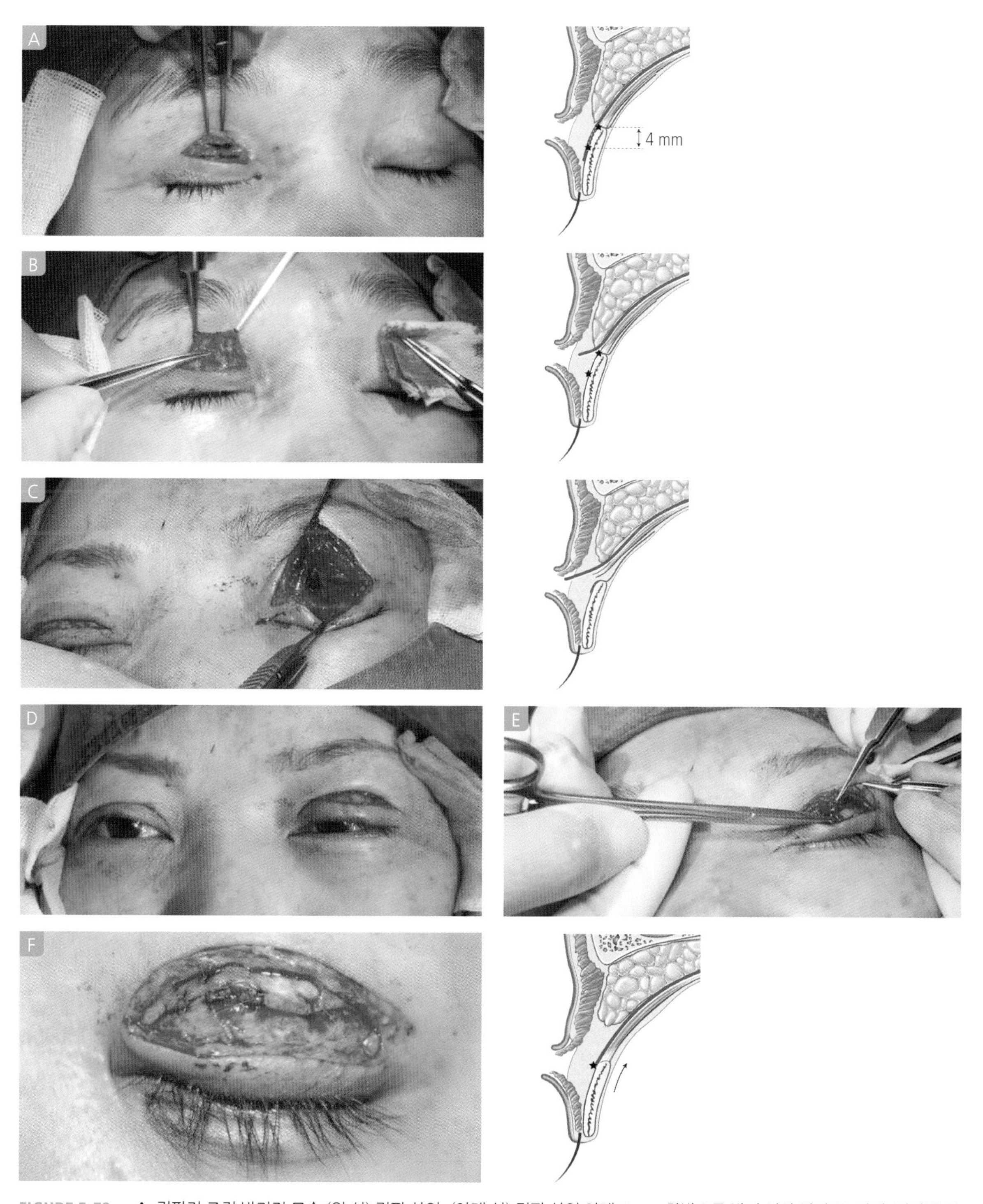


FIGURE 5-72 A. 검판전 조직 박리전 모습 (윗 선) 검판 상연, (아래 선) 검판 상연 아래 4 mm 하방으로 박리 시작 위치. B. 사진. 검판전 조직을 박리 후 4 mm 정도 elevation된 모습. 아래 forcep은 검판 상단을 가리키고 있다. C. 검판에서 뮬러근을 분리하고 나서 위로 결막으로부터 뮬러근을 분리하는 모습. D. 뮬러근을 결막에서부터 분리하여 안검하수 상태가 된 모습. E. 박리된 상거근 조직을 검판에 고정하는 모습. F. 피판의 말단을 검판상단에 봉합하여 4 mm 후퇴 연상한 모습.

- 뮬러근을 검판과 결막으로부터 박리
- 눈꺼풀이 원하는 높이보다 낮아질 때까지 박리- 일단 안검하수 상태가 되게 한다.
- 검판 전 소식(pretarsal soft tissue)이 견고하면 눈 높이가 원하는 대로 하고, 얇고 약하면 원하는 높이보다 약간 높게 되도록 검판 전 조직을 고정봉합한다.

퇴축을 교정하는 방법으로 일반적으로 가장 많이 사용되어 온 방법은 spacer graft이다. 심한 퇴축에는 spacer graft를 해야 하는 경우가 있다. 보통 안검하수의 경우에는 안검하수 양의 3-4배의 전진량이 필요하지만 퇴축의 경우는 이와 다르게 2배 정도의 spacer가 필요한 정도이다. Spacer로는 심부측두근막(deep temporal fascia), 경구개 점막(hard palate mucosa)와 같은 자가 조직을 이식하거나 알로덤을 이식하여 연장하는 방법도 있다(FIGURE 5-73). 이식폭은 학자마다 퇴축량의 1배에서 2배까지 다양하게 제시되고 있다. Spinelli는 심부측두근(deep temporal fascia)를 퇴축량의 2배를 이식하여 연장하였고, McCord는 1배, Fox는 공막(sclera)을 2배, Berke는 levator tenotomy로 2배 후퇴하였고 Lai 등과 Piggot 등은 2배+2 mm 후퇴하였다. 이와 같이 환자에 따라, 경우에 따라 이식편의 양이 다르므로 정확성이 결여되는 문제가 있다. 하지만 매우 심한 안검퇴축의 경우에는 spacer graft가 필요하다(FIGURE 5-73, 5-74).

자가 이식보다 이종이식은 흡수 및 수축되어 퇴축이 재발하는 경향이 있다.

임상에서 흔히 보는 안검하수 합병증으로 생긴 퇴축증은 2-3 mm 이상이 드물기 때문에 대부분 경우에 전진된 검판전 조직을 이용하여 연장하는 방법으로 충분하다. 그러나

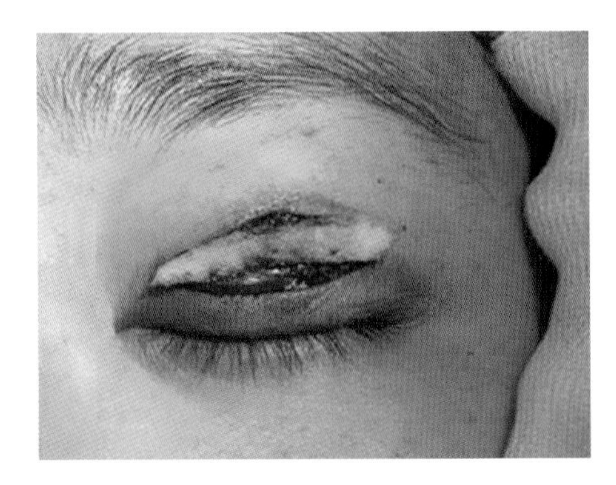

FIGURE 5-73 Alloderm을 이용한 Spacer graft.

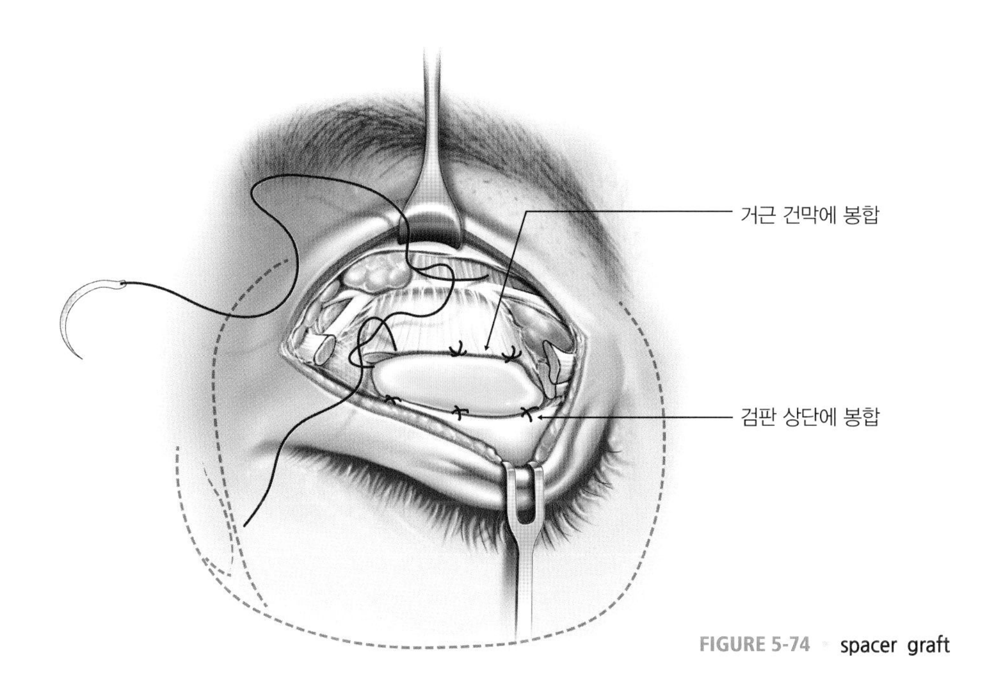


FIGURE 5-74 spacer graft

단순히 전검판 조직의 후퇴만으로는 부족한 경우엔 저자는 상거근 회전 근판(rotation flap)을 이용한다. 회전 근판을 만들 때에는 거근을 연장하는 과정에서 거근피판(levator flap)의 두께가 얇으면 고정봉합 후 cheese-wiring effect 때문에 거근 피판이 쉽게 늘어져 나중에 안검하수를 유발할 수 있기 때문에 가능한 한 거근피판이 두껍도록 하기 위해서 피판을 한 개 혹은 두 개로 제한한다(FIGURE 5-74).

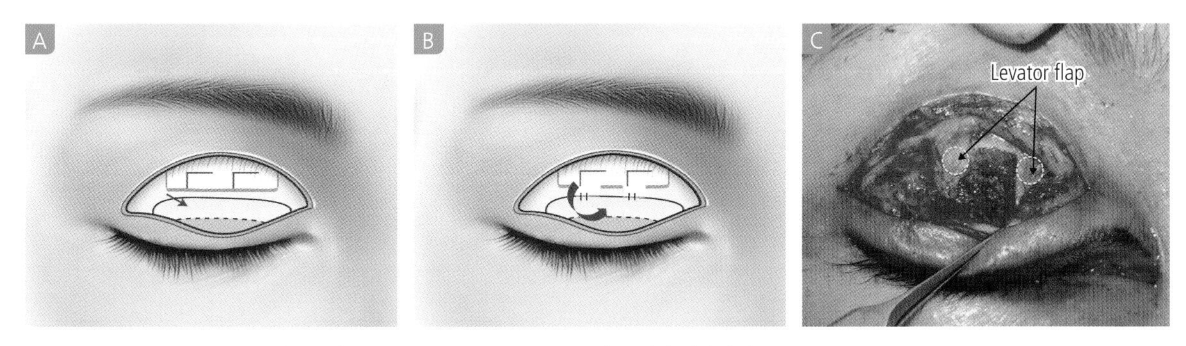


FIGURE 5-75 거근 회전 피판 연장술(pretarsal tissue rotation flap) 도해와 임상사진.

갑상선 항진증과 같은 뮬러근 기능 항진과 같은 것은 내측보다는 외측 부위가 항진이 심하고 합병증으로 재발도 외측이 잘 일어나고 내측은 안검하수가 되기 쉽다. 그러므로 갑상선항진증에 의한 퇴축은 일단 외측부터 내리기 시작하여 부족한 경우엔 가운데 부분으로 또는 내측으로 수술을 전진하는 것이 좋다.

퇴축 수술 후 눈 크기가 원하는 크기보다 여전히 클 때가 있다. 이때는 토안과 안구 건조증 등 기능성 장애 때문에 6개월 이상 기다릴 수는 없다. 눈 크기가 더이상 변화가 없다는 시기를 확인하고서 대개 2-3주 후에 조기 재수술을 하게 된다. 이때 조기 퇴축 재수술은 수술 후 거근 조직의 수축현상에 의해 눈 크기가 커지기 때문에 눈 크기를 원하는 목표보다 작게 해야 한다.

*검판전 조직 연장을 통한 퇴축 교정술의 장점*

- 수술이 간편하다.
- 이식 공여부위의 수술이 필요치 않다.
- 공여조직 이식(spacer graft)은 봉합 부위가 두 줄인데 비해 검판전 조직 연장은 봉합 부위가 한줄이다. 그러므로 조직의 늘어짐에 대한 변수가 적어 보다 정확하다(more predictable).
- 차후 조정이 쉽다. 봉합 부위를 조금 당기든지 늘리든지 하면 된다.

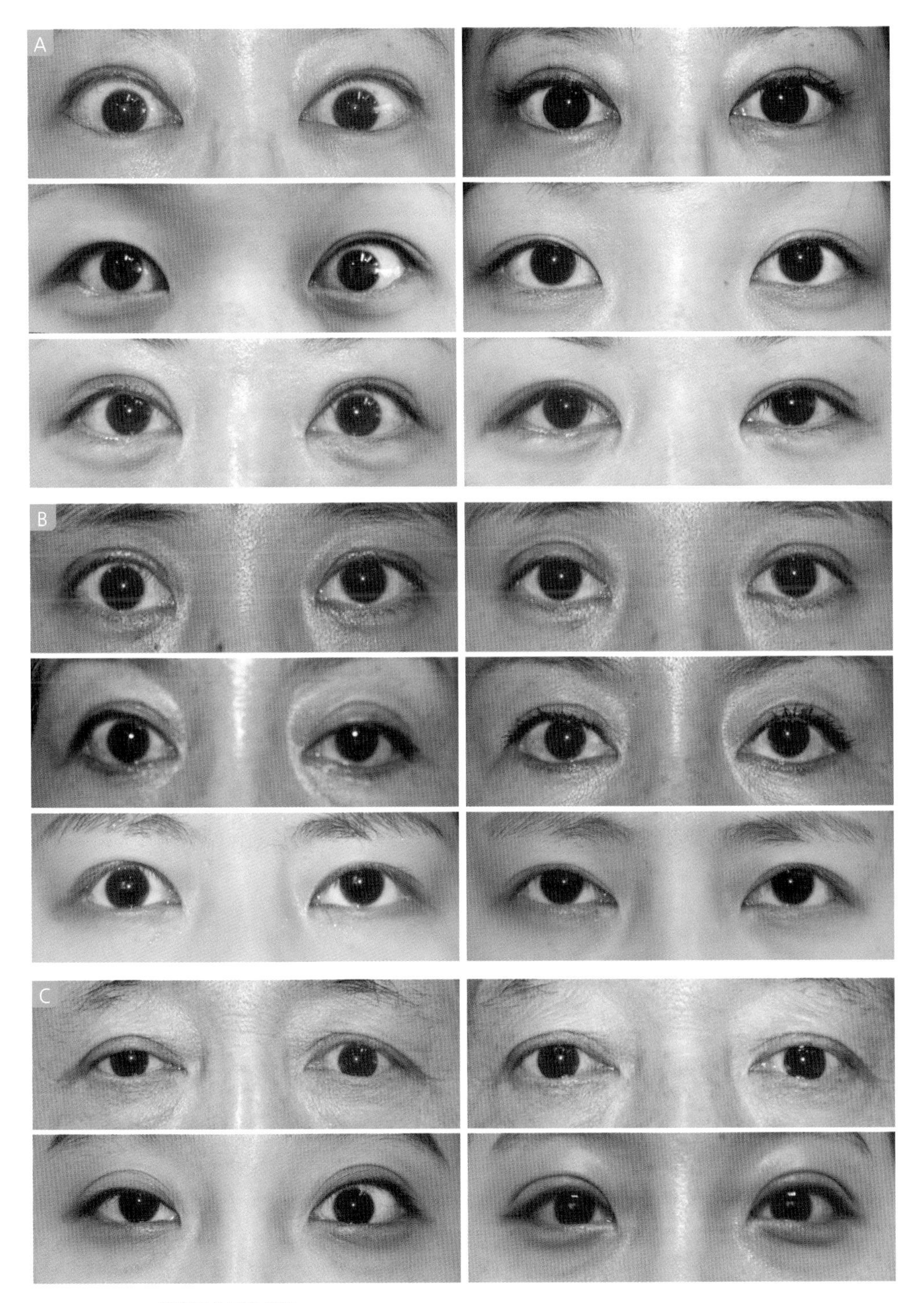


FIGURE 5-76 **안검퇴축교정 전후.**

**A.** 양측성 퇴축. **B.** 단안성 퇴축. **C.** 안검하수와 퇴축이 함께 있는 예. 좌측 퇴축, 우측 안검하수.

## REFERENCES


1. 이상열 ,장재우,유혜린, 김창염; 눈꺼풀 처짐 안검하수,군자출판사 2018
2. Fox SA : Surgery of ptosis. William & Wilkins. Baltimore. p.71, 1980.
3. Beard C : Ptosis(3rd ed.) St. Louis. C.V. Mosby Co. p.116, 1981.
4. Nahai F : The art of aesthetic surgery. St. Louis. Publishing, Inc. 2005.
5. Hoşal BM, Ayer NG, Zelelioğlu G, Elhan AH. Ultrasound biomicroscopy of the levator aponeurosis in congenital and aponeurotic blepharoptosis. Ophthal Plast Reconstr Surg 20:308, 2004.
6. Older JJ : Levator aponeurosis tuck : A treatment for ptosis. Ophthalmic Surg 9(4):102, 1978.
7. Older JJ : Levator aponeurosis surgery for the correction of acquired ptosis. Ophthamology 90:1056, 1983.
8. Doxanas MT : Simplified aponeurotic ptosis surgery. Ophthamic Surg 22(8):512, 1992.
9. Shao W, Byrne P, Harrison A, Nelson E, Hilger P : Persistent blurred vision after blepharoplasty and ptosis repair. Arch Facial Pastt Surg. 6:155-157, 2004.
10. Holck DE, Dutton JJ : Changes in astigmatism after ptosis surgery measured by corneal topography. Ophthal Plast Reconstr Surg 14(3):151-8, 1998.
11. 최경석, 김용섭, 이태수 : 안검하수 수술 456예에 대한 임상적 연구. J Korean ophthalmic soc 36(7) 19-30.
12. Chen WPD, Khan JA, McCord Jr. CD : Color Atlas of Cosmetic Oculofacial Surgery. Edinburgh, Butterworth Heinemann, Elsivier Science, 2004.
13. Lin KL, Uzcategui N, Chang EL : Effect of surgical correction of congenital ptosis on amblyopia. Ophthal Plast Recontr Surg 24(6):434-6.
14. Anderson RL, Baumgartner SA : Amblyopia in Ptois. Arch Ophthalmol 98:1068-9, 1980.
15. Holmstrom H, Santanelli F : Suspension of the eyelid to the check ligament of the superior fornix for congenital blepharoptosis. Scand J Plas Recontr Surg Hand Surg 36:149-56, 2002.
16. Song R, Song Y : Treatment of blepharoptosis ; Direct transplantation of frontalis muscle to upper eyelid. Clin Plast Surg 9:45, 1982.
17. 박동만, 송중원, 한기환, 강진성 : 한국인 생체 계측치. 대한성형외과학회지 17:822, 1990.
18. Hwang K, Huan F, Kim Dj, Hwang S H. Size of the superior palpebral involuntary muscle (Müller muscle), J craniofacial surg 21(5):1626-9, 2010.
19. Soserburg GL : Kinesiology; Application to pathological motion. Baltimore: William & Wilkins, 1986.
20. Cho I C, Kang J H, Kim K K. Correcting upper eyelid retraction by means of pretarsal levator lengthening for complications following ptosis surgery, Plast Reconst Surg 130(1):73-81.
21. Spinelli HM : Atlas of Aesthetic Eyelid Periocular Surgery. Elserier health Sciences, 2004.
22. Anderson RL, Beard C : The levator aponeurosis attachments and their clinical significance. Arch Ophthalmol. 95:1437-41, 1977.
23. Burman S, Betharia SM, Bajaj MS, et al. : AIOC Proceedings. Orbit Oculoplasty 1:441, 2002.
24. Harris WA, Dortzbach RK : Levator tuck : a simplified belpharoptosis procedure. Ann Opthalmol 7:873-8, 1975.
25. Jones LT, Quickert MH, Wobig JL : The cure of ptosis by aponeurotic repair. Arch Ophthalmol 93:629-34, 1975.
26. Liu D : Ptosis repair by single suture aponeurosis tuck. Surgical technique and long term results. Ophthalmology 100:251-9, 1993.
27. H. kakizaki, Y iakahashi : Muller's Muscle tendon : Microscopic Anatomy in Asians. Ophthal Plast Reconstr Surg. Vol.27. No2. 122-124.
28. Berke RN : Histology of levotor muscle in conqenital and acfuired ptosis. Arch Ophthalmol 53:413-28, 1955.
29. Kuwabara T : structure of muscle of upper eyelid. Arch Ophthalmol 93:1189-97, 1975.
30. Wolfley. De : Preventing conjunctival prolapse and tarsal evesion following large excisions of levator muscle and aponeurosis after correction of corgenital ptosis. Ophthalmic surg 18:491-4, 1987.
31. Francis CS : Histological changes in congenital and acquired blepharoptosis. Eye(2):179-84, 1988.
32. Hwang K, Shin YH, Kim DJ : Conjoint Fascial Sheath of the Levator and Superior Rectus attached to the conjunctival fornix. The J of Craniofacial Surgery 19(1):241-5, 2008.

CHAPTER

# 06

# 하안검 교정술과 중안면 거상술

## LOWER BLEPHAROPLASTY WITH MIDFACE LIFT

## 노화 과정과 각종 처치법

눈밑 주변 부위에서의 노화 과정은 연조직의 중력으로 인한 처짐과 볼륨의 감소(descent&deflation)로 요약 설명될 수 있다. 노화에 의한 변화는 매우 다양하게 나타나며 이러한 문제를 해결하기 위해서는 그 변화에 따른 알맞은 수술방법을 적절하게 선택해야 한다.

일반적으로 노화 과정에서 나타나는 문제점들과 이를 치유하기 위해 시행될 수 있는 수술방법들을 연계해 보면 다음과 같이 열거할 수 있다. 여러 가지 상황에 맞추어 각각 여러 가지 수술방법을 선택할 수 있다. 하안검 수술에서 적용될 수 있는 술기들을 그 적응증과 함께 망라하여 열거한다.

### 노화 과정에서 나타나는 눈 주변 부위의 여러 가지 변형

- Palpebral bags
- Nasojugal fold, palpebromalar fold
- Dark circle, dark pigmentation around eyes
- Infraorbital hollowness
- Skin wrinkles and skin redundancy
- Malar mound, malar crescent
- Pretarsal flatness
- O.O.M. hyptropy
- Lid laxity - ① lid horizontal laxity ② canthal tendon laxity
- Scleral show, ectropion
- Secondary blepharoplasty case
- Malar hypoplasia, orbital bone sunken or flat
- Exophthalmos or enophthalmos
- Crow's feet
- Mid-cheek groove, descent of the mid-cheek junction
- Nasolabial fold

## 각종 처지법

위에서 열거한 여러 가지 하안검의 변형에 대한 처치법 또한 다양하다. 아래에 열거된 하안검의 각종 수술명 중 한 가지만 적용되는 경우도 있지만 여러 가지가 함께 적용되는 경우가 많다. 그러므로 이 여러 가지 술기 중 환자에 따라 적용되는 수술을 잘 선택해야 한다.

- Tranconjunctival fat removal, transconjuntival fat reposition
- Skin resurfacing
- Filler injection, fat injection
- Skin, muscle excision
- O.O.M. suspension
- Canthal anchoring ; canthoplasty, canthopexy
- Tarsal segmental excision
- SOOF elevation, levator labii superioris elevation
- Mid-cheek lifting
- Secondary blepharoplasty
- Retractor release
- Spacer graft

노화 과정은 자연스런 현상으로 인식되고 있다. 하지만 그 자연스런 현상이 사회생활을 영위해 나가는 데 있어서 부정적인 영향을 미치고 있는 점도 부인할 수 없다. 실제로 그런 연유로 많은 귀중한 경험을 소유한 유능한 인재들이 단지 늙어보인다는 이유만으로 관대한 편견에 의해 자신이 이바지한 사회에서 소외당하고 무시당하고 배척당하는 것은 개인적으로도 슬픈 일일 뿐만 아니라 사회적으로도 소중한 자산의 낭비이다. 그러므로 우리가 추구하는 rejuvenation이라는 것은 그 자신이 소속된 사회에서 소외당하지 않고 자신의 역할을 지속적으로 영위해 나갈 수 있거나 다시 참여할 수 있는 활력과 생명을 불어 넣는 그 개인의 생존의 문제이며 궁극적으로 인간과 사회에 행복을 가져다 주는 일이다.

그러므로 노인성 상안검, 하안검 성형 수술은 수술받으려는 사람이 자신이 소속된 사회에서 어떻게 잘 적응할 수 있는가 하는 것을 염두에 두고 수술해야 할 것이다. 그런 의미에서 rejuvenation은 단순히 젊어 보여서 좋다는 차원이 아니라 활력을 가지고 자신이 속한 사회에 계속 적응해 나가거나 복귀할 수 있는 rehabilitation의 차원에서 다룰 수 있어야 한다고 본다. 하안검 성형술이 단순히 늘어진 피부의 일부를 잘라내고, 불룩하게 밀고 나오는 지방을 제거하는 것으로 만족할 만한 결과를 얻어낼 수도 있다. 하지만 때로는 수술효과를 최대화하고 합병증을 최소화하기 위하여 환자 개개인의 특성에 따른 맞춤형의 수술을 하기 위하여 다양한 전략적인 접근법이 필요하다. 또한 현대에 이르러 평균 수명이 증가하면서 사회 활동이 가능한 나이 또한 증가함으로써 수술을 받고자 하는 사람들의 연령 또한 높아지는 한편, 같은 연령의 여자에 비해 수술 후 좋은 결과를 얻기에 불리한 조건을 가진 남자의 성형수술이 보편화되고 있는 추세도 합병증이 생기기 쉬운 요인으로 작용한다. 더불어 전반적인 의학의 발전에 대한 기대치가 상승함에 따라 그 기대치에 부응하려는 의사들의 압박감이 크게 작용하는 등 여러 가지 요인에 따라 하안검 수술 후 합병증 발생 빈도도 증가하는 경향이 있다.

본 저서에서는 일차 수술과 이차 수술을 굳이 구별하지 않고 다양한 수술방법을 소개하고자 한다. 경우에 따라서는 주로 2차 교정 수술에 적용되는 수술이 1차 수술에 적용되는 수도 흔하기 때문이다.

하안검 성형술 시 중안면 거상을 같이 하는 경우가 있다. 저자는 나이 든 사람에서 대부분의 경우 통상적으로 mini-midface lifting을 실시하고 때로는 보다 광범위한 midface lift를 실시한다. 중안면 교정술을 함께 실시하면 ① 하안검 교정술을 보다 효과적으로 할 수 있으며 ② SOOF를 거상함으로 infraorbital hollowness를 보완할 수 있고 ③ nasolabial fold 교정도 효과적이며 ④ 하안검 2차 교정 수술 시에 발생하기 쉬운 하안검 퇴축과 같은 합병증을 예방하고 또한 이미 발생한 하안검 퇴축을 교정하는 데 필수적이다. 하지만 반대로 중안면 거상술이 하안검 퇴축을 유발하는 요인이 될 수 있다는 점도 명심하여야 한다. 하안검 성형술에 있어서는 무엇보다 정확한 해부학적인 지식을 갖추어야 하고 구조적인 특성을 잘 이해하여야 한다.

## 하안검의 해부학적 구조 (FIGURE 6-1)

정상적인 하안검의 위치는 각막의 하윤부(lower limbus)에 닿거나 1 mm 정도 덮고 있다. 또한 내안각건(medial canthus)에서 외안각건(lateral canthus)으로 이어지는 선은 외측으로 올라가는 경사도를 가지고 있다. 이것을 각건 경사(canthal tilt)라고 하는데 이것은 나이, 성별, 민족에 따라서 다르다. 동양인은 서양인에 비해 외측 경사도가 약간 높은 편이다. 동

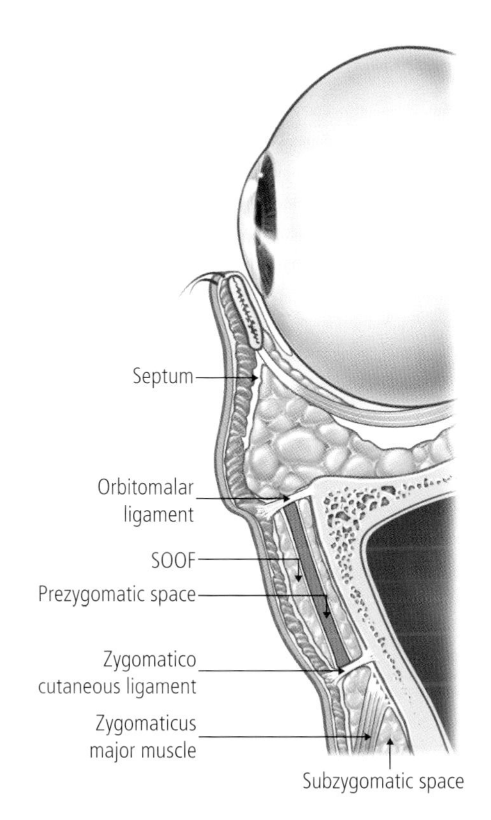


FIGURE 6-1 하안검 구조.

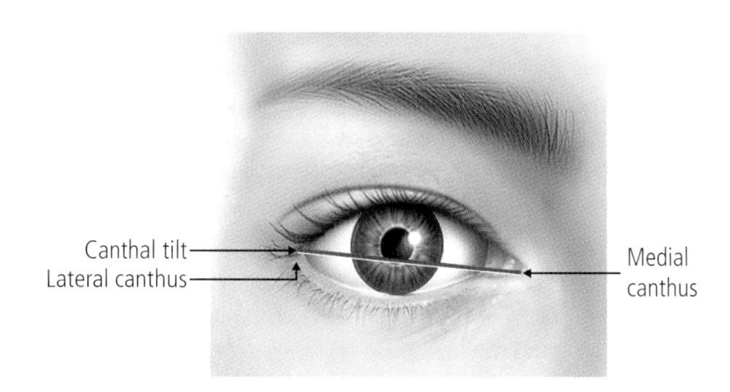


FIGURE 6-2 하안검의 위치와 외안각건 경사도(canthal tilt).

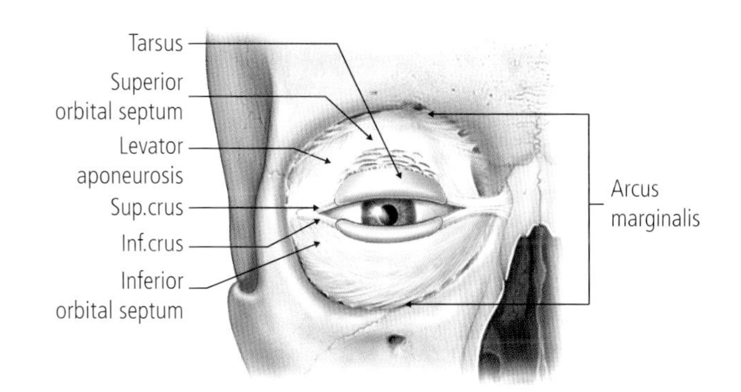


FIGURE 6-3 하안검의 구조.
위 격막, 아래 격막, 검판, Inf.crus, sup.crus
내외안각건, 변연궁(arcus marginalis)

양인은 외안각이 내안각에 비해 3-5 mm 정도 올라가 있고 이는 5-10도 정도의 canthal tilt가 된다(FIGURE 6-2).

하안검은 세 층으로 분류된다. 앞층(anterior lamella)은 피부와 눈둘레근(orbicularis oculi muscle), 중간층(middle lamella)은 격막(septum), 뒷층(posterior lamella)은 tarsoligamentous sling을 중심으로 capsulopalpebral fascia와 inferior tarsal muscle으로 구성된 퇴축기(lower lid retractor), 결막으로 구성된다. 때로는 두 층으로 분류하여 중간층 격막을 뒷층에 포함하기도 한다. 두 퇴축기는 아래로 볼 때 하안검을 아래로 당겨 시야가 좋게끔 도와 주는 역할을 한다. 검판은 결체조직으로 동양인에서 윗 검판은 8-9 mm, 아래 검판은 3-4 mm 두께이며 lateral canthus의 superior crus와 inferior crus로 연결된다. 외안각건(lateral canthus)은 외안각 인대(lateral canthal tendon)와 lateral retinaculum으로 구성되어 있다(FIGURE 6-3).

외안각 인대는 결체조직의 결합(complex connective tissue framework)으로 2 m 폭 4-7 mm 길이이며(황건) 안와연(orbital rim)에서 2-3 mm 깊이의 whitnall's tubercle에 붙는다.

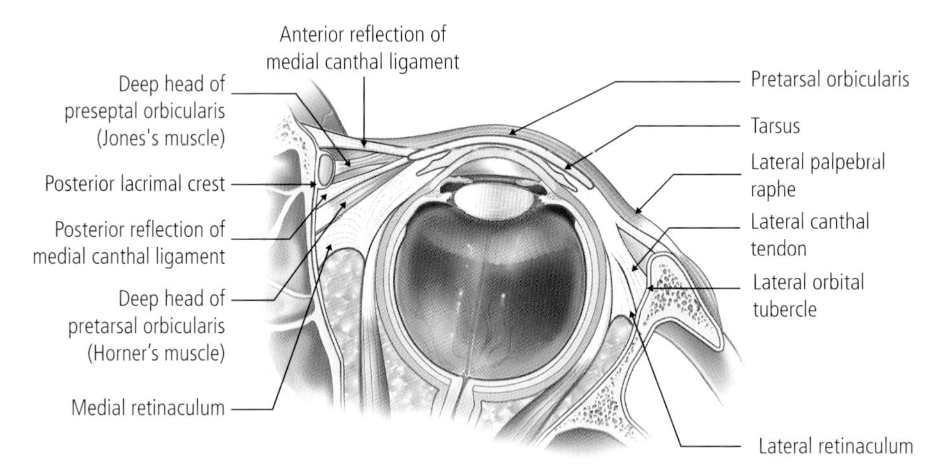


FIGURE 6-4 lateral canthus의 구조.

Lateral retinaculum은 기술하는 사람에 따라서는 외안각건과 동일한 것으로 retinaculum 속에 인대를 포함시키기도 한다(FIGURE 6-4).

### Lateral retinaculum의 구성

- Lateral canthal tendon
- Levator aponeurosis의 lateral horn
- Whitnall's ligament
- Inferior suspensory ligament (Lockwood ligament)
- Check ligament of lateral rectus muscle

## 수술방법

*수술 전 하안검의 이완 정도(lower lid laxity)를 측정하는 검사(FIGURE 6-5)*

- Snap back test
- Distraction test
- Pinch test

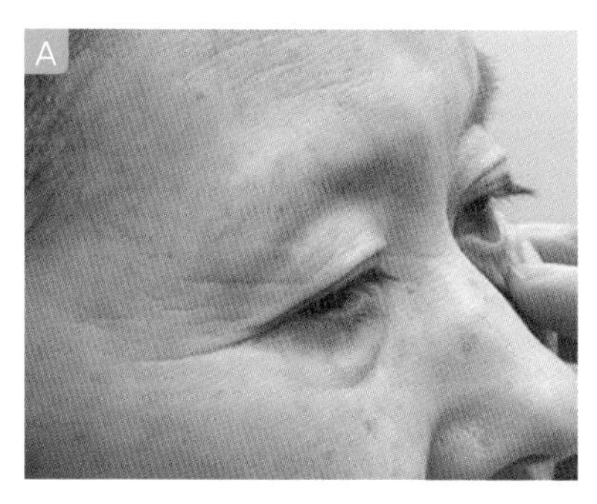

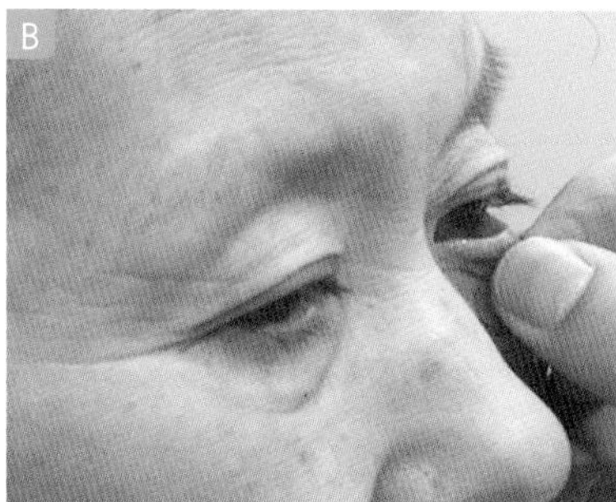

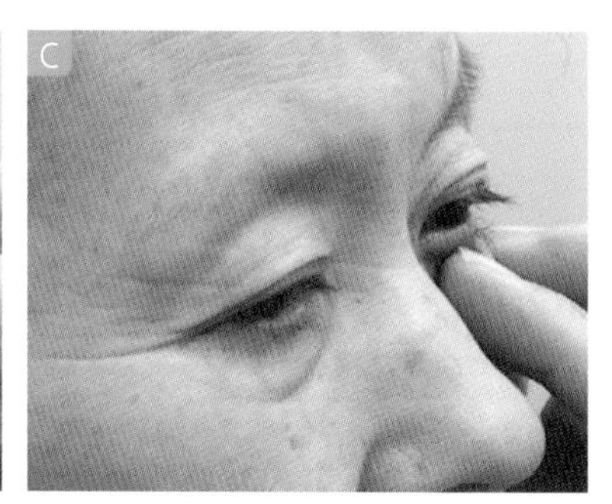


FIGURE 6-5 **하안검 이완 정도를 측정하는 검사.**
**A.** Snap back test. **B.** Distraction test. **C.** Pinch test.

snap back test는 하안검을 손으로 아래로 당긴 다음 손을 떼면 하안검이 올라가 안구에 붙게 되는 속도를 봐서 순간적으로 붙지 않고 느리면 이완증이 있는 것으로 보는 테스트이다.

Distraction test는 눈꺼풀을 손으로 당겼을 때 눈꺼풀이 안구에서 떨어지는 거리를 보고 3-5 mm 정도이면 정상으로 보고 6-7 mm 이상이면 이완증이 심하다고 본다. 10 mm 이상이면 하안검의 수평길이를 단축하는 것을 고려한다.

Pinch test는 하안검 가운데를 손가락으로 집어보고 외측의 눈 가장자리가 당겨져 오면 외안각건이 약화(canthal dehiscence, disinsertion or lenthening)되어 있음을 알 수 있다.

*수술절차*

- 피부절개
- 피하 및 근육 하 박리
- 안와지방 처치
- 중안면 박리
- SOOF 거상
- 외안각건 고정
- 안륜근 거상(orbicularis oculi suspension)
- 전검판 비후 형성(pretarsal fullness, 속칭 애교)
- 피부봉합
- Skin closure

### 피부 절개, 피하 및 근육 하 박리

하안검 속눈썹 2-3 mm 정도 아래를 따라서 피부를 절개하고 외측으로는 crow feet 일치하는 각도로 비스듬히 아래로 간다. 바깥으로 꺾어지는 각도는 예각을 만들지 말고 둥글게 지나가는 것이 외측의 webbing을 방지할 수 있다(FIGURE 6-64). 내측으로는 눈물관 점(lacrimal punctum)을 지나서 안쪽으로 가는 것이 피부를 많이 자르는 경우 dog ear를 방지할 수 있다. 하지만 눈물관 안쪽으로 피부를 절개하더라도 안륜근은 절개하지 않는다. 이곳의 안륜근은 기능상으로 매우 중요한 곳이므로 안면 신경손상을 피해야 한다.

#### *절개선이 속눈썹에 바짝 붙지 않고 2-3 mm 떨어지는 것이 좋은 이유*

절개선의 위쪽으로 올라갈수록 좋다는 말도 있다. 하지만 상연에 바짝 붙는 것보다는 약간 떨어지는 것이 좋다. 이유는

1. 피부가 안와연에서 1-2 mm 정도까지는 매우 얇으나 그 아래부터 갑자기 두꺼워지는 경향이 있다. 그러므로 절개 부위는 얇은 피부와 두꺼운 피부의 경계 지점을 약간 지난 속눈썹에서 2 mm 이하의 피부가 일단 두꺼워진 부위에서 실시하는 것이 좋다. 만일 상방의 피부가 얇은 곳에 절개를 하게 되면 두께 차이가 많은 피부끼리 봉합되므로 표면이 불규칙하며 부자연스럽기 쉽고 피부색깔이나 texture에서도 차이가 나서 봉합선이 눈에 띄일 우려가 있다. 하지만 가끔은 속눈썹 부위부터 피부가 두꺼운 사람도 있는데 이런 경우엔 속눈썹 바로 아래 절개를 할 수도 있다.
2. 안검연 아래 2 mm 부근에서 함몰이 심한 사람이 있는데 그 함몰 부위를 피하는 것이 좋다.
3. 안와연에 절개선이 바짝 붙을수록 작은 피부 긴장(skin tension)에도 쉽게 외반이 일어날 수 있다. 이는 마치 씨름을 할 때 샅바를 바짝 당겨 잡으면 넘기기가 쉽지만 헐겁게 잡으면 넘기기가 어려운 경우와 같다고 할 수 있다.

이 절개선을 통해 처음엔 피하박리를 한다. 피하박리는 외측은 넓게 하고 내측으로는 보다 좁게 한다. 검판 전 안륜근(pretarsal oculi muscle)까지는 피하박리(subcutaneous dissection)를 하고 검판하연 보다 아래에서 안륜근을 소작하면서 절개한다. 안륜근 절개부위는 검판전 불룩함(pretarsal fullness, 속칭 애교)이 빈약한 환자에서 애교를 많이 보강하고자 하는 경우에는 안륜근 절개선을 보다 아래로 가한다. 안륜근 절개는 내측 1 cm 정도는 절개하지 않도록 한다. 이는 안면신경 볼가지(buccal branch)의 외상을 방지하기 위함인데 이곳의 buccal branch는 하안검과 상안검의 내측전검판 안륜근(medial pretarsal orbicularis)과

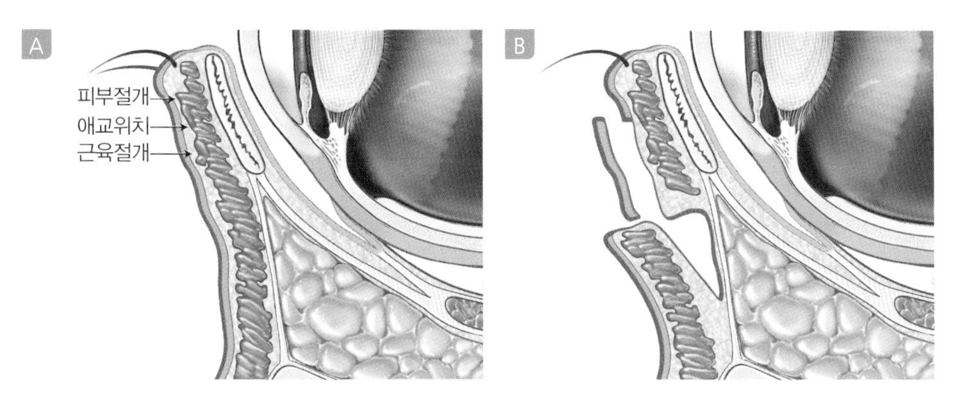


FIGURE 6-6 **피부절개, 안륜근 절개, 안륜근하 박리.**
검판 앞쪽에서는 피하 박리, 그 아래에서는 근육 하 박리한다.

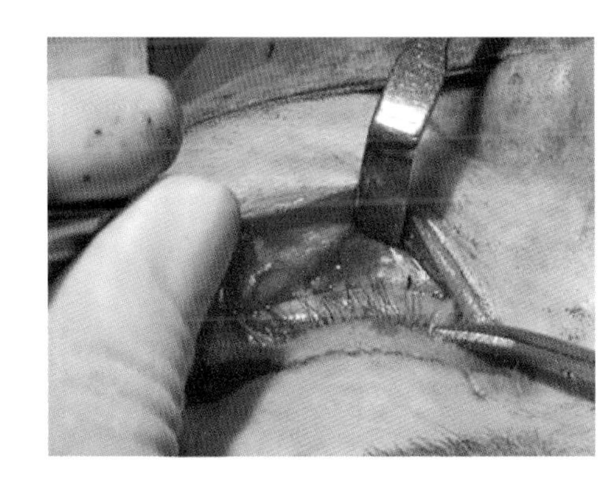

FIGURE 6-7 격막과 안륜근 사이를 박리하여 안와연 (orbital rim)까지 도달한 모습.

procerus muscle에도 분포하기 때문에 가능한 다치지 않도록 신경써야 한다.

안륜근에 절개 후 그 이하에서는 안륜근 아래 박리(submuscular dissection)를 한다. 전검판 안륜근(pretarsal oculi muscle)은 하안검의 tone과 position을 유지하고 검판의 안정감(stability)을 유지할 뿐만 아니라 특히 전검판 안륜근의 내측 부분은 눈의 깜박거림(blinking)과 안구의 눈물분배에도 중요한 역할을 하는 중요한 조직이므로 수술로 인한 외상이 없도록 조심한다. 대개는 검판 하연 4-5 mm 아래에서 안륜근을 열고 안륜근하 박리(submuscular dissection)를 한다(FIGURE 6-6). 너무 위에서 근육을 절개하면 inferior tarsal arcade를 다칠 수도 있고 pretarsal fullness를 만들기도 어렵다. 근육하 박리(submuscular dissection)를 통해서 격막(septum)층 위로 근피판을 거상하여 안와연(orbital rim)까지 도달한다(FIGURE 6-7). 안륜근과 격막 사이 박리 시에는 면봉이나 기구의 blunt tip을 이용하여 격막의 손상을 최소화하여 안와지방의 탈출과 격막의 반흔 구축을 예방한다.

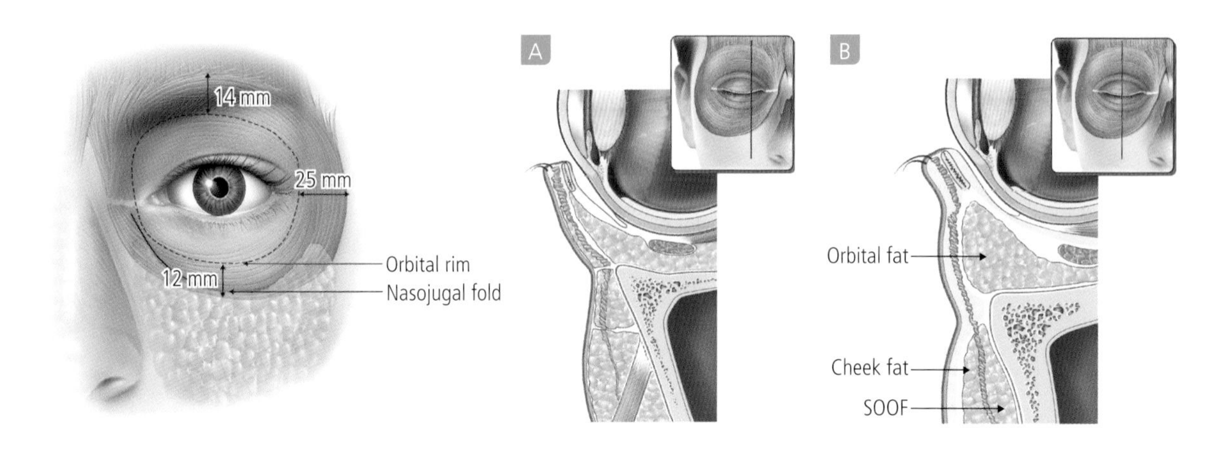


FIGURE 6-8 Nasojugal fold.
A. 내측으로는 안륜근이 골막과 부착 부위에 일치하고 B. 바깥으로 갈수록 orbicularis retaining ligament에 의해 연결되어 간접적으로 안와연과 연결되고 안륜근은 안와연보다 아래 부분의 골막과 연결된다. 또한 nasojugal fold는 cheek fat의 상단과 일치한다. 또한, Preseptal orbicularis muscle이 preorbital로 이행되는 부위가 nasojugal fold와 일치한다. 그러므로 골막으로부터 분리하고 분리된 부위에 orbital fat transposition하는 것은 함몰부위의 볼륨을 보충하는 의미도 있으며 다시 붙는 것을 방지하는 역할이 있다.

*Arcus marginalis release*

안와연(orbital rim)에 도달하면 격막과 안와연의 골막의 연합부위인 arcus marginalis를 release하고 그 아래로 골막상 혹은 골막하 박리(supra-periosteal or sub-periosteal dissection)를 한다. 이때 안륜근이 내측으로는 골막과 견고하게 부착되어 있으므로 이 안륜근을 골막으로부터 확실히 분리한다. 안륜근이 medial limbus 안쪽으로는 직접적으로 안와연에 강하게 붙어 있고 그 바깥쪽으로는 orbitomalar ligament를 통해서 간접적으로 안와연에 붙어 있다. Mendelson은 안륜근 안쪽으로 강하게 붙어 있는 곳에 인대가 있다고 하여 이를 tear-trough 인대라 명하였다. Orbitomalar ligament는 arcus maginalis 바로 아래의 안와연에서부터 안륜근을 뚫고 피부에 연결되는 ligament이다. 이것은 부위마다 안와연에서의 길이가 다르며 눈의 중앙에서 가장 길고 바깥으로 가면서 짧아져서 내안각 부근에서 lateral orbital thickening이 된다.

Nasojugal fold는 다음과 일치한다(Haddock).

- 안쪽으로는 안륜근이 골막과 직접적으로 부착된 부위와 일치한다(FIGURE 6-8).
- 중앙 부위부터 orbitomalar ligament가 피부에 연결된 부위와 일치한다.
- Cheek fat이 시작되는 경계부위와 일치한다(FIGURE 6-8).

- 안륜근의 비교적 얇은 preseptal 부위에서 보다 두꺼운 preorbital 부위로 전환되는 부위와 일치한다.

그러므로 안륜근과 orbitomalr ligament를 골막 부착 부위로부터 분리하고 다시 부착되지 않게 지방재배치를 하는 것이 효과적이다.

## 눈밑 함몰 혹은 평편함(Pretarsal depression or flatness) 교정

검판전 비후의 회복(pretarsal fullness) 또는 애교 수술

### 저자의 pretarsal fullness의 수술방법과 원리

(검판전 안륜근을 두껍게 하고 그 위에 격막전 안륜근과 중복한다. bunching of pretarsal orbicularis muscle and duplication with preseptal orbicularis muscle) 저자의 검판전 융기를 만드는 원리는 검판전 안륜근과 격막전 안륜근을 모두 두껍게 하는 것이다. 즉 검판전 안륜근을 밀어올려(bunching) 두껍게 하고 그 위에 격막전 안륜근을 중복시켜 소위 말하는 애교를 만드는 것인데 이 애교는 위치가 높아야 좋다. 그리고 넓이가 적당해야지 지나치게 아래로 넓으면 투박하게 보이므로 좋지 않다. 애교의 위치가 높게 하기 위해선 검판전 안륜근을 이용하여 두껍게 만들어 주는 것이 효과적이다. 불룩함을 만들고자 하는 위치보다 2-3 mm 아래에서 안륜근을 절개하고 그 아래로는 근육하 박리(submuscular dissection)를 하는 이유는 나중 피부를 봉합할 때 검판전 안륜근이 위로 밀려 올라가 bunching 되어 두꺼워지게 하는 것이 저자의 기본개념이다(FIGURE 6-9).

젊은 나이에서는 평소에도 속눈썹 바로 아래 눈밑의 융기(pretarsal fullness)가 유지되어 있고 웃을 때는 이 불룩함이 더욱 뚜렷해진다. 그러나 나이가 들어가면 속눈썹 바로 아래 안륜근의 tone이 저하되고 안륜근 및 지방 같은 연조직이 위축되거나 아래로 처지게 되어 그곳이 납작해지거나 꺼지게 되어 젊은 때는 온화하고 애교 있어 보이는 표정이 나이 들어 피곤하고 신경질적이며 배타적으로 보이는 쪽으로 변하는 느낌이 있다(FIGURE 6-10). 이를 회복하는 것을 일반인들이 애교복원수술이라고도 한다.

### *수술절차*

- 검판전 안륜근(pretarsal orbicularis muscle)을 여유 있게 남긴다.
- 격막전 안륜근(preseptal orbicularis muscle)을 끌어 올려 검판전 안륜근 위에 중복시킨다

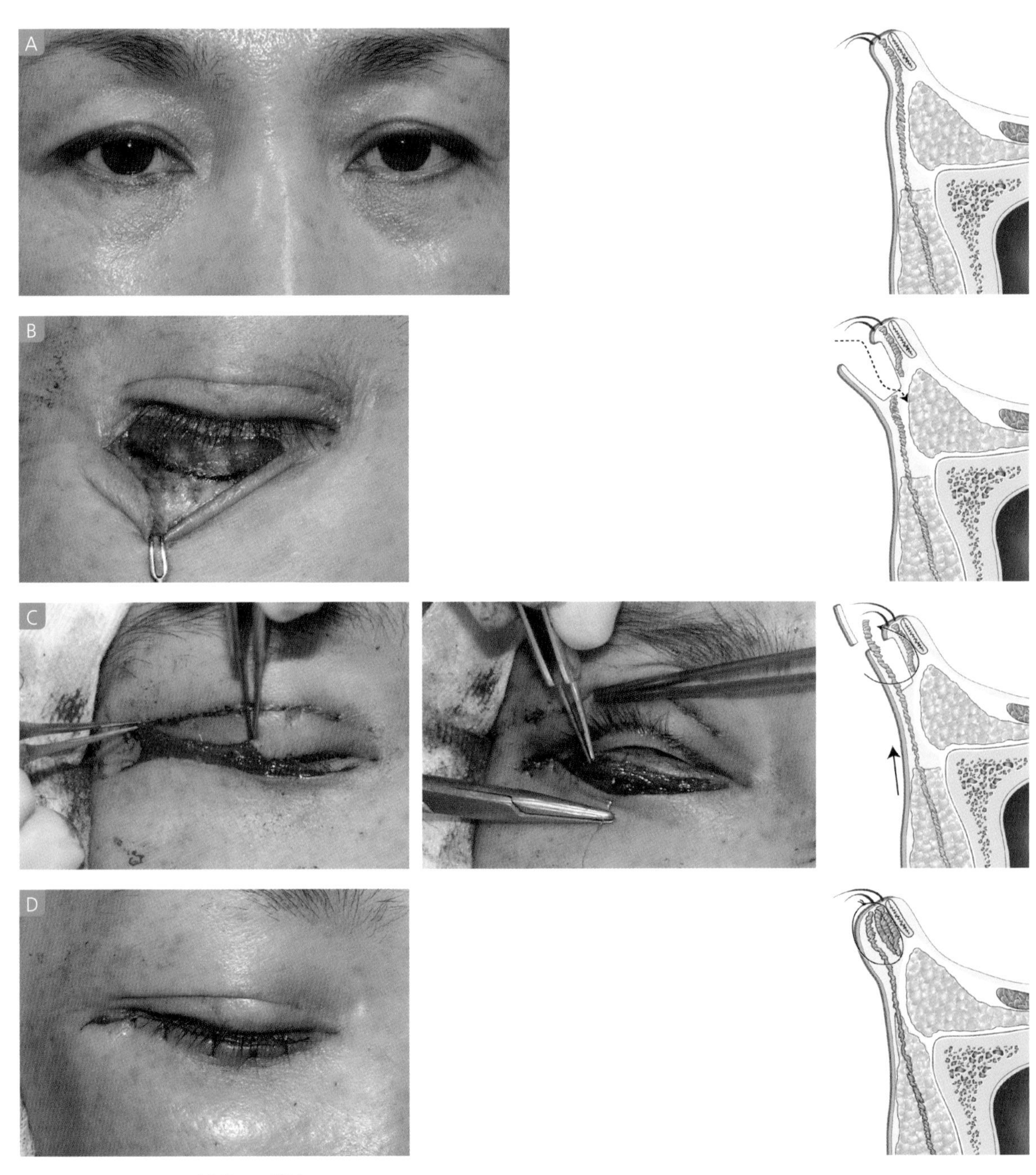


FIGURE 6-9 pretarsal fullness 형성.

A. 수술 전 B. 피부 절개 후 피하박리를 검판 아래 4~5 mm까지 한 다음 근육 하 박리를 한다. 즉 안륜근의 bunching을 만들기 위하여 pretarsal 보다 아래의 preseptal 위치에서 절개선을 가한다. C. 왼쪽, 남는 피부 절제 후 preseptal orbicularis muscle이 남아 있는 모습. 오른쪽, 피부 봉합 시 바늘이 pretarsal orbicularis muscle 아래를 통과함으로 근육의 bunching을 만들고 그 위에 피부 위로 남는 preseptal orbicularis muscle이 중복되게 한다. D. 봉합 후 pretarsal fullness가 형성된 모습.

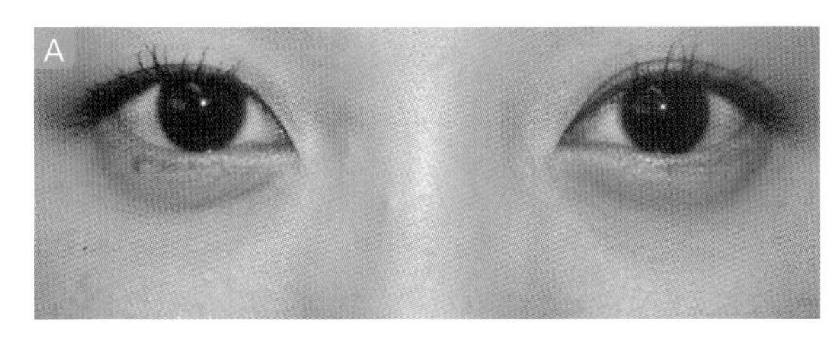


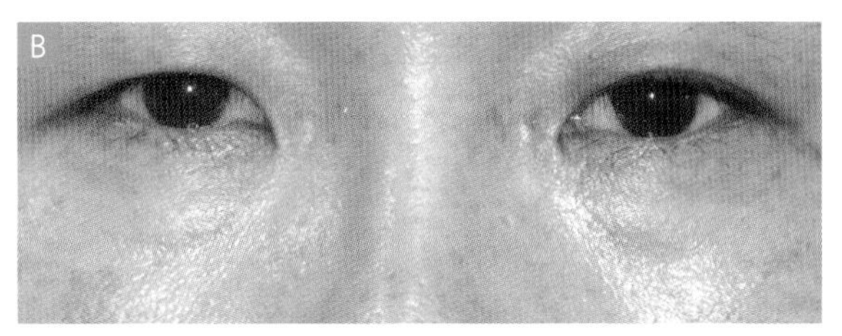


FIGURE 6-10 A. B. 젊은 사람과 나이 있는 사람의 pretarsal fullness 비교

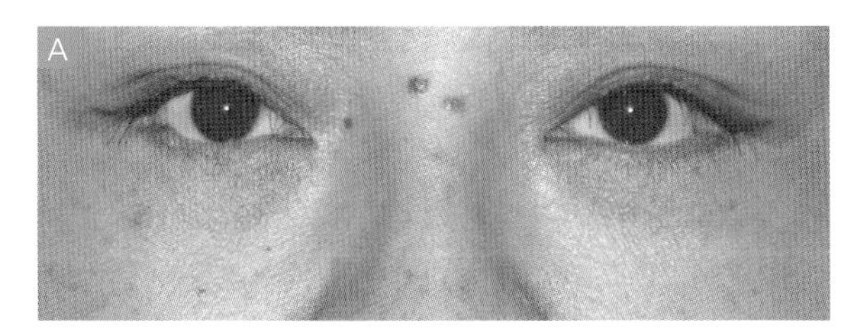


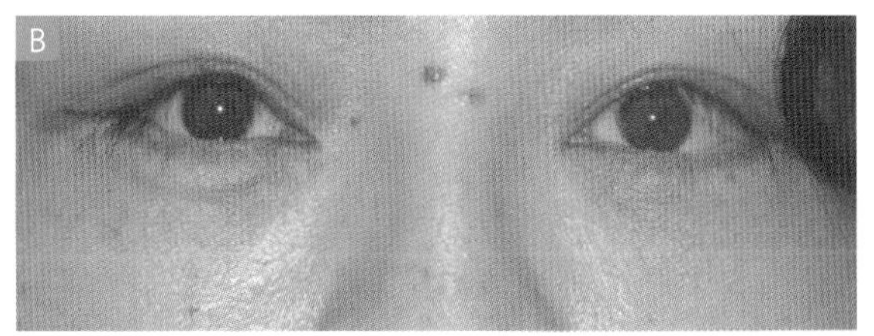


FIGURE 6-11 하안검 수술 중 pretarsal fullness를 만들기 위해 Alloderm 이식 수술 전후.

(orbicularis oculi muscle suspension). 이때 중안면 거상술을 같이 하면 보다 효과적이다.

- 피부봉합 시 6-0nylon으로 intermittent하게 5개 정도로 피부-전격막안륜근-전 검판 안륜근의 하단에서 근육 밑으로 실이 통과하여-피부로 봉합하여 전검판 안륜근이 밀려 올라가게 한다(FIGURE 6-9C).
- 피부봉합 시 피부가 지나치게 긴장이 되지 않게 여유있게 남긴다.
- 안륜근의 거상고정(OOM suspension)으로 인해 안륜근이 팽팽해진다.

애교를 형성하는 데 중요한 것 중 하나는 피부가 여유가 있지 않으면 아무리 안륜근을 두껍게 잘 만들었다 하더라도 효과가 없다는 것이다. 피부주름은 피부절제를 통해서 해결하는 것이 아니라 안륜근 거상고정(orbicularis suspension)에 의해 호전되는 것이므로 애교 형성을 위해서는 피부절제 시 피부를 여유있게 남기는 것이 반드시 필요하다.

이 수술방법은 젊었을 때 속칭 애교가 있는 사람이 나이가 많아지면서 사라진 사람을 회복하는 방법이다. 젊었을 때부터 속칭 애교가 없거나 지난번 수술로 안륜근을 절제해버린 사람에겐 이 방법으로는 효과가 적고 이런 경우엔 안륜근 깊숙이 자가 진피이식 동종진피이식(autogenous dermal graft or allogenic dermal graft)을 추가하는 것이 효과적이다(FIGURE 6-11).

### 중안면 거상(Cheek-midface lift)

중안면(midface)을 위로 당겨 중앙이나 외측의 orbital wall에 거상하는 술기로 다양한 효과를 가지고 있다.

- 중안면의 처짐을 회복할 뿐만 아니라
- 중앙으로는 안륜근과 SOOF가 함께 거상됨으로 infraorbital hollowness를 교정한다.
- 하안검-볼 연결 부위(lid-cheek junction)를 올림으로 하안검의 수직 길이를 줄여 주는 중요한 역할을 하기도 하고
- 안륜근 피판 아래는 SOOF, 위는 관골지방, 볼 지방(malar fat, cheek fat)이 있다. 그러므로 안륜근 피판을 당길 때 피판아래의 SOOF와 피판 상부의 관골지방과 볼지방(malar fat, cheek fat)을 당겨 malar crescent, nasolabial fold에 효과 있다. 그러므로 이 때 안륜근을 중안면피판의 손잡이(handle of midface lifting)이라고 한다.
- 전격막 안륜근(preseptal oculi muscle)의 긴장도를 회복함으로 안와지방이 불룩하게 나온 것(bulging)을 눌러 준다.
- 퇴축(lower lid retraction) 환자에서 부족한 피부(skin shortage)를 보충한다.
- 외안각건이 수술 후 원하는 위치에서 유지되도록 아래에서 위로 떠 받쳐지지(support, buttress)하는 역할을 한다(canthal anchoring 보조역할).

하안검을 통한 중안면 거상술은 일반적인 안면 거상술(face lift)에 비해 거상 방향이 보다 수직방향이어서 보다 더 효과적이고, 탄력성이 좋은 안륜근을 질긴 외안각 골막이나 깊은 측두근막(deep temporal fascia)에 고정할 수 있어 보다 견고(secure)한 수술이다.

#### 수술방법

위에서 설명한 절차를 거쳐 안륜근과 격막 사이로 안와연까지 박리한 후 arcus marginalis를 분리한다. 내측으로는 골막에 견고하게 붙어 있는 안륜근을 확실히 박리하고 중앙이나 외측에서는 안륜근이 orbicularis retaining ligament에 의해 간접적으로 골막에 연결되어 있으므로 이를 절개하면 하방으로 골막과 SOOF 사이가 쉽게 박리된다. 또한 orbicularis retaining ligament가 외측으로 연결되어 있는 것을 lateral orbital thickening이라고 하는 데 이것을 확실히 박리하고 그 아래에 zygomatico-facial nerve 주위로 zygomatico-facial ligament (zygomatic cutaneous ligament)를 분리하면 중안면이 비교적 자유롭게 움직이게 된다. 이후로 박리는 골막 아래로 박리할 수도 있고 골막 위로 박리할 수도 있다.

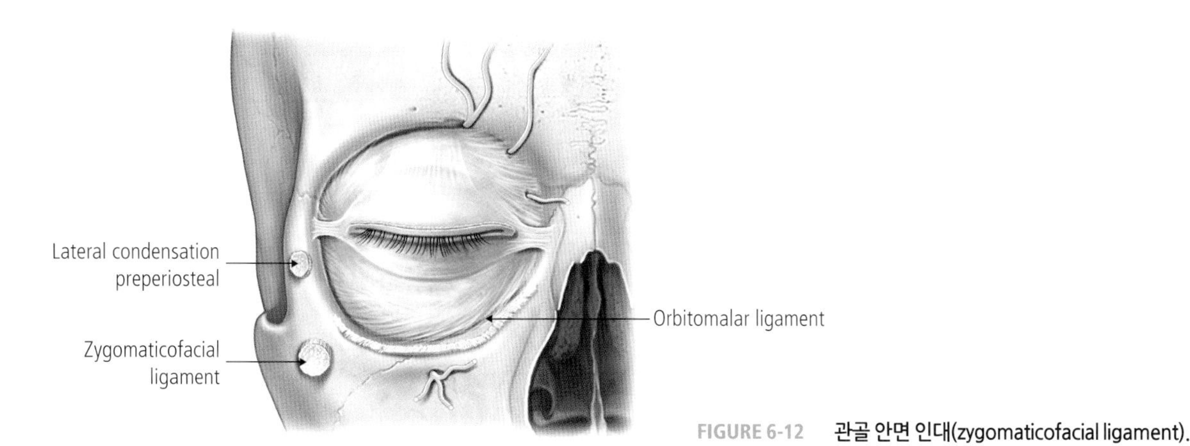


FIGURE 6-12 관골 안면 인대(zygomaticofacial ligament).

### *골막상 박리(supraperiosteal dissection)*

안하연에서 골막과 SOOF 사이를 분리 박리한다. 하안와신경(infraorbital nerve)을 조심하면서 내측으로는 상구순거근(levator labii superioris muscle) 위로 박리하고 외측으로는 골막전 지방(preperiosteal fat)과 SOOF 사이를 박리한다. 안와하연 아래 대, 소협골근(major, minor zygomatic muscle)이 기시하는 것을 볼 수 있는데 이 부위에서 zygomaticocutaneous ligament가 광대뼈와 피부와 연결되어 있으므로 이것을 분리하고 아래로는 alveolar bone이 시작되는 위치까지 갈 수 있으나 환자의 처짐 정도에 따라 박리 범위를 가감한다(FIGURE 6-12).

중안면 거상술에서 보다 많은 피부 거상을 위해서는 중안면 피판이 얇아야 효과가 있다. 피판이 두꺼우면 깊은 조직은 거상되더라도 피부와 안륜근 즉 얕은 쪽은 많이 거상되지 않는다. 특히 하안검 외반을 교정할 때는 anterior lamella가 충분히 거상되어야 된다. 그러기 위해서는 피판이 얇은 경우에 많은 효과를 볼 수 있다. 그러므로 저자는 anterior lamella의 많은 거상을 위해 prezygomatic space로 박리(FIGURE 6-13)하기도 하고 반흔 조직이 많은 경우에는 골막하 박리(subperiosteal dissection)를 하기도 한다(FIGURE 6-14). Prezygomtic space는 Mendelson 등에 의하면 그 경계가 위로는 orbicularis retaining ligament에서 아래로는 zygomaticocutaneous ligament이며 내측으로는 levator labii superioris의 안쪽, 바깥 쪽으로는 관골이며 전방은 SOOF, 후방은 preperiosteal fat으로 이루어져 있다. 그리고 premaxillary space는 prezygomatic space의 안쪽으로 바닥은 levator labii superioris muscle, 천장은 SOOF와 안륜근, 위쪽 경계는 tear through ligament, 아래는 maxillary ligament 이다. 이 prezygomatic space와 premaxillary space를 전후로 전방 조직인 피부와 안

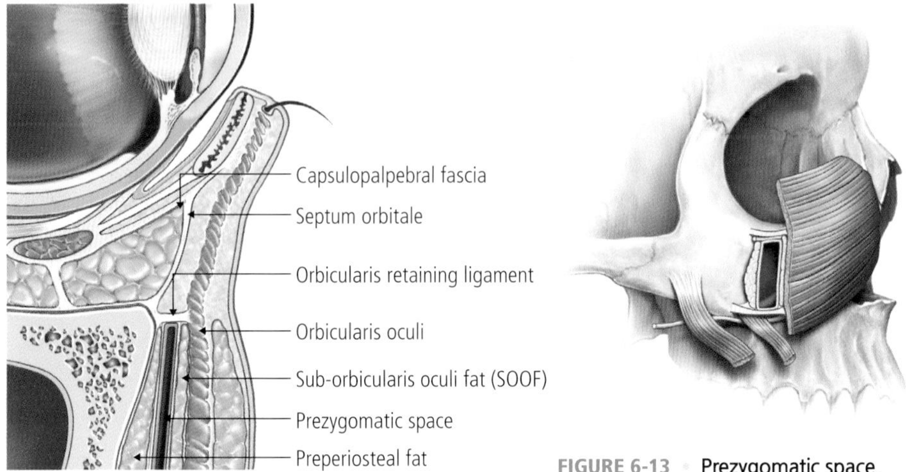


FIGURE 6-13 · **Prezygomatic space.**

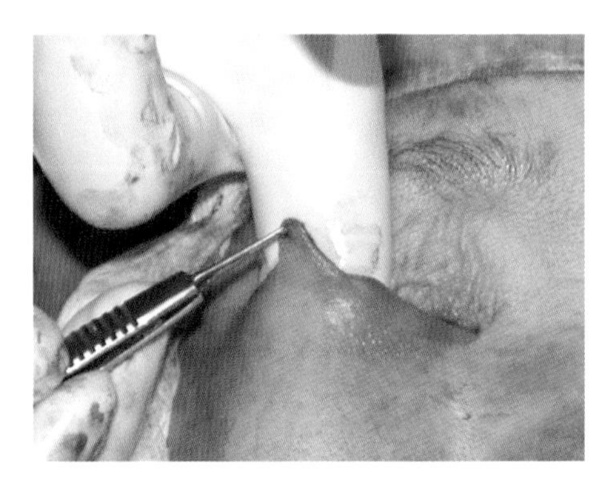

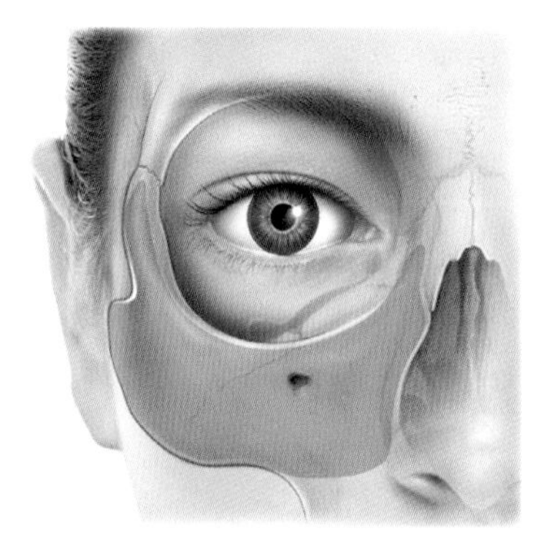

FIGURE 6-14 · **골막하 박리.** finger stretching

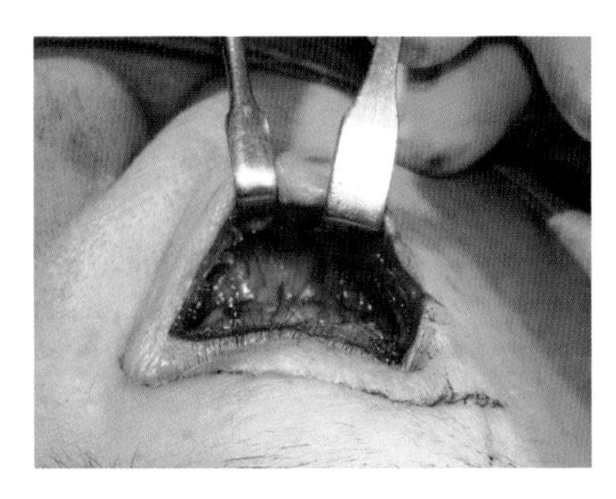

FIGURE 6-15 · **prezygomatic space 와 premaxillary space 박리.**
골막 위 preperiosteral fat과 SOOF 사이로 박리한 모습. 바닥에 preperiosteal fat이 보인다.

륜근 및 SOOF는 비교적 쉽게 아래로 처지고 후방 조직인 preperiosteal fat과 levator labii superiosis muscle과 골막 조직은 뼈에 단단히 붙어 있으므로 처지지 않는다. 그러므로 뼈에 단단히 붙어 있는 후방 조직은 거상할 필요가 없을 뿐더러 얇은 조직이 피부의 거상을 보다 더 효과적으로 만들기 때문에 저자는 prezygomatic space와 premaxillary space에서 박리하는 것을 선호한다(FIGURE 6-15). 특히 피부 부족으로 인해 하안검의 scleral show가 있는 경우에는 박리를 얇게 하기도 한다.

그리고 중안면을 박리할 때 연조직을 자르면서 박리하지 않고 조직가위를 세로로 벌려서(spreading) 벌집 모양으로 여러 개의 구멍을 내고, 거상기(elevator)로 스트레칭시키면서 당기면 비교적 신축성 있게 조직이 올라옴을 볼 수 있다. 이 방법은 수술이 비교적 간편하고 빠르며 perforating vessel을 자르지 않으므로 출혈이 적고 안면신경을 다칠 염려가 적고 부종이 적으며 회복이 빠른 장점이 있다. 이렇게 보다 얇은 피판의 장점은 일반적인 골막상박리(supraperiosteal dissection)에 비해 적고(atraumatic), 피판이 보다 얇기 때문에 피부 거상이 효과적이다(FIGURE 6-13).

### *골막하 박리(subperiosteal dissection)*

하안연(inferior orbital rim) 아래 5 mm 하방에서 골막에 수평 절개선을 가하고 여기서부터 골막 아래로 박리를 시행한다. 안와연(orbital rim) 근처에 골막을 남겨두는 이유는 안와연에 suspension suture할 때 골막이 있으므로 견고하기 때문이다. 내측으로는 상구순거근(levator labii superoris) 아래로 박리하면서 비골부근에서 nasomaxillary suture line까지, 외측으로는 lateral orbital thickening과 관골 안면 신경(zygomatico-facial nerve)을 보존하면서 zygomatico-facial ligament를 박리하고 Zygomatico-maxillary suture line까지 가면서 아래로는 관골인대(malar retaining ligament)를 박리하면 나머지는 쉽게 박리된다. 동양인에서는 수술 후 눈의 바깥 쪽 관골 부위가 불룩해지는 것을 싫어하는 경향이 있기 때문에 외안각 외측으로는 박리하지 않는 경향이 있다. 관골의 하연(inferior margin of malar bone)까지 박리

TABLE 6-1 Subperiosteal dissection VS Supraperiosteal dissection.

| 골막 아래 박리(subperiosteal dissection) | 골막 위 박리(supraperiosteal dissection) |
|---|---|
| 출혈이 적다.<br>안면 연조직 혈액공급 장애 발생이 적다. | 출혈이 많다.<br>안면 연조직 혈액공급에 장애가 발생할 수 있다. |
| 조직 손상이 적다(atraumatic).<br>안면 신경 손상 가능성 적다. | 조직 손상이 많다.<br>안면 신경 손상 가능성 있다. |
| 신축성이 적다. | 신축성이 좋다. |
| 박리가 쉽지만 광범위 박리 필요하다. | 광범위한 박리를 하지 않을 때도 적지 않은 효과가 있다. |
| 2차 수술로 지난번 수술에서 골막 위 박리가 있는 경우 | Conservative surgery에 효과적 |

하고 아래로는 buccal sulcus 부위까지 입속에 손가락을 집어넣어 골막거상기와 손가락이 닿을 때까지 골막을 박리하고 골막이 상하좌우로 관골과 치조골(alveolar bone)로부터 자유롭게 움직일 수 있도록 하고 손가락을 넣어서 확인한 후 reverse 골막거싱기나 손가락으로 아래위로 서로 잘 늘어지도록 스트레칭 시키면서 당겨준다. alveolar bone 근처에서는 골막이 얇거나 피열(dehiscence)되어 있으므로 굳이 골막 절개를 할 필요가 없고 스트레칭을 하면 쉽게 늘어진다. 박리를 적게 할 때는 골막에 절개를 가한 후 조직을 당겨 늘어지게 한다. 이 박리 과정 중 박리를 쉽게 하기 위하여 zygomaticofacial nerve를 절단할 수도 있는데 그래도 가능한 한 살린다. 절단하더라도 감각손실은 아주 작거나 일시적이다.

골막 아래 박리는 골막 위 박리에 비해서 박리가 수월하고 혈관이 없는 층(avascular layer)이므로 출혈이 없지만 골막이 신축성이 없는 조직이므로 광범위한 박리를 요하거나 골막에 절개선을 넣어 잘 늘어날 수 있게 하는 작업이 필요하다. 골막이 있을 때와 없을 때 늘어나는 정도가 1.5배의 차이가 있다고 간주된다(Hamra). 골막위로 박리하면 조직 손상이 일어날 위험이 있지만 피판에 질긴 골막이 없기 때문에 위로 당길 때 신축성 있고 부드럽게 당겨져오는 장점이 있으므로 많이 박리하지 않는 경우에도 효과를 볼 수 있다. 그리고 피부 부족을 보충하는 것은 피판이 얇을 때 더 효과적일 수도 있다. SOOF와 안륜근을 거상할 때 중안면 피판이 두꺼워질수록 피부가 거상되는 효과가 약해진다. 골막상 박리와 골막하 박리의 차이는 마치 가까운 곳을 산책하는 사람에게는 가벼운 운동화가 편리하지만(골막상 박리) 멀고 험한 산(외반증이 있는 2차 수술)에 갈 때에는 강한 등산화(골막하 박리)가 필요한 것과 같은 원리이다. 조직에 반흔이 많은 2차 수술일 경우에는 골막하가 출혈이 적고 atraumatic하다.

### 중안면 거상술엔 통과세를 내야 한다

중안면 거상술 수술 후 외반증이나 scleral show가 발생할 가능성이 높다. 그런데 중안면 거상술은 scleral show가 발생하였을 때 하안검의 피부 부족을 보완하기 위해 사용한다. 즉, 중안면 거상술이 피부 부족을 해결하기도 하고 피부부족을 일으키기도 하는 이율배반적인 효과가 있다. 그 이유는 중안면 거상술 후 광범위한 박리로 인한 반흔구축(scar contracture)이 일어날 수 있기 때문이다. 특히 박리 도중 주위조직에 외상(trauma)을 일으키거나 혈종형성인 경우 반흔 구축은 더욱 심하다. 그러므로 하안검 피부 부족(skin shortage)을 교정하기 위해 중안면 거상술을 시행할 경우에는 구축으로 인해 줄어들 것을 예상하고 그 만큼을 더 당겨 주어야 한다. 즉 중안면 박리를 들어가려면 기본적인 통과세(반흔 구축이 증가된다)를 지불하고 그 지불한 것보다 더 많은 성과를 가져오도록 해야 효과를 볼 수 있다.

### 지방 재배치(Fat transposition)

불룩하게 나온 안와지방은 nasojugal fold 유무에 따라서 단순히 절제하거나 재배치를 septal reset 방식으로 한다. 지방재배치는 tear trough을 교정하는 데 도움이 된다.

Tear trough은 안륜근의 preseptal 부분과 preorbital 부분의 경계부위가 골막에 부착되는 부위와 일치하고 cheek fat의 경계부위와도 일치하므로(FIGURE 6-8) 지방재배치는 함몰되어 있는 부위에 볼륨을 강화시키는 역할 외에도 안륜근이 골막에 다시 부착되지 않도록 하는 효과도 있다. 지방 재배치는 안쪽으로는 이미 거상된 안륜근 아래로, 중앙부위는 거상된 SOOF 아래로 안와지방을 재배치한다. 중앙의 지방(central fat pad)은 medial 방향으로 당겨 재배치한다. 중앙지방을 옮길 때 당기는 느낌이 있는 격막은 약간 release해준다. 바깥쪽 지방(lateral fat pad)은 palpebro-malar fold가 뚜렷하면 재배치할 수도 있고 때로는 약간 제거하기도 한다. 바깥쪽 지방은 외안각건 교정술(canthal anchoring)후 좀 더 불거져 나오는 경향이 있으므로 확인이 필요하다. 지방 재배치 후엔 반드시 하안검의 위치가 지방 재배치로 인하여 하향되지 않았는지 확인해보고 혹시라도 하향이 되어 있으면 주변의 당기고 있는 조직이나 격막을 풀어(release)주어야 한다. 지방 재배치 후 격막의 당김에 의해 퇴축이 발생할 수 있으므로 주의하여야 한다.

지방재배치 때 격막을 함께 재배치하여 septal tightening 효과를 기대할 수도 있고 격막을 열고 지방만 재배치할 수도 있지만 저자는 대개 격막이 늘어져 있기 때문에 격막을 함께 재배치하는 경향이 있다. 격막을 함께 재배치할 때는 격막의 긴장에 의해 하안검이 아래로 당겨지지 않는지 꼭 확인하고 당겨지면 풀어주어야 한다.

어느 위치에 지방을 내려 재배치하는 것이 적절한가 하는 것은 앉은 자세에서 nasojugal fold와 palpebral malar fold를 그려서 표시하고 그 선아래 infraorbital hollowness의 일부를 포함하여 교정하기 위하여 fold 아래 4-5 mm 정도 위치에 지방을 재배치한다. 중앙에서는 안와연에서 약 1cm 정도 된다(FIGURE 6-16). nasojugal fold는 anterior lamella의 ① cheek fat이 시작되는 경계 부위이고 ② 얇은 preseptal oculi muscle과 좀 더 두꺼운 preorbital oculi muscle의 경계 부위이므로 얇은 anterior lamella에서 두꺼운 anterior lamella로 바뀌는 경계가 주된 원인으로 지적되고 있다(Haddock). 이것은 손으로 만져보면 그 두께의 차이를 감지할 수 있다. 그러므로 nasojugal fold가 매우 뚜렷하거나 acute한 사람에게서는 저자는 손으로 감지된 anterior lamella의 cheek fat이 시작되는 부위 바로 아래의 anterior lamella에 안와지방을 고정한다(FIGURE 6-17). 어느 위치에 지방을 재배치하는 것이 적절한가 하는 것은 지방주사 이식할 경우에도 응용하면 좋은 참조가 될 것으로 생각된다.

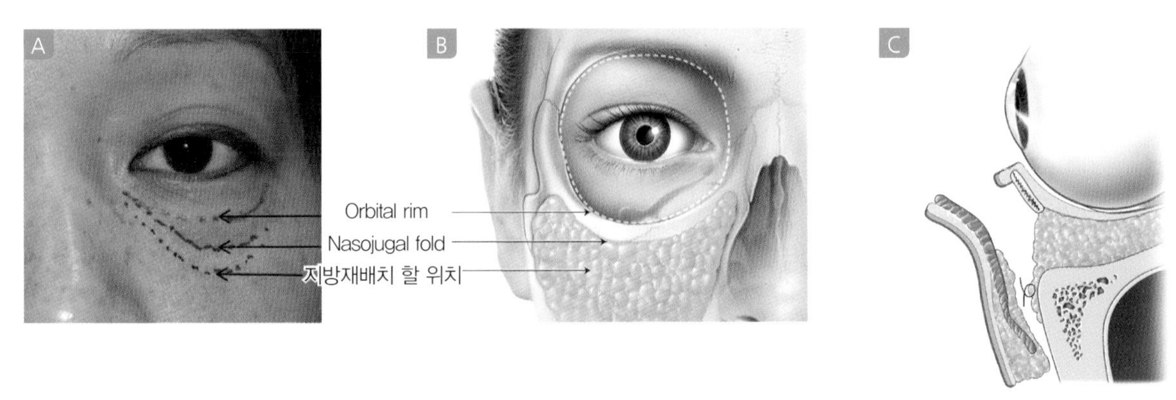


FIGURE 6-16 Fat transposition.
A. nasojugal fold와 palpebromalar fold는 cheek fat의 상단과 일치한다. 내측은 안륜근이 안와연에 직접 붙어 있다. B. Fat transposition의 위치는 cheek fat의 상단-nasojugal fold보다 4~5 mm 아래이다. Nasojugal fold와 안와연(orbital rim)과의 관계. C. 지방재배치와 SOOF 거상.

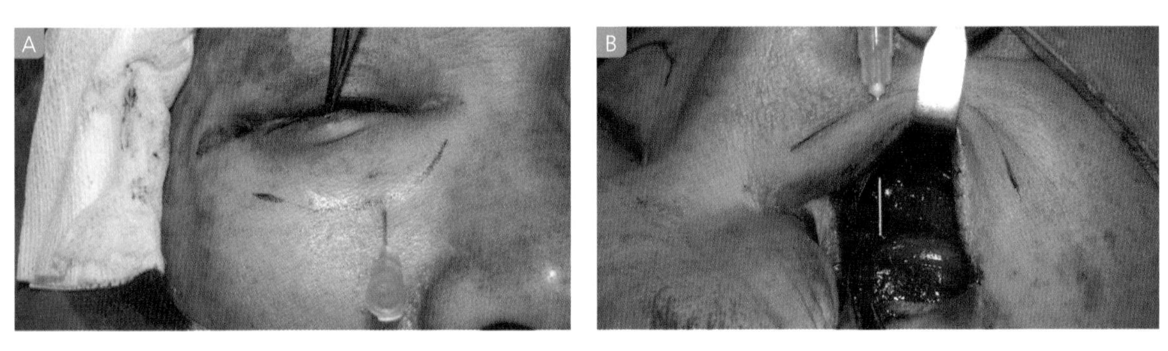


FIGURE 6-17 Anterior lamella에 지방재배치.
A. Nasojugal fold 4~5mm 아래 바늘을 수직으로 찔러. B. 안륜근 쪽에 지방 이식할 위치를 정한다. 바늘이 나오는 지점이 보인다.

이때 지나치게 과다한 지방은 약간 제거할 수도 있지만 재배치 이후에도 남는 지방을 제거하는 경우는 매우 드물다. 심한 지방 제거는 ① 하안검 자체의 함몰을 일으키고 ② 안구가 안쪽으로 들어가며 아래로 떨어지는 영향이 있어 피곤해 보이고 늙어 보이는 문제를 유발하고(enophthalmos, downward displacement) ③ 윗 눈꺼풀의 함몰: 안구가 아래로 떨어지므로 안구와 윗 안와의 천장사이가 넓어짐으로 또는 지방 회전원리(Rouleau phenomina)에 의해 꺼지기도 하고 ④ 격막과 퇴축기의 구축성 유착을 일으킬 수 있으므로 조심해야 한다(FIGURE 6-18B). 지방은 septum과 capsulopalpebral fascia 사이에 위치에 있으면서 ball bearing 역할을 하고 있는데 지방을 많이 제거하면 이곳의 지방이 아래로 내려가고 septum과 capsulopalpebral fascia가 밀착하게 된다. 그러므로 수술 후 septum의 염

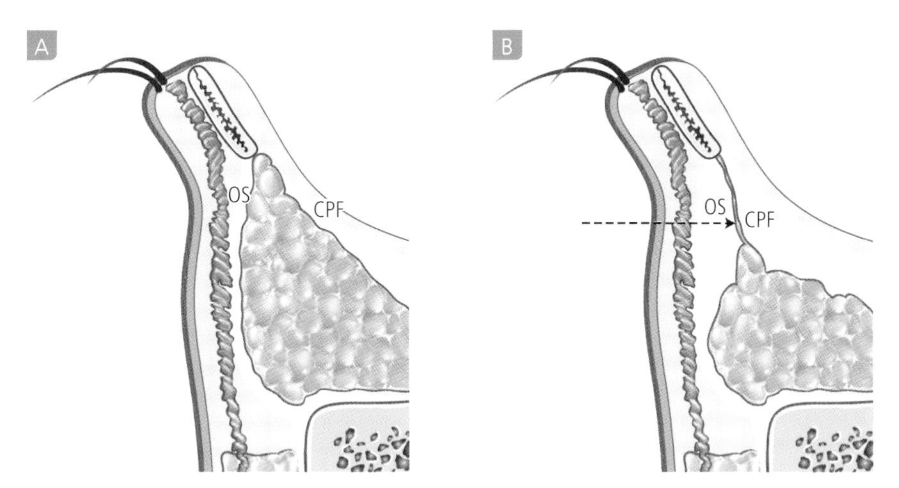


FIGURE 6-18 A. 지방 제거 전. B. 지방 제거 후. 지방을 많이 제거하면 위의 capsulopalpebral fascia(CPF)와 격막(OS) 사이 지방이 빠져나감으로 두 조직이 붙게 된다. 그러면 격막의 염증성 수축이 곧 바로 CPF에 전달되어 퇴축이 일어나기 쉽다. -----► 격막과 CPF가 붙어 있는 자리.

증성 반응이 일어나면 지방이 있는 경우엔 큰 문제가 일어나지 않으나 지방이 없어지면 염증성 반응으로 인한 구축이 바로 capsulopalpebral fascia에 전달되어 함께 구축을 일으키게 된다(FIGURE 6-18).

### Anterior lamella에 지방을 재배치하는 방법

Nasojugal fold가 매우 또렷하고 sharp한 경우가 있다. 이때는 지방 재배치를 정확한 위치에 해야 효과적이다. 그러기 위해선 지방재배치를 anterior lamella에 하는 것이 보다 정확하다.

Anterior lamella가 midface lift 이후에 위치가 올라가기 때문에 이동되는 조직에 고정하는 것이 골막에 고정하는 것보다 정확하다. Nasojugal fold는 cheek fat의 윗 경계와 일치하고 안륜근의 preseptal portion과 preorbital portion의 경계 부위와 일치하는데 이는 모두 anterior lamella에 속하기 때문이다(FIGURE 6-19).

수술방법은 위에서 설명한 바와 같이 안와연에서 골막상 박리를 하고 난 후 피부를 손으로 누르면 부기가 일시적으로 빠지면서 cheek fat의 상연과 안륜근이 두꺼워지는 lid-cheek junction이 또렷하게 나타난다. 즉 nasojugal fold가 선명하게 나타나면 그 fold를 따라서 4-5 mm 아래에 나란히 선을 긋고 그 선에서 수직으로 바늘을 찔러 하안검 안쪽으로 바늘이 나오는게 보이면 그 위치의 안륜근에 지방을 suture한다(FIGURE 6-17). 3-4곳에

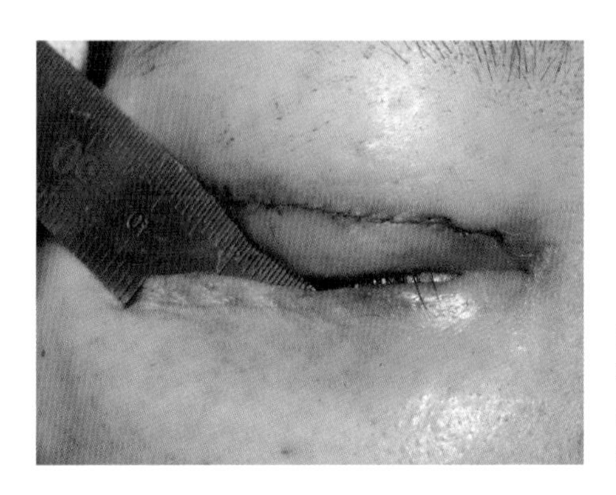

FIGURE 6-19 anterior flap과 posterior flap 사이에 철판을 넣어 봐도 nasojugal fold가 전혀 호전되지 않으나 거즈로 채우면 확실히 호전되는 것으로 nasojugal fold는 주요 문제가 anterior flap에 있음을 알 수 있다.

지방을 재배치한다. 이렇게 하면 또렷한 nasojugal fold를 따라 정확한 위치에 지방을 재배치할 수 있다.

## 경결막(Transconjunctival) 지방제거 및 지방 재배치술

경결막 지방제거 및 지방재배치술은 피부가 심하게 늘어진다든가 하는 피부 문제가 없이 단순히 안와지방의 돌출이나 nasojugal fold를 개선하고자 하는 경우거나 피부 문제는 레이저 등 다른 수술방법으로 처리하는 경우에 시행하는 수술방법이다. 경결막 수술은 더 나아가 중안면 거상술까지 시행되고 있다. 이는 눈에 보이는 흉터가 남지 않는다는 점 외에도 경피

접근법(transcutaneous approach)이 검판전 안륜근으로 가는 안면 신경 가지를 손상시키거나 anterior lamella의 반흔 구축을 가져 올 수 있다는 점을 고려하여 합병증의 위험을 최소화한다는 목적으로 경결막 접근법을 선호하는 경향이 있다.

### 지방제거술

하안검 지방돌출증은 누운 자세에서 보다는 앉은 자세에서 더 뚜렷하게 나타난다. 그러므로 지방제거 후 확인은 앉은 자세에서 해야 한다. 앉은 자세가 힘든 경우엔 앉은 자세와 같은 정도로 지방이 불룩한 상태가 되도록 누운 자세에서 안구를 눌러보고 눌리는 정도를 기억하여 지방 제거 후에 확인한다.

수술은 앉은 자세에서 눈밑 지방이 내측에만 불룩하게 있는지 외측 어느 부위까지 얼마만큼 지방이 불룩하게 나와 있는지 양쪽이 어느 정도 차이가 있는지를 잘 관찰하고 누

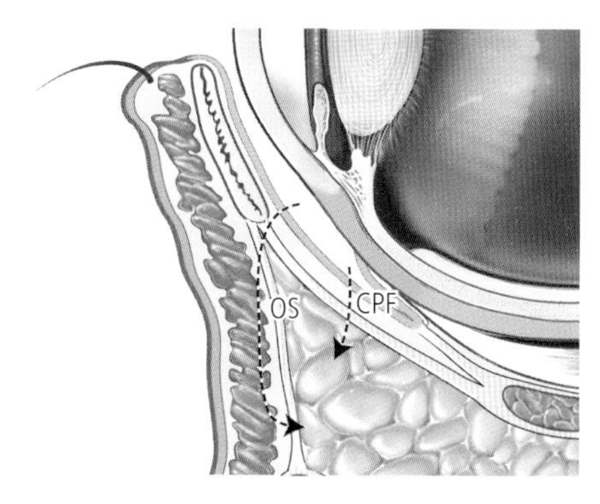


FIGURE 6-20 **전격막 접근법과 후격막 접근법.**
OS: orbital septum, CPF: Capsulopalpebral fascia.

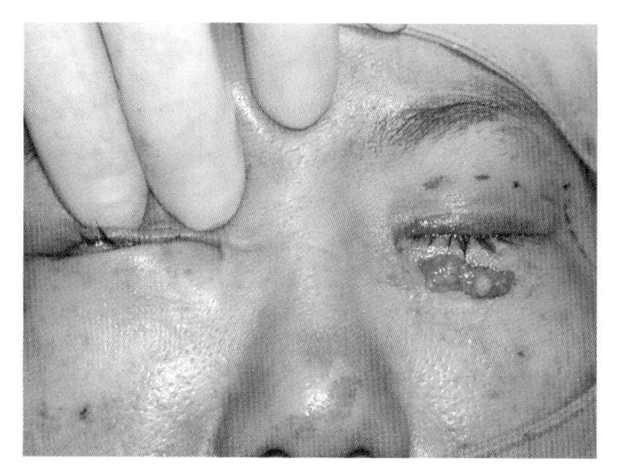

FIGURE 6-21 **왼쪽 지방제거 모습.**
오른쪽 지방 제거 후 눈동자를 눌러 보아서 더 제거할지 결정한다.

운 자세에서 눈에 점안 마취액을 떨어뜨린 후 결막에 국소마취제를 주사한다.

절개 부위는 전격막(preseptal) 접근법과 후격막(retroseptal) 접근법에 따라서 나누어진다. 전격막 접근법은 검판의 1-2 mm 아래(안검연에서 5-6 mm 아래)의 결막에 10 mm 이하의 절개를 가하고 격막과 안륜근 사이를 따라서 하안연(inferior orbital rim)까지 박리한 다음 하안연 부위에서 격막에 1 cm 정도의 절개를 가하고 안구를 눌러 삐져 나온 지방을 전기소작하고 제거한다. 후결막 접근법은 검판의 5-6 mm 아래에 결막에 절개를 가하고 바로 질긴 capsulopalpebral fascia를 열고 하안연을 향하여 접근하여 지방을 제거한다(FIGURE 6-20).

초심자는 안와지방을 찾는 데 어려움을 겪는 수가 있는데 가장 손쉬운 방법은 결막 절개 후 한쪽 손으로 안와연을 느끼면서 곧바로 안와연 쪽으로 가서 안와연 안쪽에서 지방을 찾으면 된다.

지방 제거한 양이 적당한지 확인하는 방법은 수술부위를 약간 눌러서 부기를 약간 줄인 다음 앉은 상태에서 눈을 뜨고 확인하는 것이 좋으며, 앉은 자세가 어려운 경우엔 안구를 눌러보고 지방 돌출 정도를 파악하는데, 얼마나 누르는 것이 적당한지는 수술 전 누운 상태에서 안구를 눌러보면서 앉은 자세에서의 같은 지방 돌출 정도와 같게 하려면 어느 정도 눌러야 하는지 정도를 미리 파악한다(FIGURE 6-21).

지방 제거 후 결막은 봉합하지 않고 그대로 둔다.

단순히 지방만을 제거하는 수술은 피부가 팽팽하면 별 문제가 없고 불룩함으로 상대적으로 꺼져 보이던 nasojugal fold가 완화되어 보이는 효과가 있지만 때로는 30세 이후에 피부가 덜 팽팽하고 주름이 생기기 시작하는 정도일 경우에 지방 제거 후에 없던 주름이 생겼다고 불평할 수 있다. 또 과도하게 지방이 제거되어 불룩한 것도 문제지만 꺼진 것도 문제가 될 수 있으므로 조심해야 한다.

### 경결막 지방재배치술

nasojugal fold를 미리 표시하고 nasojugal fold보다 5 mm 정도 아래에 지방을 재배치할 곳으로 표시해 둔다. 점안 마취액을 떨어뜨린 다음 국소마취제를 주사하고 전격막 접근법(preseptal approach)으로 1.5 cm의 결막을 절개하고 안륜근과 격막을 분리하여 하안연까지 도달한 다음 orbital retaining ligament에 절개를 가하고 골막상 혹은 골막하 박리를 한다. 골막하 박리의 경우 골막에 절개를 한 다음 골막하 박리를 한다. 골막상 박리는 levator labiisuperioris 위로 한다. 안륜근이 안쪽으로는 안와연에 견고하게 붙어 있어 박리가 힘들고 중앙으로 가면 orbital retaining ligament를 통해서 안와연에 느슨하게 붙어 있으므로 분리가 쉽다.

안와연에서 격막(septum)을 절개한 다음 지방을 꺼낸다. 때로는 격막이 늘어져 있어 저자는 결막에 절개 없이 지방이 격막에 싸여 있는 채로 이동하는 경우가 많다. 지방을 다룰 때는 inferior oblique muscle에 손상을 입지 않도록 조심해야 한다. 이 근육은 안와연 안쪽으로만 들어가지 않으면 위험하지 않다. 이 근육은 안와지방을 내측과 중앙 pad로 나누고 있다. 안와지방을 double-arm 긴 바늘로 안륜근이나 SOOF 아래에서 피부바깥으로 3-4곳 pull-out suture하여 고정하고 수술 후 4일에 발사한다. 이때 중요한 점은 ① 지방을 꺼내어 지방에 연결되어 있는 결체 조직을 지방으로부터 분리하여 지방을 자유롭게 두어도 지방이 안와 쪽으로 당겨져 들어가지 않고 그대로 있을 정도가 되도록 tension free 해야 하며(**FIGURE 6-22**) ② 지방을 atraumatic 취급하여 지방 흡수가 적게끔 하고 ③ 지방 이동할 pocket의 박리가 내측 부위에서 충분히 이루어져야 하며-내측으로는 안륜근이 안와골에 질기게 붙어 있다. ④ Anterior lamella에 지방을 전이할 때 속에서 바늘이 안륜근으로 들어가는 위치가 중요하다. 그 위치가 nasojugal fold 아래 최소 0.5 cm 정도, 안와연에서 1 cm 정도는 되어야 하며 바늘이 피부 바깥으로 빠져 나오는 위치는 별로 중요치 않다. 바깥으로 나온 실은 두꺼운 duoderm 위로 bolster suture한다. 피부 splint 용으로 microform을 붙여 둔다. 절개된 결막은 절개면을 잘 맞추어 7-0PDS로 매듭이 속으로 들어가게 결찰한다.

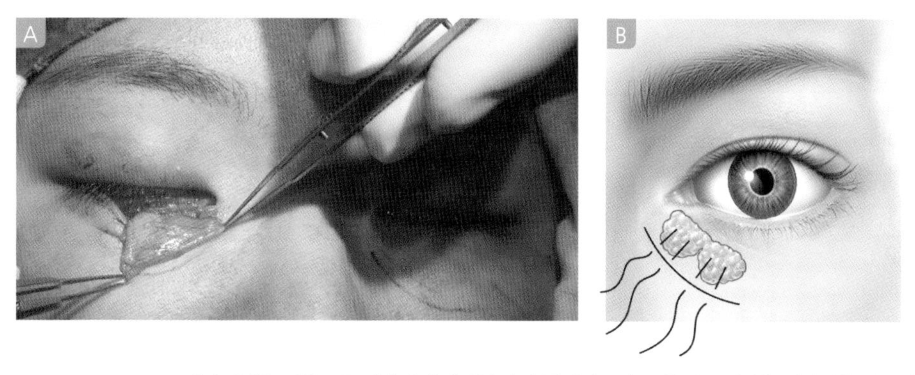


FIGURE 6-22 **A.** 안와지방을 바깥으로 빼내어 재배치하기 전 펼쳐진 모습. 왼쪽 눈, 지방을 재배치할 위치가 nasojugal fold보다 5 mm 정도 아래에 그려져 있다. **B.** 지방재배치한 상태.

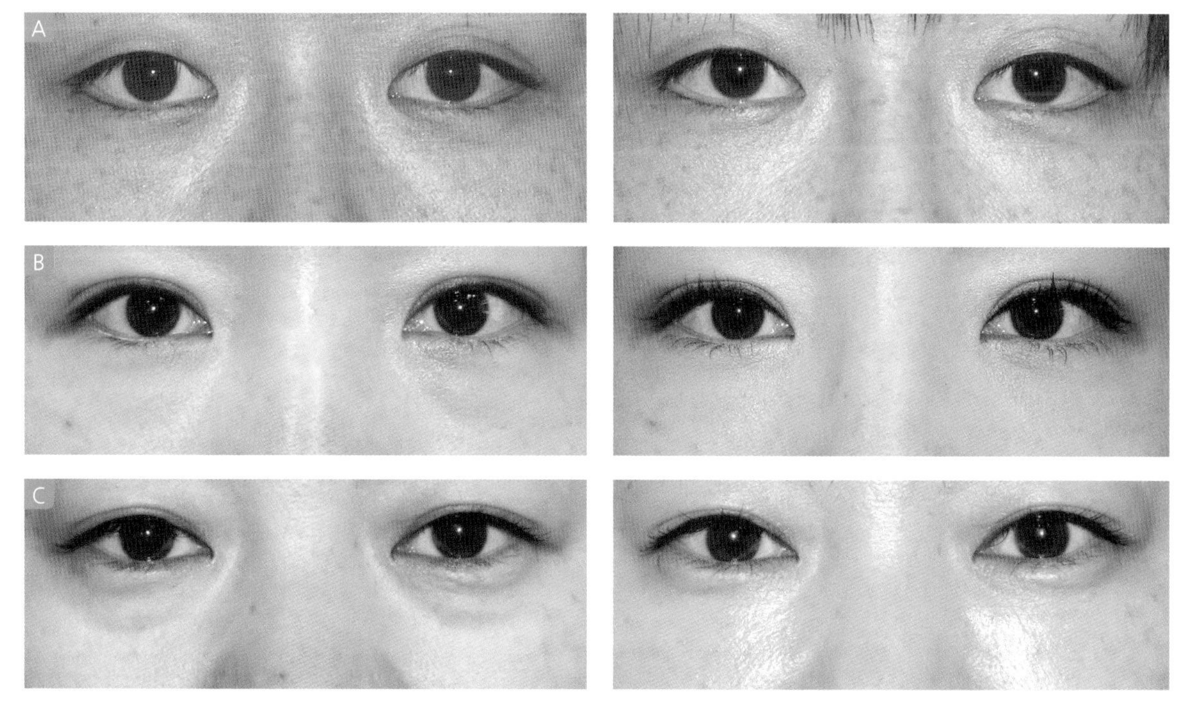


FIGURE 6-23 **경결막 지방재배치술.** 술 전, 술 후.

## SOOF 및 안륜근 거상(SOOF elevation) (FIGURE 6-24)

안륜근하 지방(suborbicularis oculi muscle fat, SOOF) 거상 방법은 노화에 의하여 중안면의 지방이 위축(deflation)되고 아래로 처지는 것(descent) 때문에 생기는 infraorbital hollowness를

해결하고 lid-cheek junction을 올리면서 선명하지 않게 하고 nasojugal fold 및 palpebromalar fold를 교정하는 효과가 있는 수술 방식이다.

하안검 퇴축(lower lid retraction) 때 SOOF 거상 자체만으로는 피부부족을 보완하는 효과가 적으므로 피부를 효과적으로 보완하기 위해선 안륜근을 포함하여 함께 거상한다. 즉 피부에 가까운 조직이 거상되어야 피부 부족을 보완하는 데 효과적이다.

수술은 중안면을 박리한 후 안와연의 중앙 부위에서 SOOF를 위로 안와연까지 당겨본다. SOOF에 실을 통과시키고 이 실을 안와연의 골막에 고정한다. 이때 골막이 약하다고 판단되면 두 번 정도 통과시키고 SOOF도 약하면 두 번 통과시킨다. 눈꼬리 부분은 안륜근 거상 고정술(orbicularis suspension) 때 안륜근을 피부로부터 분리한 후 고정 봉합 때 SOOF와 함께 올린다.

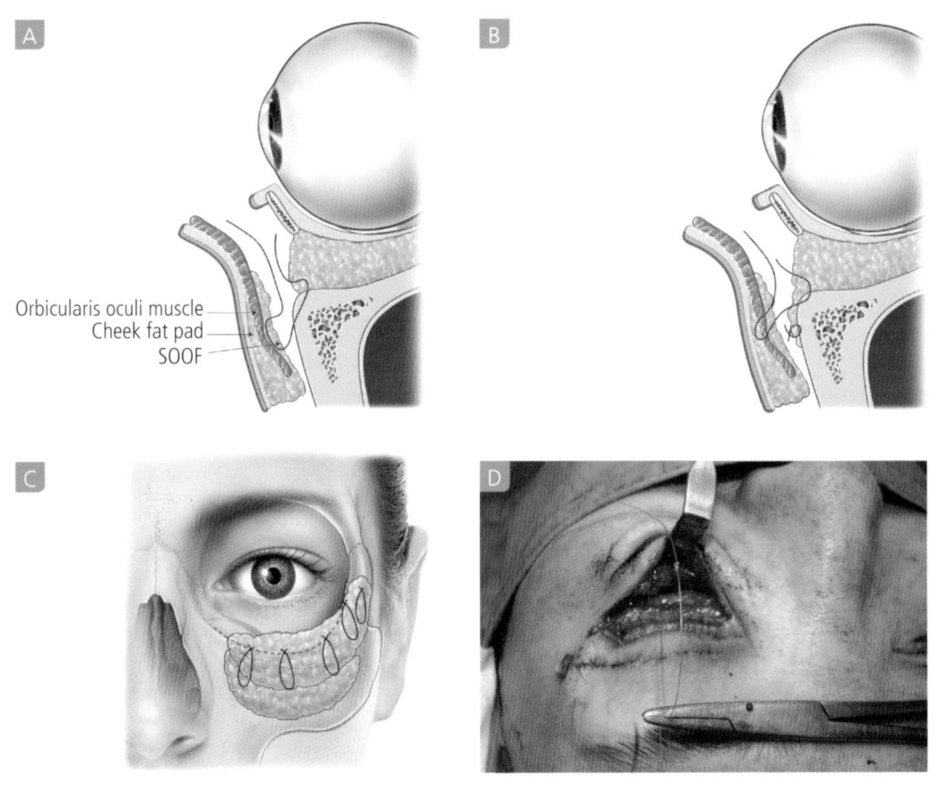


FIGURE 6-24 **SOOF suspension.**
SOOF와 깊은 부위의 안륜근을 함께 거상한다. 한번 tie로 부족하다고 생각되면 전방이나 후방에 두번씩 tie할 수도 있다. **A.** SOOF elevation. **B.** fat transposition and SOOF elevation. **C.** SOOF elevation 전후. **D.** 수술 중 SOOF와 안륜근을 동시에 안와연에 고정하는 모습.

SOOF 거상고정은 infraorbital nerve bundle 내측과 중앙의 안와연 또는 외측의 안와연 골막에 고정한다. 안와연 골막 고정은 안와 안쪽에서 바깥쪽으로 바늘로 골막을 긁는 듯이 통과한다. 안와연 arcus marginalis에는 골막과 septal thickening이 함께 있기 때문에 견고하기 때문이다.

안륜근 하단은 inferior arc에 해당된다. SOOF만 봉합하면 약해서 늘어지기 쉽다. 이때 피부거상을 많이 하기 위해선 외견상으로 약간 피부에 함몰이 생길 정도로 표면에 가깝게 바늘이 통과하는 것이 효과적이다. 심하지 않은 피부의 함몰은 차차 사라진다. 특히 피부부족으로 인해 외반이 생긴 경우에 피부부족을 보완하기 위해서는 두꺼운 피판보다는 얇은 피판이 효과적이다. 한번의 고정 봉합이 부족하다고 느껴지면 SOOF 쪽 또는 골막 쪽에 2번을 감아서 고정할 수도 있다. 골막 고정 시 골막이 약하다고 생각되면 중앙 안와연에 구멍(bone drill hole)을 내서 고정하기도 한다.

## 외안각 고정술(Canthal anchoring)

외안각 고정술이란 바깥쪽의 검판(lateral tarsus)과 외안각건(lateral canthus) 및 외안각 지지대(lateral retinaculum) 즉 검판-각건 걸이(tarso-ligament sling)을 바깥 안와연(orbital rim)에 고정함으로써 하안검(lower lid)의 모양과 위치(shape and position)를 안정시키는 수술이다 (FIGURE 6-26).

### 적응증

- 하안검 이완(lower eyelid laxity)
- 안구 돌출(exophthalmos)
- 하안검 외반증, 퇴축
- 중안면 거상술을 동반한 경우
- 수술 후 구축과 부종으로 인해 발생할 수 있는 하안검의 모양을 안정시키기 위하여

### 외안각 고정술의 종류

- 안륜근 외안각 고정술(orbicularis oculi muscle canthopexy)
- 얕은 외안각건 고정술(superficial canthopexy, superficial canthal suspension)
- 깊은 외안각 고정술(deep canthal anchoring or lateral canthal anchoring)
- 검판 외안각 고정술(tarsal anchoring) 검판 끈 고정술(tarsal strip canthoplasty)

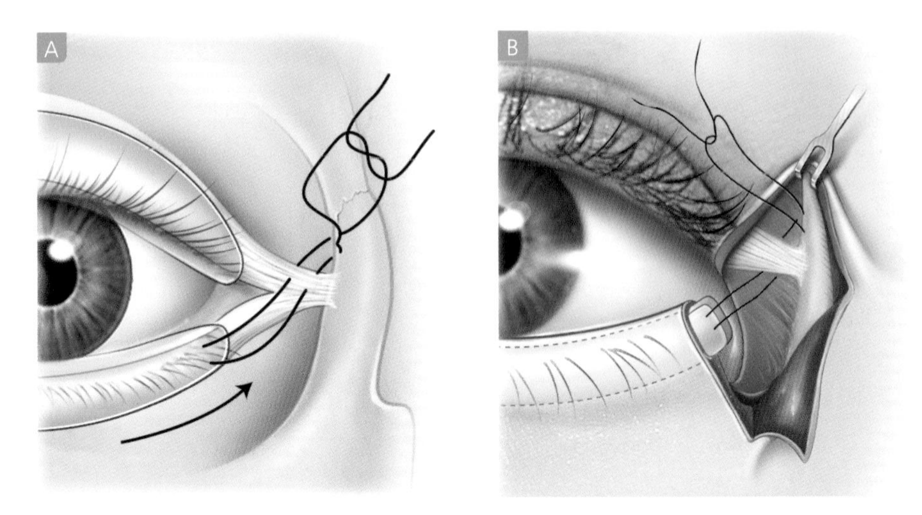


FIGURE 6-25 A. canthopexy(tarsal suspension, lateral canthal tendon plication, transcanthal canthopexy, OOM canthopexy 등이 있다.) B. canthoplasty 중 tarsal strip procedure.

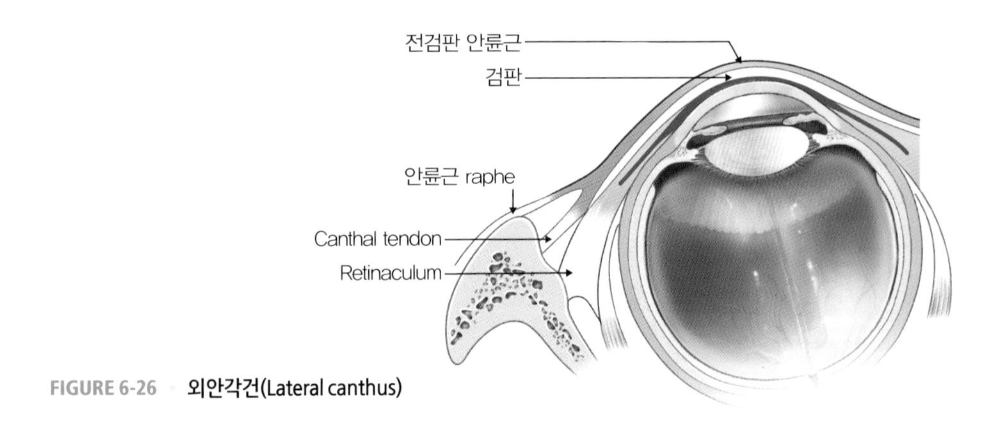


FIGURE 6-26 **외안각건(Lateral canthus)**

외안각 교정술의 수술방법은 하안검의 이완정도에 따라서 결정된다. 하안검의 이완정도나 안구돌출정도가 경한 경우이거나 하안검 수술 후 하안검의 부정위(malposition)와 같은 위험을 단순 예방하는 정도이면 안륜근 외안각 고정술(orbicularis canthal anchoring) 혹은 얕은 외안각건 고정술(superficial canthal suspension) 혹은 최소 외안각 고정술(minimal canthal anchoring) 또는 외안각 지지대(lateral retinaculum suspension)를 실시한다. 하지만 하안검의 이완 정도가 보통 이상(distraction test 상 5-6 mm 이상)일 경우 외안각건이나 바깥쪽 검판을 이용한 외안각 고정술을 하는데 하안검의 수평길이가 늘어나지 않은 경우는 외안각건을 절단하지 않는 canthopexy를(FIGURE 6-25A), 하안검이 연장된 경우(horizontal

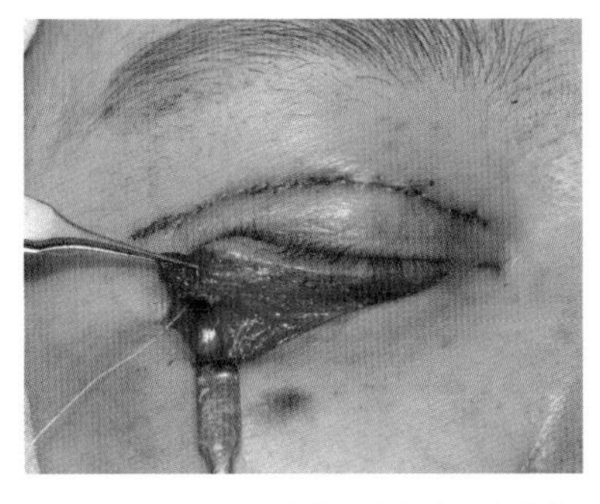
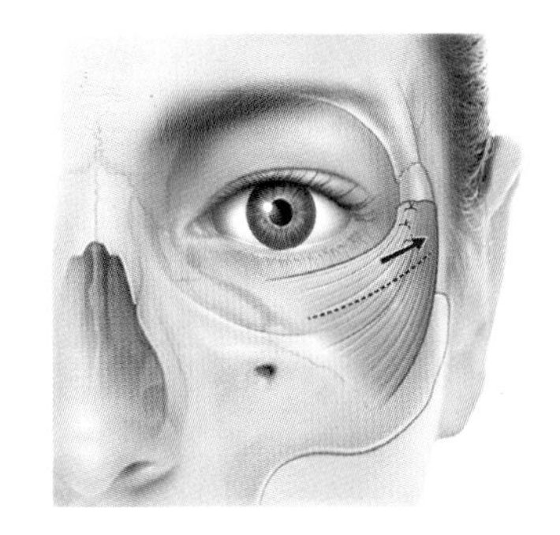
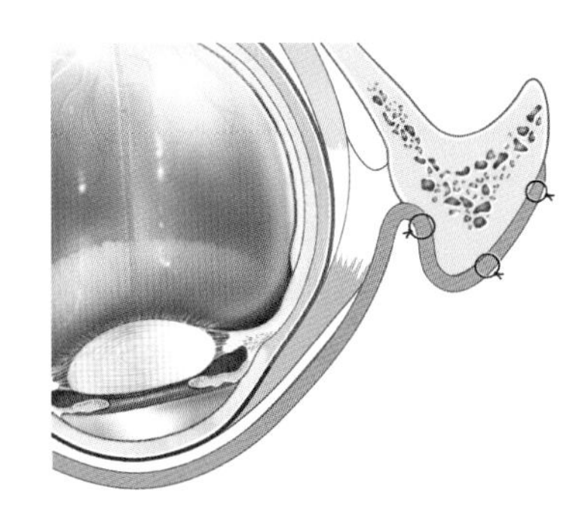

**FIGURE 6-27** **표재성 외안각건 고정방식.**
전검판 안륜근(Pretarsal orbicularis muscle)을 안와연(orbital rim) 혹은 안와연 안쪽으로 고정한다.

lengthening)는 외안각건을 절단(cantholysis)하고 수평길이를 단축시키는 canthoplasty를 시행한다(**FIGURE 6-25B**).

Canthal anchoring (canthopexy 혹은 canthoplasty)에서 가장 강조해야 할 문제는 어떤 방식으로 해야 현재 상황에 맞고 가장 확고한(secure) 수술이 될 수 있는가 하는 것이다. 그러기 위해서는 봉합 실이 조직으로부터 'cheese wiring'이 일어나지 않도록 해야 하고 오랜 시간 후에는 suspension한 실의 장력에 의한 것이 아니라 확고한 유착(adhesion)에 의해 효과를 지속시킬 수 있는가가 무엇보다 중요하다. 비록 비흡수 실이라 하더라도 연조직의 유착이 견고하지 않으면 점차 relapse 되기 때문이다. 그러기 위해선 canthal anchoring의 여러 가지 방식에 대한 장단점을 이해하고 여러 가지 경우에 따라서 응용할 수 있어야 한다. 또한 견고해지기 위해선 고정하는 조직 사이에 지방이나 안륜근 같은 조직이 끼어 들어가지 않도록 잘 박리하여야 한다. 유착은 주로 만나는 접착표면에서 형성되기 때문이다. 그리고 고정하는 위치-높이와 깊이가 무엇보다 중요하고 tie의 강도도 강하지 않아야 한다.

해부학적으로 보면 외안각건(lateral canthal tendon)은 표재성 외안각건(superficial canthal tendon)과 심부 외안각건(deep canthal tendon)으로 나누어진다. 전자는 안와연(orbital rim)의 표면(anterior surface)에 삽입(insertion)된다(**FIGURE 6-27**). 후자는 검판과 안와연에서 3-4 mm 안쪽의 Whitnall's tubercle을 연결한다.

그러므로 외안각건 고정술(canthal anchoring)도 안륜근을 안와연에 연결하는 방법도 고려할 수 있고(표재성 외안각건 방식), 검판이나 외안각건 또는 retinaculum을 안와연 2-3 mm 안쪽으로 whitnall's tubercle에 고정한다(심부 외안각건 방식). 다만 안구 돌출이 심한 경우에 깊이 고정하지 않기 위해 검판을 안와연에 고정할 수도 있다. 저자는 하안검이완증이 있거나 하안검 퇴축을 교정하는 경우에는 외안각을 안와연 3 mm 내부로 깊게 고정

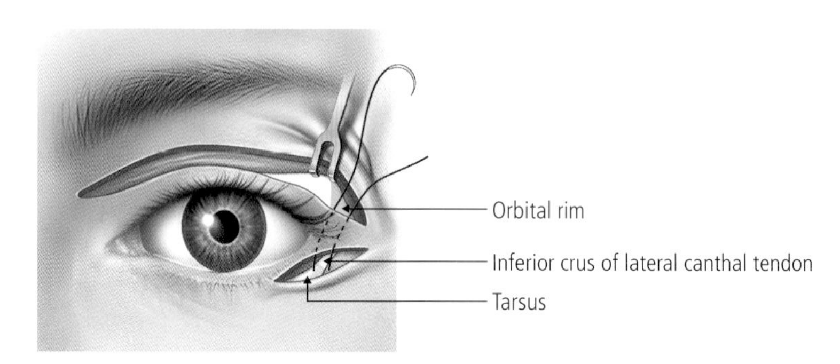


FIGURE 6-28 Lateral retinaculum suspension; retinaculum을 transcanthal로 통과하여 안와연 안쪽 골막에 고정한다.

하지만 하안검의 이완증이 없는 환자에서 단순히 하안검의 malposition을 예방하는 것을 목적으로 하는 경우에는 비교적 atraumatic한 방법으로 안륜근 canthopexy(표재성 외안각 교정술)를 한다(FIGURE 6-27). 실은 5-0 Ethibond나 Mersilene을 사용하고 double arm 바늘로 안와연 안쪽에서 바깥쪽으로 나온 다음 두 실을 부드럽게 묶는다.

### 전검판 안륜근 외안각 고정법(Pretarsal orbicularis canrhopexy) (FIGURE 6-27)

외안각 고정법 중에서 비교적 외상이 덜하고(atraumatic) 보존적인 방법으로 외안각이완(canthal laxity)이 거의 없고 단지 수술 후 하안검의 변형(malposition)을 예방할 목적으로 유용한 방법이다. 수술방법은 전검판 안륜근의 바깥부위(lateral end of pretarsal orbicularis muscle)를 안와연 안쪽면(inside of the orbital rim)에 고정한다. 고정 후 다른 내안각 고정법과 마찬가지로 distraction test상 1-2 mm 떨어지도록 긴장도를 조정한다(FIGURE 6-27). 이 점이 뒤에서 기술하는 안륜근 거상법(orbicularis suspension)과는 다른 점이다. 하안검의 피부주름을 개선하기 위해서는 피하박리를 하고 하안검을 거상할 때 안륜근은 수직으로 피부는 상외측(upward lateral)으로 서로 다르게 당겨 redraping 한다.

### Lateral retinaculum suspension (FIGURE 6-28)

Lateral retinaculum은 Lateral canthus와 동의어로 말하기도 하고 canthal tendon을 둘러싸고 있으면서 lateral orbital tubercle (whitnall's tubercle)에 붙어 있는 모든 조직을 지칭하기도 한다.

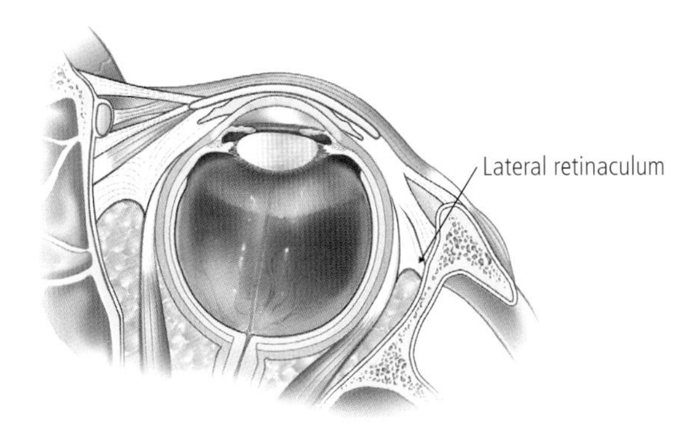


FIGURE 6-29 Lateral retinaculum.

### *Lateral retinaculum의 구성 (FIGURE 6-29)*

(Lateral canthal tendon)

- Levator aponeurosis의 lateral horn
- Whitnall's ligament
- inferior suspensory ligament(Lockwood ligament)
- check ligament of lateral rectus muscle

으로 형성되어 있다. 이를 이용하여 외안각을 고정하는 방법이다.

### *고정부위*

외측 검판 끝부분(lateral portion of tarsus)과 여기에 붙어 있는 일부 검판전 안륜근(pretarsal oculi muscle)을 동시에 안와연 3-4 mm 내측 골막에 lateral orbital tubercle 바로 위에 고정하는 것을 표준으로 하고 고정위치를 3-dimension으로 생각하여

1. 세로 - 높이
2. 앞 뒤 - 고정 위치의 안와연에서의 깊이
3. 가로 - 고정하는 힘의 강도를 경우에 따라 적절히 조정한다.

고정은 검판과 함께 외안각건을 포함하는 편(transcanthal)이 보다 견고하다.

Eyelid distraction test 상 6-7 mm 이상 하안검이 심하게 늘어진 경우와 외반증이 심한 경우엔 수평 단축(horizontal shortening)을 위해 적당한 정도의 하안검을 쐐기형 절제(wedge

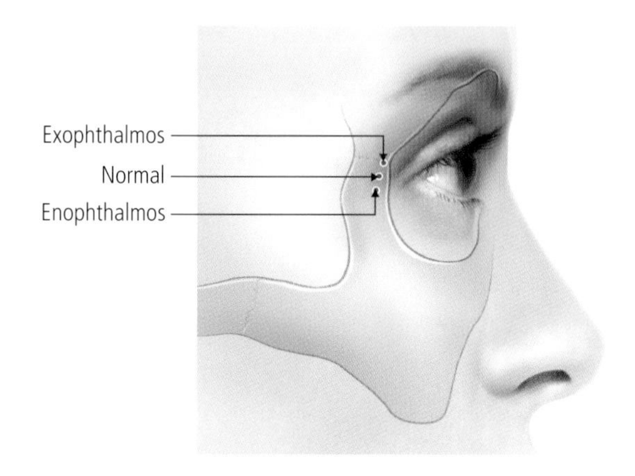


FIGURE 6-30 **눈의 돌출 정도에 따른 하안검의 고정 위치.** 일반눈은 동공의 하단(lower margin)을 기준으로 한다.

excision)를 한다(canthoplasty). 절제할 때 하안검연과 피부를 같은 양으로 절제하면 피부 봉합시에 tension이 가해지므로 사각형으로 절제하지 않고 쐐기형으로 절제한다. 절제양은 대개 2-3 mm를 지나지 않도록 여유를 둔다. 이때 하안검을 당겨주는 강도는 distraction 되는 정도가 2-3 mm 정도 되게 한다. 너무 강하게 당기면 하안검의 위치가 내려가거나 반대로 함몰 눈에서는 올라갈 수가 있다.

저자는 하안검 쐐기형 절제를 미리 하는 수도 있고 때로는 외안각 고정을 하고 난 후 하안검이 겹쳐져서 외안각에 buckling이 나타나면 그때 절제하기도 한다. 쐐기형 절제를 미리 하면 검판의 절개 단면이 보이므로 검판에 고정하기가 쉬운 장점이 있다(**FIGURE 6-31B** 절개단면에서 검판에 고정하는 그림).

고정하는 위치는 안구 돌출 정도에 따라 다르다. 일반적인 경우엔 동공의 하연(inferior margin of pupil) 높이에 고정한다. 하지만 실제 수술 중에 동공하연의 높이를 가늠한다는 것이 쉬운 일이 아니므로 저자는 외안각건을 위쪽으로 통과하여 골막에 거는 것으로 위치를 정하는 방법을 이용하는데, 이 방법이 고정 높이를 결정하는 데 편리하다. 외안각건이 늘어져 최대한 위로 걸어도 거는 위치는 거의 일정하다. 안구 돌출증(exophthalmos)이 있는 경우는 보다 상부에, 깊지 않은 곳 즉, 안와연(orbital rim)에 연결하지만 지나치게 상부로 연결할 경우엔 눈꼬리가 올라가 보이는 것(심한 positive canthal tilt)이 특히 동양인에게는 madam butterfly 눈이라고 하기도 하고 눈이 작아 보이는 문제가 될 수 있다. 안구가 함몰된 경우(deep set eye)엔 일반적인 경우보다 약간 낮게, 깊게 즉, 안와연 3 mm 안쪽에 고정한다(**FIGURE 6-30**). 상방으로 고정하면 눈이 작아 보이는(squinty eyes)문제가 있고 보다 깊게 고정하지 않으면 하안검이 안구를 감싸(opposition, hug)지 못하고 서로 떨어지는

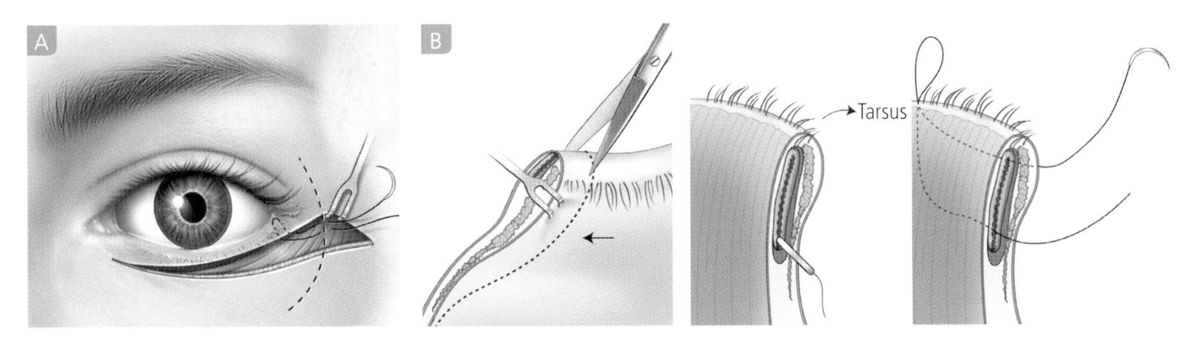


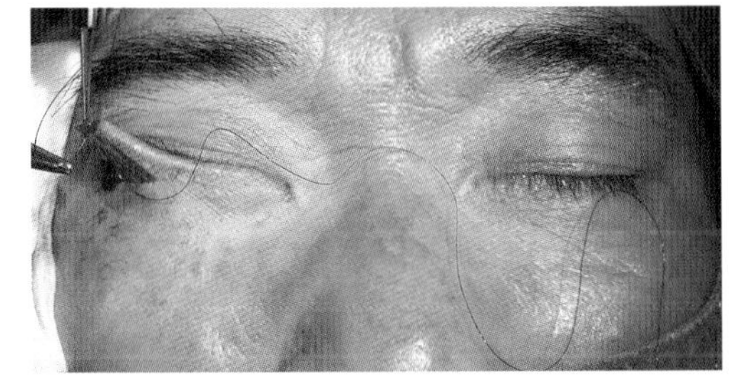

FIGURE 6-31 **눈꺼풀판(tarsus) 상단을 통과하는 방법.**
**A.** canthopexy. 먼저 검판을 horizontal mattress로 봉합한 다음, grey line 안쪽으로 stab incision을 넣고 바늘이 통과한다. **B.** canthoplasty. 바늘이 검판 아래에서 위로 통과한다. 좌측 그림에 비해 우측 그림은 많은 양의 검판조직을 포함하므로 보다 견고하다.

(distraction) 문제가 생길 수 있으므로 이를 잘 조절해야 한다. 안와 깊숙이 걸어주고자 하는 경우엔 double arm suture로 두개의 바늘이 안에서 바깥으로 통과해야 확실히 깊숙이 걸어줄 수가 있다. 골막이 약한 2차 수술일 경우는 안와연에 구멍을 뚫고 실을 안에서 바깥으로 통과시킨 후 안와연의 골막이나 심부 측두근막(deep temporal fascia)에 봉합한다. 고정 이후엔 앉은 상태에서 양쪽의 균형을 확인하는 과정을 거쳐야 한다. 봉합 시에 tension이 거의 없는 상태에서 원하는 모양을 만들어 낼 수 있어야 재발이 적다.

돌출 정도는 Hertel 측정기로 15-18 mm를 일반적인 것으로 하고 그 이상은 돌출안, 그 이하는 함몰안으로 한다.

안구가 하안검 외측부분과 떨어지지 않고 잘 닿아 있게 하기 위해서는

- Tarsus 위쪽을
- 안와 깊숙이
- Double arm 바늘 중에서 위쪽이 보다 깊게, 눈꺼풀 판(tarsus)이 꼬이지(twisted) 않게
- Tension이 적은 상태에서
- Secure하게(유착이 잘 되게) 해야 한다.

### *요약*

돌출 눈(exophalmos)의 canthal anchoring

1. 상방, 전방 고정(upward, anterior anchoring)
2. 수평 단축(horizontal shortening)은 피해여 함
3. 퇴축기를 늘려주고(release of retractor) 때로 spacer graft.
4. 고정 시 긴장이 적게 결찰

함몰눈(enophthalmos)

1. 하방, 깊게 고정(downward, posterior anchoring)

강하게 결찰(intensively tie)

하안검을 걸 때 검판의 봉합 위치는 저자는 통상 하안검을 위로 올리기가 보다 쉽기 때문에 검판의 낮은 부위를 봉합하는 것을 선호하나 외반증이 심한 경우엔 검판의 가장 높은 부위를 당겨주는 것이 외반을 교정하는 데 효과적이다(**FIGURE 6-31**).

## 검판의 높은 부위에 걸기 위하여

### *Canthopexy 방법*

눈꼬리 부분(lateral canthal angle)에 가까운 피부 경계부위의 결막쪽에 작은 stab incision을 넣고 4-0 prolene이나 PDS로 바늘을 통과시킨 다음 검판을 지나가게 하면 된다. 이때 cheese-wiring이 생기지 않도록 하기 위해서 4-0 실 위에 7-0 nylon으로 검판을 묶어 주던가(locking suture) 아래 4-0실을 검판을 한번 통과시킨 다음 grey line 위의 stab incision을 통과하는 방법도 있다(**FIGURE 6-31A**).

### *Canthoplasty 방법*

하안연을 자른 면에서 보이는 검판의 단면을 바늘이 아래에서 위를 통과한 것(**FIGURE 6-31B**)이 안와연 보다 안쪽의 골막에 고정하면 된다. 이때 윗 실은 위의 골막에, 아래 실은 아래 골막에 고정하여 위 아래가 잘 유지되어 실이 꼬이지 않게 하여야 한다. 대개 하안검과 검판을 2-3 mm 정도 자르게 되는데, 자른 단면을 다시 정확하게 잘 봉합하여 canthal angle이 blunt하지 않게 해야 하고 윗 눈꺼풀이 아래 눈꺼풀을 약간 덮도록 하기 위해서 윗 눈꺼풀의 grey line의 뒤쪽이 아래 눈꺼풀의 grey line의 앞쪽을 봉합하여 마치 위의 앞

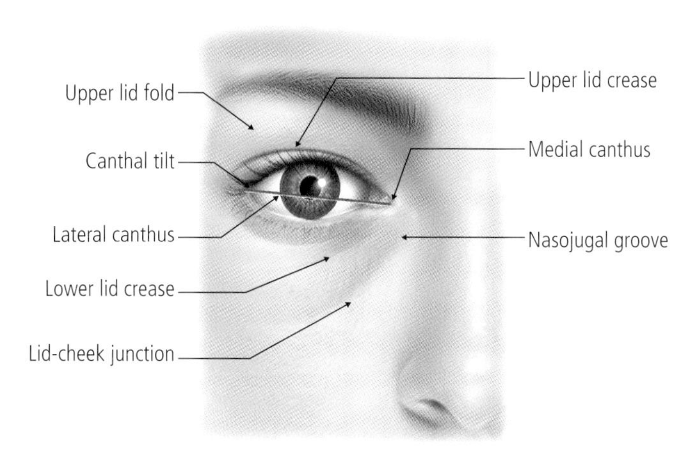


FIGURE 6-32 **Canthal tilt의 각도와 길이.**
눈의 가로 길이가 30 mm일 때 한국사람의 정상 canthal tilt인 5~10도 이면 이는 외안각이 내안각에 비해 2.6~5.3 mm 높다. 다르게 표현하면 2 mm가 차이이면 3.8도, 4 mm가 차이이면 7.6도이다.

니가 아래 앞니를 덮는 것처럼 한다. 안와연부위에 고정하는 위치, 즉 높이와 깊이는 안구의 돌출정도에 따라 달리하여야 하지만 동양인에서는 눈꼬리가 올라가 있기 때문에 올라간 정도도 매우 중요하여 심하게 올라간 눈(madam butterfly eye)이 되지 않게 해야 한다. 내안각건(medial canthus)에서 외안각건(lateral canthus)으로 이어지는 선은 외측으로 올라가는 경사도를 가지고 있다. 이것을 각건 경사(canthal tilt)라고 하는데 이것은 나이, 성별, 민족에 따라서 다르다. 동양인은 서양인에 비해 외측 경사도가 약간 높은 편이다. 동양인은 외안각건이 내안각건에 비해 3-5 mm 정도 올라가 있고 이는 5-10도 정도가 된다(FIGURE 6-32). 또한 외안각을 당기는 강도도 중요하여 안구 돌출형에서는 많이 당길수록 하안검이 내려가고 반대로 안구 함몰형에서는 당길 수록 하안검이 올라간다. 수술 후에 일정기간 동안 내려오는 것을 고려하여 하안검이 corneal limbus를 1-2 mm 정도 덮을 정도로, canthal slant가 약간 올라가게 과교정해 두어야 한다. 여기서 1-2 mm라고 하는 것은 일차 수술일 경우는 약간 과교정하고 2차 수술로서 흉터 조직의 구축에 의해서 조직의 탄력이 떨어지고 당김이 많은 경우에는 좀 더 많이 과교정한다.

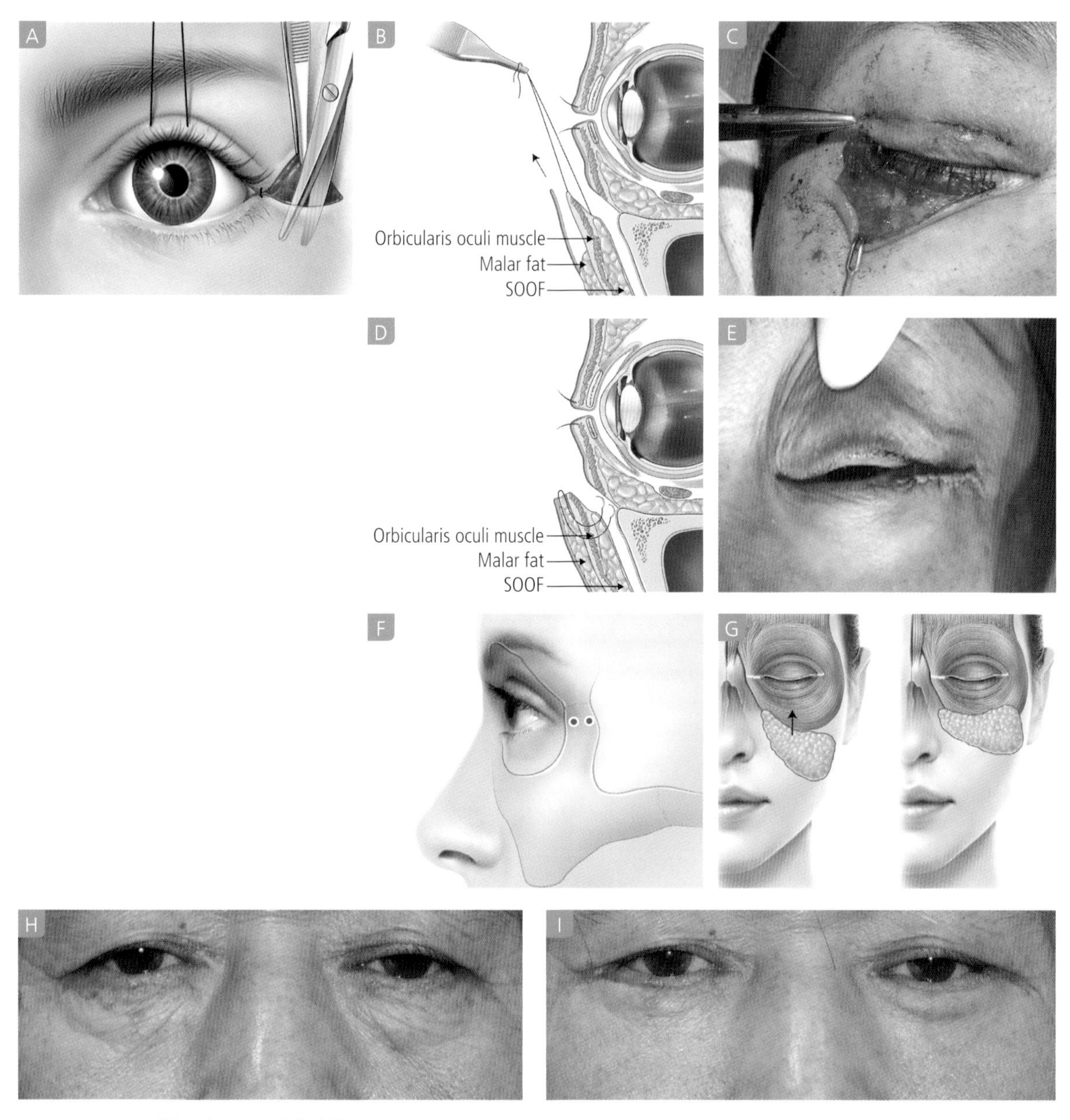


FIGURE 6-33 **안륜근과 SOOF 피판 거상.**

A, B, C 안륜근을 거상할 때 SOOF와 malar fat(cheek fat)도 함께 거상한다. **D, E.** 피하박리 없이 안륜근과 SOOF 거상. **F.** 안륜근 현수 고정 위치. **G.** 안륜근 현수 고정 수술 전후. **H & I.** 임상사진. 안륜근 피판 고정 전, 고정 후.

## 안륜근 현수 고정(Orbicularis oculi muscle suspension) (FIGURE 6-33)

박리된 근피판의 바깥 상연에서 피하박리를 통해 안륜근을 분리한 후 적당한 긴장 상태에서 이 안륜근 피판을 두 번 이상 거상 고정(suspension suture)하는데 ① 외측안륜근 피판을 안와골의 측면이나 심부측두근막(deep temporal fascia)에 현수 고정하고 ② 또 다시 그보다 바로 내측의 안륜근을 안와연에 현수 고정한다. 안륜근 현수 고정 시에는 피하박리를 하여 안륜근피판을 분리하여 만들어 두는 것이 거상에 효과적이고 피부의 함몰을 예방하는 데 도움을 준다(FIGURE 6-33C). 하지만 피하박리는 피부에 손상을 일으키는 것이기 때문에 최소로 하는 것이 좋고 피부의 dimpling도 최소로 할 수 있다. 피부 dimpling을 최소화하려면 안륜근을 과하게 당기지 말고 반대로 눈가피부절제는 여분을 두지 않아야 한다. 저자는 여분의 피부절제후 오히려 피하박리를 하지 않고 안륜근을 거상하는 것을 선호한다. 이것은 수술 후 한동안 남아있는 성가신 피부 dimpling이 남지 않게 하는 방법(FIGURE 6-33)이다. 이때도 바늘은 SQ에서 시작하여 아래로 향하여 안륜근과 SOOF를 통과한다(FIGURE 6-33). 안륜근을 골막에 고정할 때는 적당한 긴장으로 위로 당기는 것도 중요하고 매듭을 강하게 tie하지 않는 것이 중요하다. 근육조직은 압력에 약한 조직이기 때문이다. 고정 시에 상안검의 건막(apponeurosis)이 걸리면 안검하수가 발생할 수 있으므로 유의한다. 저자는 안륜근층 하나만으로는 약하다고 생각되어 SOOF를 동시에 걸고 거상한다.

이 술식은 피부 거상 효과 이외에 안륜근 아래층의 SOOF를 거상하여 안와 아래 부근의 함몰(infraorbital hollowness)을 교정하는 효과가 크며(FIGURE 6-33E) 하안검을 단단하게 강화하여 안와지방을 나오지 않게 눌러주는 효과도 있고, 안륜근 윗 층에 있는 관골지방(malar fat pad)과 볼 지방(cheek fat)을 거상할 뿐만 아니라(FIGURE 6-33B) 하안검과 볼 연결 부위를 올리면서 희미하게(blending of the lid-cheek junction)해 주는 역할을 한다. 그리고 이 안륜근 SOOF 피판은 소속은 전방층(anterior lamella)에 속해 있으면서도 후방층에 속해 있는 외안각근을 지지하고(buttress) 보충하는(orbicularis oculi muscle sling 작용) 다양한 기능을 가지고 있으므로 매우 중요한 술식이다. 이 안륜근 고정이 확고하지 않으면 수술 후 시간이 지나면서 하안검이 아래로 내려오게 되면서 피부 부족으로 인한 하안검 변형(malposition)이 올 수 있다.

### 안륜근 현수고정의 기능

- 중안면 거상
- Nasojugal fold, palpebromalar fold의 교정
- Infraorbital hollowness 교정

- 피부부족(skin shortage)의 보완
- 관골 부위의 교정(smoothing of the malar area)
- 하안검과 볼 경계의 완화(blending of the lid-cheek junction, malar crescent)

지금까지의 수술은 일차적으로 특별한 문제가 없는 경우에도 적용할 수 있고 하안검의 malposition, 즉 scleral show, ectropion과 같은 문제가 있는 환자에게서도 사용되는 수술 과정이다.

### 아래 눈꺼풀의 피부 주름이 많은경우

이때 피하박리를 하여 주름부위의 피부를 안륜으로부터 분리한 후 피부와 안륜근의 당기는 방향을 서로 다르게 하여 redraping한다.

## 피부절제 및 봉합과 검판전 함몰 교정 또는 pretarsal fullness 회복

피부절제는 보존적으로 한다. 특히 중안면 거상술을 실시한 경우 또는 2차 하안검 수술 시 그 중에서도 하안검 외반이나 scleral show 등의 문제가 있는 경우엔 하안검이 수술 후

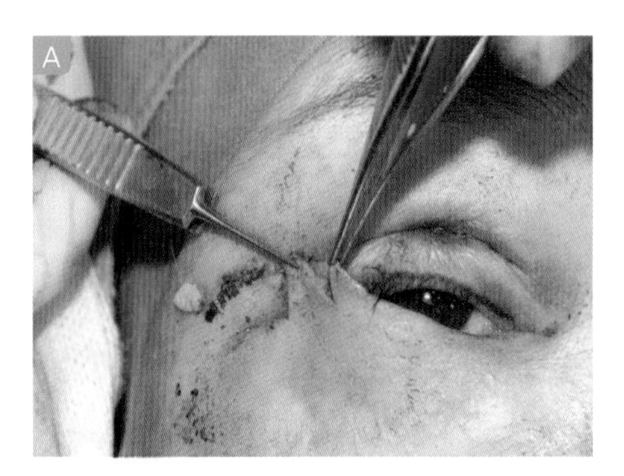


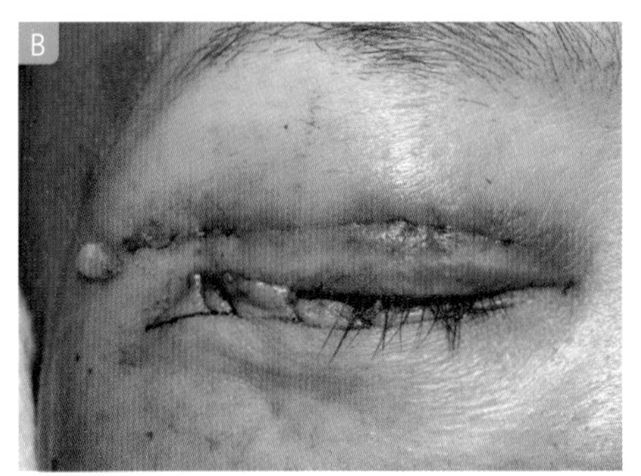


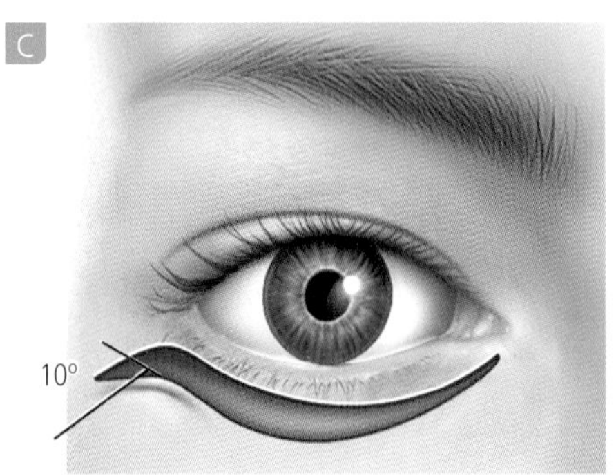


FIGURE 6-34 A. 피부를 수직으로 자르는 방법. B. 4곳을 수직으로 자른 후 수평선으로 절제량을 그린다. C. 바깥으로 10° 아래로 꺽인다.

1~1.5 mm 정도는 내려갈 가능성이 있는 것으로 대비하여 그만큼 피부가 여분이 있도록 보존적인 절제를 한다. 저자는 시선은 정면을 바라보고 입은 적당히 벌리고 아래 눈꺼풀을 적당한 힘으로 당긴 상태에서 피부를 수직으로 자르면 원하는 만큼 정확히 자르는 데 도움이 된다(FIGURE 6-34).

여분의 하안검 피부 절제 시 안륜근 절제는 보다 보존적으로 한다. 검판전 안륜근(pretarsal OOM)은 하안검의 모양 유지에 중요한 역할을 하므로 비대증(OOM hypertrophy)이 염려되지 않는 한 절제하지 않는다. pretarsal fullness 형성에 대해서는 앞에서 자세히 설명하였으므로 여기서는 간단히 설명한다. 여분이 있는 격막전 안륜근(preseptal OOM)으로 검판전 안륜근(pretarsal OOM)에 겹치게 하여 검판전 비후(pretarsal fullness)를 형성한다. 검판전 함몰(pretarsal flatness or depression)도 일종의 노화 현상으로 발생기전은 안륜근의 톤이 떨어지는 것과 검판전 조직의 하향 전이 때문에 생기는 것으로 외견상 나이 들어 보이기도 하지만 인상이 배타적이고 쌀쌀맞게 보인다. 반면 적당한 검판전 안륜근 비후(pretarsal fullness)는 젊게 보이고 애교 있어 보이고 인상이 사교적으로 보이기 때문에 검판전 비후(pretarsal fullness)를 회복하는 것은 a. 전검판 안륜근이 아코디언효과에 의해 두꺼워지게 하고 b. 하안근 피판에 붙어있는 전격막 안륜근을 전검판 안륜근 위에 이중으로 겹치게 하여 만든다. 이때 pretarsal fullness는 높게 있으면 높을수록 보기 좋은데, 높은 곳의 pretarsal fullness를 만들 수 있는 것은 위에서 덮어주는 preseptal muscle보다는 pretarsal muscle이 유용하므로 근육절개 할 때 이를 미리 많이 남겨두는 것이 중요하다. 그리고 강조하는 것은 소위 말하는 애교(pretasal fullness)는 안륜근을 두껍게 만드는 것 못지않게 피부의 여분이 충분히 받쳐주어야 가능하다. 눈 바깥으로 절개선의 길이는 피부절제량과 아래 절개선의 각도에 의해 정해진다. 아래 절개선을 바깥으로 10° 정도 아래로 꺾어진 선이 적당하다(FIGURE 6-34C).

봉합은 외측부위에서 빈공간(dead space)이 없게 quilting suture하고 피부 봉합 시 철저히 피부가 외반 되도록 하여 함몰 흉이 안 생기도록 한다. 피부봉합 후에 외반 상태가 심한 경우였거나 하안검의 tone이 매우 약한 경우에는 tarsorrhaphy나 Frost suture 등으로 위로 당겨준다. microform 등으로 피부 splint를 해준다. microform을 붙일 때 하안검 피부를 완전 펴서 붙이면 하안검이 1 mm 정도 올라가게 된다(FIGURE 6-35).

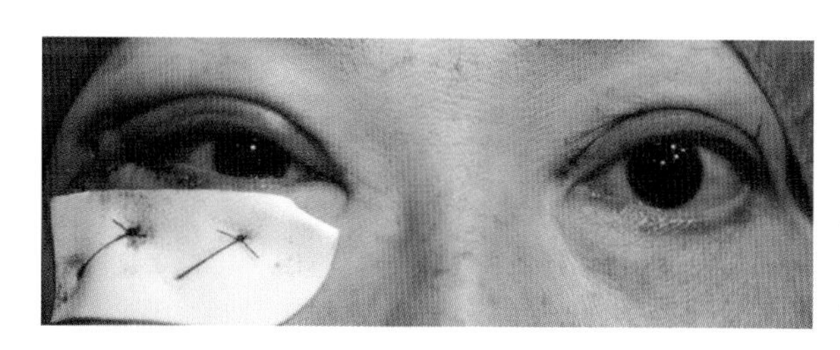

FIGURE 6-35 수술 후 skin splint를 해준다. microform 위에 quilting suture를 하여 dead space를 없애고 부종을 예방한다.

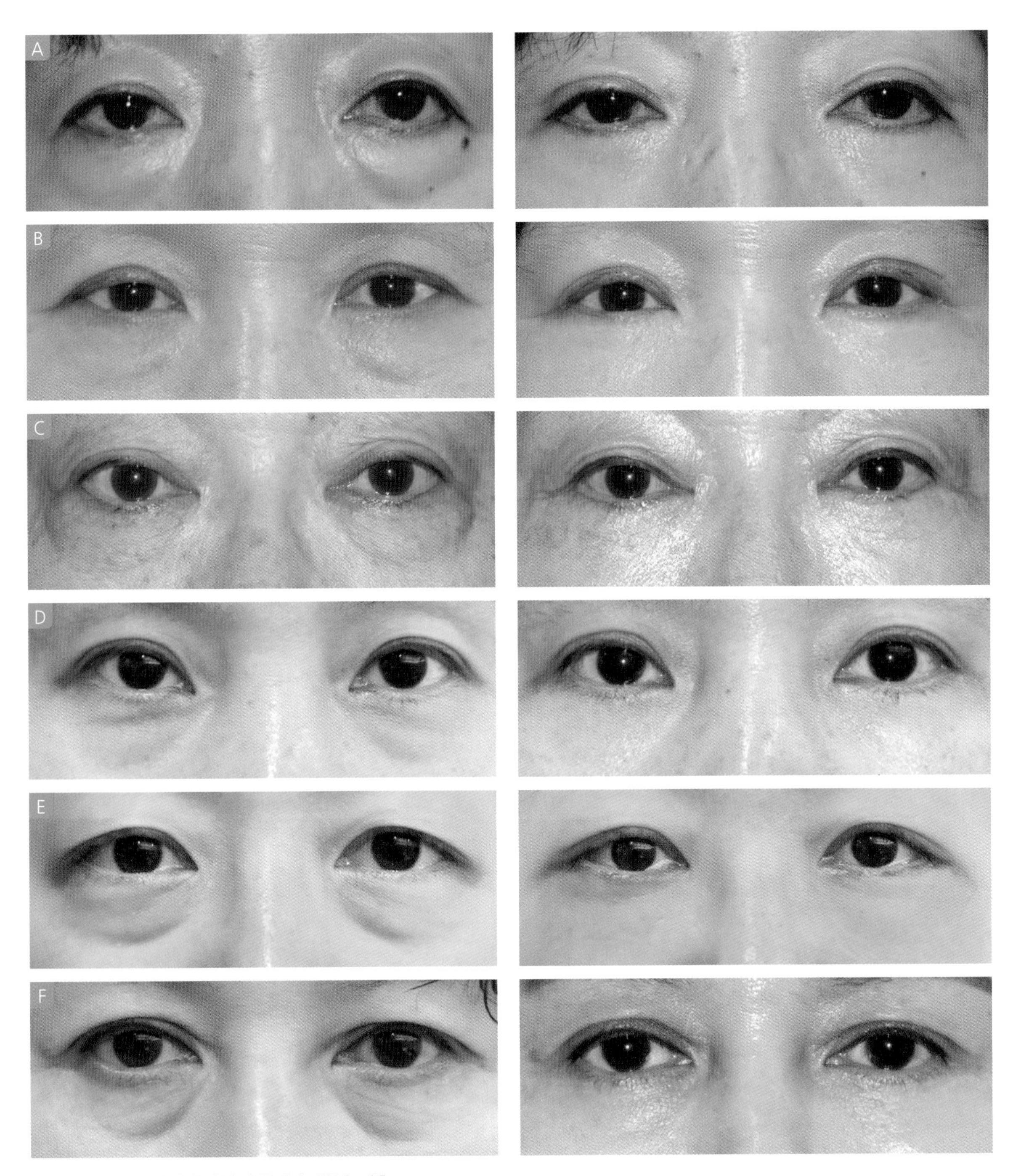


FIGURE 6-36 하안검 성형 및 중안면 거상술 전후.

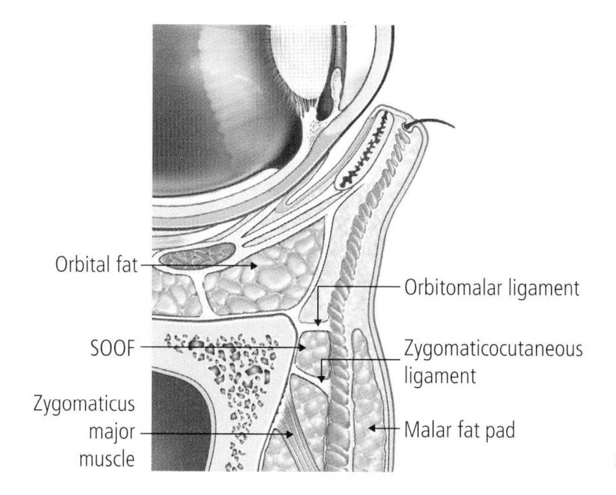


FIGURE 6-37 눈 주위 지방.

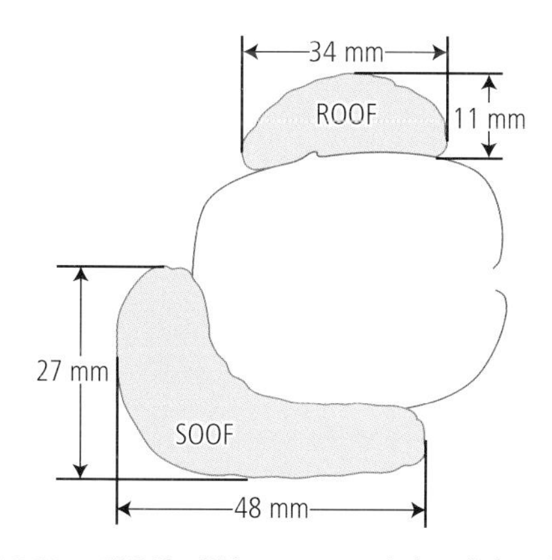


FIGURE 6-38 근육하 지방(ROOF, SOOF)의 모양과 크기.- 황건
Crescent of ROOF is mostly above supraorbital rim, yet also a few millimeters below rim. Horizontal length of ROOF is 34 mm and vertical height 11 mm. Hockey stick-shaped head of SOOF is mostly below lower orbital rim, yet also a few millimeters over inferolateral orbital rim. Horizontal length is 48 mm and vertical height 27 mm.

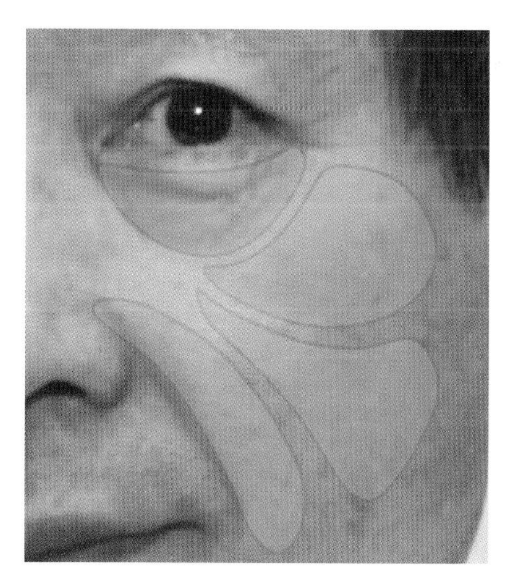

FIGURE 6-39 하안검과 중안면의 피하지방의 분포.

## 눈 주위 지방

여기서 눈 주위 지방을 따로 분리하여 설명한다. 구체적인 수술방법은 앞에서 설명되어 중복되는 것은 설명을 생략한다.

하안검의 지방은 크게 3개로 나눌 수 있다.

- 안와지방(orbital fat) (FIGURE 6-37)

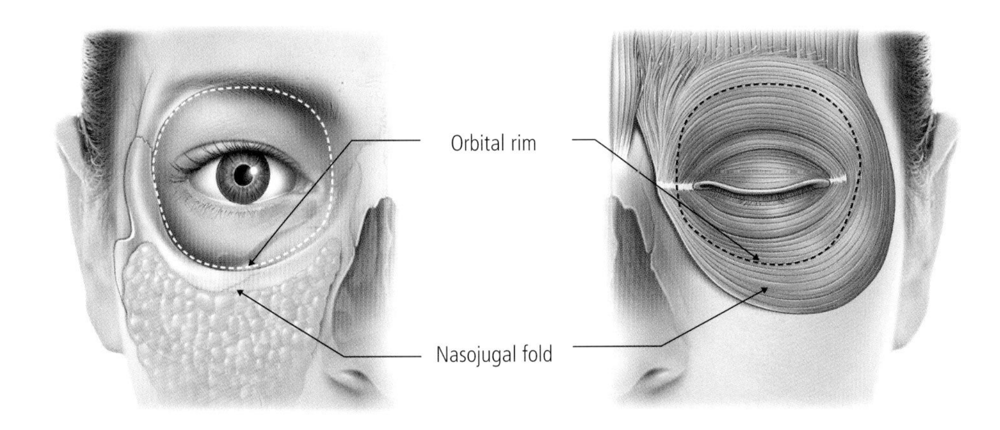


FIGURE 6-40 cheek fat의 상방 경계가 nasojugal fold와 palpebromalr fold와 일치하며 안륜근의 preseptal과 preorbital 경계부위이다.

- 안륜근하 지방(SOOF) (FIGURE 6-38)
- 피하지방(malar fat, cheek fat) (FIGURE 6-39)

## 노화에 의한 변화 모습과 지방 변화와의 관계

### *Nasojugal fold and palpebromalar fold*

- 안와지방(orbital fat)의 돌출 부위의 아래선과 일치
- SOOF의 하향 이동에 따른 함몰
- Cheek fat의 윗 경계 부위(FIGURE 6-40)

### *Malar crescent*

- Malar fat의 경계 부위

### *Inferior orbital hollowness*

- SOOF의 하향

### *Nasolabial fold*

- Cheek fat의 하향

## 하안검 지방을 이용한 하안검 수술방법

### 안와 지방(orbital fat)

*단순제거 : 수술방법은 앞에서 설명*

하안검의 불룩함을 줄인다. Nasojugal fold를 완화시키긴 하지만 또렷한 효과는 없다(FIGURE 6-43). 안와지방을 지나치게 제거하면 눈꺼풀이 꺼질 뿐 아니라 안구가 함몰되고 아래로 내려앉게 된다. 또한 격막과 퇴축기(retractor) 사이의 완충기능(buffer)이 없어져 지방 내의 염증이 유착을 일으켜 하안검이 내려올 수 있다.

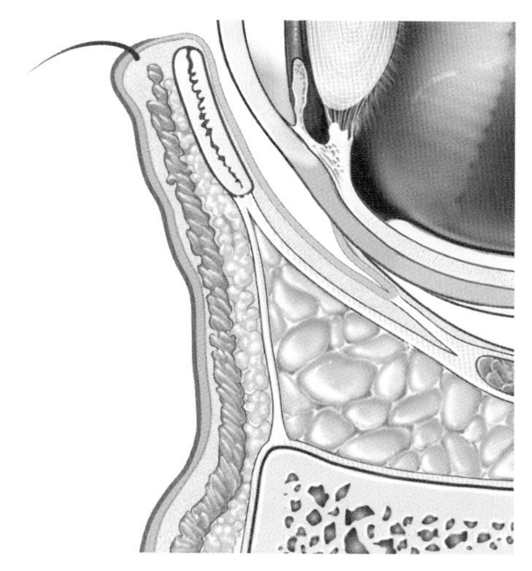

FIGURE 6-41 **미세지방이식 위치.** 안륜근과 골막, 격막 사이

*미세지방이식*

#### 지방이식(fat graft)의 효과

Naso-jugal fold와 infra-orbital hollowness 교정

- Crow's feet를 포함한 피부주름을 개선
  - 피부가 팽팽해진다.
  - 지방이 피하층에서 피부와 근육사이에서 physical barrier 역할을 하는데 이 지방이 줄어들면 피부와 근육이 직접 연결되어 주름이 더욱 심해지는데 이를 막아준다.
- 하안검 피부의 어두운 색을 호전
  - 피하지방이 적으면 피부아래에 있는 근육과 정맥혈관의 어두운 색깔이 비치기 때문에 피부가 어둡게 보이는데 피하지방이 있으면 지방의 밝은 빛으로 인해 피부색이 밝아진다.

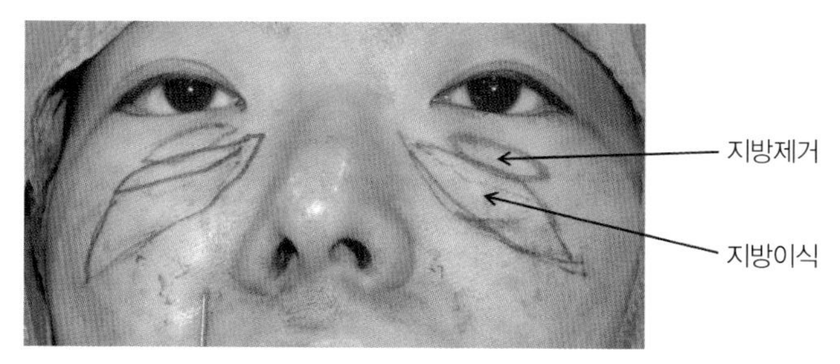


FIGURE 6-42 **미세지방주사이식.** 앉은 상태에서 지방이식을 한다.

- 속눈썹 아래 수평 함몰선 해결
- Pretarsal fullness를 만든다. 이때는 미세지방을 23 G cannula로 최상방 위치로 주사한다.
- Scleral show가 호전된다.
  - 지방주사에 의해 하안검이 상방으로 올라가는 효과가 있다.
- Maxillary hypoplasia 호전
- 주변 조직이 올라오는 효과에 의해 피부 Pore 크기가 줄어든다.

Nasojugal fold와 infra-orbital hollowness 부위를 따라 지방을 이식한다. 미약하게 안와지방이 나온 경우는 이것만으로도 지방이 덜 나와 보이는 효과가 있다.

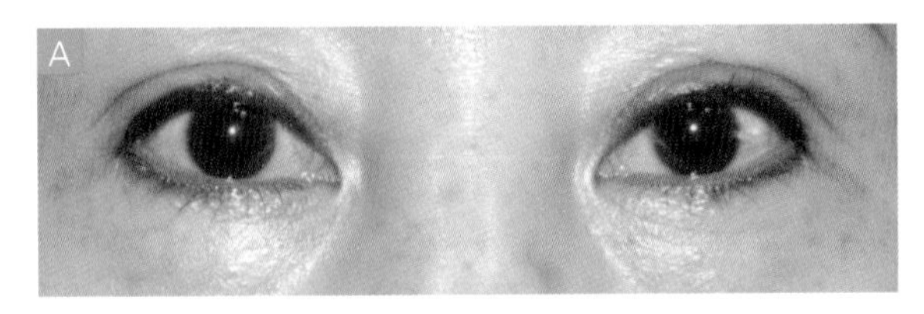


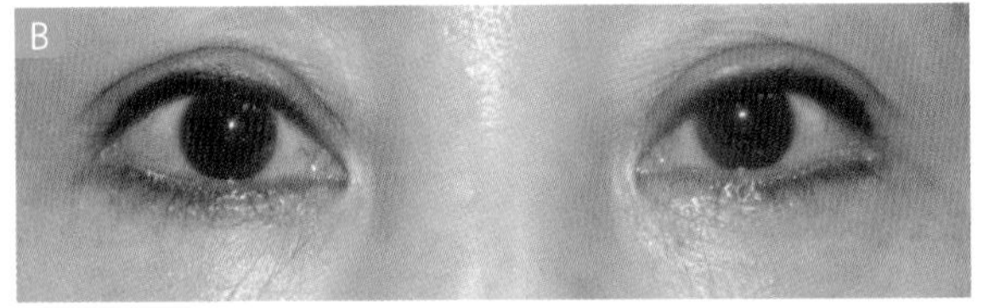


FIGURE 6-43 경결막 지방제거 수술 전후.

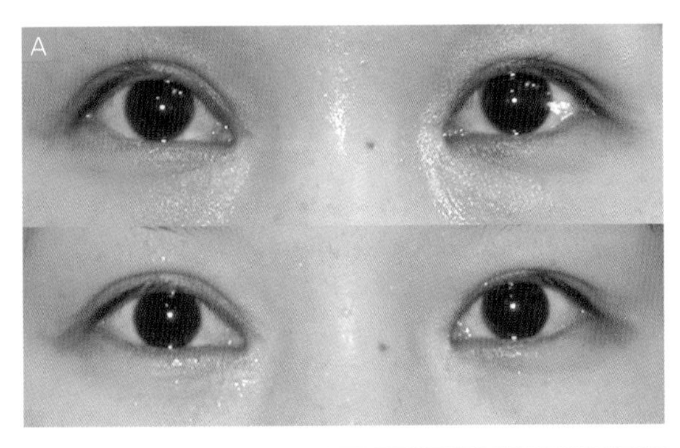


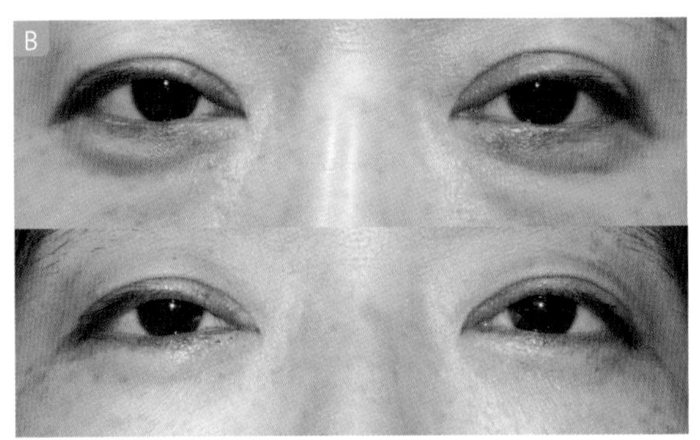


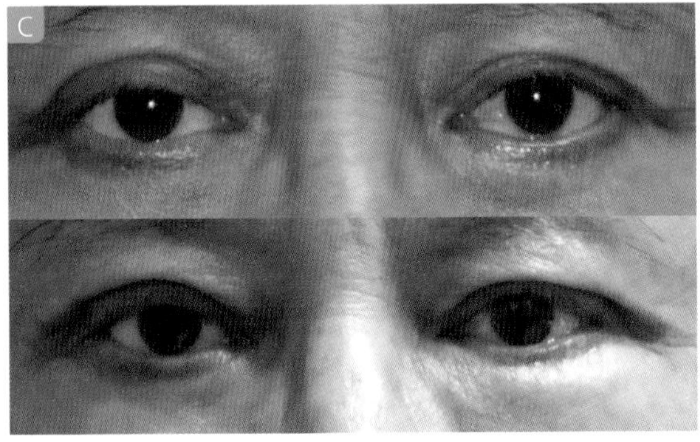


FIGURE 6-44 지방제거와 nasojugal fold의 지방 유리이식 수술 전후(microfat injection)
**A,B.** nasojugal fold와 infra orbital hollowness가 개선되었다.
**C.** 좌측 하안검 지방이식 후 하안검이 상방으로 올라가 scleral show가 호전되었다.

### 수술방법

국소마취는 하안신경(infra-orbital nerve)을 주사하고 지방주사 부위를 마취한다. 지방의 생존율을 높이기 위하여 지방을 흡입할 때 음압을 최소로 하여 흡입한다. 12 G 케뉼라로 흡입한다. 복부보다는 대퇴부 또는 무릎안쪽(inner part of the knee)이 미세지방 얻기에 적합하다.

미세지방이식은 환자가 앉은 상태에서 한다. 누운 상태와 앉은 상태의 꺼진 부위가 다르다. 누운 상태에서 주입하면 앉은 상태의 위치보다 위로 주입하게 된다. 그리고 얼굴표정을 여러 가지로 지어 보고 지방이 뭉치는 것이 없는지 확인해 보아야 한다.

안와연(orbital rim) 아래 부위는 뼈에 가까울 정도로 깊게 지방을 이식하여 피부표면이 울퉁불퉁해지는 것을 방지한다. 안와연 윗 부분은 여러 층으로 주입한다. 이때 매우 중요한 것은 지방을 1 ml 주사기에 넣고 1 ml의 지방을 30-40번으로 잘게 나누어 여러 방향, 여러 층으로 주입함으로써 피부표면이 울둥불퉁한 것을 방지하고 지방의 생존율을 높인다. 주입시 반대편 손가락으로 정확한 부위에 들어가는지 감각으로 느끼고 확인한다. 지방주사량은 필요량의 1.5배 이상 과교정하지 않는다. 지방주입 후 냉찜질한다.

#### *안와지방 제거 및 미세지방이식(microfat graft)(FIGURE 6-44)*

안와지방이 불룩하게 나온 부위는 안와지방을 제거하고 그 아래 꺼진 부위-nasojugal fold

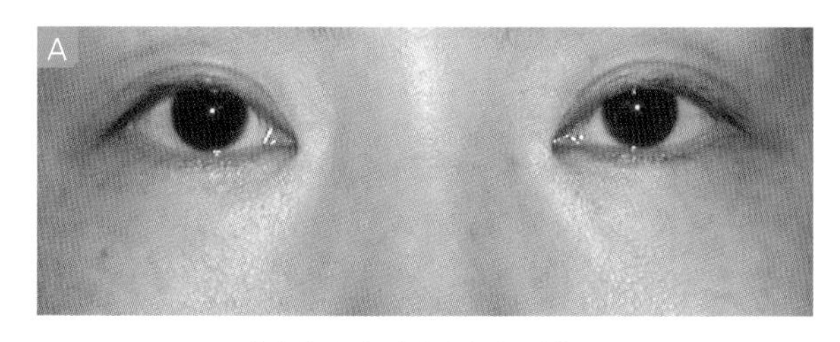


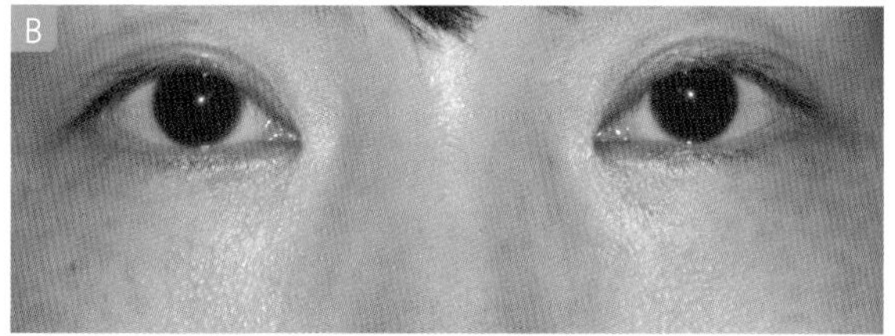


FIGURE 6-45 경결막 지방 재배치 수술 전후.

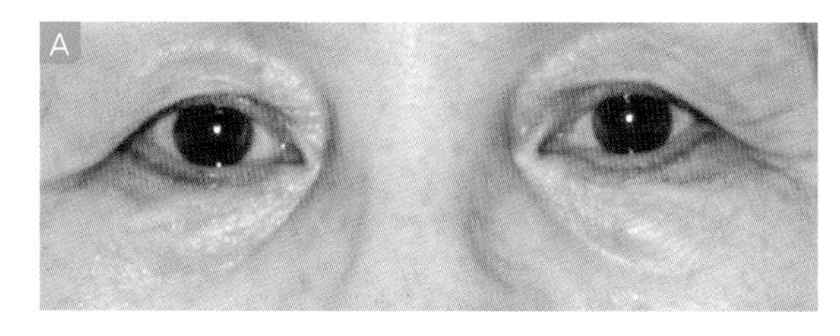


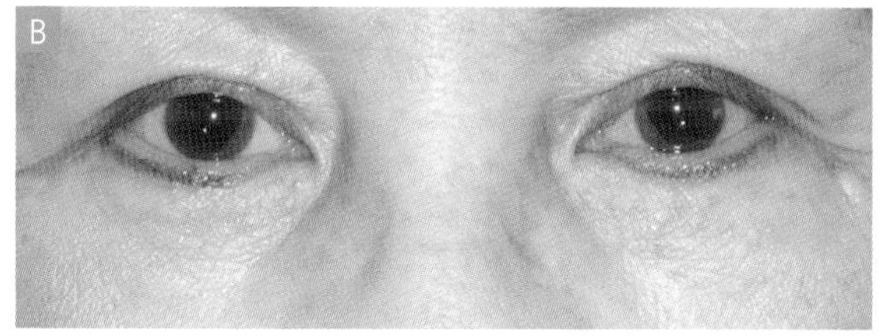


FIGURE 6-46 안와지방 재배치와 SOOF 거상 전후.

및 infraorbital hollowness 부위는 지방이식하는 방법. 지방이식은 골막 위층, SOOF층, 안륜근, 피하층 등 다양한 층에 사용한다. infra-orbital hollowness 부위는 많이 주사하고 경계 부위는 teathering out 한다. 얕은 층일수록 매우 소량씩 나누어 주사(multiple and mini-injection)하여 피부표면이 울퉁불퉁하지 않도록 세밀하게 주사한다.

***지방재배치 : 수술방법은 앞에서 설명*** *(FIGURE 6-45)*

하안검의 불룩함을 줄이고 안륜근이 안와골에 붙은 지점을 떼어내고 cheek fat의 경계부위 아래 4-5 mm까지, orbitomalar ligament 아래로 지방을 재배치하여 nasojugal fold를 완화한다.

### SOOF

SOOF 거상으로 lid-cheek junction을 올리고 infraorbital hollowness를 완화한다.

### Cheek fat

안륜근 거상고정으로 cheek fat, malar fat을 거상한다. 이로 인해 malar crescent와 nasolabial fold가 호전된다.

## 하안검 퇴축(LOWER LID RETRACTION)

하안검 성형수술 후 흔하면서도 심각한 합병증으로 하안검 퇴축을 들 수 있다. 이는 하안검의 하향 편위(lower eyelid malposition)를 일컫는 것으로 lateral canthal rounding, 공막징(scleral show) 및 반흔 구축성 외반증(cicatrical ectropion)을 망라하여 말한다. 때로는 외반증 없이 단순한 하안검의 하향(scleral show)을 퇴축이라고 지칭하기도 한다.

하안검 퇴축의 원인으로는 노인성에서 흔히 볼 수 있듯이 일차성으로 하안검의 이완 혹은 해리(tarsoligament laxity or disinsertion) 또는 안륜근의 약화 등에 의한 hypotonic lid가 원인으로 노화성으로 나타나는 경우가 있고, 또한 이차적으로 기존하안검 이완을 간과하고 수술 후 안와 주위에서 일어나는 반흔성 구축(cicatrical forces)을 견디지 못하여 나타나는 경우도 있다. 지나치게 피부나 안륜근을 많이 잘라낸 경우, 또는 피부를 많이 잘라내진 않아도 술 후 격막 주위에 염증 반흔성 구축(cicatrical contraction)에 의해 발생할 수도 있다. 특히 임상적으로는 심한 혈종 발생 이후에 퇴축이 나타나는 경우를 흔하게 볼 수 있다. 하안검 수술 후 혈종이 생기면 바로 혈종을 제거하더라도 안륜근과 격막 또는 capsulopalpebral fascia를 포함한 연조직에 혈종이 남아 있게 되므로 심한 반흔 구축을 일으키게 된다. 하안검 성형술 시 격막주위에 지방주사 이식 후에도 비슷한 현상이 나타날 수 있다. 그러므로 이런 경우에는 혈종만 제거하는 것으로 마무리하지 말고 2차적으로 발생 가능성이 높은 퇴축에 대한 철저한 예방 조치가 있어야 한다.

하안검 퇴축 정도는 하안검연(lower lid margin)과 각막하연(corneal inferior limbus) 사이의 거리를 측정하는데 정상적인 하안검의 위치는 수평주시 시 각막하연에 있거나 하연을 1 mm 정도 덮는다(FIGURE 6-47). scleral show의 양은 각막의 내측, 중앙, 외측에서 측정한다. 하안검의 퇴축은 미관상의 문제 외에도 유루(epiphora), 흐릿함(blurred vision), 이물감, 시각장애, 눈부심, 안구건조증, 심한 경우엔 노출성 각막염을 일으키는 수도 있다.

하안검 퇴축에 의해 발생한 안구건조증은 하안검이 안구를 감싸(hug, opposition)주지

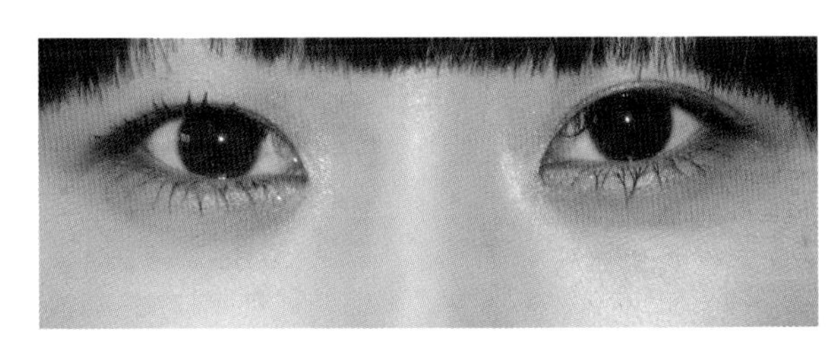

FIGURE 6-47 정상적인 하안검의 위치는 수평 주시시 각막하연이나 하연을 1mm 정도 덮는다.

못하고(malopposition) 안검이 안구에서 떨어지는 현상에 의해서 mucocutaneous junction의 후연 가까이 있는 피부기름샘(sebaceous gland)인 검판샘(tarsal gland. meibomian gland)의 orifice가 각질화(keratinization)되므로 눈물 구성 성분 중 기름 성분의 이상 때문에 눈물의 증발이 가속화되어 나타난다. 그러나 이러한 안구건조증은 퇴축이 교정되면 검판샘의 기능을 다시 회복할 수 있다. 또한 눈물이 흐르는 것을 안쪽에 일어나는 외반증 때문에 누공(lacrimal punctum)이 각질화 되면서 폐쇄(obstruction)현상이 일어나고 안륜근 약화되어 눈물펌프(lacriaml pump) 기능이 저하되면서 심해진다.

하안검퇴축을 교정하기 위하여 많은 술기들이 행해지고 있다.

교정 수술을 시행하기 전에 먼저 퇴축이 anterior lamella에 국한된 문제인지 posterior lamella의 문제인지 또는 모든 층의 복합적인 문제인지를 파악해야 한다.

단순히 피부를 과하게 잘라서 생긴 경우엔 퇴축이 anterior lamella에만 국한될 수 있고 피부는 적게 잘랐으나 격막 뒤쪽의 혈종(hematoma)이나 반흔 구축(cicatrical contraction)으로 posterior lamella에만 퇴축이 올 수도 있다. 많은 경우에서 한쪽 lamella에서 퇴축이 있다 하더라도 redraping 과정에서 퇴축이 다른 층에도 전달되어 양쪽 lamella에서 복합적으로 퇴축이 오는 경우가 많다.

이를 구별하는 방법으로, 강제 융기술(forced elevation test)로서 Mc Cord, Patipa 등이 제시한 바와 같이 손가락 한 개를 밀어보는 법, 두세 개를 밀어보는 법 등의 방법을 이용할 수도 있다. 수술 중에 알아보는 방법으로는 전방층의 구축을 완전히 풀어준 후에도 하안검이 어느 정도 올라가지 않으면 후방층의 단축이 있는 것으로 본다. 저자는 관골부위의 피부를 손가락으로 찝고 위로 올려서 하안검 피부가 팽팽하지 않고 피부 주름이 보일 정도로 여유있게 한 다음 퇴축이 해결되면 anterior lamella에만 퇴축이 있는 것으로 간주하고 피부에 주름이 보일 정도로 피부를 위로 밀어도 퇴축이 해결되지 않으면 posterior lamella에도 퇴축교정이 필요한 것으로 본다. 또한 피부에 주름이 많고 여유분이 많으면 anterior lamella에는 문제가 없고 posterior lamella에만 퇴축이 있는 것으로 보면 된다.

수술방법으로 무엇보다 중요한 것은 피부가 충분히 여유 있게 거상되는 것이며 또한 거상된 피부가 다시 내려가서 피부 부족현상이 일어나지 않게 하는 것이다. 피부를 여유있게 거상하는 과정이 중안면 거상술이며 다시 내려오지 않게 하기 위해서는 외안각 고정술과 안륜근 거상술이 견고해야 한다. 다음으로 중요한 것은 뒷 층과 중간 층(posterior lamella and middle lamella)의 수축을 검판하연에서부터 하안연에 걸쳐 충분히 용해 (release) 해 주는 것이다.

하안검외반이 경미한 경우엔 외안각건 성형술(canthoplasty), 검판 현수법(tarsal strip

procedure 등), 쐐기형 절제법, 안륜근 거상술 등을 시행하고, 중증도일 경우엔 반흔 퇴축을 분리하고 외안각건 성형술과 중안면 거상술을 통한 안륜근 거상술을, 심한 경우엔 중간층, 후방층의 반흔 퇴축을 풀고 이 부위의 연장과 지지를 위한 공간막이 이식(spacer graft)을 실시한다. 반흔 퇴축(cicatrical contraction)을 철저히 푸는 것이 중요하다. 퇴축교정술은 미적인 문제뿐만 아니라 기능적으로도 매우 중요하다.

### *Anterior lamella 부족(shortage)*

- 중안면 거상술 및 안륜근 현수고정, 외안각 고정술
- 피부 이식술

### *Posterior lamella 부족*

퇴축기(retractor=capsulopalpebral fascia, inferior tarsal muscle)와 함께 반흔 구축이 있는 격막 등을 철저히 release 해 주며 심한 경우엔 spacer graft를 통해서 보충한다.

하안검의 이완이 경미한 경우, distraction test 상 6-7 mm 이하이면 canthopexy를 적용하고 그 이상이며 수평연장이 있으면 검판 현수법(tarsal strip procedure 등), 쐐기형 절제법 등, canthoplasty를 적용하고 안륜근 및 SOOF 거상술은 항상 함께 시행되는 술기이다. 퇴축교정술은 미적인 문제뿐만 아니라 안구 건조증, 노출성 각막염(exposure keratopathy), chemosis, 시력감퇴 등 기능적으로도 매우 중요하다. 하안검 외반증으로 인한 mucocutaneous junction의 각질화는 교정한 후에는 눈물의 적심에 의해 회복될 수 있다.

### *Dehiscense of lateral canthal attachment*

A. 원인
- 나이
- 부종
- 수술 후

B. 증상
- 노출성 증상
- 외안각의 당기는 느낌
- Fish-mouth 현상. 눈을 세게 감을 때 외안각이 내측으로 이동

### *고 위험군(High risk patient)*

- Exophthalmosis
- Malar hypoplasia
- High myopia
- Pre-existing scleral show
- Lid laxity-hypotonia
- Secondary blepharoplasty

안구와 관골과의 관계에 있어서 안구가 많이 나온 경우를 negative vector라고 하여 위험군에 속한다. 그 외 안검이완증이 있는 경우는 물론이거니와 2차 하안검 수술도 위험군에 속한다.

### 퇴축기 분리(release of lower lid retractors) 및 spacer 이식(spacer graft)

앞에서 말했듯이 퇴축이 전방층에 국한된 경우엔 앞에서 기술한 중안면 거상 피부이식 외안각근 고정술, 안륜근 현수 고정 등을 이용한다.

중간층-후방층(middle-posterior lamella)에 퇴축 문제가 있는 경우엔 격막을 비롯한 그 부위의 유착을 철저히 풀고 inferior retinaculum도 풀어준다(FIGURE 6-48). 수축된 조직 및 하퇴축기(inferior retractor, capsulo-palpebral fascia)를 용해(lysis)하는 것만으로도 하안검이 1 mm 정도는 거상되는 효과가 있으나 그것만으로는 부족한 경우가 많고, 다시 재유착으로 인하여 재발되는 경우를 고려해야 한다. 원칙적으로 퇴축기를 release하는 것은 하안검 퇴축을 예방하는 효과는 있으나 posterior lamella의 퇴축을 치료하는 것은 spacer graft를 해야 한다.

이외에도 안구 돌출이 심한 경우나 수술 후 혈종 등으로 인해 아래로의 수축력이 크면 하향 편위가 심해질 수 있으므로 이런 경우에도 spacer를 이식할 수 있다. 이식 재료로는 자가 이식 재료로 건막, 공막(sclera), 귀연골 혹은 비 격막 연골, 경구개점막(hard palate), 진피(dermis) 혹은 진피지방(dermofat)이 있고, 동종 혹은 이종이식재료로는 enduragen, 격막, 알로덤, lyoplast 등을 사용하는데 경구개 점막이 수축이 적고 부종이 적은 장점이 있으나 술식이 어렵고 공유부의 고통이 심한 문제가 있다. 진피이식은 수축이 적고 생착이 잘되며 진피지방이식은 하안검이 꺼진 경우 부족 조직을 보충하는 데 효과적이고 올려둔 하안검의 받침(buttress) 역할을 할 뿐만 아니라 수축된 격막과 흉조직이 분리되고 난 후 결

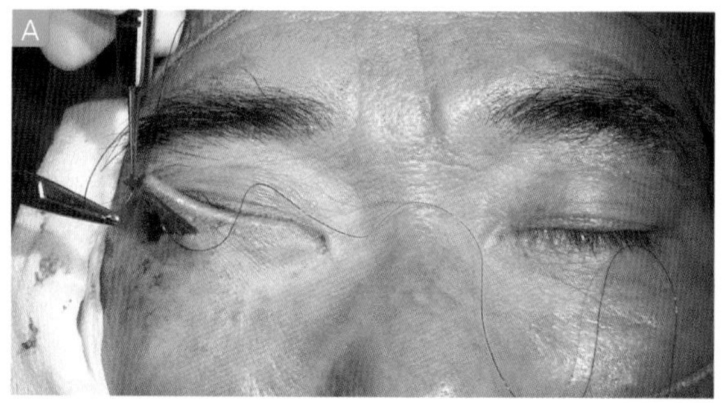


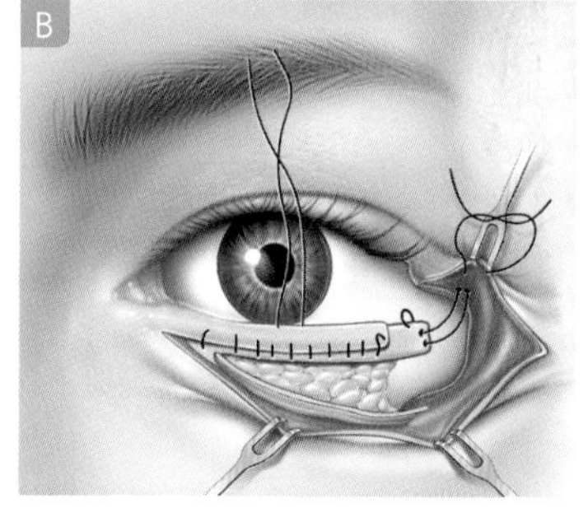


FIGURE 6-48 retractors, inferior retinaculumm 등 주변 조직을 release한 후 tarsal strip procedure.

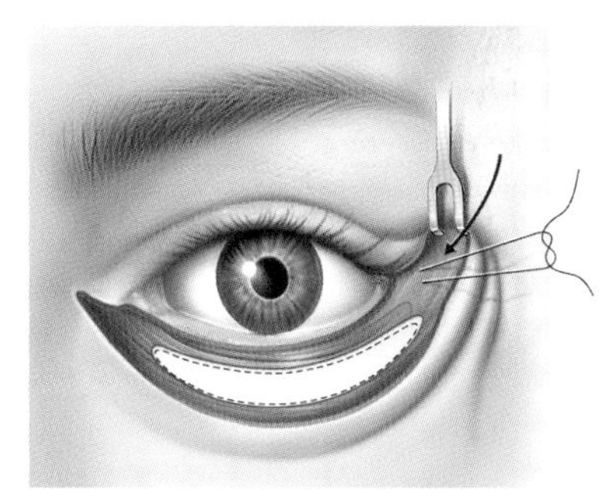

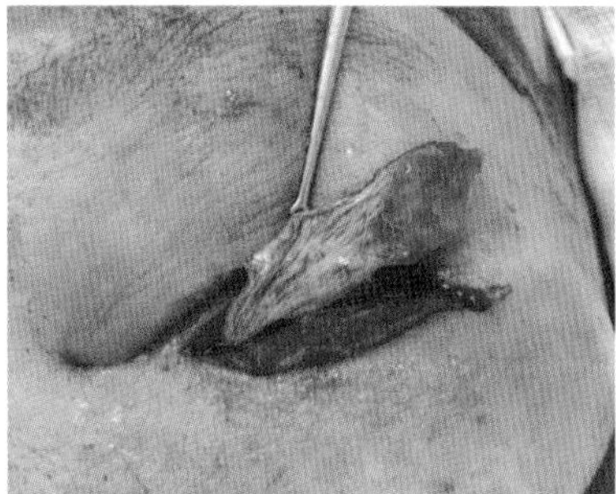

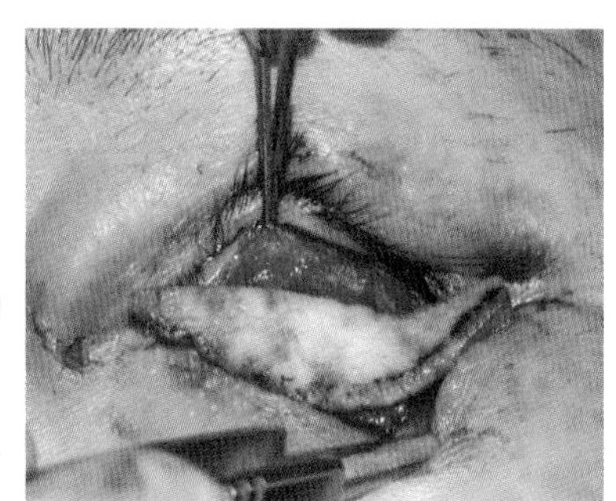

**FIGURE 6-49** Spacer 이식, Deep temporal fascia 이식, 동종피부이식, dermofat 이식.

막과 안륜근 사이에서 완충(buffer) 역할을 하여 효과적이다. 진피는 귀 뒤나 엉덩뼈(ilium) 아래, 진피지방도 주로 엉덩뼈(iliac crest) 아래에서 채취한다. Alloplastic material은 부종이 심하고 염증으로 인해 회복기간이 길다는 단점이 있으나 편리하며 얇은 것보다 두꺼운 것이 수축이 적으나 두꺼운 것이 하안검이 비대(bulky)해지는 문제도 있다(**FIGURE 6-49**).

한편 retractors를 release한 자리에 중안면 거상으로 인하여 위로 올라온 안륜근 피판이 충분히 덮어줄 수 있으면 이 자체로 spacer 역할이 되는 경우도 있다.

이식 방법은 먼저 구축된 조직을 확실히 풀어 주고 retractors와 결막을 절개하고 안와연을 충분히 위로 올린 다음 그 빈 공간에 이식하는데 자가 조직이식의 경우보다 외부조직이식은 수축을 고려하여 대개 올리고자 하는 2배의 넓은 크기를 이식한다. 그러나 동종이식일 경우에는 지나치게 넓은 조직은 염증을 일으키기 쉬우므로 조심한다. 이때 조심해야 할 것은 결막을 수평 절개하면 하안검의 상부가 bipedicle flap이 되고 canthotomy까지 하면 unipedicle flap이 되어 생존이 위험해질 수 있으므로 canthotomy는 가능한 삼간다. 저자는 결막은 절개하지 않고 결막을 보존하면서 나머지 수축조직은 모두 release하고 결막 위에 이식술을 시행한다. 결막을 보존하는 경우는 이식조직이 크더라도 염증이 잘 생기지 않지만 결막이 이식조직을 덮어 주지 않는 경우엔 생착률이 떨어지고 염증이 잘 생기는 것이 예상된다.

spacer 이식을 하기 위해선 먼저 posteror lamella를 release하고 canthal anchoring을 통

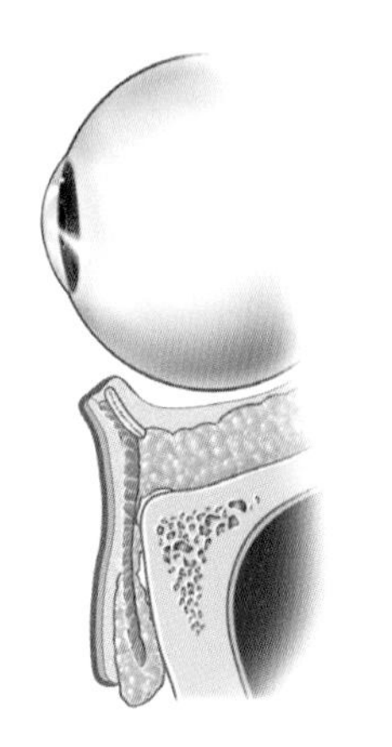
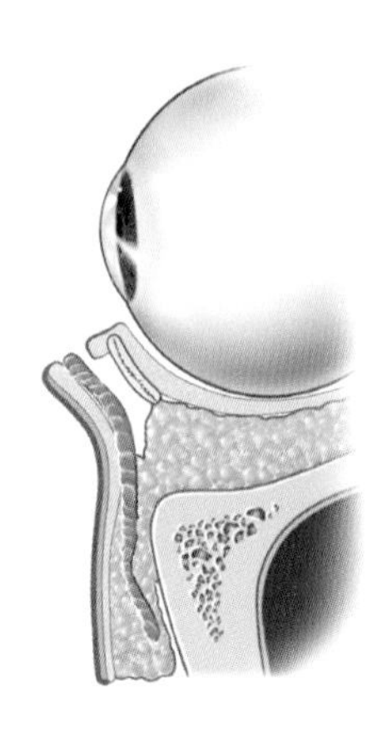

FIGURE 6-50 하안검을 상방으로 올린 수술 전후.

해서 아래 눈꺼풀을 충분히 올려줌으로써 이식할 빈 공간(raw surface)을 충분히 확보하는 것이 매우 중요하며 그 빈 공간에 이식 후 수축을 고려하여 여유 있게 넓게 이식해야 한다. 다시 말하면 spacer 자체가 하안검을 위로 올리는 역할을 하는 것이 아니라 malposition된 하안검을 제자리로 올리는 것은 retractor 및 수축된 조직을 충분히 release하는 것과 canthal anchoring의 역할이며 spacer는 재발 방지용으로 생각하는 것이 좋다. spacer는 때로는 부분적으로 짧게 사용될 때도 있지만 퇴축이 전반적으로 있다면 외안각건이 있는 부위까지 충분히 길게 해 준다.

저자는 중안면거상 수술 후에 있을 수 있는 적은 혈종 등으로 일어날 수 있는 수술 후 수축을 방지하기 위해 트리암시노론을 2 mg/ml로 희석하여 1 ml 정도 뿌려 준다.

Tarsorrhaphy나 Frost suture를 시행한다. 이것은 수술 후 초기에 하안검의 운동을 제한하여(immobilization) 안정시키고(stabilize) 부종에 의한 영향을 최소화한다. Patch를 붙여 준다. 마찬가지로 하안검의 운동을 제한하고 부종을 예방한다. Microform을 붙여 준다. 이것을 붙이고 있는 동안 하안검이 올라가 있는 것을 볼 수 있다. Microform 위로 quilting suture를 하면 부종을 예방하는 효과가 크다.

### 하안검 퇴축 교정수술을 어떻게 하면 실패하지 않을까?

하안검 퇴축 수술 직후에는 하안검이 lower limbus를 약간 가릴 정도로 과교정되어도 수술 2-3달 정도 이후에는 수술 전과 같이 퇴축이 다시 나타나서 난감한 경험이 있다. 그 원인은 무엇이며 어떻게 해야 재발의 공포에서 헤어날 수 있을까? 하안검 퇴축교정 수술은 성취감 있는 수술 중 하나이다. 장기간의 지속적인 힘은 비록 약한 힘일지라도 교정이 될 수 있다.

하안검 퇴축 수술 후 지속적으로 아래로 당기는 힘이 강하다면 어떤 방법으로 그 힘을 이길 수 있을까? 수술 후 유착이 강해지기까지 최소 3개월 정도까지는 거상된 조직이 실의 장력에 의해 버텨줄 수 있어야 하는데 검판은 작고 얇으며 외안각건도 4-0 혹은 5-0의 굵은 바늘이 통과하면서 찢어지면서 cheese-wiring이 일어나기 쉽다. 그러므로 장력이 최소화해야하고 비록 약한 장력일지라도 강한 유착이 일어나는 기간까지 장시간 지탱할 수 있는 견실한 고정이 필요하다.

하안검의 부정위치(lower lid malposition)를 만족스럽게 교정하기 위해서는 다음 두 가지를 염두에 두어야 한다.

1. 하안검의 anterior lamella 혹은 posterior lamella를 충분히 여유 있게 거상한다.
2. 거상된 조직이 다시 내려가지 않게 한다.
   - 하안검을 최대한도로 거상하기 위해서는 하안검의 유동성에 제한을 주는 조직인 orbitomalar ligament, lateral thickening, zygomatico-cutaneous ligament 등과 지난번 수술에서 발생한 유착과 구축(cicatrical contraction)을 철저히 풀어주어 위로 당기기 전에 이미 정상위치에 도달할 정도가 되어 외안각건 고정 시 긴장감이 없어야 한다.
   - 피판이 두꺼우면 SOOF와 같은 깊은 조직은 많이 거상되어 inferior hollowness는 잘 교정되지만 피부와 안륜근 같은 표면 조직은 잘 거상되지 않으므로 SOOF를 끌어올릴 때 가능한 얕게 바늘을 통과시킨다.
   - 거상된 조직이 다시 내려가지 않기 위해서는 먼저 외안각 고정술(canthal anchoring)을 확고히 해야 하고 다음으로 안륜근 현수고정(orbicular muscle suspension)을 효과적으로 해야한다. 늘어진 빨래줄(clothesline)을 팽팽하게 하기위해서는 빨래줄을 잡아당겨 기둥에 묶어야 하고(외안각 고정술) 빨래의 무게를 덜어줘야 한다(SOOF, 안륜근의 현수 고정). 확고하게 묶는다는 것은 강하게 고정한다는 것이 아니라 오히려 긴장이 적게 부드럽게 묶는다는 것을 의미한다.
   - 먼저 외안각 고정술을 확고히 하기 위해서는 고정조직(검판 또는 외안각건)을 정확히 걸어야 하고 다음으로 적절한 위치의 골막에 고정하여 견고한 유착이 일어나게 해야 한다. 많은 양의 검판에 걸기 위해서는 검판에 수평으로 길게 고정하거나 잘려진 검판의 단면에 고정하는 방법이 있다(**FIGURE 6-31**). 매우 중요한 것 중 하나는 고정조직과 골 막 사이에 아무런 조직이 끼어 있지 않아야 한다. 실의 힘은 오래가지 않고 견고한 유착이 영구적이다.
   - 또는 검판과 함께 주변 안륜근을 포함하여 두껍게 고정할 수 있다. 또한 외안각건

을 정확히 잡는 것(capture of canthus)이 중요하다. 바늘이 외안각건을 두 번 통과하는 것이 바람직하다. 또한 외안각건을 깊게 고정해야 하는 경우에는 안와연 안쪽에(inside of the orbital rim)에 구멍(bone drill hole)을 뚫는다. 안와연의 안쪽은 안와연에 비해서 골막이 얇아서 고정에 약하기 때문이다(송승환). 뼈에 구멍을 내는 것 외에 외안각건이 뼈에 붙는 위치의 외안각건을 통과하면서 골막에 고정하는 방법(transcanthal cnathopexy)도 유용하다. 깊게 고정해야 하는 경우는 외반증, 안검 분리(하안검이 안구로부터 떨어져있다, distraction), 꺼진 눈(endphthalmos) 등이다.

- 고정 후 distraction test 상 1-2 mm 떨어지게 하고 외안각 고정(canthal anchoring) 시 높이와 깊이는 약간 overcorrection 한다.
- 검판 고정은 검판의 높은 부위가 외반증을 교정하기에 효과적이다.
- 조직이 매우 외상이 심하거나 약하면 외부 조직을 이식한다(patch graft).
- utting needle 보다는 round needle로 조직에 외상을 덜하고 나일론이나 PDS 등 늘어나는 실보다는 medilone, ethibond, wire 등 늘어나지 않는 실을 사용한다. 검판이나 외안각건을 이용한 외안각 고정술 외에 추가로 안륜근 외안각고정술(orbicularis muscle canthopexy)을 실시한다.
- 고정 후 앉은 상태에서 외안각 위치를 확인한다.
- Spacer 이식은 외안각건까지 길게 할 경우도 있다. Spacer는 상하 폭도 중요하지만 때로는 충분한 볼륨이 필요하다(예, dermofat graft). 이것은 위로 받쳐주는 힘보다는 앞층과 뒤층의 완충작용(buffer between anterior and posterior lamella)과 수축방지 역할이 중요하다.
- 거상된 후 남는 조직은 수술 후 수축이 일어날 것에 대비해 여유분을 남겨두고 최소한도로 잘라낸다.
- 피부 이식은 안륜근 위에 한다.
- Tarsorraphy는 수술 후 하안검의 위치를 안정시키는 데 매우 효과적이다. 2주간 지속시킨다.

## 수술 후 처치

수술 하루 동안은 휴식을 취하고 머리를 45° 이상 높게 하고 차가운 압박을 대준다. 항생제 안연고를 하안검 하연(lower eyelid margin)에 하루에 2-3차례 사용하고 항생제와 steroid의 혼합액을 며칠간 2-3차례 사용한다. 안연고는 윤활제 역할을 하여 결막 부종을 방지하는 역할도 한다. 때로 인공눈물을 1주간 사용하기도 한다. 잠잘 때는 똑바른 자세에서 머리를 올린 상태를 유지한다. 수축으로 인한 하향 편위를 방지하기 위해 스테로이드를 사용하기도 한다.

그리고 하향편위를 방지하기 위해 하안검 조직을 손으로 상방으로 20-30초 동안 올린 상태로 있는 하안검 마사지를 하루 20-30번 정도 하기도 한다.

수술 후 일어나기 쉬운 합병증으로 안구 건조증을 들 수 있다.

### 안구 건조증(dry eye syndrome)과 결막 부종(chemosis)

눈물 film의 잘못이나 부족현상을 말하는 것으로 눈물생산 부족이나 과다한 증발로 인해 안구 표면에 문제를 일으켜 일상적인 생활, 직업적인 작업, 컴퓨터 사용, 독서, 야간 운전 등에서 문제를 야기할 수 있다. 이것은 chemosis와 같이 잘 일어나고 발생원인 및 기전도 비슷한 점이 많고 치료 또한 유사하게 취급한다. 결막 부종의 원인 또한 여러 가지이다. 수술 중 심한박리나 외상, 전기소작, 임파흐름의 장애 또는 염증으로 인해 발생할 수 있고 수술 후 토안으로 인해 발생할 수 있다. 눈물생산이 잘 되지 않는 요인으로 흡연, 폐경, 또는 갑상선 이상이나 노화나 약물이 원인이 될 수 있다. 생산량을 측정하는 방법으로 Schirmer's test가 있다. 정상은 5분 이내에 흡수지 15-30 mm가 젖는 것을 말하며 10 mm 이하는 눈물의 저분비이다. 하지만 실제 눈물 생산량에 관계가 많지 않아 Shirmer's test는 별 의미가 없고 tear film, 눈물 분포의 문제, 눈물 증발문제와 관련이 많다.

증상으로는 이물감, 안구 통증, 안구 피로, 눈물 흘림, 눈부심, 시력감퇴, blurred vision 등을 들 수 있고 수술의 원인으로 토안(lagophthalmos)을 들 수 있다. 이는 안구가 완전히 닫히지 않는 것으로 윗 눈꺼풀뿐만 아니라 아래 눈꺼풀의 불완전한 감김으로 인하여 발생한다. 광범위한 하안검 수술 후에는 일시적인 전검판 안륜근(pretarsal orbicularis muscle)의 마비에 의해 나타나긴 하나 이것은 시간이 지나면서 곧 좋아진다. 외반증이 있는 경우에는 meibomian gland의 입구(orifice)가 각질화되면서 기능을 제대로 하지 못하기 때문에 lipid 공급부족으로 인하여 눈물이 쉽게 증발되어 건조증을 유발한다. 이것은 외반증이 해결되면 다시 회복 가능하다. 또한 canthopexy를 강하게 한 경우에도 일시적으로 눈물의 흐름이 방해되어 나타난다. 하지만 피부 또는 안륜근을 과다 절제한 경우엔 영구적일 수가 있는데 특히 상하 전검판 안륜근(pretarsal muscle) 과다 절제가 문제가 된다. 또한 결막을 많이 절제한 경우나 결막절개와 같은 수술 후 염증반응(inflammation)에도 발생 가능성을 유의해야 한다.

주의를 요하는 환자(risk factor)로서는 여러 번 눈꺼풀 수술을 했을 때나 폐경기 환자, 갑상선 환자, 과거력상 건조증이 있는 환자, 항 히스타민제를 많이 쓰는 환자와 또한 corneal denervation와 관련이 있는 LASIK 수술 등을 받은 환자는 각막의 눈물 분포에 영향을 미칠 수 있다.

예방 방법은 결막부종도 같은 기전에서 취급한다. 눈을 잘 감길 수 있도록 하기 위해선 수술 중 전검판안륜근(pretarsal orbicularis oculi muscle) 절제와 피부 절제를 최소화하고 외안각 성형술이나 안륜근 현수고정을 잘 시행하여야 한다. 특히 외안각 고정 시 박리로 인한 임파혈행(lymphatic channel)장애와 눈 주위의 부종이 결막 부종의 흔한 원인이다.

다음 과정으로 일시적인 안구 과다노출로 인한 문제를 예방하기 위하여 일시적 검판봉합술(temporary tarsorrhaphies), Frost suture, 잠잘 때 테이프 부착(night taping), 또는 눈을 감은 상태에서 반창고를 사용하거나 eye patching이 도움이 될 수 있다. Patch는 한겹 보다는 여러 겹을 사용해야 효과적이다. 결막 부종이 심할 때는 결막절개(conjunctivotomy)가 도움이 되기도 한다. 결막절개는 결막 아래층의 Tenon's capsule까지 통과시킨다. 심한 결막부종은 하안검을 안구로부터 분리되게(separated) 하고 외반증도 야기시킨다.

약물로는 수술 전 dexamethasone 8 mg 정맥주사가 염증 반응을 감소시키는 효과가 있다. 수술 후 냉찜질을 하고 1주일간 머리를 올린 상태를 유지하고 일시적으로 눈물 생산에 차질이 올 수 있으므로 안연고를 윤활제(lubricant)로 사용하고 냉찜질을 한다. 뜨거운 찜질은 오히려 결막부종을 악화시킬 수 있다. Dexamethasone과 neosynephrine을 사용할 수 있다. 인공 눈물을 자주 투여하고 항생제와 스테로이드 안약을 사용하는데 dexamethasone 안약은 하루에 3-4번을 넣고 2주 이상 사용하는 것을 주의하고 안압이 높은 환자(glaucoma)에게는 금한다. Dexamethasone은 수술 후 4 mg 근육 주사를 2일간 한다. Prednisolone을 사용할 수도 있다. 4일간 사용하는데 첫날은 40 mg, 다음 날은 30 mg, 20 mg, 10 mg 순으로 tapering한다.

하안검 교정술은 여러 가지 경우에 따라서 다양한 술식을 적용해야 하는 수술이며 하안검 이완이 있는 환자에게서는 하안검 퇴축이 발생하기 쉬우므로 정확과 신중을 요하는 수술이다. 그러므로 합병증 없이 최선의 결과를 얻기 위해서는 하안검 및 중안면 해부학의 철저한 이해와 여러 가지 술기의 섬세한 파악과 정확성이 요구된다.

## 하안검 퇴축 교정

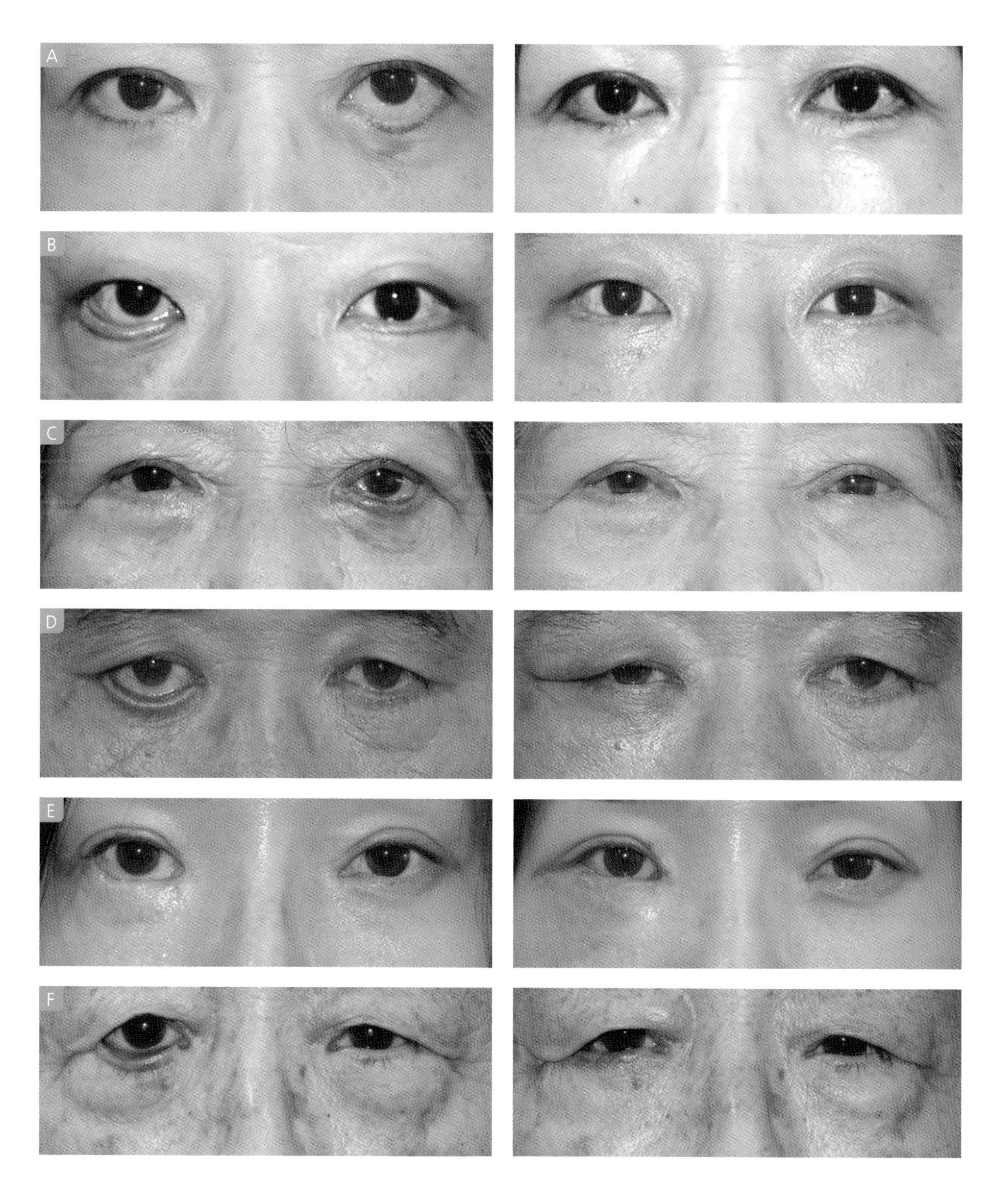

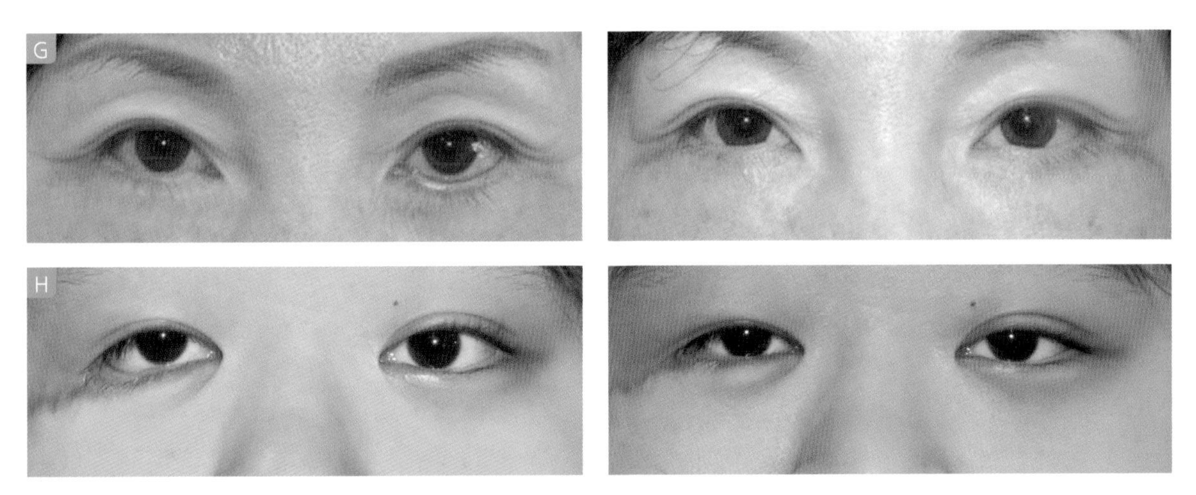


FIGURE 6-51 하안검 수술 후 발생한 퇴축 수술 전후.

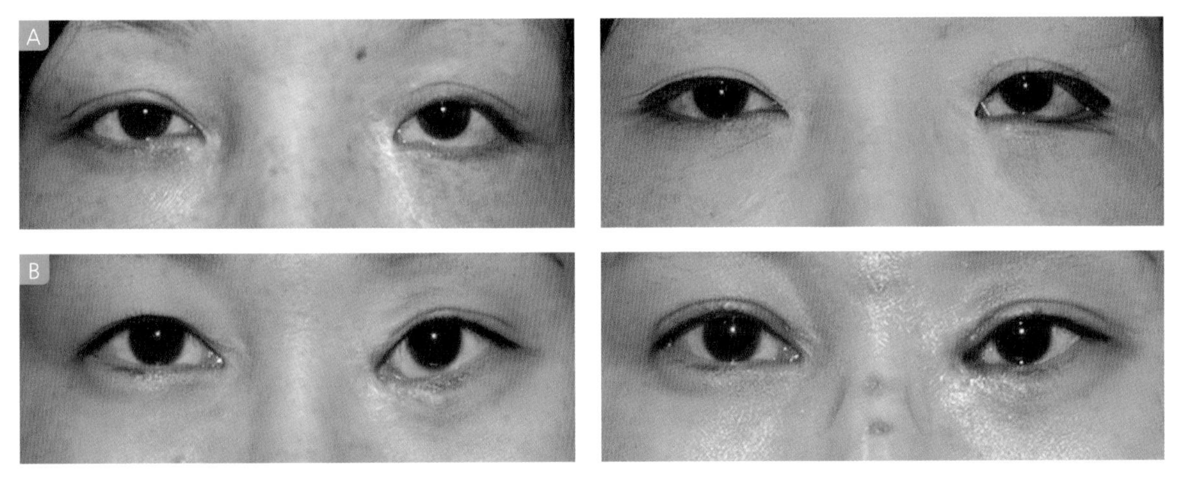


FIGURE 6-52 외상에 의한 퇴축. 수술 전후.

## 외안각 연장술(뒷트임) 합병증 교정

### 합병증 종류 (FIGURE 6-53)

- 점막노출(mucosal exposure)
- 하안검의 부정위치(lower eyelid malposition) : 외반증(ectropion), 공막징(scleral show), 하안검의 안구로부터 이탈(distraction)
- Negative canthal tilt

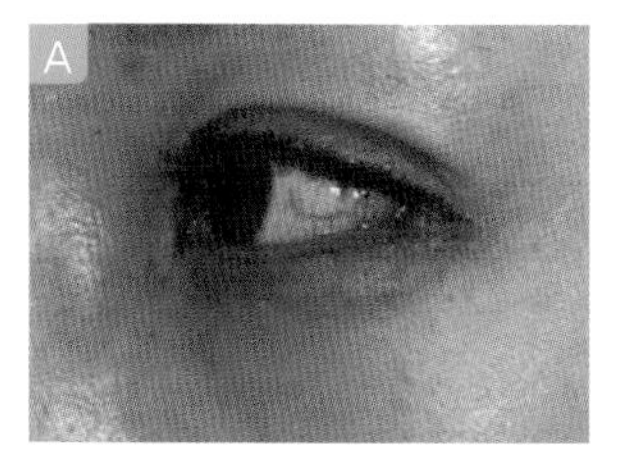
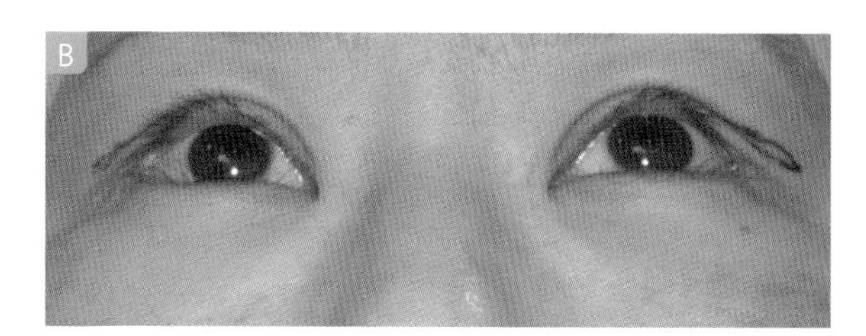
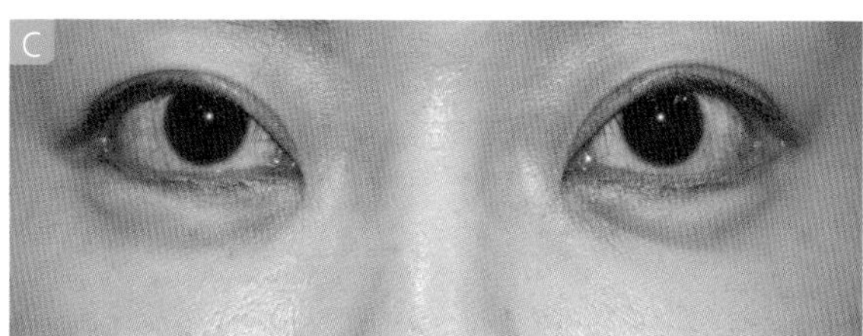
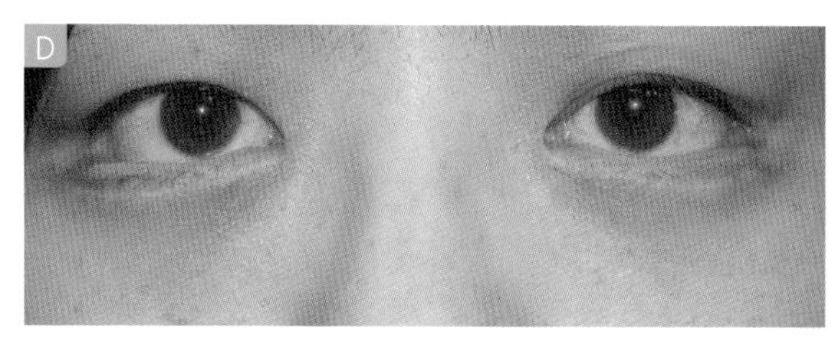
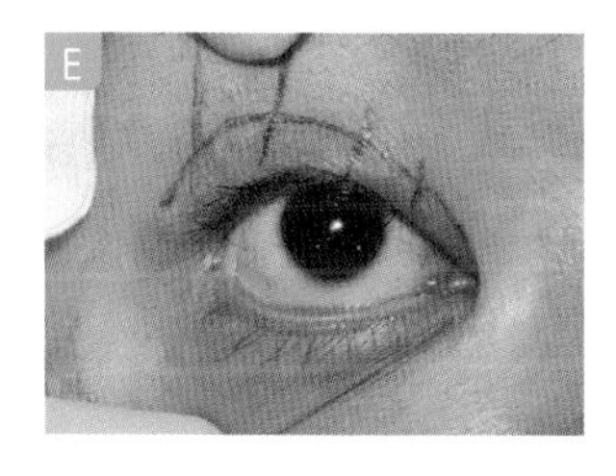

FIGURE 6-53 **뒷트임 합병증.**
**A.** 점막노출. **B.** 내반증. **C.** 공막징(sclerashow), negative canthal tilt. **D.** 외반증, 공막징(sclera show), negative canthal tilt. **E.** conjunctival webbing deformity.

- 하안검 곡선의 이상(unnatural lower eyelid curvature), lateral bowing
- Wide lateral scleral triangle
- Conjunctival injection, conjunctival web
- 내반증(entropion)

## 교정방법

- V-Y advancement
- Canthal anchoring
- OOM suspension
- Spacer graft
- Epilation

앞트임 수술이 술기만 좋으면 합병증이 없는 수술이라면 뒷트임은 태생적으로 문제를 안고 있는 수술이다. 앞트임은 누호를 가리고 있는 피부를 들추어 주는 수술인데 반하여 뒷트임은 가로로 절개하고 연장하는 수술이므로 연장된 부분은 속눈썹이 없음은 당연하고 grey line이 없다. 그러므로 수술 전에 이러한 불완전한 문제점들을 충분히 이해시키고 동의를 구해야 한다. 그리고 카메라가 가까이 확대하여 찍히는 사람들은 피하는 것이 좋다.

성형수술은 자연에 입각한 창조행위이다. 그러므로 자연의 법칙에 위배되는 술기는 파괴 행위이다. 현실적으로 충동적인 허영에 타협하는 일이 있지 않은지 주의를 기울일 필요가 있다.

뒷트임에서 염두에 두어야 할 것은 외안각건(lateral canthus)을 약화시키는 수술은 피해야 한다. 노화과정을 촉진시킬 수 있기 때문이다. 또한 lateral bowing도 일종의 노화 현상을 닮는 것이므로 주의할 필요가 있다.

뒷트임 후에 일어나는 합병증으로는 단순한 점막노출과 하안검의 각종 부정위치(malposition)를 들 수 있다. 이에 따라서 교정방법도 단순한 점막노출인 경우는 점막을 절제하고 단순 봉합하든지 V-Y advancement로 감추는 방법으로 충분하지만(FIGURE 6-54) 하안검의 각종 malposition이 동반되어 있는 경우는 앞에서 설명한 하안검 교정술을 적용한다.

하안검 교정술에서 외안각 교정술(canthopexy, canthoplasty)은 필수적이고 안륜근 현수법(OOM suspension)도 부수적으로 행해지며, 손으로 위로 올려 보았을 때 피부는 올라가는데 posterior lamella가 올라가는 데 저항이 느껴지면 spacer graft도 실시한다(FIGURE 6-55). 이때 중요한 것은 증상에 따라서 과교정이 필요하다. 예를 들면 negative canthal tilt가 심하면 외안각 고정을 높게 하고, 하안검이 안구를 밀착하지 못하고 떨어져 있으면 외안각을 깊게 고정한다.

## 단순점막노출의 교정방법

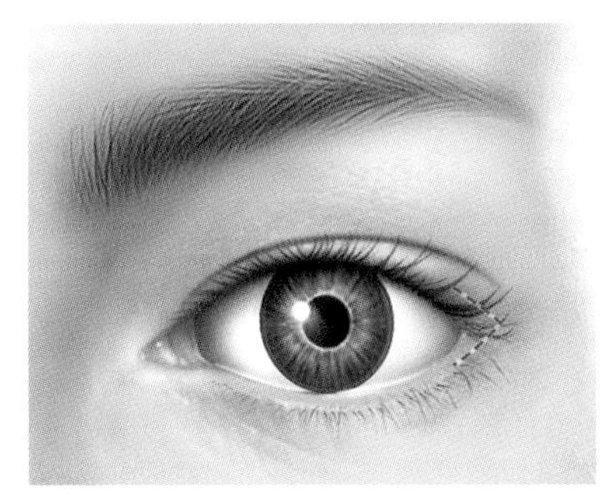
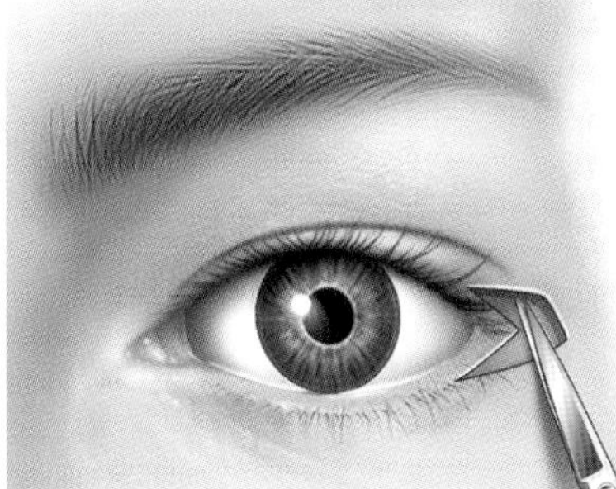
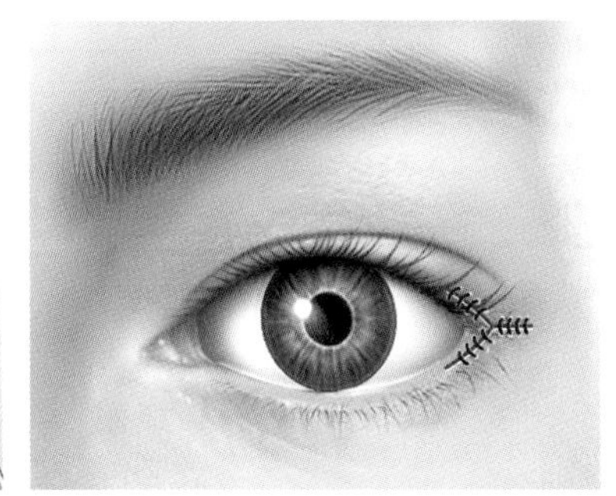

FIGURE 6-54 점막노출 교정.

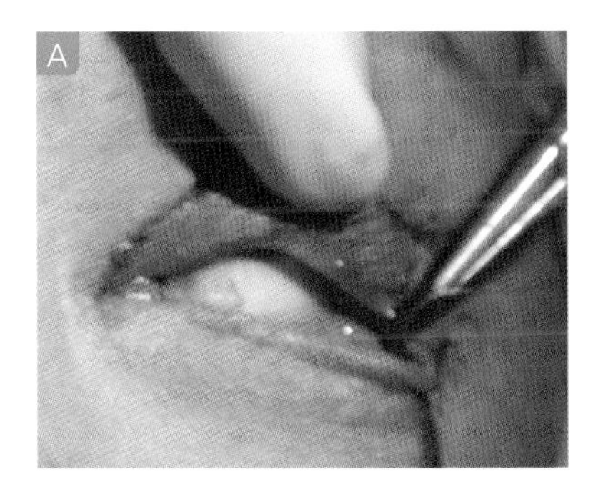

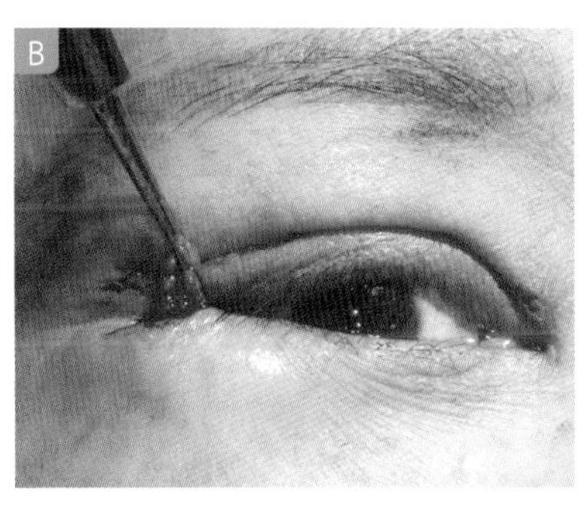


FIGURE 6-55 뒷트임 합병증으로 인한 lower eyelid malposition 교정.
A. canthopexy. B. OOM suspension.

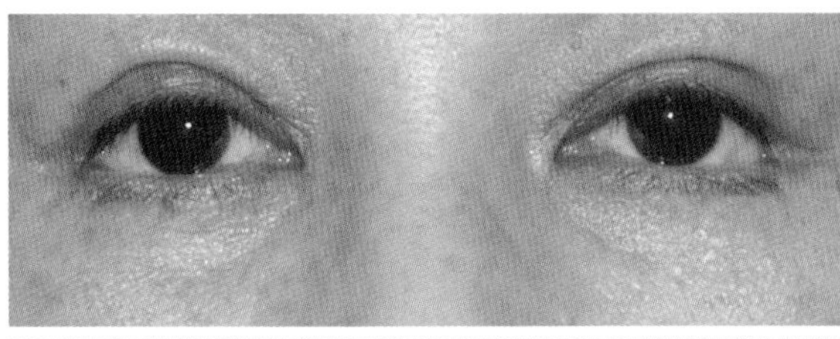
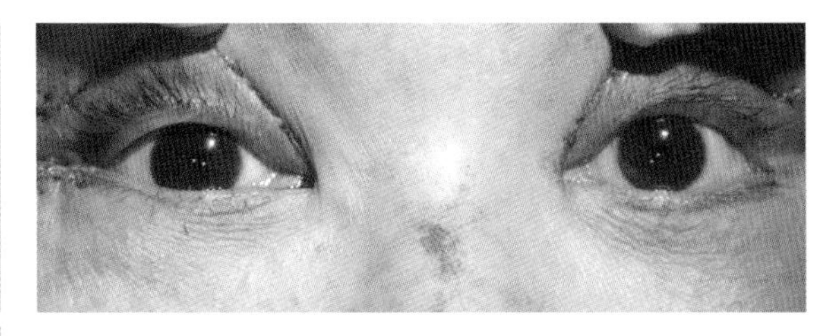
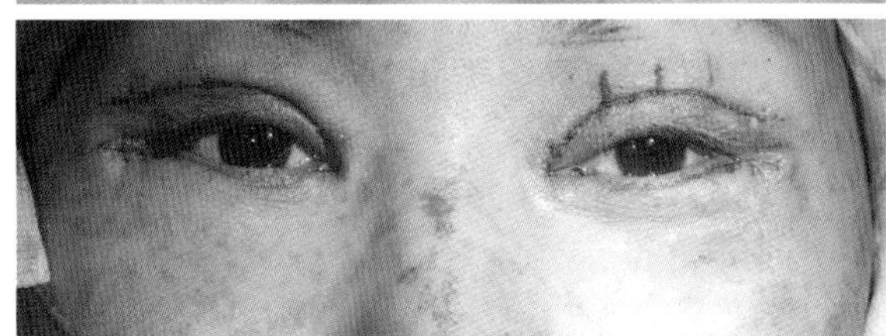

FIGURE 6-56 뒷트임에 의한 합병증 교정 직후.

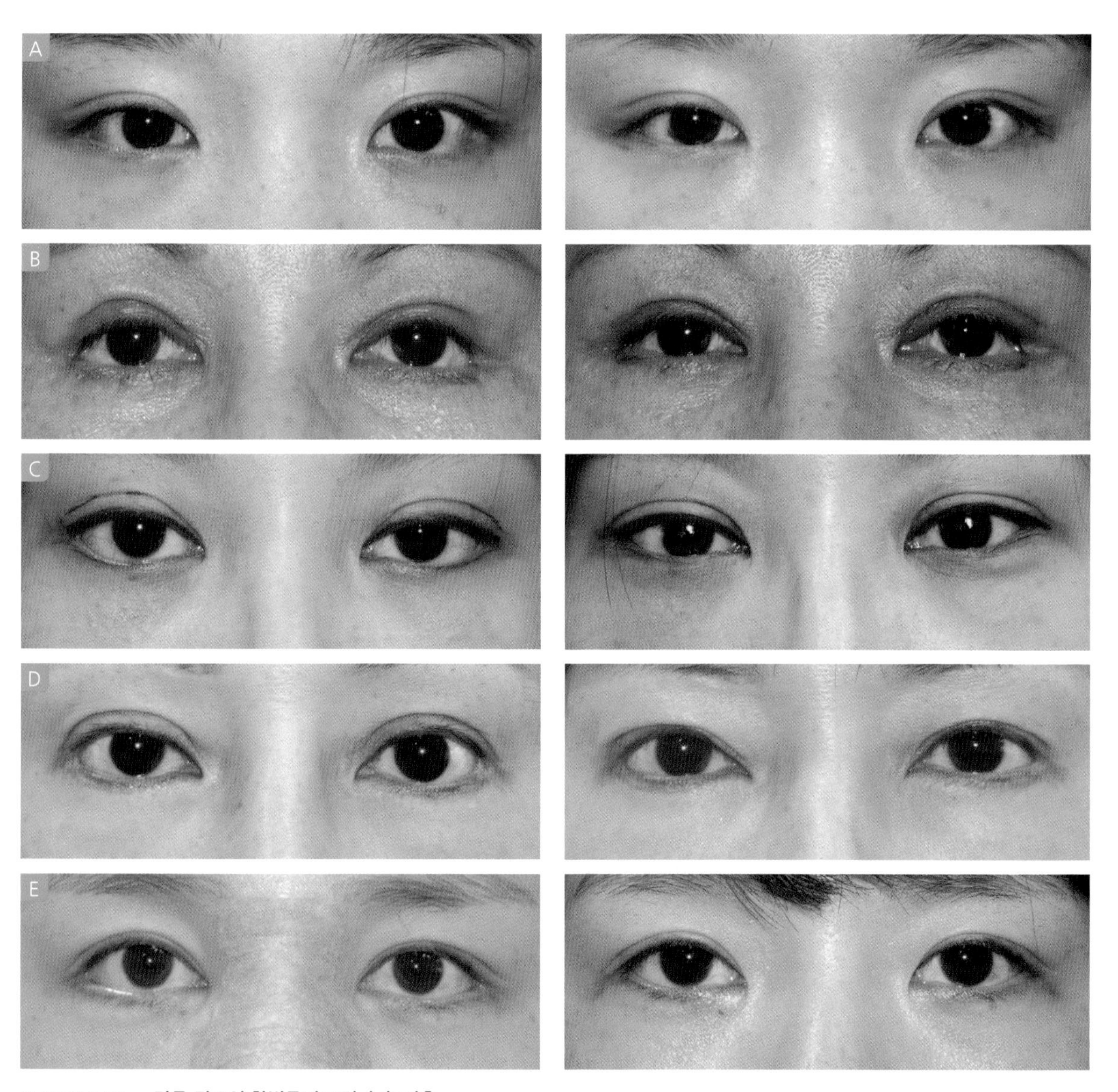


FIGURE 6-57 각종 뒷트임 합병증의 교정 수술 전후.
A. 외반증, B. negative canthal tilt, C.D. scleral show, E. distraction

## 하안검 내반증(LOWER LID ENTROPION)

아래 눈꺼풀의 속눈썹이 안쪽으로 말린 것으로 눈동자를 찌르는 증상을 나타낸다. 내반증은 원인에 따라 다음과 같이 나눌 수 있다.

- 선천성 : 일차적인 것과 2차적으로 epicanthus와 epiblepharon에 의한 것
- 후천성 : 노인성(involutional)과 반흔성(cicatrical)

### 교정술 후 흔히 나타나는 합병증

- 재발(recurrence)
- 반흔 : 긴 흉터, 함몰 흉
- 아래 눈꺼풀 쌍꺼풀
- 공막징(scleral show)
- 전검판 평편함(pretarsal flatness, 속칭 애교의 상실)

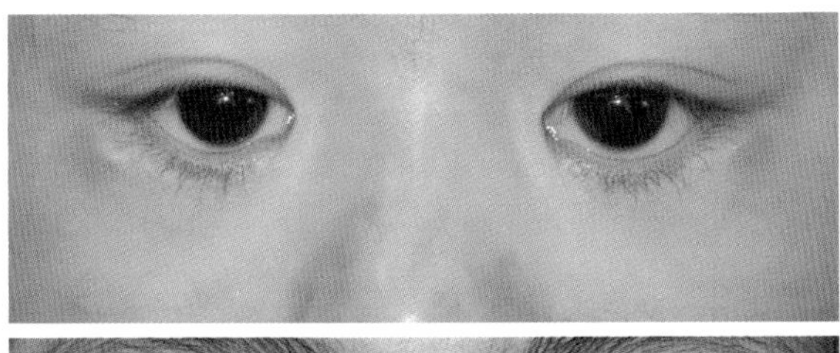

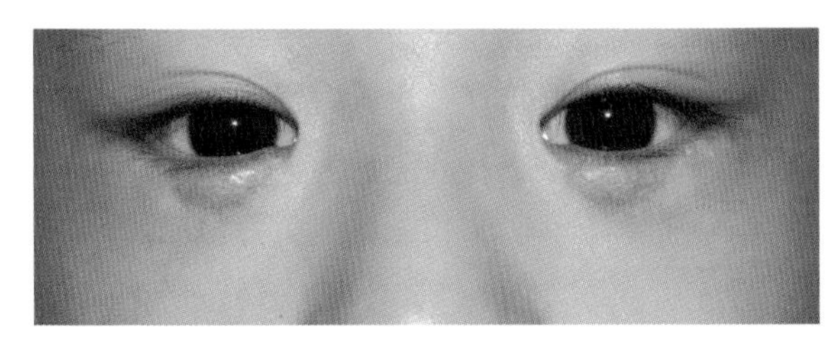

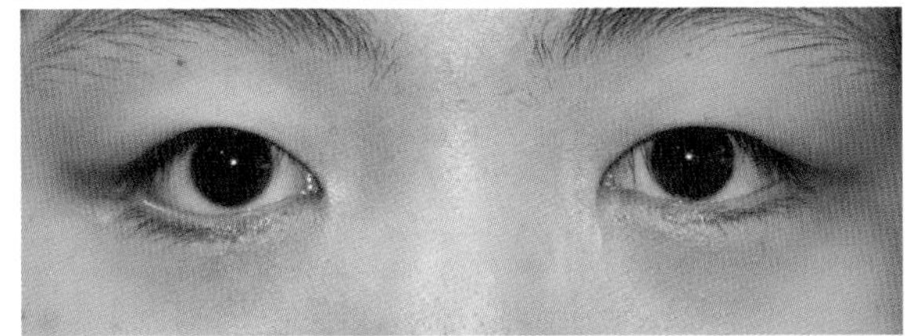

FIGURE 6-58 내반증 수술 후 발생한 공막징.

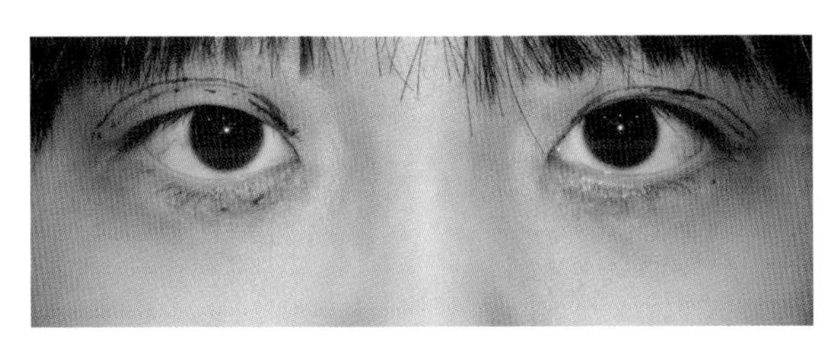

FIGURE 6-59 함몰반흔, 애교 상실.

## 교정방법

- 속눈썹 아래 절개
- 안륜근 절개 후 검판 노출
- 상 피판의 안륜근을 검판 혹은 퇴축기(retractor)에 고정
- 모낭 전기 소작
- 피부 또는 안륜근 절제

피부절개는 속눈썹 2 mm 아래 내반증이 있는 곳에 절개를 가한다. 선천성 내반증은 주로 내측과 중앙이 심하고 외측은 정상인 경우가 많다. 절개선 아래 안륜근에도 절개를 가하고 검판을 노출시킨다. 다음은 윗 눈꺼풀에서 쌍꺼풀 수술하듯이 한다. 즉 피부에 가까운 안륜근을 검판 하단에 고정하든가 심한 경우에는 퇴축기(retractor, capsulopalpebral fascia)에 고정한다(**FIGURE 6-60A, B**). 심한 내반증일 경우는 검판이 잘 꺾이게끔 검판에 hatch incision을 가하기도 한다. 그러나 이런 수술방법으로도 내안각 구석의 내반증은 해결이 잘 되지 않을 수 있다. 그런 경우에는 내안각 구석의 모낭을 전기소작으로 처리한다.

몽고 주름이 심한 경우이거나 epiblepharon의 경우에는 피부와 안륜근을 절제하는 수도 있다. 일반적으로 내반증 수술에서는 피부와 함께 안륜근을 절제해야 하는 것으로 기술되어 있다. 그러나 안륜근이 과하게 비대한 경우(orbicularis hypertrophy)를 제외하고는 안륜근을 절제하지 않는 것이 좋다. 그 이유는 안륜근을 제거하면 전검판 안륜근이 가지고 있는 중요한 기능(눈물 분배기능, 하안검의 위치 및 tone 유지 기능, 눈감는 기능)뿐만 아니라 미

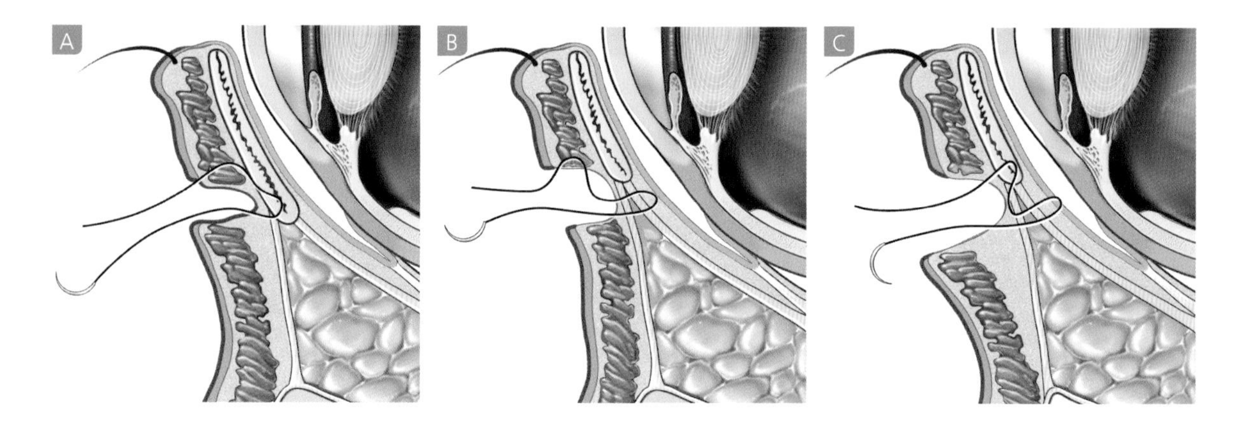


**FIGURE 6-60** **A.** 내반증의 교정. 아래피판의 안륜근을 검판의 하단 부위에 고정한다. **B.** 심한 경우에는 퇴축기에 연결한다. **C.** reverse ptosis operation. 검판의 하단과 퇴축기(capsulopalpebral fascia)를 고정한다.

적으로도 pretarsal fullnes가 사라지는 문제가 있다.

선천적인 하안검 내반증 외에 후천적으로 퇴행성에 의해 나타나는 경우는 퇴축기(retractor-capsulopalpebral fascia)가 파열되어 있는 경우로 이런 경우는 안륜근과 검판을 분리하고 퇴축기를 검판의 상부에 고정하는 방법을 이용한다. 참고로 하안검이 lower limbus를 많이 가리는 reverse ptosis일 경우에는 오히려 sclera show를 유발하여 이를 교정한다.

Reverse ptosis 수술(흔히 밑 트임이라고도 한다)과 내반증 수술과의 차이점은 검판아래 부분을 퇴축기에 고정하여 아래로 당기는 것이다. 내반증 수술이 여닫이 문(hinge door)이라면 reverse ptosis 수술은 미닫이 문(sliding door)과 같은 원리이다(FIGURE 6-60C).

수술방법을 비교 요약하면

- 선천성 내반증 : 상피판의 안륜근을 검판하단에

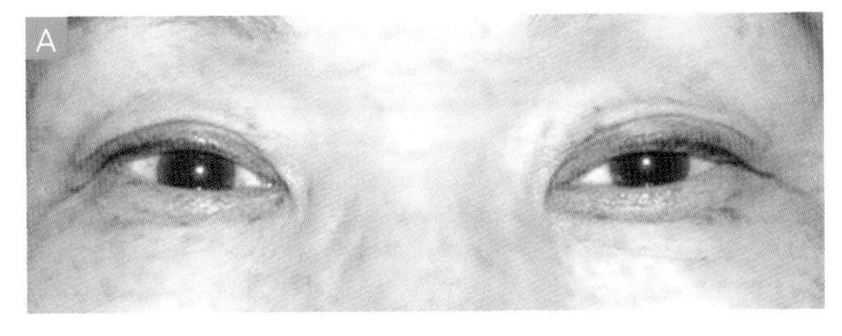
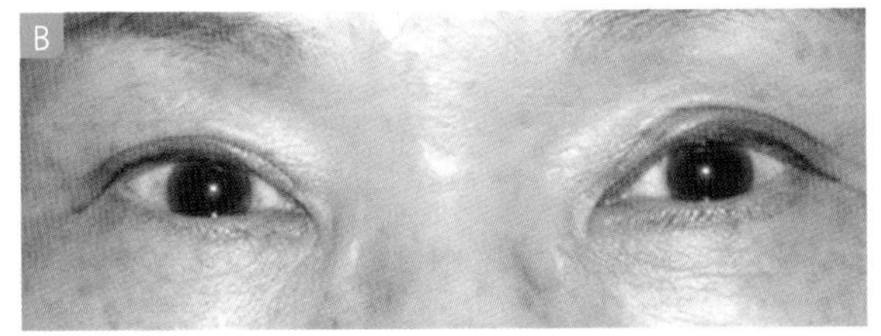

FIGURE 6-61 Reverse ptosis operation 수술 전후.

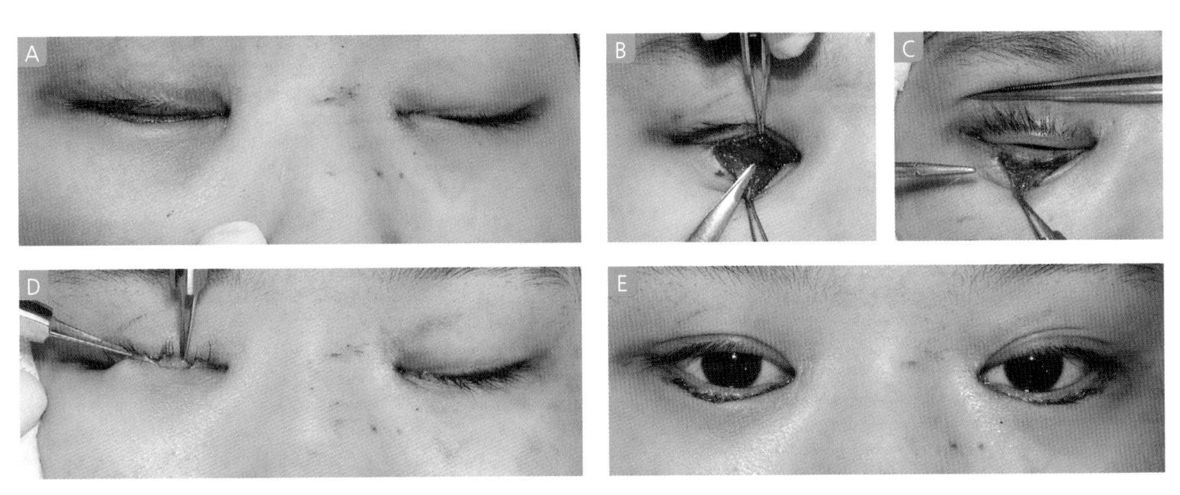

FIGURE 6-62 A. 피부절개. 내반증이 없는 외측은 절개하지 않는다. B. 피판의 안륜근을 검판의 하단에 고정. C. 4~5곳에 고정하여 하안검이 외반되는 모습. D. 여분의 피부절제. E. 수술 직후.

- 후천성 내반증 : 퇴축기를 검판 상부에
- Reverse ptosis : 퇴축기를 검판 하단에

### 하안검 수술 후 눈꼬리의 갈퀴막(Webbing deformity)

하안검 수술 후 눈꼬리에서 상안검의 눈꼬리가 하안검과 연결되어 눈을 뜰 때 눈꼬리가 당겨져서 눈뜨기가 힘들고 눈크기가 작아졌다고 호소한다.

#### 원인

하안검 성형술 시 절개선을 가할 때 하안검연과 평행선으로 가다가 바깥쪽에서 back-cut을 넣을 때 부드럽게 꺾이지 않고 각을 만들면서 꺾이는 데 있다. 그러다 보면 나중에 남는 피부를 절제할 때 피부를 비교적 균등하게 절제하지 않고 각진 부위에서 보다 많은 양을 피부절제하게 되므로 그 부위에서 집중적인 긴장(tension)을 받게 됨으로써 일어난다 (FIGURE 6-64).

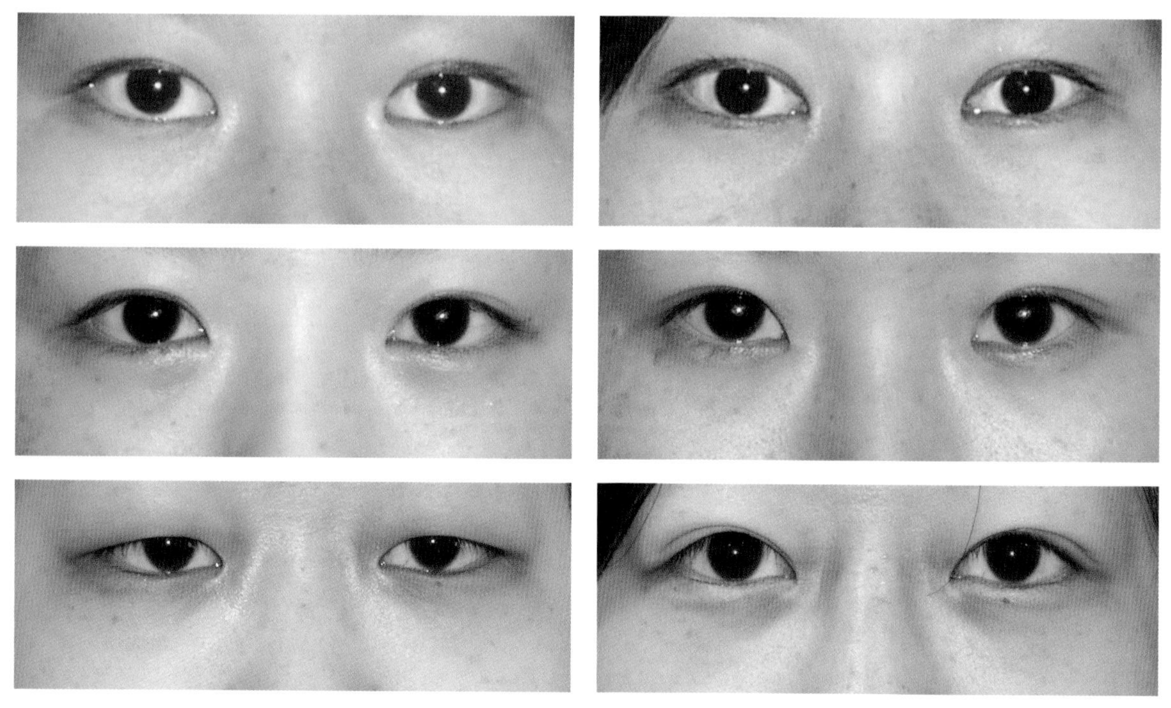

FIGURE 6-63 **내반증 교정.** 교정 전후.

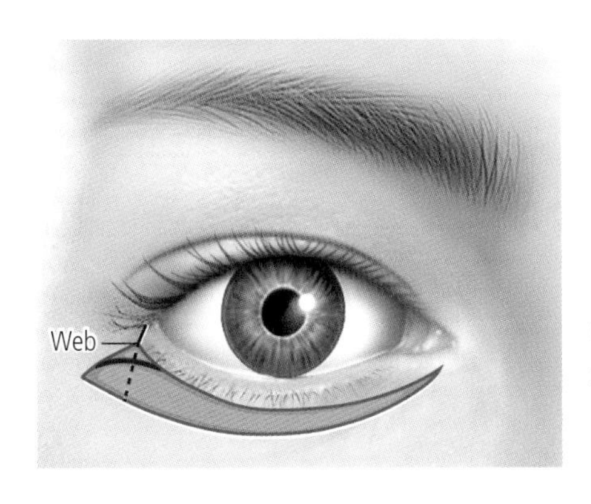


FIGURE 6-64 **갈퀴막이 생기는 기전.**
피부 봉합 시 tension이 집중적으로 생기는 부위에 생긴다. 이를 예방하기 위해서는 절개선을 예각으로 꺾지 말고 둔각으로 부드럽게 꺾어야 한다.

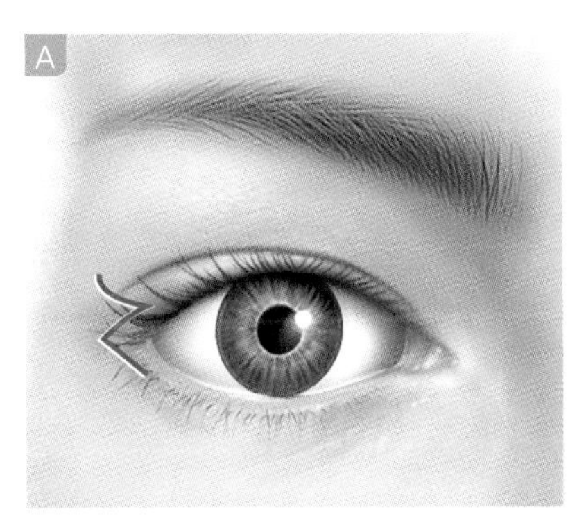


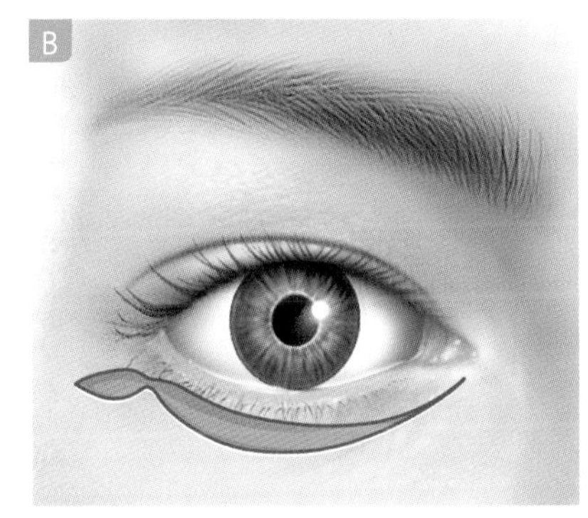


FIGURE 6-65 **web 교정법.**
**A.** Z plasty. **B.** 하안검 성형술을 시행할 경우. 피부 부족 부위를 다른 부위에 비해 피부절제를 적게 함으로써 부족량을 보충한다.

## 교정법

### *Z plasty (FIGURE 6-65A)*

Web을 이루는 선과 아래 하안검 흉터 선을 따라서 안쪽으로, 위에는 눈꼬리와 평행하게 바깥쪽으로 도안한다. 수축 부위를 풀어주고 Z-plasty 한다.

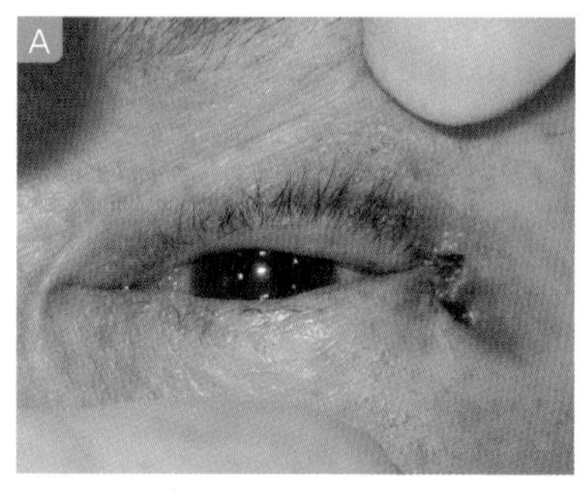

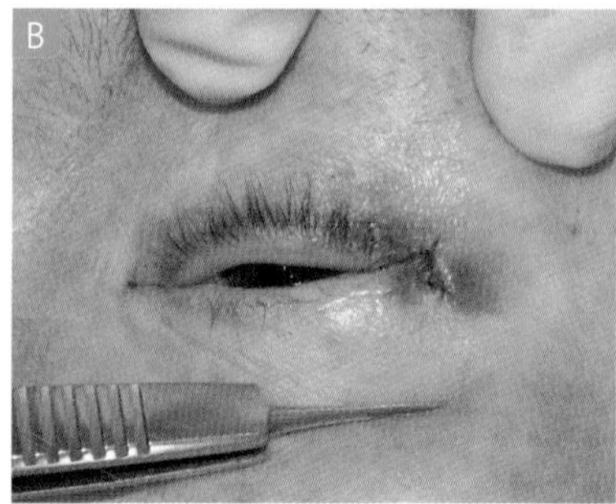

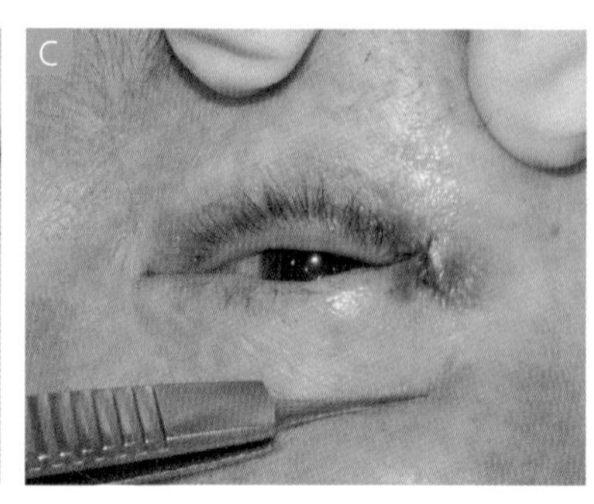


FIGURE 6-66 **눈꼬리 갈퀴막의 수술.**
**A.** Z plasty design. **B.** 절개 및 박리. **C.** Z plasty 후 봉합.

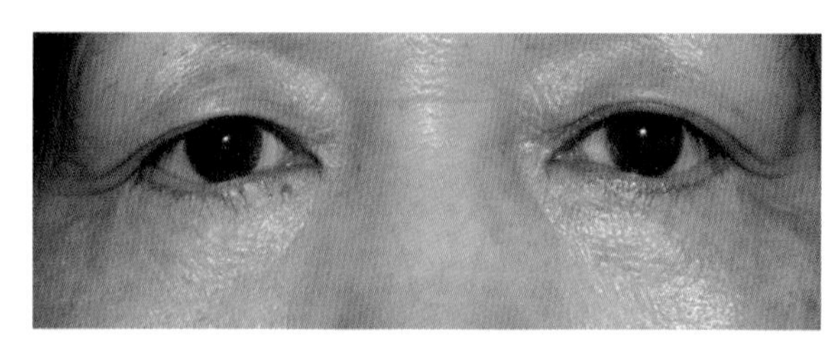
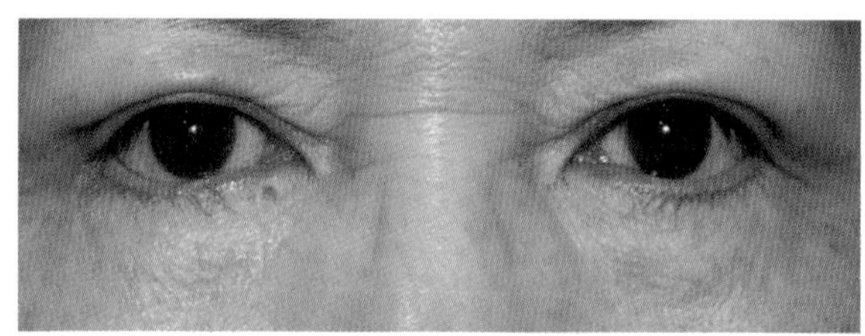

FIGURE 6-67 **눈꼬리 갈퀴막 고정.** 수술 전후.

*하안검 재수술을 하게 되는 경우*

하안검 절개 시에 web이 있는 부위만 집중적으로 피부를 적게 절제하는 방식으로 피부를 보충한다.

## REFERENCES


1. McCord CD, Ford DT, Hanna K, Hester TR, Codner MA, Nahai F : Lateral canthal anchoring : Special Situations. Plast Reconstr Surg 116:1149, 2005.
2. Patipa M : The evaluation and management of lower eyelid retraction following cosmetic surgery. Plast Reconstr Surg 106:438, 2000.
3. Park J, Putterman AM : Revisional eyelid surgery : Treatment of severe postblepharoplasty lower eyelid retraction. Facial Plastic Surgery Clinics of North America 561, 2005.
4. Lee EJ : Midface lifting through subcilliary incision. J Korean Soc Plast Reconstr 105:204, 1999.
5. Sullivan SA, Daily RA : Graft contraction : A comparision of acellular dermis versus lid hard palate mucosa in lower eyelid surgery. Ophalmic Plast Reconstr Surg 19(1):14, 2003.
6. Taban M, Douglas R, Li T, Goldberg RA, Shorr N. Efficacy of “thick” acellular human dermis (AlloDerm) for lower eyelid reconstruction: comparison with hard palate and thin AlloDerm grafts. Arch Facisl Plast surg 7:38, 2005.
7. Honig JF : Subperiosteal endotine assisted vertical upper midface lift. Aesthetic Surg J 27:276, 2007.
8. Hamra ST : Septal reset in midface rejuvenation. Aesthetic Surg J 25:628, 2005.
9. Fagien S : Reducing the incidence of dry eye symptoms after blepharoplasty. Aesthetic Surg J 24:464-8, 2004.
10. Haddock NT, Saadeh PB, Boutros S, Thorne CH. The tear trough and lid/cheek junction: anatomy and implication for surgical correction. Plast Reconst Surg 123:1332, 2009.

# INDEX

## 한국어

### ㄱ



### ㄴ



### ㄷ



### ㅁ



### ㅂ

### ㅅ



### ㅇ



### ㅈ